BIBLIOTHÈQUE DU

CANADA

Traduit de l'anglais et adapté par Hughes Festis, Isabelle Frémont,
Dominique Lablanche, Sophie Paris et Solange Schnall

guides
Gallimard

Aucun guide de voyage n'est parfait. Des erreurs, des coquilles se sont certainement glissées dans celui-ci, malgré toutes nos vérifications. Les informations pratiques, adresses, numéros de téléphone, heures d'ouverture, peuvent avoir été modifiés ; certains établissements cités peuvent avoir disparu. Nous serions très reconnaissants à nos lecteurs de nous faire part de leurs commentaires, de nous suggérer des corrections ou des compléments qui pourront être intégrés dans la prochaine édition.

biblio-voyage@guides.gallimard.tm.fr

Insight Guide, Canada
© Apa Publications GmbH & Co Verlag KG, 1998
© Éditions Gallimard, 1999, pour la traduction française.

Dépôt légal : août 2004
N° d'édition : 1073
ISBN : 2-74-241410-X

Imprimé à Singapour

CEUX QUI ONT FAIT CE GUIDE

Ce *Grand Guide du Canada* est une édition revue et augmentée. C'est à **Jane Hutchings**, ancienne journaliste au *Sunday Times Magazine*, que les éditions Apa en ont confié la responsabilité. La première édition avait été menée à bien par **Andrew Eames, Hilary Cunningham**, à qui l'on doit les chapitres historiques de ce livre, et **Brian Bell**, rédacteur en chef aux éditions Apa.

Joanna Ebbutt, qui avait déjà contribué au *Grand Guide de Montréal*, vit à Toronto. Elle a mis à jour les informations pratiques concernant l'Ontario et le Québec et a rédigé l'encadré sur l'hiver.

Michael Algar, auteur de nombreux livres de voyage, a longtemps vécu à Toronto. Il a participé à la réactualisation de la partie « Informations pratiques » et a écrit les pages sur les sports, le rodéo, la faune et la flore et l'observation des baleines.

Colette Copeland, illustratrice et critique gastronomique, est l'auteur du chapitre sur la cuisine.

Charles Foran est un prolifique auteur de fiction qui a fait personnellement l'expérience des « deux solitudes » du Canada ; anglophone, il a passé plusieurs mois au Québec. Il était donc tout indiqué pour décrire les relations entre Canadiens francophones et anglophones. C. Foran a collaboré à plusieurs journaux canadiens notamment *Waves*, *Canadian Fiction Magazine* et *Rubicon*.

Les pages sur l'économie sont dues à **John Duffy**, qui a travaillé comme conseiller pour le gouvernement canadien.

Geoff Hancock, rédacteur en chef du *Canadian Fiction Magazine*, est l'auteur du chapitre consacré à la vie culturelle du Canada.

Originaire d'une petite ville de l'Ontario, **Patrick Keyes** a laissé sur ce guide une empreinte tout à fait originale. Son compte rendu sur les Inuit et les deux régions septentrionales du pays – le Yukon et les Territoires du Nord-Ouest – témoigne de sa compréhension et de son intérêt pour les minorités.

Pour rédiger le chapitre sur l'Ontario, **Malcolm MacRury** qui, né à Montréal, est le fondateur du *Cow Magazine*, premier journal satirique de Toronto, a fait équipe avec le dessi- nateur et satiriste de Toronto, **Philip Street**.

Arrivé à Montréal à l'âge de huit ans, **Matthew Parfitt** s'est chargé de décrire le Québec.

John Loonam était à la recherche d'horizons nouveaux quand il découvrit Vancouver et la Colombie britannique. Outre une âme de forestier et de montagnard, il a développé un amour particulier pour les lacs de cette région.

L'auteur du chapitre sur la Prairie est **David Dunbar**, éditeur et écrivain qui a participé à la rédaction de plusieurs ouvrages sur le Canada. Enfin, **John Lucas** a écrit le chapitre sur Terre-Neuve, **Anne Matthews**, celui sur la petite province de l'île du Prince-Édouard et **Diane Hall** ceux sur le Nouveau-Brunswick et la Nouvelle-Écosse.

Pour cette nouvelle édition, la journaliste-écrivain, **Pat Kramer**, a entièrement mis à jour les itinéraires Ouest et Nord du Canada, et a contribué aux chapitres Histoire et Société et Informations pratiques

J. Hutchings

J. Ebbutt

H. Cunningham

D. Dunbar

TABLE

TABLE

BIENVENUE AU CANADA

Un pays « *d'espoir et de promesse* », a dit Charles Dickens du Canada. Et le Canada continue de faire rêver ceux qui se résignent à quitter leur pays d'origine à cause de la guerre, de la pauvreté ou de l'oppression. Mais, à la différence des Américains, qui célèbrent abondamment leur *land of freedom* «pays de la liberté»), le Canada – à l'exception notable du Québec – est aussi silencieux que vaste. « *La voix nationale du Canada est muette* », écrivait George Woodcock, romancier natif de Vancouver. Les Canadiens habitent un pays magnifique, où les beautés naturelles coupent le souffle, et c'est pourtant souvent aux étrangers qu'ils laissent le soin d'en parler. L'âme anglo-saxonne, aussi sensible à la force poignante des paysages qu'à l'hospitalité d'une terre, s'exprime par la voix du maréchal Montgomery, en 1946 : «*J'ai vu un grand et magnifique pays, dont le sol contient tout ce que l'homme peut désirer; une terre généreuse, faite pour que des hommes généreux y vivent et y prospèrent dans l'abondance.* »

Le Canada, c'est d'abord une immensité de près de 10 millions de km² (plus de 18 fois la France) qui s'étend de l'océan Atlantique à l'océan Pacifique, et dont les frontières septentrionales se situent au-delà du cercle arctique. Le relief, les paysages, la flore et la faune y alternent, des côtes granitiques des Provinces maritimes aux profondes forêts d'érable et de conifères qu'habitent le grizzly et le castor, des prairies du bison et du caribou aux forêts boréales, sans oublier, au-delà de la barre des Rocheuses, cette étonnante « méridionalité » que l'on trouve sur les plateaux arides du sud de l'Alberta, ou dans le climat relativement doux de la Colombie britannique qui tranche avec la rudesse climatique du Québec, dont Gilles Vignault chantait : « *Mon pays ce n'est pas un pays, c'est l'hiver.* » Un élément, cependant, semble unifier cette terre contrastée : l'eau. Nulle part ailleurs, les glaces n'ont travaillé le sol avec une telle violence et une telle ampleur, taillant des fjords, donnant naissance à des milliers de lacs et à des fleuves puissants, comme le Mackenzie et le Saint-Laurent.

Dans ce décor grandiose se sont jouées des épopées héroïques et des rencontres étonnantes entre des peuples et des cultures variés. Cette histoire a fait naître des provinces comme le Manitoba, le Far West canadien, tout entier consacré à l'agriculture et à l'élevage, l'Alberta, absorbé par le boom pétrolier, ou encore le Nouveau-Brunswick, témoin des premiers pas de l'histoire canadienne. De même sont apparues des villes au caractère tranché : Vancouver, prospère et un peu indifférente aux querelles de l'Est, Toronto, point de contact avec le puissant voisin américain, ou la fière Québec et son formidable dynamisme culturel.

Pages précédentes : le traversier reliant Vancouver à Victoria, en Colombie britannique ; les montagnes Rocheuses et leur épais manteau de neige ; l'automne dans les forêts tempérées du Nouveau-Brunswick ; Foule illuminée, la sculpture de Raymond Mason dressée sur l'avenue McGill College, à Montréal. A gauche, un ancien comptoir marchand, dans la Saskatchewan.

LES GRANDES DATES

25 000-15 000 av. J.-C. Des peuples originaires de Sibérie orientale franchissent le détroit de Béring et l'Alaska en direction du nord-ouest du Canada, puis se déplacent vers le sud. Des vestiges attestent même d'une activité humaine jusque dans le Mexique central.
15 000-11 000 av. J.-C. Une phase de refroidissement fait en partie disparaître cette première colonisation.
7 000-6 000 av. J.-C. Les Indiens occupent à nouveau les parties centrales et orientales du Canada à mesure que la calotte glacière se

retire. Au fil des millénaires, les indigènes forment une mosaïque de cultures, certaines sédentaires ou nomades, réparties en douze familles linguistiques.
Fin du Xᵉ siècle. Venant du Groenland, des Vikings abordent la terre de Baffin, le Labrador et de Terre-Neuve pour hiverner.
1497. Le navigateur vénitien Jean Cabot part pour le compte de l'Angleterre à la recherche du passage du Nord-Ouest et explore les côtes du Labrador et de Terre-Neuve.
1534. Le Français Jacques Cartier explore le Saint-Laurent jusqu'au village iroquois de Hochelaga, site sur lequel Montréal sera construite. Il prend possession du pays au nom du roi de France.

XVIᵉ siècle. Des pêcheurs français et basques passent l'été dans l'estuaire et commencent la traite des fourrures avec les Indiens.
1608. Samuel de Champlain fonde à Québec le premier établissement français permanent au bord du Saint-Laurent. Le commerce des fourrures, longtemps principale activité, conduit à des alliances avec des Indiens, notamment les Hurons, et provoque l'hostilité des Iroquois associés aux Anglais jusqu'à la paix de Montréal (1701).
1642. Paul Chomedey de Maisonneuve fonde Ville-Marie (Montréal).
1663. Le territoire comprenant le sud du Québec actuel et la région des Grands Lacs devient une colonie royale, gouvernée comme une province française. Elle comptera 65 000 habitants vers 1760.
1670. Fondation de la Compagnie anglaise de la baie d'Hudson, spécialisée dans le commerce des fourrures, et début d'une rivalité très vive avec les Français.
1713. L'Angleterre conquiert Terre-Neuve, le Nouveau-Brunswick et la Nouvelle-Écosse. Entre les colonies anglaises établies entre l'Atlantique et la Nouvelle-France (Terre-Neuve, l'Acadie, la Louisiane et les possessions canadiennes) les conflits se multiplient.
1754-1760. La guerre de la Conquête provoque la capitulation du Canada français.
1763. La France cède la colonie à l'Angleterre.
1774. L'acte de Québec accorde aux Canadiens français la liberté de culte, le rétablissement des lois civiles françaises, la reconnaissance de la langue française et la possibilité de faire partie du gouvernement civil de la province.
1775-1783. La révolution américaine conduit beaucoup de loyalistes (fidèles à la couronne anglaise) à s'établir dans l'Ontario.
1793. Alexander Mackenzie est le premier à traverser le continent d'un océan à l'autre.
1812-1814. La Guerre anglo-américaine a notamment pour enjeu la possession des Grands Lacs.
1834. Le Parti patriote, fondé en 1826, présente à l'assemblée les revendications de la population francophone.
1837-1838. Soulèvement des Patriotes. Leur chef, Louis-Joseph Papineau, est exilé.
1840. Acte d'Union : le Haut (l'Ontario) et le Bas-Canada (le Québec) forment la province du Canada, ou Canada-Uni.
1847 et 1857. La grande famine en Irlande et la ruée vers l'or en Colombie britannique provoquent une forte immigration anglo-saxonne, notamment dans l'Ouest.

1848. Le gouvernement provincial est responsable devant le parlement de l'Union.

1867. Nouvelle constitution canadienne. Le Nouveau-Brunswick, la Nouvelle-Écosse, l'Ontario et le Québec forment une confédération, qui est également un dominion britannique. Chaque province a son parlement et des compétences propres. Le Québec obtient des pouvoirs exclusifs concernant l'éducation et l'état civil.

1870. La constitution du Manitoba avec les terres de la Compagnie de l'Hudson provoque les premiers soulèvements indiens.

1881-1886. Construction de la ligne de chemin de fer transcontinentale.

Vers 1900. L'or du Yukon, les nombreuses richesses minérales, la terre gratuite attirent près de 2,5 millions d'immigrants.

1905. Détachées des Territoires du Nord-Ouest, l'Alberta et la Saskatchewan entrent dans la confédération.

1914. Découverte de pétrole dans le sous-sol de l'Alberta.

1918-1914. Le Canada envoie des troupes pour soutenir la Grande-Bretagne. L'opposition des Canadiens français à la conscription provoque des émeutes.

1931. Le statut de Westminster fait du Canada un État souverain, membre du Commonwealth.

1942. Lors d'un référendum, Québec s'oppose à la conscription, alors que les huit autres provinces s'y montrent favorables.

1959-1962. L'inauguration de la voie maritime sur le Saint-Laurent et de l'autoroute transcanadienne stimule l'économie du pays. Toronto et sa région deviennent le premier centre économique du pays, devant Montréal.

1960. Le Parti libéral, dirigé par Jean Lesage, accède au pouvoir. Début de la Révolution tranquille.

1963-1968. Le Front de libération du Québec (FLQ) revendique de nombreux actes terroristes dans la région de Montréal.

1967. Du balcon de l'hôtel de ville de Montréal, De Gaulle lance : *« Vive le Québec libre ! »*

1970. Le FLQ enlève l'attaché commercial britannique à Montréal, James Cross, et le ministre du Travail, Pierre Laporte. Laporte est assassiné et Cross relâché une fois la garantie obtenue par les ravisseurs qu'ils pourront s'enfuir à Cuba.

1976. Victoire du Parti québécois de René Lévesque aux élections provinciales. Jeux Olympiques d'été à Montréal.

Pages précédentes : Montréal a bâti sa prospérité sur le commerce. A gauche, Samuel de Champlain ; à droite, immigrants européens débarquant au Canada (1903).

1980. Le référendum demandant aux populations d'accorder au gouvernement provincial un mandat pour entreprendre des négociations devant mener à la souveraineté-association pour le Québec, recueille 60 % de « non ».

1982. Le Québec repousse la loi constitutionnelle d'avril 1982, la confédération est dans l'impasse.

1987-1992. Les négociations sur la répartition des compétences dans la confédération se succèdent – au lac Meech, à Charlottebourg – aucun des accords conclus ne recueille l'unanimité parmi les provinces.

1989. Le Canada et les États-Unis signent les accords Alena de libre échange.

1995. Référendum sur la souveraineté du Qué-

bec : 50,6 % de « non ». Jean Chrétien promet des réformes. Adoption d'une motion sur la société distincte du Québec.

1997. A l'issue d'un scrutin serré, les Canadiens reconduisent au pouvoir le Parti libéral et le Premier ministre Jean Chrétien.

1999. Le 1er avril : détachement d'une partie des Territoires du Nord-Ouest, qui devient le territoire des Inuit, le Nunavik.

2002. Les équipes canadiennes masculine et féminine de hockey sur glace remportent la finale aux Jeux olympiques d'hiver.

2003. Le Parti libéral (fédéraliste) gagne les élections. Paul Martin devient le Premier ministre du Canada, et Jean Charest, réélu député de Sherbrooke, le Premier ministre du Québec.

LE PAYS ET SES PREMIERS OCCUPANTS

Avec une superficie de 9 922 300 km², le Canada est le deuxième plus grand État au monde, après la fédération de Russie. Quelque 5 514 km et cinq fuseaux horaires séparent les points est et ouest les plus éloignés du territoire. Le pays est formé de régions extrêmement variées, aux reliefs et aux climats tout aussi divers. Près de 89 % du territoire canadien restent en permanence inoccupés.

RÉGIONS ET CLIMATS

Géographiquement, le Canada peut être subdivisé en cinq grandes régions. La région du Sud-Est, qui recouvre les provinces maritimes et une partie du Québec, se caractérise par un relief aux dénivellations douces, produites par l'érosion des montagnes appalachiennes de la période primaire. La région du Centre, qui couvre la partie nord du Québec et de l'Ontario, est, pour sa part, constituée du Bouclier canadien, vieux massif précambrien usé par les glaciers de la période quaternaire. La région des Prairies, plus à l'ouest, constitue une longue surface plate, essentiellement formée de couches sédimentaires. Ces dernières forment trois plates-formes qui recouvrent le Manitoba (Basses Prairies), la Saskatchewan (Moyennes Prairies) et l'Alberta (Hautes Prairies). Finalement, à l'ouest du pays, on trouve la région des Rocheuses, partie septentrionale du système de la cordillère. Elle est formée de montagnes jeunes de l'époque secondaire et tertiaire. C'est là qu'on trouve les sommets les plus élevés du Canada, dont le mont Logan, haut de 6 050 m.

Le Canada, est par ailleurs, caractérisé par son important réseau hydrographique : 8 % du territoire est couvert de lacs et de cours d'eau divers. Ainsi, les Grands Lacs occupent-ils, à eux seuls, une surface 258 999 km². Le territoire canadien est, par ailleurs, entouré de trois océans : l'océan Arctique au nord, le Pacifique à l'ouest et l'Atlantique à l'est.

Le climat y est également extrêmement varié, et on peut schématiquement dénombrer cinq à six zones climatiques distinctes. Sur la côte est, on trouvera un climat à la fois océa-

A gauche, dessin représentant deux Inuit, une Shulainina et un Tullauchiu.

nique et continental. Le taux d'humidité y est important, du fait de la présence atlantique, mais les hivers y sont froids. Au Québec et au nord de l'Ontario, le climat est plutôt continental. Les quatre saisons y sont bien délimitées et l'hiver est toujours très froid et sec, le mercure pouvant descendre jusqu'à - 35 °C. Après un printemps qui tarde à finir, arrive un été très chaud – une moyenne de 22 °C à Montréal –, accompagné de quelques précipitations. Au sud de l'Ontario, ce climat est adouci par la présence des Grands Lacs, mais son caractère continental demeure ; il est également caractéristique des Plaines de l'Ouest.

Durant la saison froide, la carte climatique est émaillée de microclimats, comme c'est le cas aux pieds des Rocheuses où le chinook – vent sec venu des montagnes – souffle et refroidit une partie des prairies de l'Alberta. Dans la région des Rocheuses mêmes, le climat dépend essentiellement de l'altitude, alors que sur la côte ouest, le Pacifique redonne au climat un caractère plus océanique et doux, même l'hiver. Enfin, les Territoires du Nord-Ouest et le Grand Nord connaissent un climat arctique, des hivers très longs entrecoupés de quelques mois plus chauds.

LES INUIT, PREMIERS HABITANTS

Lors des grandes glaciations de la fin de l'ère quaternaire, pendant des milliers d'années, un immense pont de glace reliait la Sibérie orientale à l'Amérique du Nord, par le détroit de Béring. Très probablement, les premiers habitants de l'Amérique ont donc emprunté ce passage. Chasseurs nomades en quête de proies, ils se sont égaillés en petits groupes dont on retrouve les traces dès 25 000 ans avant J.-C.

Parmi ces premiers habitants figurent les Esquimaux que l'on a de plus en plus tendance à appeler Inuit, ce qui signifie « les hommes ». Leur civilisation était tout entière marquée par les conditions extrêmement rudes auxquelles ils étaient confrontés dans les régions arctiques. Ils surent mettre au point une remarquable technologie, parfaitement adaptée à leur environnement. C'était un peuple nomade dont la chasse constituait la seule ressource alimentaire, et qui se déplaçait lorsque le gibier venait à s'épuiser. L'été, les Inuit traquaient truites et saumons, et s'abritaient sous des tentes. L'hiver, ils trouvaient refuge dans des igloos. Dans la société inuit, les décisions se prenaient collectivement. Les Inuit ignoraient l'autorité d'un chef mais redoutaient celle du chaman qui savait parler aux esprits. Aujourd'hui encore, l'art inuit (le travail de la pierre et de l'ivoire) témoigne des croyances animistes d'un peuple que la sédentarisation et l'utilisation de techniques modernes, notamment pour la chasse et les déplacements, bouleversent en profondeur.

LES PEUPLES DU SAUMON

Les premiers Européens à fréquenter la côte occidentale du Canada racontent que le saumon était si abondant que l'on passait les rivières en marchant sur leur dos ! Cette anec-

quin) par les Européens, ces puissants mâts étaient réalisés par des artisans habiles qui, à la demande de la famille, représentaient des animaux auxquels s'identifiait le clan, comme à un ancêtre. Au pied de certains mâts, on enterrait les défunts, mais dans tous les cas ils servaient à témoigner de l'importance de la famille.

Étaler sa richesse, montrer son rang et sa puissance se retrouvent également dans des pratiques ostentatoires. Société de l'abondance, les peuples du Nord-Ouest pratiquaient un commerce actif entre tribus. Ce commerce bénéficiait surtout au chef du clan dont le prestige et l'autorité reposaient sur la redistribution des biens. Les relations entre familles et clans

Esquimau del Nord-ovest della Baja d'Hudson

dote révèle l'extrême richesse de la côte pacifique. Entre les montagnes Rocheuses et la mer, sur une côte découpée, se dressaient les villages des Kwakiutl, Bella Coola, Nootka, Haida et Tlinglit.

Pêcheurs de saumons, de flétans, de morues, chasseurs de baleines sur de puissantes pirogues creusées dans des troncs d'arbres, les Indiens de la côte nord-ouest ont profité de l'abondance du milieu naturel pour élaborer une culture originale. Aujourd'hui, certains villages indiens conservent les longues maisons de bois où vivaient plusieurs familles apparentées. Contre chacune s'élève un poteau sculpté d'effigies peintes, emblème de la famille. Baptisés totem (d'un mot indien de la famille Algon-

étaient marquées par une succession de fêtes religieuses mais aussi par un rituel, le *potlatch*, au cours duquel le chef devait affirmer sa notoriété. Le chef défiait alors ses concurrents et ses hôtes en leur offrant de somptueux cadeaux. Seuls des présents supérieurs en valeur à ceux donnés déjà pouvaient ridiculiser le notable qui s'empressait, d'ailleurs, à son tour, de proposer encore plus. La joute, accompagnée de longues palabres, se poursuivait jusqu'à la ruine ou la soumission des participants. Ce rituel signalait généralement le changement de statut de l'un des membres du groupe d'accueil.

Les Indiens de la côte nord-ouest exploitaient également les vastes forêts où ils chassaient l'élan, l'ours et le castor. D'ailleurs, les

Russes, puis les Anglais, au XIXᵉ siècle, entreprirent un fructueux commerce de la fourrure avec les Indiens.

AU ROYAUME DU BISON

Des montagnes Rocheuses aux Grands Lacs s'étend un océan d'herbes baptisé par les Français la Prairie. Au cœur de ces plaines ondulantes nomadisaient les tribus Sarcee, Assiniboines, Cris, Pieds-Noirs.

Chasseurs-cueilleurs, les Indiens se nourrissaient de petits gibiers, de baies sauvages mais, pour affronter le long hiver, ils stockaient la viande séchée de bison, le pemmican. Les

le corps de l'animal, des os aux tendons, était utilisé à confectionner d'innombrables objets domestiques.

Cette dépendance envers le bison explique la vénération dont il faisait l'objet au cours de cérémonies collectives telle que la danse du soleil. Chaque année, avant les grandes chasses d'été, la tribu érigeait un poteau en l'honneur de Wakan Tanka, le Grand Esprit. L'*okeepa*, le nom indien de la cérémonie, constituait à la fois une action de grâce pour remercier l'Esprit de pourvoir son peuple en gibier et un rite de passage pour les jeunes guerriers. Ces derniers étaient reliés au mât central par une lanière de cuir dont l'extrémité

Plaines étaient envahies de troupeaux de bisons pendant l'été, saison propice aux chasses collectives. En effet, avant l'introduction du cheval au cours du XVIIIᵉ siècle, les Indiens traquaient les bêtes à pied, en les poussant vers un enclos ou vers une dénivellation abrupte dans laquelle ils se brisaient les jambes. Les femmes découpaient et préparaient la viande. La peau, soigneusement tannée, servait à fabriquer la tente, le *tepee* ; tout

A gauche, famille inuit du XIXᵉ siècle devant sa « maison de glace ». On remarque également, à l'arrière-plan, un « tepee » leur servant d'habitation pendant l'été ; ci-dessus, un exemple d'art indien de Colombie britannique.

était fixée par deux broches d'os dans la peau des pectoraux. La danse consistait à se faire arracher ces broches en résistant à la douleur, la souffrance des participants étant offerte à l'Esprit.

Les beaux jours étaient l'occasion de se retrouver. Le village de *tepee* s'organisait en forme de cercle, la figure sacrée de la vie. D'ailleurs le *tepee*, à lui seul, symbolisait la représentation du surnaturel : le sol représentait la terre et la vie humaine, le sommet le ciel et les divinités. La tribu était dirigée par un chef choisi pour son autorité et son courage.

Dans les Plaines, l'introduction du cheval provoqua une « véritable révolution culturelle ». Les Indiens baptisèrent cet animal merveilleux « chien sacré », en référence au seul compagnon domestique qu'ils possédaient. Le cheval accentua la mobilité dans les razzias, il contribua à développer l'individualisme en libérant l'Indien des chasses collectives et de la pression du groupe.

Les fils d'Aataentsic

Les Iroquois racontent que la déesse Aataentsic tomba du ciel avec trois sœurs, le maïs, la courge et le haricot. Ce qui expliquerait la vocation agricole de la famille huro-iroquoise alors que ses voisins algonquins sont demeurés des chasseurs.

De la côte atlantique aux Grands Lacs court une immense forêt ponctuée de centaines de lacs et zébrée de rivières. Les villages huroquois se dressaient dans les clairières, ils étaient entourés d'une solide palissade et, au loin, s'étendaient les champs de maïs. Ils parlaient la même langue, connaissaient un système matrilinéaire de parenté et la même organisation politique et sociale. Hurons et Iroquois s'organisaient en deux confédérations rivales qui regroupaient quatre ou cinq tribus soit environ 30 000 Indiens. Au sein de chaque tribu les femmes élisaient, chez les Iroquois, deux chefs représentatifs, les *sachems*. Ces derniers se rassemblaient chaque année et, d'un commun accord, la confédération décidait de la politique à suivre à l'encontre des autres peuples. Hostiles, les deux confédérations se livreront une lutte acharnée au XVIᵉ siècle, les Hurons dans le camp français, les Iroquois chez les Anglais.

Les Indiens de l'Est avaient mis en place un réseau d'échange très complexe. Entre les tribus circulaient le maïs, les fourrures, ou les coquillages, avec lesquels les Iroquois confectionnaient des *wampungs*. Ces ceintures de perles, fabriquées à partir de coquillages, servaient de monnaie ou d'archives car les signes inscrits étaient un procédé mnémotechnique permettant de se rappeler certains événements ou les clauses d'un traité. Les Européens utiliseront ce réseau commercial pour introduire leurs biens et développer le commerce de la fourrure au Canada.

Le monde surnaturel et animiste des Huro-Iroquois était le lieu d'une lutte permanente entre les esprits du bien et du mal. Les esprits invisibles apportaient la maladie et la mort ; on les personnifiait avec des masques, les False Faces, les « visages faux ». Les « hommes-médecine », les chamans, initiés dans la société des « False Faces », pouvaient soigner les malades et contrecarrer la volonté des esprits démoniaques. Aujourd'hui encore, dans les fêtes locales, les Indiens portent ces masques traditionnels que l'on peut également voir dans les musées.

Le choc des cultures

L'arrivée de « l'homme au grand canot » bouleversa les sociétés indiennes. Habitué à interpréter des phénomènes naturels en termes spirituels, l'Indien repensa sa religion. Le fer, les armes à feu, les tissus, les nombreux objets colorés le fascinèrent et il cessa de fabriquer les siens pour adopter ceux du Blanc ; il entra alors dans un circuit d'échange dont il ne comprenait pas le fonctionnement et qu'il ne pouvait maîtriser. Enfin, non immunisées contre les maladies les plus bénignes des Européens, les tribus furent décimées par le rhume de cerveau, la grippe ou la variole. Abandonné par ses dieux, plongé dans la violence des guerres, ébranlé dans ses croyances les plus profondes, le monde indien vacilla. La désintégration des relations sociales laissa les individus en proie au désespoir et à l'alcool.

A gauche, « Miss One Spot » ; à droite, Chef Duck et sa famille appartiennent à la tribu des Pieds-Noirs.

L'ARRIVÉE DES EUROPÉENS

A partir de sa conquête, l'histoire du Canada est une succession de luttes âpres contre un environnement désertique et hostile, de rencontres entre des cultures très éloignées, de déterminations à s'établir quoi qu'il en coûte, d'espérances folles, de déceptions amères et peut-être surtout de rêves aussi grands que le pays lui-même...

DU GROENLAND AU VINLAND : LES VIKINGS

Les premiers visiteurs du Canada, après les chasseurs nomades, furent les Vikings. D'Islande, ces derniers partirent vers l'ouest et, aux alentours de 982, le célèbre Erik le Rouge découvrit le Groenland (« le pays vert ») qu'il occupa. Réputés pour leur audace, les Vikings étaient de grands navigateurs et prenaient souvent la mer pour aller à la recherche de ressources nouvelles et d'aventures. C'est au cours de l'un de ces voyages que le marin Bjarne Herjolfsen fut déporté par le vent alors qu'il naviguait entre l'Islande et le Groenland et aperçut une côte inconnue.

Quelques années plus tard (vers 992), le fils d'Erik le Rouge, Leif Eriksson, partit à la recherche du nouveau continent. Les sagas des Vikings rapportent les étranges aventures de Leif et ses découvertes de l'Helluland (terre de Baffin), du Markland (le Labrador) et du Vinland. En 1961, l'archéologue Helge Ingstad mit au jour les vestiges d'un établissement norvégien dans l'Anse-aux-Prairies et conclut que le Vinland était très probablement Terre-Neuve. Pour Leif, le Vinland fut une source d'émerveillement, et les sagas rapportent son étonnement lorsqu'il y découvrit de succulents raisins, d'où le nom de Vinland, et des saumons énormes.

Un an après l'expédition de Leif, son frère Thorvald retourna en Amérique du Nord, espérant prendre contact avec les natifs du Vinland. Selon la légende, Thorvald et son équipage furent attaqués par ceux qu'ils nommèrent les *Skraelings* (« hommes laids ») et tués par des flèches. Selon d'autres récits, la fille illé-

A gauche, vers la fin du Xe siècle, des Vikings venus du Groenland hivernèrent sur les côtes canadiennes; à droite, Martin Frobisher (1539-1594), navigateur anglais, longea le littoral oriental du Labrador à la recherche du fameux passage du Nord-Ouest.

gitime d'Erik le Rouge, la courageuse et cruelle Freydis, défendit les Vikings en se précipitant sur les *Skraelings*, qu'elle effraya de ses yeux furieux et de ses dents grinçantes.

Qui étaient les *Skraelings*? Les sagas des Vikings les décrivent comme des hommes à la peau sombre, coiffés d'une étrange façon. Selon les anthropologues, il s'agirait des Algonquins ou des Béothuks. Quoi qu'il en soit, ces *Skraelings* empêchèrent les Vikings de s'installer durablement sur le continent. Il n'est pas impossible que les Vikings soient revenus dans les régions septentrionales du Canada actuel. Les « Esquimaux de cuivre », grands et blonds, ainsi nommés par l'explorateur Vilhjalmun Ste-

fansson en 1910, ont conduit certains historiens à suggérer que les Norvégiens s'étaient mélangés aux Inuit de Terre de Baffin.

LES DÉCOUVREURS DU CANADA

Après l'incursion des Vikings, l'Europe oublie le Nouveau Monde pendant cinq siècles. Mais la fin du XVe siècle voit le Vieux Continent préoccupé de découvrir une nouvelle route vers les richesses de l'Orient. C'est l'époque où la conception nouvelle d'une terre sphérique rend plausible la découverte d'une route vers la Chine par l'Ouest. C'est l'époque aussi de l'invention de l'astrolabe et des progrès de la construction navale. A la suite du Portugal, l'Espagne, la France et l'Angleterre se lancent dans l'aventure des Grandes Découvertes.

Jean Cabot (Giovanni Caboto), un explorateur italien, aurait été le premier à découvrir les terres nouvelles qu'on appellera plus tard Canada. Voyageant avec son fils à la solde d'Henry VII, roi d'Angleterre, et comptant, comme tant d'autres, trouver une route nouvelle qui conduise jusqu'aux Indes, il aurait été, dès 1497, le premier à mettre le pied sur l'île du Cap-Breton, dont il aurait pris possession au nom du souverain anglais. Il aurait effectué une nouvelle traversée l'année suivante, et découvert les côtes de Terre-Neuve. Henry VII ne semble cependant pas avoir

accordé beaucoup d'importance à ces découvertes et aucune tentative d'occupation du territoire ne viendra confirmer dans les faits la prise de possession anglaise de ces nouvelles contrées.

Bientôt, en France, François Ier, se laisse également séduire par l'idée d'une route septentrionale vers la Chine. Déjà, en 1524, le navigateur italien Giovanni da Verrazano explore, au nom de la couronne française, les côtes de Caroline du Nord et remonte jusqu'au Cap-Breton. Il enregistre d'importantes informations qui permettront de tracer une première carte de ces contrées nouvelles.

Il faudra cependant attendre les voyages de Jacques Cartier pour voir apparaître les pre-

miers signes d'une présence européenne en Amérique du Nord. Désigné en 1534 par François Ier pour « *faire le voyage de ce royaume aux Terres Neuves pour découvrir certaines îles et pays où l'on dit qu'il doit se trouver grande quantité d'or et autres riches choses* », Jacques Cartier part de Saint-Malo le 20 avril de la même année et arrive dans la baie de Gaspé le 14 juillet. Le 24, il prend possession du nouveau territoire au nom du roi de France en présence de quelques Iroquois surpris. Cartier revient en Europe le 5 septembre, accompagné des deux fils du chef amérindien Donnacona, preuve de la découverte effective de nouvelles contrées habitées. Ce premier voyage, s'il ne débouche pas sur la découverte des richesses qu'on en attendait, permet l'amélioration des connaissances cartographiques de la région.

Suite au succès néanmoins important de cette première expédition, Cartier se voit confier le commandement de trois nouveaux navires : la Grande Hermine, la Petite Hermine et l'Emérillon. Il reprend la mer le 19 mai de l'année suivante. Avec l'aide des deux Amérindiens qu'il ramène avec lui, il découvre l'embouchure du Saint-Laurent et s'y engage jusqu'à Hochelaga (aujourd'hui Montréal). Mais la saison froide force Cartier à hiverner non loin de Stadacona (Québec). Ce premier hiver passé au Canada initie les voyageurs aux difficultés de la saison froide et 25 hommes périssent du scorbut. Au printemps, Cartier retourne en France. Il ne rapporte cependant toujours pas de métaux précieux ou de richesses nouvelles.

Cartier repartira une dernière fois pour le Canada en 1541 avec l'espoir de trouver, enfin, les trésors convoités. Il continue l'exploration de la vallée du Saint-Laurent et hivernera à nouveau. Au printemps, découvrant du mica et de la pyrite de fer, il croit avoir trouvé les diamants et l'or tant espérés et retourne rapidement en France, où il voit une fois encore ses rêves déçus.

Les voyages de Cartier amorcent néanmoins les premières investigations pour l'établissement et le peuplement en terre d'Amérique. Les voyages d'autres explorateurs, comme Roberval (1542-1543) permettront également l'acquisition d'une meilleure connaissance du climat et du territoire.

A gauche, Québec au XIXe siècle ; à droite, en 1778, le capitaine James Cook aborda la côte du Pacifique à la recherche d'une rivière traversant le continent.

Les expéditions arctiques

Après les voyages de Cartier, Roberval et Caboto, il faudra attendre une trentaine d'années pour qu'ait lieu une nouvelle expédition, celle de l'anglais Martin Frobisher, mandaté en 1576-1578 par Élisabeth Ire pour découvrir, au nord-ouest, le passage qui sépare l'Asie de l'Amérique. Frobisher dirigera trois voyages dans les mers du nord, séjournera en terre de Baffin et découvrira la baie qui porte aujourd'hui son nom. Si ses explorations n'eurent pas de retombées sur l'histoire de l'Angleterre, Frobisher demeure à ce jour un héros populaire et aimé. En 1861, quelque trois siècles après, l'explorateur Charles Hall rapporta que les indigènes parlaient encore de lui comme s'il venait juste de les quitter.

Entre 1585 et 1587, l'explorateur John Davis effectuera aussi trois voyages dans ces contrées difficiles. Toujours à la recherche d'un passage vers l'ouest, il pousse plus loin l'exploration des côtes septentrionales du Canada, bientôt relayé, au début du XVIIe siècle, par d'autres navigateurs comme William Baffin, Henry Hudson et John Davis. Ces incursions seront poursuivies, au XIXe siècle, par les explorateurs anglais E. Perry et J. Franklin. Les comptes rendus de ces voyages éprouvants témoignent des difficultés de l'entreprise : rapports conflictuels avec les habitants de la région, disparitions en mer, emprisonnement des navires dans les glaces, découragement des équipages et, parfois, mutinerie. Finalement, ce n'est qu'en 1906 que l'explorateur norvégien Roald Amundsen réussit à ouvrir le passage nord-ouest.

Les incursions vers l'Ouest

La côte occidentale constituait aussi un centre d'attraction important pour les Européens. Tout au long de la colonisation française, des explorateurs tels le père Albanel, Chevalier de La Salle, Saint-Lusson et La Vérendrye poursuivront toujours plus loin leurs expéditions vers l'Ouest. Les fils de La Vérendrye atteindront les Rocheuses en 1743 et en prendront possession au nom du roi de France. Ce n'est cependant qu'en 1778 que le capitaine anglais James Cook, traversant les Rocheuses, atteindra les bords du Pacifique, suivi, en 1795, de G. Vancouver et de l'Écossais A. Mackenzie.

L'exploration du Canada a suivi le commerce des fourrures.

ESSOR ET CHUTE DE LA NOUVELLE-FRANCE

La colonisation du Nouveau Monde fut pour, les souverains européens du XVIIe siècle, une tâche complexe, ardue et coûteuse. Froid, désertique, en grande partie inexploré, le Canada exerçait peu d'attrait. Mais ceux qui prirent le risque de s'y aventurer comprirent, au contact des Indiens, les avantages d'une implantation dans ces contrées lointaines.

LA TRAITE DES FOURRURES

Curieuses et en général accueillantes, les tribus indiennes du Canada rencontrées par les colons français et anglais étaient fascinées par les objets métalliques qui, par rapport à leurs outils en pierre et en bois, présentaient un progrès considérable. Au départ, les Indiens n'avaient pas grand-chose à offrir en échange des couteaux et des haches si utiles à leur mode de vie. Mocassins et pirogues de fabrication artisanale présentaient, pour les Européens, un intérêt médiocre. Mais, dès la fin du XVIe siècle, les Amérindiens, sous l'impulsion des colons, se consacrèrent à la traite des fourrures. Dès qu'ils découvrirent les peaux de castor du Canada, les chapeliers européens lancèrent une mode qui fit fureur : le chapeau de castor était, disait-on, le plus chaud et le plus solide au monde. La mode européenne fut ainsi à l'origine de l'explosion du marché des fourrures dans la nouvelle colonie. Pendant deux siècles, ce marché allait maintenir son rythme de croissance, et la compétition pour en détenir le monopole en Amérique du Nord s'accentuer. Les Indiens devinrent les premiers fournisseurs des marchands de fourrure et continuèrent à recevoir d'Europe, en contrepartie, des objets manufacturés et de l'alcool.

SAMUEL DE CHAMPLAIN

L'homme responsable à divers degrés de la consolidation et de l'expansion du commerce des fourrures au Canada, fut l'explorateur français Samuel de Champlain. Décrit dans les annales historiques comme un idéaliste, passionné d'exploration, Champlain est considéré

A gauche, l'essor du commerce des fourrures répondait à une très forte demande en Europe ; à droite, Samuel de Champlain, le « père du Canada ».

comme le « père fondateur » du Canada. Son désir de fonder une nouvelle société sur des principes de justice et d'humanité n'est sans doute pas étranger à cet honneur.

Au service du roi de France, Champlain établit, en 1604, sur les rives atlantiques du Canada, la première colonie française d'Amérique du Nord, l'Acadie, qui a souvent été présentée comme un établissement idyllique, havre de paix et de prospérité. Quittant l'Acadie, Champlain poursuivit ses incursions à l'intérieur du continent. Le 3 juillet 1608, sur le site de l'ancien établissement indien de Stadacona, à quelques lieues de l'endroit où Cartier avait hiverné en 1535, il fonda Québec. Igno-

rant naturellement la postérité de ce choix, le récit qu'il en fit a la simplicité des commencements. Recherchant avant tout un emplacement convenable, son regard s'arrêta sur ce lieu où *« les arbres étaient nombreux, et le fleuve, à proximité, agréable »*. Champlain y fit construire « l'Habitation », premier établissement stable au cœur du nouveau continent. Il décrivit ainsi l'édification du nouveau bâtiment : *« Je fis continuer notre logement qui était de trois corps de logis à deux étages. Chacun contenait trois toises de long et deux et demies de large. Le magasin six de trois de large, avec une belle cave de six pieds de haut. Tout autour de nos logements, je fis faire une galerie par dehors au second étage, qui était fort commode, avec des fossés de quinze pieds de large et six de profond. Et dehors des fossés, je fis plusieurs pointes d'éperons qui enfermaient une pièce de logement, là où nous mîmes nos pièces de canons...* » Cet emplacement, l'immense estuaire du Saint-Laurent, devait ultérieurement devenir une voie de transit importante pour l'exportation des fourrures vers l'Europe.

Début des hostilités avec les Amérindiens

Un an après cet épisode, un groupe d'Amérindiens, les Wendots, ou Wyandots, descendit du Nord-Ouest pour faire le commerce des peaux avec les Français. En les découvrant, ces derniers furent étonnés par l'aspect de leurs têtes à demi-rasées avec des touffes de cheveux perpendiculaires au scalp. Comparant cette coiffure aux soies du sanglier (la hure), les Français baptisèrent cette tribu Hurons.

L'un des principaux objectifs de Champlain consistait à organiser le florissant commerce des fourrures et à exercer un contrôle étroit sur les tribus indiennes. Mais ce faisant, il ne comprit pas que ce trafic exacerbait au contraire les hostilités entre les tribus autochtones et rendait vaine tout tentative de contrôle. Ancestral, le conflit entre les Hurons et les Iroquois s'aggrava. De sorte que lorsque les Hurons et les Français pactisèrent, ceux-ci devinrent aussitôt les ennemis des Iroquois (ce dont les Anglais profitèrent ultérieurement). La célèbre expédition que Champlain lança sur Ticonderoga, à la tête d'une petite troupe composée de soixante guerriers hurons et de trois Français, marqua le début officiel des hostilités entre Iroquois et Français. L'escarmouche s'engagea de façon traditionnelle, mais les armes à feu de Champlain eurent tôt fait de massacrer trois cents Iroquois. L'incident inspira aux Indiens une haine profonde et durable des Français, qui sera à l'origine d'une série d'expéditions punitives iroquoises contre les comptoirs français.

Les coureurs de bois

Tandis que Champlain organisait l'implantation des Français et repoussait les Iroquois, d'autres colons, venus de France pour la plupart, faisaient leur apparition. Ces derniers, ultérieurement connus sous le nom de « coureurs de bois » étaient d'origine modeste. La Nouvelle-France leur était le plus souvent apparue comme le moyen d'abandonner une vie misérable, et nombre d'entre eux avaient troqué une peine de prison contre des papiers d'émigration. Le coureur de bois allait devenir la cheville ouvrière du système économique canadien. Piéger les animaux pour assurer sa subsistance supposait non seulement une existence précaire dans les sous-bois, mais aussi la lutte permanente contre des Indiens guerriers. Ces hommes furent les véritables fondateurs du Canada. Ils devaient entrer ultérieurement au service de grandes compagnies européennes à la recherche de monopoles commerciaux dans le Nouveau Monde. Rapidement, le Canada devint un investissement économiquement rentable pour la France.

La vie des pionniers

Armer un navire et l'assurer, équiper une expédition, avancer des soldes, le prix des vivres et de la cargaison, en un mot dépenser une fortune sans la moindre assurance de rentrer dans ses fonds, l'histoire des découvertes est indissociable de l'histoire économique. Or, si le siècle ne manquait pas de négociants entreprenants, une entreprise comme celle de Samuel de Champlain comportait, à ses débuts en tout cas, beaucoup trop de risques pour intéresser un marchand. Ce sont donc les monarques et, par conséquent, les États, qui entrèrent dans cette aventure septentrionale et atlantique, ajoutant aux espoirs de profit des ambitions de puissance. Pour l'Angleterre et la France, dont les empires grandissaient, le Canada était une possession inestimable sur l'échiquier des monopoles que se disputaient les grandes compagnies des XVIIe et XVIIIe siècles.

LES PREMIERS CANADIENS FRANÇAIS

Les premières chroniques de l'histoire canadienne montrent en général deux types de colons, inséparables de l'épopée du Nouveau Monde. Le premier, le coureur de bois, est un bûcheron, un chasseur aventureux qui traque les bêtes à fourrure du pays « d'en haut » et vit du produit de la vente des peaux et fréquente

Si le coureur de bois est souvent représenté comme le plus robuste des deux, la vie du sédentaire comportait elle aussi ses difficultés. Le défrichage des rives du Saint-Laurent exigeait un travail harassant ; les récoltes étaient souvent lentes à venir et le fruit d'une année de travail pouvait être anéanti d'un coup par les intempéries. Les bêtes sauvages et les Indiens étaient une source d'inquiétude constante. Les premières maisons de la Nouvelle-France étaient des huttes de construction fruste, en rondins. En hiver, l'eau nécessaire au ménage était puisée dans un trou creusé dans la glace et le froid pénétrant rendait la vie plus insupportable encore.

les Indiens. Le second est sédentaire, il s'installe sur les rives fertiles de l'embouchure du Saint-Laurent et cultive le sol. Irréconciliables dès l'origine, ces deux modes de vie entrèrent souvent en conflit, forgeant au passage la légende canadienne. Pour le sédentaire, le chasseur était aussi traître et redoutable que l'Iroquois méprisé, tandis que, pour le coureur de bois, le fermier était responsable de la fuite du gibier, ce qui le poussait toujours plus avant dans la solitude des forêts.

A gauche, une épidémie de variole sévit à bord d'un bateau transportant des immigrants (1830) ; ci-dessus, un jésuite, Jean de Brébeuf, est torturé à mort par les Iroquois.

ESSOR DE LA NOUVELLE-FRANCE

Mais cette vie comporta bientôt ses gratifications. Aux abris de bois se substituèrent peu à peu des maisons en pierre aux toits pointus et aux vastes cheminées de style breton ou normand. Au fur et à mesure que les forêts étaient défrichées, que les premiers établissements devenaient des villes, et que les fermiers prospéraient sur leurs terres regroupées en domaines, à partir de 1663 sous l'autorité d'un seigneur, la vie changeait et les familles de Nouvelle-France bénéficièrent même peu à peu d'un niveau de vie plus élevé que celui de leurs homologues européens. D'autant plus que, pour les premiers fermiers canadiens, les redevances foncières et la dîme étaient faibles. Aucun impôt à payer. Le sol était fertile, et tous avaient le droit de chasser et de pêcher.

Dans les années 1630-1640, les petits établissements de Québec et de Montréal étaient devenus des centres commerciaux très actifs. Le clergé français, si impopulaire parmi les Indiens, avait fondé des écoles et des hôpitaux et même un collège de garçons (1635). Des hospices pour personnes âgées et des orphelinats furent construits, des tribunaux créés et une juridiction pénale mise au point.

En 1640, la Nouvelle-France comptait quelque 240 habitants ; en 1682, elle comptait près de 10 000. Montréal et Québec étaient

afin que le continent pût devenir véritablement une terre faite pour « la gloire et la louange de Dieu et de la France ».

LES MISSIONNAIRES

Dans l'histoire missionnaire canadienne, on a d'ailleurs coutume de qualifier la période 1635-1663 « d'épopée mystique ». Bien entendu, cette expression vise surtout l'intense activité religieuse et missionnaire qui régna au Canada à cette époque. En effet, dès 1615, les premiers missionnaires appelés au Canada par Champlain, quatre récollets (pères franciscains), s'engagèrent avec

devenues des « capitales » coloniales vivantes. L'hiver, lorsque les champs dormaient sous la neige épaisse et que les greniers étaient pleins, les Québécois s'amusaient. Ils adoraient leurs enfants, avec lesquels ils se montraient tolérants. La convivialité des Canadiens français se manifestait essentiellement dans les réunions de famille et les soirées passées à jouer aux cartes, à danser et à boire. La seule note austère de la vie québécoise d'alors semble avoir été apportée par le très puissant clergé, qui désapprouvait sérieusement les cartes, la danse et les bijoux.

Pour Samuel de Champlain, solidifier la présence de la France au Canada signifiait également évangéliser la population indigène,

enthousiasme dans ces contrées vierges à la recherche des « païens sauvages », dont la littérature européenne commençait à devenir si friande. Patiemment, mais sans guère de succès, les récollets se consacrèrent au salut des âmes indiennes.

Plus tard, les jésuites furent invités à rejoindre les missions canadiennes et, en 1625, les pères de Brébeuf et de Noue quittaient la France pour aller évangéliser Iroquois et Hurons. Bien que plus instruits sur les peuples d'outre-mer que la plupart des Européens, les jésuites n'avaient qu'une connaissance rudimentaire du mode de vie amérindien. La vie communautaire, l'absence de structures hiérarchiques et d'autorité, le chamanisme et l'animisme, s'éloignaient trop de l'idée commune de civilisation pour que les Indiens échappassent aux deux seules catégories qui semblaient leur convenir : l'enfance ou la barbarie. Les jésuites les trouvèrent cependant pourvus d'« aptitudes », comme le rapporte Champlain en 1609 : « *Les Indiens ont une propension au mal et cèdent volontiers au désir de vengeance ; ce sont de fieffés menteurs et l'on ne peut jamais leur faire entièrement confiance si ce n'est avec précaution et lorsqu'on est armé... ils ne savent pas ce qu'est le culte de Dieu, pas plus qu'ils ne savent dire des prières ; ils vivent comme des bêtes, mais je pense qu'ils ne tarderaient pas à se convertir au christianisme si des chrétiens*

grand nombre d'entre eux souffrirent d'horribles morts, comme le célèbre père Jean de Brébeuf torturé par les Iroquois, et devinrent les martyrs du Canada.

PREMIERS AFFRONTEMENTS AVEC LES ANGLAIS

Tandis que les jésuites poursuivaient leur mission évangélisatrice au Canada, et que les colons français prenaient racine, Samuel de Champlain et d'autres fonctionnaires français furent confrontés au problème du maintien de l'ordre dans la nouvelle colonie, plusieurs escarmouches ayant éclaté.

vivaient parmi eux et cultivaient leur âme, ce que la plupart d'entre eux, au demeurant, souhaitent. » Il va sans dire que les jésuites n'étaient pas toujours très bien accueillis dans les communautés indiennes, loin s'en faut, et que nombre d'entre eux, surnommés « *robes noires* » par les Iroquois, étaient particulièrement redoutés.

Les missionnaires jésuites montraient à la fois beaucoup de courage et d'endurance. Un

A gauche, bien que désapprouvés par l'Église, les jeux de cartes étaient l'un des passe-temps favoris des colons ; ci-dessus, scène de la vie de famille chez des colons français du XIXᵉ siècle, peinte par Cornelius Kreighoff.

A partir de 1627, les frères Kirke, aventuriers anglais qui soutinrent la cause huguenote en France, réussirent à bloquer le Saint-Laurent durant trois ans, et arrachèrent à la compagnie française des Cent-Associés le monopole du commerce des peaux que la métropole lui avait confié. A la même époque, sir William Alexander revendiqua l'Acadie pour Jacques VI d'Écosse. Divers conflits s'ensuivirent jusqu'au traité de Saint-Germain-en-Laye, en 1632, qui restitua le Canada et l'Acadie à la France. Le commerce reprit et tout sembla rentrer dans l'ordre.

Les colons de la Nouvelle-France déploraient cependant l'absence d'un gouvernement central fort. Aussi, en 1647, un conseil, composé d'un gouverneur, du supérieur religieux des jésuites et du gouverneur de Montréal, fut-il instauré, avec pour seule mission de surveiller les activités économiques de la colonie.

L'administration de la Nouvelle-France

Les difficultés rencontrées par ce conseil décidèrent du sort de la Nouvelle-France officiellement placée sous la tutelle de la couronne de Louis XIV, en 1663. C'est au ministre du Roi-Soleil, Jean-Baptiste Colbert, qui prit en charge les affaires coloniales, que l'on doit l'instauration d'un gouvernement fort et cen-

L'organisation de cette dernière fut également l'œuvre de Jean Talon, le premier intendant (de 1663 à 1672) désigné par le nouveau secrétaire d'État. Il entreprit le développement du territoire et chercha à faire de la Nouvelle-France une colonie de peuplement tournée exclusivement vers l'agriculture. Pour l'essentiel, la population se regroupait autour de Trois-Rivières, de Montréal et du Québec. Colbert et Talon espéraient voir les colons se sédentariser sur les rives du Saint-Laurent, mais un grand nombre d'entre eux se firent « coureurs de bois » et s'enfoncèrent dans l'arrière-pays. Le caractère nomade de la population fut un obstacle majeur à la colonisation de

tralisé au Canada français. Colbert entreprit une refonte de la politique coloniale française en créant un nouveau système administratif. Il voulait en effet doter la Nouvelle-France d'une organisation provinciale semblable à celle du royaume. Pour cela, il mit en place une nouvelle structure composée d'un gouverneur général, d'un intendant et d'un conseil souverain.

En de nombreuses occasions, l'évêque de la Nouvelle-France, nommé membre du Conseil, entra en conflit avec le gouverneur en exercice, mais la réorganisation administrative de Colbert dota la Nouvelle-France d'un pouvoir centralisé, à même de traiter efficacement au jour le jour les problèmes de la colonie.

la Nouvelle-France. Colbert, qui estimait en effet que la mobilité était nuisible aux intérêts français en Amérique, s'opposa farouchement à l'expansion vers l'Ouest et au commerce des fourrures. Par la suite, Talon interdit même aux colons de quitter l'établissement principal, et imposa la demande d'un permis de l'intendant ou du gouverneur à tout colon désireux de faire la « traite des fourrures ». Celle-ci fut d'ailleurs limitée aux villes de Montréal, de Trois-Rivières et de Tadoussac (à l'embouchure de la rivière Saguenay). Cette négligence de Colbert à prendre l'initiative d'une percée vers l'Ouest, devait cependant, un temps, laisser aux Britanniques l'initiative du développement de la région sud des Grands Lacs.

En 1672, au lendemain du retour de Jean Talon en France, le développement de la Nouvelle-France devait s'orienter tout autrement avec l'arrivée d'un nouveau gouverneur, homme énergique et haut en couleur : le comte de Frontenac. Sa forte personnalité et ses vues toutes personnelles sur l'intérêt de la colonie devaient vite lui valoir les condamnations de l'évêque. Dès 1674, il apparaît que la Nouvelle-France rapporte bien peu à la Couronne, compte tenu des investissements qui y sont faits. La politique royale change dès lors ses objectifs premiers de peuplement, et renvoie en partie la nouvelle colonie à ses propres ressources : le commerce des fourrures. Cette

ciaux qui opposaient les colonies françaises et anglaises d'Amérique pour le contrôle des régions riches en fourrures. Frontenac fut alors désigné gouverneur de Nouvelle-France pour un deuxième mandat.

LES GUERRES MÉTROPOLITAINES ET LES COLONIES

Les Anglais, qui s'étaient associés aux Iroquois, manquèrent plusieurs fois de prendre le contrôle militaire de la colonie, mais Frontenac résista à l'invasion et, avec l'aide du navigateur Pierre Le Moyne d'Iberville, réussit même à prendre une partie des places fortes et

nouvelle orientation correspond d'ailleurs aux aspirations commerciales personnelles de Frontenac, qui relancera l'exploration de la région des Grands Lacs, riche bassin de « pelleteries ». C'est sous sa gouverne également que fut découverte, beaucoup plus au sud, la future Louisiane, au début du XVIIIᵉ siècle.

En 1682, Frontenac fut rappelé en France, mais, dès 1689, la guerre de la Ligue d'Augsbourg, qui opposait la France et l'Angleterre, trouva des relais dans les conflits commer-

A gauche, force motrice indispensable dans cet immense pays, le cheval fut introduit au Canada par les Européens ; ci-dessus, calèche du XIXᵉ siècle dans les rues du Québec d'aujourd'hui.

des postes commerciaux anglais. Le traité de Ryswick (1697) mit cependant fin à la guerre des métropoles et rétablit la colonie dans ses limites de 1689. Frontenac mourut un an plus tard.

Dès 1701, cependant, la guerre de Succession d'Espagne plongea à nouveau la Nouvelle-France et la Nouvelle-Angleterre dans le conflit. Cette guerre prit souvent la forme d'une guérilla qui profite aux troupes « canadiennes ». La fin de la guerre entre les métropoles mit, une fois encore, fin au conflit des colonies. L'Angleterre l'emporta dans la négociation qui s'ensuivit et la Nouvelle-France se vit dangereusement amputée de la baie d'Hudson et de l'Acadie, alors que les tribus iroquoises se retrouvent soumises à la souveraineté britannique. Le traité d'Utrecht marque le début de l'encerclement par les Anglais des colonies françaises d'Amérique.

Les années de paix

En dépit des réticences de la France à respecter le traité, trois décennies de paix s'écoulèrent sur la colonie, assurant un début de prospérité en Nouvelle-France. Le commerce de la fourrure de développait à un rythme élevé et la population augmentait, passant de quelque 19 000 colons en 1713 à 43 000 en 1739. L'agriculture devenait florissante. L'industrie du bois

et les pêcheries commencèrent à se développer. Au cours de ces mêmes années, le niveau de vie au Canada s'éleva et dépassa celui de la quasi-totalité des autres nations européennes.

Les responsables de la colonie en profitèrent pour fortifier les différents points du territoire. A l'Est comme à l'Ouest, de nombreuses places fortes furent construites. La plus célèbre reste celle de Louisbourg, sise à la pointe de l'île du Cap-Breton et visant à protéger la Nouvelle-France des attaques éventuelles des colonies anglaises, qui s'étendaient dorénavant jusqu'en Acadie. Ce calcul se révéla opportun car, dès 1744, les aspirations économiques de l'Empire britannique se manifestèrent à nouveau et les hostilités reprennent.

En 1745, la forteresse de Louisbourg fut prise et, après une série de petites escarmouches, qui se poursuivirent jusqu'en 1756, la guerre – qui allait être décisive – fut officiellement déclarée entre la France et l'Angleterre. Au cours de cette période, l'Angleterre, craignant de voir se rallier à la couronne française les populations acadiennes nouvellement conquises, entreprit, dès 1755, de les déporter vers ses colonies du Sud. Pour la seule année 1755, de 6 000 à 7 000 Acadiens furent embarqués. Beaucoup d'entre eux périrent.

Confrontée à ses propres difficultés, la France fut, de façon caractéristique, nonchalante à l'égard de sa nouvelle colonie. Elle dépêcha au Canada le marquis de Montcalm, militaire français peu familiarisé avec la technique de guérilla développée par les Canadiens. Il n'est lui-même escorté que de faibles renforts et la défaite paraît presque inévitable. De son côté, la métropole ne souhaite pas courir le risque d'envoyer en Amérique, une flotte qui l'eût rendue plus vulnérable sur le front européen. Il apparut ainsi de plus en plus difficile d'assurer la défense de l'immense colonie.

La chute de la Nouvelle-France

Québec semblait, pour les deux nations en conflit, être l'enjeu décisif de la guerre. En 1759, une armée, placée sous le commandement du général James Wolfe, tenta une avancée vers Québec. Montcalm, comptant sur la position naturellement stratégique de la ville, qui surplombait d'impressionnants précipices, laissa les envahisseurs venir jusqu'à lui. La nuit du 12 septembre, Wolfe et ses troupes traversèrent le Saint-Laurent et, à la faveur de l'obscurité, escaladèrent les falaises. Totalement pris au dépourvu, les Français repoussèrent les Anglais mais, paniqués, ils battirent rapidement en retraite.

Cette bataille fut nommée ultérieurement la bataille des plaines d'Abraham. Après la chute de Québec, la reddition totale de la Nouvelle-France aux Anglais ne fut plus qu'une question de temps. La capitulation de Montréal eut lieu l'année suivante. En vertu du traité de Paris de 1763, la France perdait tous ses territoires canadiens au profit de l'Angleterre, en échange du maintien de son intégralité territoriale en Europe.

A gauche, la mort du général anglais Wolfe au siège de Québec, en 1759 ; à droite, ses troupes donnent l'assaut à la ville.

LE CANADA SOUS LE GOUVERNEMENT BRITANNIQUE

La France versa bien peu de larmes sur sa colonie perdue. La Nouvelle-France – *« quelques arpents de neige »*, selon le mot de Voltaire – était devenue une source d'irritation pour les fonctionnaires français. L'élite politique de l'époque considérait souvent ces colonies comme une source d'affaiblissement économique. Désormais, les Français qui avaient colonisé le Canada – et avaient décidé d'y rester – ne pourraient compter que sur eux-mêmes.

La victoire de l'Angleterre au Canada produisit des bouleversements majeurs sur le continent nord-américain. L'un d'eux fut le transfert du commerce des fourrures des marchands français aux marchands écossais. Pour la Grande-Bretagne, il subsistait cependant un problème sérieux à résoudre : la grande majorité de la population de la colonie nouvellement conquise restait composée de sujets francophones et catholiques. Leur nombre même (70 000 en 1765) interdisait qu'on puisse les déporter, comme on l'avait fait pour les populations acadiennes.

Dès le début, l'Angleterre forma le projet d'extirper la culture française de sa colonie en lui imposant des institutions britanniques, un mode vie anglo-saxon et naturellement la langue du conquérant, l'anglais. Les fonctionnaires de la colonie britannique espéraient que les colons américains finiraient par venir s'implanter dans cette région et que le déséquilibre démographique des communautés forcerait, à la longue, les Canadiens français à s'assimiler. Pour la population française, parfaitement consciente des intentions de la Grande-Bretagne, la perspective d'une débâcle culturelle ne faisait qu'aggraver le traumatisme de la conquête.

L'échec des tentatives britanniques pour angliciser le Québec ne s'explique, en fait, qu'à la lumière d'une suite de circonstances historiques particulières. Dès le départ, bien sûr, il était parfaitement irréaliste d'attendre une mutation soudaine des Français catholiques en sujets du roi Georges III, anglicans et

A gauche, l'uniforme de la garde rappelle que le Canada entra pleinement dans la couronne britannique en 1763 ; à droite, divertissement en vogue vers 1840.

anglophones. Il apparut cependant qu'un compromis avec les Français était non seulement nécessaire, mais pouvait aussi être avantageux. En effet, pour faire contrepoids à la révolte américaine naissante, il apparut important de compter sur une allégeance indéfectible des nouveaux colons français à la couronne britannique.

C'est à la demande de Carleton, gouverneur anglais du Canada, que le parlement britannique vota l'acte de Québec en 1774, assurant aux Québécois une certaine protection culturelle, juridique et économique. L'acte imposait à la colonie les lois criminelles anglaises, mais restaurait le corps de lois civiles françaises.

L'Église catholique, de son côté, conservait son droit de prélever la dîme et les Canadiens français se voyaient reconnaître la liberté de culte. Enfin, la suppression du serment d'allégeance au roi d'Angleterre (chef de l'Église anglicane) ouvrit à nouveau aux Canadiens français le chemin de la fonction publique.

LA RÉVOLUTION AMÉRICAINE

En servant les intérêts des Canadiens français, les autorités anglaises de la colonie s'aliénèrent cependant leurs sujets d'origine britannique. Comme elles le craignaient, ces tensions se renforcèrent au moment même où se précipitèrent les événements qui devaient conduire à la révolution américaine, qui n'était d'ailleurs pas sans liens avec l'acte de Québec. En effet, en réaction à l'extension vers le sud de la protection des zones de chasse françaises, dans une région considérée par les Américains comme faisant partie de leur territoire, le Congrès américain organisa des représailles contre l'Angleterre. Puis, en 1775, la conquête du Canada marqua la première année de la guerre d'Indépendance américaine, les troupes de Washington prenant Montréal. Dans toute l'Amérique du Nord britannique (naguère la Nouvelle-France), les sentiments à l'égard de la guerre restaient mitigés. L'intervention de la France aux côtés

des Américains fit naître quelque espoir chez les francophones, et quelques centaines d'entre eux rejoignirent les rangs des rebelles. De leur côté, les commerçants anglais continuaient à bouder l'acte de Québec. Mais l'arrivée d'une flotte britannique, en été 1776, sembla les convaincre de s'engager aux côtés de l'Angleterre, tandis que l'acte de Québec devait finalement jouer son rôle et neutraliser des Canadiens français très hésitants sur le parti à prendre. Pour des raisons du même ordre, les colonies anglaises de l'Est (la Nouvelle-Écosse en particulier) décidèrent de rester neutres elles aussi. La guerre d'Indépendance permit ainsi à divers égards de cimenter le gouvernement anglais au Canada.

LES LOYALISTES

Un autre effet de la guerre d'Indépendance américaine fut l'arrivée au Canada de 60 000 loyalistes. Ces hommes et ces femmes, venus des colonies du Sud et restés fidèles à l'Empire britannique, avaient refusé de soutenir la révolte américaine. Ils étaient, dans l'ensemble, originaires du nord de l'État de New York et s'étaient réfugiés en Nouvelle-Écosse où ils étaient venus se placer sous la protection de l'Empire ; au Canada, on leur accordait indemnités et territoires. Ces loyalistes modifièrent radicalement la physionomie de la population canadienne : leur présence créa un dualisme culturel nouveau et le début de rapports difficiles entre Français et Anglais.

Une seconde fois, en 1812, les rebelles américains tenteront d'envahir le Canada. Ils seront à nouveau mis en déroute lors de la bataille de Queenston Height. Cette défaite conférera à l'Amérique du Nord son statut définitif de colonie britannique, mais obligera encore le gouvernement colonial à tenir compte de l'allégeance fragile des Canadiens français au nouveau régime.

HAUT-CANADA ET BAS-CANADA

Mais la guerre de 1776-1777 s'était déjà soldée par un regain d'amertume de la population anglaise, qui considérait toujours trop conciliante la politique anglaise envers les Français de la colonie. L'accroissement de la population anglo-protestante força le parlement britannique à tenir compte de leurs revendications. Ainsi, sur les conseils de Carleton, devenu lord Dorchester, le parlement britannique vota en 1791 l'Acte constitutionnel, qui prévoyait l'attribution à chaque communauté d'un gouvernement particulier.

Ainsi, deux entités politiques nouvelles furent constituées dans la vallée du Saint-Laurent : pour les anglophones, le Haut-Canada (principalement dans la région des Grands Lacs) et, pour les francophones, le Bas-Canada (le long du Saint-Laurent). Chaque colonie était dotée d'une chambre « élue », qui était, pour l'essentiel, contrôlée par un lieutenant-gouverneur et un conseil législatif, dont les membres étaient nommés par le roi.

A gauche, un crieur public annonce l'heure à Halifax ; à droite, le général anglais Gates à la tête de ses troupes pendant la révolution américaine (1775-1783).

LA CONFÉDÉRATION CANADIENNE

Alors que l'économie était florissante, les colons anglais du Haut-Canada commencèrent à remettre en cause le rôle politique et économique de la Grande-Bretagne dans les colonies. Dans le Bas-Canada, les mêmes questions se posaient mais pour des motifs différents. En effet, l'ampleur du chômage et la pauvreté croissante des Canadiens français engendrèrent chez eux une critique amère du gouvernement anglais. Les colons canadiens étaient surtout hostiles à la structure politique de leur colonie. Les représentants de la couronne – qui détenaient l'essentiel du pouvoir – imposaient souvent leurs résolutions à la chambre des représentants élus. Tutelle, corruption et privilèges conduisirent les Canadiens mécontents à réclamer un gouvernement politiquement responsable (« Responsible Government ») et, plus particulièrement, un conseil de représentants élus exerçant le pouvoir décisionnel.

RÉBELLIONS CONTRE LA GRANDE-BRETAGNE

A Québec, le Conseil (surnommé la « Clique du château ») reçu l'essentiel de ces critiques de la part du leader canadien français Louis-Joseph Papineau, fondateur du Parti patriote. Les « patriotes », tous francophones, établirent une liste de 92 résolutions et exigèrent en priorité l'abolition du Conseil nommé par le roi. La Grande-Bretagne refusa catégoriquement de satisfaire cette revendication. Au mois d'octobre 1837, les « patriotes » excédés s'insurgèrent à Saint-Charles et à Saint-Eustache, au sud de Montréal, mais l'armée anglaise réprima violemment ces manifestations, tuant beaucoup des patriotes et molestant la population. Plusieurs personnes furent pendues ou déportées aux Bermudes et Papineau lui-même dut s'enfuir aux États-Unis.

Dans le Haut-Canada, quoique dans une mesure moindre, la lutte pour un « Responsible Government » fut dirigée par William Lyon Mackenzie, Écossais au tempérament emporté, éditeur et éditorialiste d'un journal local. En

A gauche, William Lyon Mackenzie, l'homme qui mena la campagne pour que l'Angleterre accorde au Haut-Canada un « gouvernement responsable » ; à droite, George Simpson organise un conseil pour administrer la Colombie britannique (1835).

1837, il regroupa à Toronto plusieurs centaines de protestataires qui, après quelques rasades de whisky, se dirigèrent vers le palais du gouvernement où ils furent accueillis par un groupe de vingt-sept miliciens armés. A la suite d'un échange de coups de feu, les manifestants s'enfuirent dans la panique et le désordre. Mackenzie trouva refuge aux États-Unis et deux des chefs de l'insurrection furent pendus.

LE RAPPORT DURHAM

Lorsque la Grande-Bretagne connut l'existence des soulèvements avortés du Canada, elle comprit qu'il était nécessaire de réformer

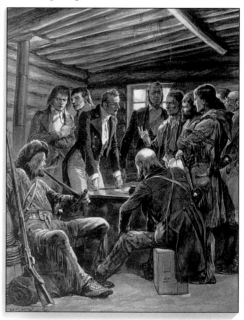

la constitution désuète de la colonie. Le parlement anglais mit en place une commission royale chargée d'enquêter sur les problèmes nouveaux de l'Amérique du Nord britannique. L'homme chargé de conduire l'enquête, politicien issu d'une famille anglaise des plus fortunées, Lord Durham était surnommé « Jacques le Radical ». L'homme était austère, froid et d'un tempérament violent.

Après six mois d'investigation, Durham rentra en Angleterre rédiger son rapport sur « l'affaire canadienne ». Dans ce document, il déplora en termes sévères la stagnation des colonies. S'il voulait survivre aux côtés des États-Unis, agressifs et dynamiques, le Canada – préconisait-il – devait, par la réunion des colonies en une seule province, développer une économie viable. Durham était également persuadé qu'une telle union diminuerait les tensions existant entre les colons anglais et les colons français, qui, progressivement, assimileraient la culture « britannique ». Le rapport spécifiait que la culture française (que Durham considérait comme fondamentalement rétrograde, en raison de la politique coloniale française) destinait tout naturellement les Canadiens français à « *servir d'hommes de peine aux industriels anglais* ».

En dépit de son chauvinisme flagrant, ce rapport recommandait d'accorder aux Canadiens le gouvernement responsable qu'ils récla-

tique des années 1850 et du début des années 1860. La Confédération, concept qui avait été débattu pendant près d'un siècle, ressurgit soudain comme forme de gouvernement viable, capable d'assurer la gestion autonome d'un Canada indépendant qui serait formé de l'ensemble des territoires coloniaux britanniques d'Amérique du Nord. La classe politique canadienne était mûre pour le changement.

LES DÉBUTS DE LA CONFÉDÉRATION

En effet, dès 1850, malgré la constitution d'un Gouvernement responsable, la politique du Canada-Uni devait continuer à s'enliser dans le

maient depuis longtemps. La Grande-Bretagne modifia certaines suggestions de Durham, et réunit le Haut et le Bas-Canada, qui constituèrent désormais le Canada-Uni. Au sein du parlement, une représentation égale fut accordée à chaque territoire. Et, dès 1849, après une période de flottement politique, ce corps législatif devint la principale source de souveraineté au Canada, le gouverneur s'abstenant désormais d'imposer ses volontés aux nouveaux élus. La responsabilité politique du pouvoir exécutif devenait enfin une réalité.

Le sentiment que le Canada serait toujours menacé de domination américaine ou anglaise tant que les colonies resteraient des entités géographiques distinctes, domina le débat poli-

conflit des intérêts régionalistes du Haut et du Bas-Canada. Ainsi, pendant près d'une décennie, l'activité de l'assemblée se concentra-t-elle sur des querelles politiques nombreuses entre les nouveaux partis en formation. Les gouvernements ne se maintenaient au pouvoir que quelques mois ou quelques semaines, jusqu'en 1864, date à laquelle la classe politique canadienne aboutit à une situation inextricable. Avec l'avènement de la Guerre civile américaine, qui faisait rage au Sud, il apparut dangereux que le Canada fût entraîné dans un nouveau conflit avec les Américains. Dès lors, les risques de division étaient grands. La constitution d'une confédération semblait être la solution idéale pour la bonne entente politique et économique de l'ensemble des composantes coloniales de l'Amérique du Nord britannique. Et l'année de la crise, une invraisemblable coalition de partis rivaux fut formée sur la base d'une plate-forme commune : le désir de former une confédération.

Les provinces maritimes de l'Atlantique avaient, pour leur part, déjà formulé une demande semblable : la réunion des provinces du littoral ; elles préparaient une conférence en vue d'établir une stratégie de confédération lorsque les parlementaires du Canada-Uni entendirent parler du projet. Une délégation constituée de George Brown et de six autres ministres, décidèrent de modifier l'ordre du

du Canada » dut ensuite être adoptée par le parlement britannique. Ce texte établissait moins une véritable confédération qu'un système « fédératif », au sein duquel le pouvoir du gouvernement central (fédéral) restait important. Les provinces se voyaient cependant reconnaître des pouvoirs particuliers : la gestion du droit civil, l'administration de la justice, le droit de lever des impôts provinciaux, l'institution des administrations municipales, etc. L'agriculture et l'immigration restaient des juridictions mixtes, partagées avec le gouvernement fédéral. Au niveau institutionnel, chaque province devait élire un parlement provincial sur le modèle britannique. De

jour de la conférence et d'introduire leurs propres propositions, ratifiées quelques semaines plus tard à la conférence de Québec. Le 11 juillet 1867, le Canada confédéré devenait une réalité ; l'acte de l'Amérique du Nord britannique (AANB) divisait la province britannique du Canada en deux : l'Ontario et le Québec (naguère Haut-Canada et Bas-Canada) et les réunissait au Nouveau-Brunswick et à la Nouvelle-Écosse. Cette nouvelle entité politique devait s'appeler le « dominion

De gauche à droite : le premier Premier ministre canadien, John A. Macdonald ; son épouse ; Louis Riel, chef des Métis révoltés, pendu pour trahison ; des rebelles métis forment des milices.

même, les membres du gouvernement fédéral étaient élus au suffrage universel des citoyens de l'ensemble du « Dominion ».

LA RÉVOLTE DES MÉTIS

Londres approuva la Confédération, mais l'entrée en vigueur des nouvelles dispositions ne se fit pas sans mal. Des difficultés s'annoncèrent, dès 1869, avec l'acquisition, par le gouvernement canadien, des territoires de Rupert's Land, achetés pour 300 000 livres à la Compagnie de la baie d'Hudson. Le gouvernement considéra à tort ce territoire comme seule propriété de la Compagnie et négligea de tenir compte de sa population indigène qui

DE LA COLONIE AU DOMINION

Tout au long de la première moitié du XIXᵉ siècle, l'idée d'unir les cinq colonies britanniques d'Amérique du Nord avait fait son chemin des deux côtés de l'Atlantique. Selon les partisans d'un tel projet, l'union ne renforcerait pas seulement l'économie de ces régions, elle fournirait en outre une force beaucoup plus efficace pour faire obstacle à d'éventuelles agressions des États-Unis.

Fruit de l'acte d'Union, une assemblée composée de représentants du Haut et du Bas-

Canada siégeait depuis 1840 (d'abord à Kingston puis à Ottawa). Mais ces importantes questions d'ensemble se heurtaient à d'innombrables querelles politiciennes et locales : le choix de la capitale, la parité représentative entre les Canadiens français et les Canadiens anglo-saxons, les questions linguistiques (déjà), et d'autres encore, les motifs de division ne manquaient pas. Dans ces conditions, les gouvernements ne tenaient que quelques mois et tombaient sur des problèmes mineurs.

Tandis que la guerre de Sécession faisait rage aux États-Unis, les Canadiens craignaient les ambitions annexionnistes des États nordistes et l'extension du conflit à leur territoire. Mais cette crainte contribua à rapprocher des adver-

saires qui s'affrontaient violemment depuis deux décennies. « *Regardez la terre trembler autour de vous, dans les vallées de Virginie, les montagnes de Géorgie, et vous trouverez autant de motifs d'agir que de baies dans une haie de mûres* » déclara Thomas D'Arcy McGee.

Or, contre toute attente, en 1864, alors que la situation politique semblait inexorablement bloquée, George Brown, le chef du Parti réformiste, jusque-là très hostile au gouvernement, proposa un compromis sur la question institutionnelle. Plutôt que de s'acharner en vain à créer une fédération des deux Canada, Brown suggéra l'idée d'une confédération (c'est-à-dire l'union des colonies d'Amérique du Nord britannique et de la province du Canada) plus apte à transformer cet ensemble en une véritable nation canadienne. Les provinces conserveraient suffisamment de liberté et d'autonomie, mais à l'intérieur d'un cadre juridique unique. Prise en charge par un gouvernement de coalition, la proposition de Brown recueillit l'appui de toute la classe politique à l'exception des « rouges » (un parti inspiré par le libéralisme européen et l'idéal démocratique américain et créé à la fin des années 1840 dans la région de Montréal), et le très large soutien de l'opinion publique, sans compter l'appui sans réserve des gouverneurs britanniques.

A cette occasion se forma ce que l'on appela ensuite la Grande Coalition réunissant : Georges-Étienne Cartier pour les conservateurs canadiens-français, John A. Macdonald au nom des conservateurs canadiens-anglais et George Brown pour les réformistes. A la fin de l'été 1864, une première conférence se tint à Charlottetown. Les résultats encourageants de ces travaux furent repris à Québec un mois plus tard et aboutirent à la rédaction des Résolutions de Québec, le projet officiel d'union des colonies britanniques de l'Amérique du Nord.

Le secrétaire aux colonies du gouvernement Palmeston, Edward Cardwell, un fervent partisan de la confédération, fit tout ce qui était en son pouvoir pour faire très vite adopter le nouveau statut, mais des élections dans les Provinces maritimes retardèrent le processus et soulevèrent des difficultés. Le Canada (l'Ontario et le Québec), la Nouvelle-Écosse et le Nouveau-Brunswick décidaient de franchir seuls le cap et formaient le Dominion du Canada. Le 1ᵉʳ juillet 1867, la reine Victoria approuvait solennellement l'Acte de l'Amérique du Nord britannique.

Les pères de la Confédération en débat.

se composait essentiellement des Métis de la colonie de la rivière Rouge.

Ces Métis, catholiques et francophones (que les Anglais désignaient du terme péjoratif de *half-breeds*, « sangs-mêlés ») étaient pour la plupart fermiers, et s'étaient longtemps considérés comme formant une nation souveraine et autonome, de souche européenne et amérindienne à la fois. Lorsque le territoire de Rupert fut vendu, les Métis s'organisèrent sous la conduite de Louis Riel. Intelligent, ambitieux, visionnaire et poète, Riel avait un peu de sang indien et surtout des ancêtres canadiens français. Élevé dans la colonie de la rivière Rouge, il fit des études à Montréal. A

Riel fit juger le prisonnier devant une cour martiale avant de le faire fusiller. Au grand désarroi de Macdonald, Scott était un citoyen d'Ontario et, plus grave encore, c'était un protestant assassiné par un catholique. Comme on pouvait s'y attendre, l'incident accrut les tensions entre Français et Anglais et l'affaire prit une tournure politique désastreuse. La question de la rivière Rouge fut finalement réglée lorsque la colonie entra dans la Confédération sous le nom de province du Manitoba, en 1870. Riel s'était entre-temps réfugié aux États-Unis.

Mais la question du partage des terres creusa l'abîme qui sépare désormais l'esprit pionnier de la communauté métisse de l'administration

FORT GEORGE, OR ASTORIA, COLUMBIA RIVER.—THE HUDSON'S BAY COMPANY'S ESTABLISHMENT.

la tête de ces chasseurs qui forment une cavalerie d'élite, il s'empara de Fort-Garry, avant-poste britannique, et forma un gouvernement provisoire. L'insurrection eut lieu sans effusion de sang. Soutenus par une cinquième colonne américaine de fantassins, les Métis étaient en position de force et le gouvernement Macdonald le savait. Des négociations étaient en cours lorsque se produisit un incident tragique. Tout aurait pu se conclure de façon pacifique si un jeune parvenu, Thomas Scott, qui avait été fait prisonnier par les Métis, n'avait tenté d'étrangler Riel. La réplique fut immédiate :

Ci-dessus, un comptoir commercial de la Compagnie de la baie d'Hudson.

d'Ottawa. Une décennie après la première rébellion, Riel revint au Canada pour se joindre au soulèvement de la Saskatchewan. Finalement capturé par la Police montée, il fut traduit en justice pour trahison. Sans doute le moment le plus sombre de la carrière de Macdonald fut-il sa décision finale de faire pendre Louis Riel. Aux cris d'opposition des francophones du Canada, il répliqua : « *Il sera pendu, tous les chiens du Québec dussent-ils aboyer en sa faveur.* » La mort de Riel ne servit qu'à renforcer l'opposition entre les Français et les Anglais. Quelques années plus tard, Riel fut réhabilité par le gouvernement fédéral, au même titre que tous ceux qui avaient contribué à l'édification du pays.

Le scandale de la ligne du chemin de fer

A l'époque où devait avoir lieu une deuxième élection au Canada, l'île du Prince-Edouard, les Prairies et la côte du Pacifique étaient entrées dans la Confédération. La question de la liaison ferroviaire des provinces domina les élections fédérales en 1872. Une ligne de chemin de fer nationale reliant les deux côtes semblait être la solution aux problèmes majeurs des communications et du transport dans l'immense territoire canadien. Le « Canadian Pacific Railway » était le projet du parti conservateur de Macdonald. Il était soutenu par sir Allan Hugh, l'un des premiers armateurs de Montréal, associé à d'importants capitaux américains. Or, Macdonald espérait voir le chemin de fer transcontinental financé par des capitaux strictement canadiens.

Six semaines avant les élections, Macdonald, ne parvenant pas à réunir les fonds nécessaires à la campagne, se trouva dans la situation délicate de devoir demander le soutien financier d'Allan Hugh. Une somme de 60 000 dollars fit alors une apparition mystérieuse, bientôt suivie d'une contribution supplémentaire de 35 000 dollars. Dans un moment d'égarement, Macdonald télégraphia à Allan Hugh, lui demandant de faire un ultime effort : « *J'ai encore besoin de 10 000 dollars. C'est ma dernière demande, je compte sur vous.* » En contrepartie de son aide, le Premier ministre avait accordé à sir Allan Hugh le projet de voie ferrée (celui-ci voulait relier sa ligne de navigation commerciale à un chemin de fer). Macdonald gagna les élections, mais les libéraux découvrirent le télégramme. Ils forcèrent Macdonald à justifier les contributions financières à sa campagne. Pris au dépourvu, Macdonald perdit contenance, surtout lorsque les libéraux exposèrent le scandale au grand jour. Le télégramme compromettant parut à la une de tous les journaux du lendemain. Finalement contraint d'abandonner ses fonctions, Macdonald se retira, frappé de la plus noire disgrâce. La voie ferrée fut achevée par la suite, mais cette réalisation n'eut jamais le panache que Macdonald lui avait souhaité.

En dépit de l'imagerie héroïque, la construction du chemin de fer transcontinental coûta de nombreuses vies humaines et son financement déclencha un scandale.

LA NAISSANCE D'UNE NATION

Le Canada entra dans le XXᵉ siècle sous le signe de la prospérité et du progrès. Sous le gouvernement de Wilfrid Laurier, premier Canadien français nommé Premier ministre, la construction du chemin de fer progressa rapidement et, en 1914, le Canada possédait une ligne ferroviaire transcontinentale, la Canadian Pacific. Ainsi doté d'une liaison entre les deux océans, le pays commença à établir des relations diplomatiques avec le reste du monde. Toutefois, la plupart des relations internationales passaient encore par l'Angleterre, et les Canadiens manifestèrent bientôt leur impatience vis-à-vis de cette tutelle, notamment lors de la crise politique concernant la frontière de l'Alaska.

Depuis plusieurs années, en effet, les États-Unis et le Canada avaient tenté de définir les limites entre l'Alaska et le Yukon. Finalement, une commission composée de trois Américains, de trois Canadiens et d'un ministre britannique fut constituée pour régler le différend. Les Américains firent une proposition et le représentant anglais, Lord Alvertone, se rangea à leur avis contre les intérêts des Canadiens. Cette prise de position fut perçue comme une trahison des Britanniques, dès lors soupçonnés de duplicité.

LES NOUVEAUX IMMIGRANTS

La politique d'immigration canadienne avait jusque-là favorisé les Anglo-Saxons. Mais, au gré des autorités, les sujets originaires des îles Britanniques n'arrivaient pas en nombre suffisant et les vastes territoires de l'Ouest restaient vides. Clifford Siffton, ministre de l'Intérieur dans le gouvernement Laurier, lança alors une grande campagne publicitaire destinée à attirer d'autres colons européens, notamment des Slaves, dans les Prairies. Cette propagande porta rapidement ses fruits et entraîna l'immigration massive d'Ukrainiens, de Tchèques, de Slovaques, de Polonais, de Hongrois et de Serbes qui s'installèrent dans l'Alberta et la Saskatchewan. Pour Siffton, ces immigrants

Pages précédentes: Yonge Street, Toronto, le 5 juin 1901 (« Pretoria Day »); à gauche, Toronto aborde le XXᵉ siècle dans le progrès et la prospérité; à droite, une affiche encourage des immigrés britanniques à faire venir leurs familles au Canada.

slaves, d'origine rurale, étaient des colons tout désignés pour mettre en valeur l'Ouest canadien. Contre la somme de dix dollars (taxe d'enregistrement) et l'engagement de rester dans leur ferme au moins six mois par an, et ce pendant trois années consécutives, les nouveaux venus recevaient 160 acres (soit 6,47 ha) d'une prairie inhospitalière mais gratuite. Si les immigrants d'outre-Atlantique étaient ainsi privilégiés, les Québécois désireux de s'établir dans l'Ouest se heurtaient à de nombreux obstacles, car le gouvernement fédéral leur imposait des frais de transport prohibitifs. Les francophones de l'Ouest furent donc assez vite mis en minorité.

Pour les nouveaux pionniers de la Prairie, comme cela avait été le cas pour les premiers colons français, les débuts furent difficiles. Il fallait débroussailler une terre inculte et desséchée pour pouvoir semer et écarter le risque d'incendies dévastateurs. Aux étés torrides succédaient des hivers aux blizzards cinglants et aux températures polaires. Malgré la promesse de récoltes abondantes, ces conditions extrêmes étaient difficilement supportables, et de nombreux fermiers abandonnèrent l'Ouest à la recherche d'un milieu plus clément.

De ces conditions de vie extrêmement dures sont nés un sens aigu de la solidarité communautaire conjugué à un farouche sentiment d'indépendance. Ils sont à l'origine des différents mouvements populistes et progressistes qui se développèrent dans les nouveaux territoires des Prairies en ce début de siècle. Ils allaient marquer toute la vie politique, conférant au socialisme démocratique canadien son caractère tout à fait particulier.

C'est également à cette époque qu'est apparu le mouvement féministe canadien, issu des efforts conjugués de Nellie Mcclung et d'Emily Murphy qui s'étaient insurgées contre l'interprétation sexiste de la clause relative à la « personne » dans l'Acte de l'Amérique du Nord britannique de 1867. Il y était stipulé que des « personnes » pouvaient siéger au sénat, mais le parlement canadien avait limité ce

droit aux hommes. La pétition des deux militantes fut rejetée par la cour suprême canadienne, mais la décision de celle-ci fut à son tour annulée par le conseil privé de Londres. C'est ainsi que, dès 1929, les femmes furent autorisées à siéger au sénat. Le Canada anglais avait livré et gagné sa première bataille pour l'égalité des sexes ; le problème était également soulevé au Québec par les syndicats d'enseignants.

L'apparition de nouveaux commerces et de nouvelles industries changea le mode de vie de nombreux Canadiens. Pour la classe dirigeante, l'essor économique était synonyme d'enrichissement, mais pour la masse des ouvriers qui, à l'inverse des fermiers de la Prairie, n'avaient pratiquement aucune perspective de promotion sociale, cela signifiait une vie de dur labeur et de misère, dans des conditions quasi carcérales.

Les hommes d'affaires (pour la plupart anglophones) du jeune Canada se firent une triste réputation d'affameurs du peuple. Les journées de douze heures et les salaires de famine étaient alors la règle, et on engageait femmes et enfants à des traitements encore inférieurs. A l'exploitation des plus faibles s'ajoutaient, bien souvent, des châtiments corporels. La détérioration des conditions de travail imposées aux ouvriers et l'anarchie résultant de pratiques non réglementées finirent par émouvoir les autorités et aboutirent à la formation de syndicats et d'organisations de travailleurs. La première conséquence de cette mobilisation sociale fut le vote, en Ontario, d'une loi réglementant le travail des enfants, dont l'âge minimal fut fixé à quatorze ans.

LA PREMIÈRE GUERRE MONDIALE

En 1914, le pays considéra qu'au titre de membre de l'Empire britannique, il était de son devoir d'entrer en guerre pour soutenir l'Angleterre. Aussi, dès que la circulation du blé russe fut bloquée par les hostilités, le Canada devint le premier fournisseur en grains de la Grande-Bretagne et de ses alliés, tandis qu'une florissante industrie d'armement apparut du jour au lendemain. Néanmoins, si la Première Guerre mondiale se solda par de substantielles avancées économiques pour le Canada, elle lui coûta aussi un lourd tribut en vies humaines.

Pour Robert Laird Borden, Premier ministre conservateur du Canada durant tout le conflit, la principale tâche fut de recruter le demi-million d'hommes que le Canada avait promis à la Grande-Bretagne. Les slogans des dirigeants politiques en appelaient à l'orgueil national, tandis que l'Église rappelait aux chrétiens leur devoir sacré et que l'armée mettait en valeur le prestige de l'uniforme. Les femmes, pour leur part, arborèrent un badge portant l'inscription « Knit and fight » (« Tricotez et combattez »). Pour rassembler un tel contingent, Borden fut d'abord contraint d'assouplir les conditions d'enrôlement sous les drapeaux – jeunes, vieux, handicapés physiques et mentaux furent admis à combattre –, puis il incorpora des Indiens, des Japonais et des Noirs dans les milices canadiennes. En 1916, encore loin d'arriver au chiffre promis, il se tourna vers le Québec.

Or, les Canadiens français n'envisageaient qu'avec répulsion la participation à l'effort de guerre. Peu sensibles à l'argument de la loyauté envers la Grande-Bretagne (ils répugnaient à servir de chair à canon sous les ordres d'officiers anglophones), les habitants du Québec ignorèrent résolument la propagande patriotique du gouvernement. Faute d'atteindre les quotas exigés, le parlement canadien ne vit plus d'autre issue que la conscription. Menacés d'enrôlement forcé, les Canadiens français ripostèrent par les émeutes de 1918. Dans la ville de Québec, des soldats que l'on avait fait venir de Toronto ouvrirent le feu sur la foule, tuant quatre civils. Devant

et toutes les publications imprimées dans la langue de l'ennemi, décrétées hors-la-loi. La guerre prit fin avant que le système de conscription n'ait été généralisé, mais le bilan était lourd : le Canada avait perdu plus de 60 000 hommes, et des milliers d'autres allaient rentrer au pays mutilés.

LES ANNÉES 20 ET LA GRANDE DÉPRESSION

Enrichi par la guerre, le Canada devait cependant faire face à des problèmes de reconversion et à une certaine agitation sociale. Bien qu'elle n'ait jamais eu la vigueur qu'elle prit

la colère populaire, Ottawa durcit le ton et mit en garde les éventuels futurs émeutiers qu'ils seraient enrôlés de force. Par ailleurs, l'administration de Borden imposa une contribution de plus en plus lourde à la population : une taxe de guerre fut votée, qui pesa sur des budgets familiaux déjà fortement grevés, tandis que le vagabondage se voyait sanctionné : une loi prévoyant que tous les hommes de seize à soixante ans dépourvus d'emploi régulier seraient incarcérés. Dans le même temps, les syndicats les plus progressistes furent dissous

A gauche, un bureau d'émigration en 1905 ; ci-dessus, environ 100 000 soldats canadiens moururent pendant les deux guerres mondiales.

aux États-Unis dans les années 50, une certaine répression frappa les partis les plus progressistes, les dirigeants syndicalistes et la poignée de militants communistes.

Une nouvelle époque commençait, celle des années folles. Comme leurs voisins américains, les Canadiens anglais furent émus aux larmes par Mary Pickford, native de Toronto, et patientèrent en longues files d'attente devant les cinémas pour se pâmer devant Douglas Fairbanks et Rudolph Valentino. Les femmes raccourcirent leurs jupes, se firent couper les cheveux et revendiquèrent leur liberté. Dans le domaine artistique, la modernité fut représentée par le groupe des Sept (constitué en réalité de huit peintres). S'inspirant à la fois des impressionnistes, de Cézanne et de l'Art nouveau, Lawren Harris, A.Y. Jackson, Arthur Lismer, Frederick Varley, Frank Carmichael, Francis Johnston, J.E.H. MacDonald et Tom Thomson réinventèrent la peinture de paysage. Le Canada restait pourtant un pays de petites villes à l'atmosphère provinciale dont le romancier Stephen Leacock dépeignait le conservatisme d'une plume acide.

A l'exception de deux effondrements des cours sur le marché agricole en 1923 et 1928, les années 20 furent prospères. Portés par l'insouciance qui caractérisait l'époque, les Canadiens envisageaient l'avenir avec confiance. Nul ne prévoyait le krach d'octobre 1929, et le

Canada fut d'autant plus durement touché par la dépression. Les années 30 furent marquées par l'effondrement du marché mondial des céréales. En raison des surplus, il devenait plus économique pour les clients habituels du Canada d'acheter leur blé à l'Argentine, à l'Australie ou à l'Union soviétique.

Le gouvernement conservateur de Richard Bennett prit aussitôt des mesures draconiennes afin de soutenir une économie déstabilisée. Des commissions et des programmes d'aide sociale furent instaurés. Les premières se spécialisèrent dans la détection des fraudes et du gaspillage : les voitures, le téléphone, les animaux domestiques, les bijoux furent comptabilisés en tant qu'éléments de train de vie

susceptibles de faire radier des listes les postulants aux secours publics. Insensibles aux difficultés engendrées par la crise, les politiciens, affirmant qu'il y avait du travail pour tous, ouvrirent, en Colombie britannique, des camps de travail pour célibataires qui ressemblaient fort à des bagnes.

Le chômage jetait hommes et femmes à la rue. A Toronto, des pères de famille travaillaient sept heures durant pour déblayer la neige devant la résidence d'une famille aisée du quartier de Rosedale pour un salaire de cinq cents. Les femmes se battaient pour effectuer les travaux domestiques les plus ingrats contre des gages dérisoires. L'indigence ne fut nulle part plus grande que dans les Prairies où des catastrophes naturelles s'ajoutèrent aux difficultés économiques. En 1931, de violentes tempêtes de sable balayèrent toutes les terres arables ; en 1932, une invasion de sauterelles dévasta les récoltes ; 1933 marqua le début d'une longue série d'intempéries : sécheresses, chutes de grêle, gelées d'automne. C'est précisément pour soulager la détresse des habitants de la Prairie que fut décidée la création de la Cooperative Commonwealth Federation, mouvement de travailleurs agricoles qui devait, par la suite, devenir le Nouveau Parti démocratique, équivalent canadien du parti socialiste.

Dans le même temps, Bennett fondait la Canadian Radio Broadcasting Commission. Le temps d'une soirée, l'actualité sportive, les pièces radiophoniques, ou les reportages sur les sœurs Dionne, les célèbres quintuplées nées à Calendar, dans l'Ontario, parvenaient à faire oublier aux Canadiens leur désarroi et leur angoisse du lendemain. Lorsque le pays sortit enfin de la crise, des millions de citoyens étaient traumatisés.

LA SECONDE GUERRE MONDIALE

L'entrée en guerre du Canada n'avait rien d'obligatoire puisque le statut de Westminster de 1931 lui avait conféré l'indépendance au sein de l'Empire britannique. Le pays pouvait légalement rester neutre s'il le souhaitait mais, moralement, et surtout pour les Canadiens anglais, il ne semblait pas qu'il y eût d'autre solution que de s'allier à la Grande-Bretagne.

Il n'en allait pas de même au Canada français : le Premier ministre québécois Maurice Duplessis, se souvenant des brutalités exercées à l'encontre de ses compatriotes de 1916 à 1918, déniait au gouvernement le droit de parler au nom de tous les Canadiens. « *Le*

Québec, affirmait-il, *devait rester extérieur à tous les conflits européens.* » Puis ce fut la guerre-éclair. La Norvège et le Danemark furent agressés ; en juin, les troupes anglaises durent rembarquer à Dunkerque et, cinq jours plus tard, la France signait un armistice avec l'Allemagne. Les appels à la neutralité de Maurice Duplessis se perdirent au milieu des clameurs des anglophones réclamant une « guerre totale ».

Conscient des réticences des francophones, mais désireux de conserver leurs suffrages aux élections de 1940, Mackenzie King fit entrer son pays dans le conflit en promettant aux Canadiens que la conscription ne leur serait aussitôt la guerre. Et au plus fort des affrontements, quand la Grande-Bretagne connut de sérieux problèmes d'effectifs, la question de la conscription revint à l'ordre du jour au parlement canadien. Devant la pression croissante des milieux anglophones, Mackenzie King organisa un plébiscite pour savoir si la population libérait ou non le gouvernement de sa promesse. La majorité des électeurs canadiens y fut favorable, mais la quasi-totalité des Québécois exprima son refus, et un mouvement de résistance à la conscription prit corps dans la province. Fort heureusement pour le Premier ministre, il ne fut pas nécessaire de mobiliser avant les derniers mois de la guerre.

pas imposée tant que durerait son gouvernement libéral. Grâce à ce pacte, le Canada entra sans trop de problèmes dans la voie d'une économie de guerre. Les produits de base furent soumis aux restrictions et l'industrie se reconvertit dans l'équipement militaire. En 1943, un million et demi de Canadiens travaillaient dans des usines d'armement.

Lorsque le Japon attaqua Pearl Harbor en 1941, le Canada, en raison de ses liens de plus en plus étroits avec les États-Unis, lui déclara

A gauche, en route vers l'Ouest, à bord du Canadian Pacific (1915) ; ci-dessus, les effets cumulés de la Grande Dépression et des catastrophes naturelles chassèrent les fermiers des Prairies.

A la fin du conflit, le Canada déplorait la perte de 45 000 hommes. Les troupes canadiennes s'étaient battues courageusement et elles avaient joué un rôle important lors de plusieurs batailles décisives. Mais dans d'autres domaines, le rôle du Canada avait été moins glorieux. Sous prétexte de les protéger, le gouvernement canadien fit interner 11 000 citoyens japonais dans des camps et vendit leurs biens aux enchères. Une enquête a révélé que, durant le mandat de Mackenzie King, Ernest Lapointe, son ministre de la Justice, avait refusé de laisser entrer au Canada des réfugiés juifs qui fuyaient les persécutions nazies, et il avait eu ce mot tristement célèbre : « *None is too many* » (« Aucun, c'est encore trop »).

L'APRÈS-GUERRE

A la fin de la guerre, les Canadiens, dans leur grande majorité, craignaient une nouvelle dépression et redoutaient même une période de pénurie. Or, le conflit eut au contraire des effets très stimulants sur l'économie : l'indice du commerce international atteignit des sommets, les exportations montèrent en flèche. Mieux intégrée à l'économie internationale, l'industrie se développa considérablement. La banque centrale disposait d'énormes ressources en devises étrangères. Enfin, la découverte du pétrole dans l'Ouest canadien promettait des revenus considérables. Paradoxalement, toutes les statistiques démontraient que le niveau de vie des Canadiens était supérieur à son niveau d'avant-guerre.

Fort de sa contribution à l'effort de guerre et n'ayant aucun problème colonial à régler, le Canada joua, dans les années 50, un rôle international beaucoup actif qu'avant-guerre. Les tensions grandissantes entre les deux blocs ne lui laissaient d'ailleurs pas réellement la possibilité de revenir à l'isolationnisme. Le pays participa à la guerre et mit en place, dans les régions septentrionales peu peuplées, un système de défense aérienne sophistiquée (Norad). Membre du Commonwealth et de l'Otan, le Canada participa activement à la création de l'Organisation des Nations unies, et resta l'un des ardents défenseurs de l'institution internationale.

LA RÉVOLUTION CULTURELLE

Au cours de la décennie suivante, commença, au Canada, le règne des laveries automatiques, des supermarchés, des *drive-in* et de la télévision. Mais cette opulence apparente masquait des failles révélatrices d'un certain mal de vivre. En effet, ces années furent aussi marquées par l'effondrement des structures traditionnelles et conservatrices du pays. Les premiers signes apparurent d'abord au Canada anglais lorsque Lester Pearson, Premier ministre libéral, fit savoir que le programme de l'Otan allait entraîner l'installation de bases nucléaires sur le sol canadien. Cette annonce suscita un énorme mouvement de protestation qui n'allait pas tarder à s'associer aux manifestations contre l'engagement américain au Viêt-nam. Les groupes

Après-guerre, les conflits sociaux visent le partage de la prospérité.

pacifistes surgirent de toutes parts au Canada, appelant au désarmement, à la suppression des bases nucléaires et à l'arrêt des ventes de matériel militaire aux États-Unis.

LA RÉVOLUTION TRANQUILLE

La victoire du Parti libéral, en 1960, inaugura, au Québec, un tournant marqué par l'accession au pouvoir d'une nouvelle classe dirigeante. A quelques épisodes près, la province traversa cette « Révolution tranquille » sans connaître de violences.

Les changements de ces années plongent leurs racines loin dans le passé, comme l'a souligné Fernand Dumont : « *Nos pères ont rouspété pendant des siècles ; ils n'étaient pas ces moutons dociles que l'on nous a souvent décrits. Ils ont légué à leurs enfants un scepticisme neuf, des critiques radicales, une fureur qui ne sont pas sans correspondances avec les écrivains de leur époque. Là encore, le vieux fonds des rancunes et des idées accumulées pendant des siècles perçait comme un abcès enfin mûr.* » A ces frustrations s'ajoutait le bouleversement des structures économiques et sociales commun au monde développé et qui condamnait les structures traditionnelles québécoises.

C'est à une poignée de journalistes et d'intellectuels que revient l'honneur d'avoir dénoncé les premiers l'immobilisme de l'« ancien régime », à coups d'articles tonitruants, de débats animés et de manifestations pacifiques. La faculté des sciences sociales de l'université de Laval était au centre de cette agitation : s'y affrontaient le catholicisme social, le libéralisme, le conservatisme et le modernisme. Les opposants dénonçaient les liens entre l'Église catholique et l'État provincial, ainsi que les discriminations envers les francophones.

En 1936, le Québec avait porté au pouvoir Maurice Duplessis (1890-1959) et son parti de l'Union nationale. Battu aux élections de 1939, Duplessis devait sa réélection de 1944 à la grande crise qui avait opposé les Québécois au reste du pays à propos de la conscription obligatoire, lors de la Seconde Guerre mondiale. Tout au long de cette période, il avait habilement su se faire le porte-parole des isolationnistes qui étaient majoritaires dans la population. Aux affaires sans interruption jusqu'en 1959, l'Union nationale avait accaparé tous les leviers de décision. La corruption, favorisée par l'absence de contre-pouvoirs, s'était accrue dans des proportions colossales.

Le rapport sur l'Union nationale présenté par une commission royale en 1961 fit état de plus de 100 millions de dollars de pots-de-vin, versés par les compagnies qui avaient passé contrat avec le gouvernement provincial. Duplessis, anticommuniste convaincu, sûr de son pouvoir, faisait briser les grèves, humiliait publiquement ses propres ministres et raillait ses adversaires, qui n'étaient pas en mesure d'échanger comme lui routes et hôpitaux contre bulletins de vote.

Le journaliste André Laurendeau fut le premier à oser suggérer que les anglophones soutenaient le Premier ministre. Laurendeau, approuvé par de nombreux Québécois, stigmatisait l'alliance objective des magnats anglophones et du gouvernement provincial qui monnayait la stabilité politique contre leurs subsides – tandis que Maurice Duplessis, passé maître dans l'art du double langage, dénonçait ces mêmes hommes d'affaires.

La mort de Duplessis, en 1959, rendit possible l'arrivée au pouvoir, en 1960, du Parti libéral dirigé par Jean Lesage. René Lévesque, qui faisait partie de ce gouvernement, qualifia le mandat de Duplessis de période de « grande noirceur » et affirma que le Québec avait été maudit et damné par ces seize années de « dictature ». Le changement fit une autre victime : l'Église catholique. Celle-ci fut en effet l'une des premières cibles de la « nouvelle pensée », qui mit un terme à toute une époque. Celle où le prêtre de la paroisse insistait, au moment des élections provinciales, sur le *choix moral juste* – c'est-à-dire le candidat de l'Union nationale. Celle où, du haut de leurs chaires, les évêques parlaient *« beaucoup, [...], fort et sèchement »* (Jean Hamelin).

Pourtant, l'un des premiers coups portés contre le régime de Duplessis – qui se félicitait de voir les évêques lui « manger dans la main » – et le traditionalisme religieux était parti du sein même de l'Église québécoise : dès 1960, un frère enseignant, sous le pseudonyme de frère Untel, dénonçait les carences du système d'éducation catholique, dans un opuscule intitulé *Les insolences du frère Untel* (Éditions de l'Homme). Ses recommandations rejoignaient celles de la Commission sacerdotale d'études sociales, qui s'opposait également à l'ultramontanisme (soumission absolue au pouvoir du pape et des évêques) et à la compromission avec Duplessis d'une partie du clergé. Contre l'Église catholique, le gouvernement provincial créa, en 1964, un ministère de l'Éducation qui remplaça le Comité catholique du Conseil de l'instruction (lequel s'était lui-même substitué, en 1875, à un premier ministère provincial de l'éducation créé en 1868) ; il rendit l'éducation laïque, obligatoire et gratuite. Il laïcisa aussi la fonction publique, la santé et les affaires sociales, que l'Église gérait jusqu'alors.

C'est cependant le cours de l'histoire qui affaiblit le plus le catholicisme québécois. Dans la décennie qui suivit l'arrivée des libéraux à la tête du pays, l'exode rural fit du prêtre des anciennes paroisses un personnage appartenant au passé. L'élévation du niveau de vie, la libéralisation des mœurs, l'avènement de l'État-providence accélérèrent encore

cette évolution. Les congés payés remplacèrent définitivement les 37 jours fériés religieux qui, en plus des dimanches – sans compter les pèlerinages, deux fois par an –, rythmaient l'année, du moins depuis le XVIIIe siècle.

Contre les Anglo-Saxons, Jean Lesage nationalisa en 1963 les compagnies d'électricité – dont les centrales hydroélectriques alimentent toujours la mégalopole new-yorkaise. Enfin, il accorda des aides spécifiques aux entrepreneurs francophones.

La Révolution tranquille fut également une révolution culturelle. Elle provoqua, en 1977, l'adoption de la Charte de la langue française (la « loi 101 »). Elle vit se développer un nouveau théâtre, une nouvelle littérature et une chanson contestataire, – on vit même circuler une brochure intitulée *Poèmes et chansons de la résistance*!

L'AFFIRMATION IDENTITAIRE DU QUÉBEC

La visite, en 1967, de la reine Élisabeth d'Angleterre, très froidement accueillie par la population, suivie de celle du général de Gaulle, qui lança son célèbre « *Vive le Québec libre* » du balcon de l'hôtel de ville de Montréal propulsèrent la question de l'identité québécoise sur la scène internationale. Au même moment, l'exposition universelle Expo 67 attirait des millions de visiteurs dans la métropole

Né en 1919 d'un père québécois et d'une mère écossaise, Pierre Elliott Trudeau appartient à l'une des plus vieilles familles québécoises (son ancêtre se serait installé en Nouvelle-France en 1659). Étudiant à Londres et à Paris, professeur de droit à l'université de Montréal, il s'intéressa très vite à la politique. En trois ans, il brûla toutes les étapes. Il n'était député de Mont-Royal que depuis vingt et un mois quand il devint ministre de la Justice (1967) dans le gouvernement libéral de Lester Pearson. Onze mois plus tard, en avril 1968, Trudeau fut élu à la tête du Parti libéral. D'entrée de jeu, il dévoila son goût du risque en annonçant la tenue d'élections au mois de juin

québécoise. L'année suivante, René Lévesque fondait le Parti québécois, donnant à la question de l'indépendance du Québec sa première expression politique. La question de la souveraineté du Québec allait ainsi voir s'affronter pendant un quart de siècle, deux Québécois, Pierre Elliott Trudeau et René Lévesque, incarnant deux conceptions différentes de l'avenir politique du Québec et du Canada. Des années plus tard, leur combat reste inachevé et la vision nationale, fédérale et canadienne d'un Trudeau continue à s'opposer au rêve souverainiste et francophone d'un Lévesque.

A gauche, Pierre Elliott Trudeau; ci-dessus, son épouse Margaret; à droite, René Lévesque.

de la même année. Au cours de la campagne électorale qui suivit, il gagna la sympathie d'une majorité de Canadiens emportés par une véritable « trudeaumanie », et qui admiraient cet intellectuel qui savait éviter le langage alambiqué et parfois hypocrite de ses prédécesseurs. Ils découvraient un politicien « nouvelle vague », suscitant les enthousiasmes les plus fervents comme les haines les plus féroces.

La jeune génération vit en lui un héros réellement canadien, à l'opposé des anciens hommes politiques, si souvent accusés d'être à la solde des États-Unis. P. E. Trudeau fut Premier ministre du Canada de 1968 à 1979, puis de 1980 à 1984. Alors qu'il se battait pour une réforme constitutionnelle et le bilinguisme fédéral, René Lévesque, ancien journaliste, correspondant de guerre et homme de télévision, se faisait l'ardent défenseur de la souveraineté-association, tentant de donner au Québec une place au soleil dans un continent exclusivement anglophone.

Né en 1922 en Gaspésie, René Lévesque fut député libéral entre 1960 et 1970, ministre libéral de 1960 à 1966 avant d'être élu en 1976 à une large majorité, Premier ministre du Québec. Fondateur du Parti québécois en 1968, il lança bientôt un défi à Trudeau. Excellent vulgarisateur, René Lévesque avait, selon le politicien Claude Morin, « *une aptitude*

LE TERRORISME DANS LA BELLE-PROVINCE

Au début des années 70, alors que P. E. Trudeau cherchait à propager et à incarner une image « multiculturelle » du Canada, les échos qui lui parvenaient de tous les coins du pays lui démontraient la difficulté de faire cohabiter deux communautés de culture très différente. Animateur du mouvement souverainiste, René Lévesque considérait les francophones comme la majorité du Québec et non plus comme une importante minorité au sein du Canada, et revendiquait pour la province un statut spécifique. Mais, il se voyait aussi contraint de jugu-

incroyable à résumer une situation dans ses éléments essentiels avec une clarté surprenante ». Même si elles en choquèrent plus d'un, les images saisissantes qu'il employait dans ses discours frappaient ses interlocuteurs par leur audace. Peu d'hommes politiques de l'époque auraient osé dire : « *Si deux conjoints ne peuvent apprendre à coucher ensemble, il est préférable qu'ils aient des lits séparés.* »

René Lévesque a brillamment défendu les causes qu'il soutenait et montré une fermeté à toute épreuve, comme lorsqu'il nationalisa l'électricité alors qu'il était ministre des Ressources naturelles, ou lorsqu'il réforma le financement des partis pendant qu'il était Premier ministre.

ler les débordements des indépendantistes pour ne pas s'aliéner les sympathies des modérés. Déjà, au début des années 60, la violence des actions du Front de libération du Québec (FLQ) avaient jeté un discrédit sur l'option souverainiste, qu'aucune structure politique n'incarnait encore avec crédibilité.

Après la création du Parti québécois de René Lévesque, une nouvelle vague de terrorisme opposa les tenants de la lutte armée du FLQ aux représentants de l'ordre fédéral établi. Au mois d'octobre 1970, le FLQ organisa l'enlèvement du diplomate anglais James Cross, en visite au Québec, et du ministre du Travail québécois Pierre Laporte, que l'on retrouva étranglé dans le coffre d'une voiture.

Tandis que les membres du Parti québécois condamnaient aussitôt de tels agissements, le gouvernement fédéral, redoutant une insurrection généralisée, appliqua la loi martiale sur le territoire québécois. La présence de l'armée régulière dans les rues de Montréal devait fortement entacher la perception du nationalisme québécois dans les milieux anglophones.

Le calme revint enfin, mais P. E. Trudeau dut alors faire face à d'autres revendications. A l'Ouest, les provinces des Prairies commençaient à exiger que leur pétrole leur soit acheté à des prix comparables à ceux du marché mondial et non plus à des tarifs préférentiels ; Terre-Neuve, qui avait intégré la Confé-

les élections au Québec. Lévesque avait promis de ramener la paix sociale et d'organiser un référendum sur le séparatisme. Une campagne s'engagea, dans laquelle le gouvernement demandait au peuple de le mandater pour négocier avec l'État fédéral une forme d'autonomie baptisée souveraineté-association. Dans ce cadre, le Québec aurait le « *pouvoir exclusif de faire ses lois, de lever des impôts et d'établir des relations avec des pays étrangers, ainsi que de maintenir des liens économiques avec le Canada, y compris une monnaie commune* ». Mais, le 20 mai 1980, avec un taux de participation de 86 %, près de 60 % de Québécois s'exprimèrent en faveur du « non ».

dération en 1949, réclamait des subventions pour sauver ses chantiers navals. Autant de crises qui démontraient les dangers, pour l'économie canadienne, d'une trop grande dépendance vis-à-vis du puissant voisin américain.

L'augmentation des impôts et une inflation galopante firent tomber le gouvernement Trudeau en 1979. Les conservateurs qui lui succédèrent, avec Joe Clark comme Premier ministre, ne parvinrent pas à rétablir la situation. Le retour de Trudeau devait marquer le début de nouveaux affrontements avec le parti souverainiste de Lévesque, qui gagna, en 1976,

A gauche, le château Frontenac à Québec ; ci-dessus, le parlement fédéral à Ottawa.

LA FIN DE L'ÈRE TRUDEAU

Les francophones n'étaient pas les seuls à exprimer des revendications identitaires. Les Amérindiens commençaient alors à prendre conscience de la spoliation dont ils avaient été victimes, les lois censées les protéger ayant en fait abouti à leur marginalisation et à leur mise en tutelle. En juillet 1982 se tint, dans la Saskatchewan, l'assemblée des Premières Nations réunissant près de 3 000 autochtones. Ces derniers n'obtinrent pas davantage gain de cause l'année suivante à Ottawa, le Premier ministre s'étant catégoriquement opposé à toute reconnaissance – même de principe – d'une souveraineté nationale pour les Indiens.

Après le référendum, de nombreux Montréalais de la minorité anglophone quittèrent la ville. Entre 1976 et 1981, 100 sociétés déménagèrent leur siège, supprimant 14 000 emplois. Dans les années 1970 et 1980, l'économie de la métropole déclina au profit de Toronto. Mais, en 1976, le maire de Montréal, Jean Drapeau, réussit à amener les Jeux olympiques d'été dans sa ville. Après le désastre de Munich (1972), ces jeux obtinrent un immense succès. Et, à l'inverse des Montréalais, la plupart des visiteurs ne s'émurent pas des dépenses astronomiques consenties par la municipalité pour la construction des installations olympiques. Avec la défaite du Parti québécois au référen-

rent, en 1988, un traité de libre-échange avec les États-Unis. Auparavant, ils s'étaient efforcés de réintégrer le Québec dans le cadre fédéral par les Accords du lac Meech (3 juin 1987), qui prévoyaient, pour la province, un statut de « société distincte » qui ne fut jamais ratifié. Et Lucien Bouchard, l'ancien ministre de l'Environnement du parti conservateur de Mulroney, qui avait démissionné après l'échec des négociations du lac Meech, créa le Bloc québécois.

Le combat ayant été momentanément perdu sur le plan politique, il se déplaça sur le terrain linguistique : au Québec, une loi fut votée qui interdisait aux commerçants d'afficher des panneaux exclusivement rédigés en anglais dans

dum de 1980, les hommes politiques québécois se détournèrent du séparatisme dur et se mirent à prôner une participation conditionnée à la confédération canadienne. Avant de quitter la scène politique, P. E. Trudeau dota le Canada d'une nouvelle constitution remplaçant l'Acte de l'Amérique du Nord britannique, et comportant notamment une Charte des droits et des libertés. Seul le Québec refusa de signer la loi constitutionnelle, considérant que celle-ci portait atteinte à des compétences provinciales essentielles (notamment la langue et l'éducation).

A la fin de 1984, les conservateurs de Brian Mulroney reprirent le pouvoir à Ottawa. Compromis dans de nombreux scandales, ils signè-

leurs vitrines. Des sacs de beignets unilingues furent saisis, les importations de tweed paralysées – jusqu'à ce qu'une traduction en français des étiquettes soit décidée –, et des vitrines sur lesquelles était apposée la pancarte *wet paint* volèrent en éclats. Les libéraux de Robert Bourassa, qui avaient pris le pouvoir en 1985, n'étaient pas hostiles à cette solution, et la question québécoise parut un temps susceptible de se dénouer, mais les obstacles vinrent des autres provinces : Terre-Neuve, le Manitoba, puis le Nouveau-Brunswick refusèrent de ratifier les accords du lac Meech, replongeant le Canada dans une grave crise constitutionnelle.

L'année 1990 fut difficile pour la Confédération, marquée, notamment, par de nouveaux soulèvements des Indiens, qui réclamaient en vain, et depuis longtemps, le respect des anciens traités. La révolte couvait depuis des années, menée, entre autres, par les Denes, les Cris de l'Alberta et les Algonquins qui, n'ayant signé aucun traité depuis la colonisation, se proclamèrent indépendants et obtinrent peu à peu des compensations. Aux mois de juillet et d'août, de véritables combats (un policier fut tué) opposèrent, près de Montréal, les Mohawks (en lutte depuis 1988 pour recouvrer leurs territoires, ils voulaient empêcher l'extension d'un terrain de golf sur des terres leur appartenant en vertu des traités) et la police montée. En novembre,

ils obtenaient 25 millions de livres de dédommagement sur cinq ans.

Les Inuit, qui ont, eux aussi, subi des agressions culturelles, ont cependant la chance d'habiter des contrées inhospitalières qui suscitent peu de convoitises – encore que le Québec leur ait déjà concédé, en 1976, une indemnité de 220 millions de livres pour la construction d'un complexe hydroélectrique qui les prive de plus de 600 000 ha. Surtout, ils ont fini par obtenir la reconnaissance de leur identité et de leur relative autonomie : en 1991, un accord avec le gouvernement canadien institua le Nunavut dans

A gauche, une visite de la reine Élisabeth II d'Angleterre, diversement appréciée (ci-dessus).

les territoires du Nord-Ouest. Ratifié par référendum en 1992, cet accord est entré en application le 1er avril 1999.

LE RÉFÉRENDUM QUÉBÉCOIS

A l'Ouest, on lança l'idée de remplacer le Sénat, jusqu'alors nommé, par un corps élu destiné à renforcer le pouvoir des provinces face à l'État fédéral. Au Québec, on proposa d'inclure dans la Constitution une version modifiée des cinq exigences du lac Meech – tenant davantage compte des droits des immigrants, des femmes et des Amérindiens. En août 1992, un deuxième accord, élaboré à Charlottetown fut signé. Soumis à un référendum national en octobre, il devait recueillir la majorité dans toutes les provinces pour être entériné.

Six provinces l'approuvèrent, mais à une faible majorité ; quatre, dont le Québec, le rejetèrent. Toutes les négociations furent abandonnées, et le Premier ministre canadien, Brian Mulroney, démissionna. En 1993, son successeur, Kim Campbell, première femme à occuper ce poste, ne put éviter un désastre pour son parti aux élections (2 sièges au lieu de 153 à la législature précédente). Les libéraux, menés par Jean Chrétien, gagnèrent les élections. Le Bloc québécois fut rejeté dans l'opposition.

Le 30 octobre 1995, un nouveau projet de souveraineté québécoise (associée à un partenariat économique et politique avec le Canada) fut proposé par le Bloc québécois, le Parti québécois du Premier ministre de la province Jacques Parizeau, et l'Action démocratique a été repoussé par les Québécois à une très faible majorité (1,12 %). Les élections législatives du 2 juin 1997 ont reconduit les libéraux au pouvoir, l'opposition multiple, divisée et surtout régionale ne parvenant pas à inquiéter le parti de Jean Chrétien. Mais en dépit de cette apparente continuité, beaucoup pensent qu'une certaine page de l'histoire canadienne est en train de se tourner et pas seulement sur le plan politique.

Après avoir occupé le poste de ministre des Finances de 1993 à 2002, période durant laquelle il porta ses efforts sur le rétablissement de l'équilibre budgétaire du gouvernement fédéral, Paul Martin est devenu, le 12 décembre 2003, le 21e Premier ministre du Canada. Sa politique est marquée par une volonté de rapprochement avec les États-Unis, un renforcement de la sécurité intérieure et une volonté d'accroître la présence du Canada dans le monde.

L'ARCHITECTURE CANADIENNE

Pendant un siècle (1660-1760), les maîtres d'œuvre se cantonnèrent au style classique français. Ce n'est qu'au début du XVIIIᵉ siècle qu'apparut la première architecture canadienne. Formés sur place, ouvriers et architectes canadiens établirent et appliquèrent des normes visant à empêcher la propagation du feu et favorisant une construction dépouillée d'ornements. Lorsqu'ils s'installèrent dans leur nouvelle colonie, dans les années 1780-1825, les Britanniques implantèrent le style palladien (édifices plus hauts et plus ramassés que les bâtiments d'inspiration française ; façades dotées d'une avancée centrale, surmontée d'un fronton), et une nouvelle manière d'occuper l'espace. Les rues marchandes reliant le centre-ville aux faubourgs, où se dressèrent de somptueuses villas, se substituèrent aux places de marché. Puis, entre 1825 et 1860, les architectes anglais et américains imposèrent le néoclassicisme occidental, inspiré des monuments de l'antiquité. L'architecture devait traduire l'ordre et la rigueur de l'Empire britannique, ou célébrer, par des colonnes et des obélisques, ses grands hommes. La fin du XIXᵉ siècle rechercha un style nouveau apte à évoquer les grands monuments de l'histoire nationale. Le poids des héritages, l'éventail des matériaux et des technologies, la diversité des besoins offraient aux architectes une large panoplie de solutions : le style château (1875-1930), inauguré avec le château de Frontenac, ou l'architecture néogothique (1825-1880). Au début du XXᵉ siècle, l'architecture canadienne adopta les nouvelles structures à ossatures, l'acier, le béton, les systèmes mécaniques et électriques, comme en témoignent l'université de Montréal (de style Art déco) ou le bâtiment de la Sun Life. Dans les années 60, le Canada devient créateur de styles nouveaux et de nouvelles conceptions urbanistiques, comme la ville souterraine à Toronto et à Montréal. A présent, une critique des formes trop élitistes s'attache à revenir au contexte local et à l'histoire des lieux, et cherche à inscrire dans le paysage des édifices plus divertissants.

La tour CN de Toronto, haute de 553 m. ▶

Entre montagne et océan, le port de Vancouver abrite quelques remarquables réalisations architecturales, comme le musée d'Anthropologie, conçu par Arthur Erickson, le vaste ensemble de Canada-Place et de nombreux gratte-ciel. ▼

Fredericton, la capitale provinciale, fut fondée par les loyalistes en 1784. La maison du lieutenant-général est caractéristique des débuts du style colonial dans le Bas-Canada.

Le pont cyclable et piéton de la Humber, construit en 1994 à Toronto par Montgomery and Sisam Architects, est le fruit d'un véritable dialogue entre les urbanistes et les citadins. ▼

ENTRE TRADITION ET « HIGH-TECH »

Pour un architecte dont les premières esquisses avait indigné ses professeurs d'université par leur audace, Douglas Cardinal s'en est finalement bien sorti. Il figure parmi les architectes les plus sollicités au monde. Diplômé à l'université du Texas dans les années 60, D. Cardinal réalisa ses premiers édifices dans son Alberta natal. D'emblée, il se distingua à la fois par l'utilisation des outils informatiques dans le calcul des structures architectoniques et par une approche très attentive des réalités locales. En 1983, il remporta le concours pour la construction du musée canadien des Civilisations de Hull (photo ci-dessus). Mêlant les techniques de pointe et les principes de l'architecture organique, l'aspect extérieur du musée symbolise l'émergence d'un continent érodé et taillé par les vents, l'eau et la glace pendant des millénaires.

Récompensé en 1997 par la plus haute distinction dans la profession, l'office de tourisme (Yukon Visitor Reception Center) de Whitehorse a été pensé pour s'intégrer dans le paysage, résister au climat et utiliser les matériaux locaux.

Posée sur un rocher à Nanaimo, la maison Barnes a séduit par son aptitude à s'intégrer au paysage. Cette maison abrite une école pour les Indiens de la côte ouest. ▼

▲ *Dominant le ciel d'Ottawa, le musée des Beaux-Arts du Canada, un édifice de verre inauguré en 1988, est l'œuvre de l'architecte Moshe Safdie.*

Douglas Cardinal est né à Red Deer, en 1934. Sa conception de l'architecture s'inspire à la fois des tendances « high-tech » et de la culture indienne – son père avait des origines Pieds-Noirs. ▶

LE CANADA À LA RECHERCHE DE SON IDENTITÉ

Le Canada est une fédération dans laquelle sont entrés peu à peu les deux territoires et les dix provinces qui la composent aujourd'hui. Il faut, par exemple, se souvenir que Terre-Neuve n'est canadienne que depuis 1949, et que les provinces du Centre et de l'Ouest ne le sont que depuis juste un siècle. Certes, la plupart des États américains n'appartiennent à l'Union que de fraîche date, mais la différence la plus frappante entre les deux jeunes géants

d'Amérique du Nord réside peut-être dans le degré d'unité et d'homogénéité de leurs « noyaux d'origine ».

Tandis que les liens des colons américains se resserraient pendant la guerre d'Indépendance, la cohabitation des colons français, des marchands anglais, des loyalistes et des Amérindiens montra d'emblée les limites et la fragilité du Canada. Et cela d'autant plus que le pays restait une colonie britannique alors que les États-Unis construisaient une société et une culture originales. Et si l'on ajoute tous ceux qui, originaires d'Europe et d'Asie, sont ensuite venus dans l'espoir de créer un pays nouveau, il n'est pas étonnant que le Canada se pose encore le problème de son identité.

Ces questionnements prennent évidemment des dimensions différentes en fonction de chaque région canadienne. Si, au Québec, les Canadiens d'origine française entretiennent clairement le sentiment de constituer un groupe à l'identité particulière, il en va souvent tout autrement des populations anglophones et allophones de la plupart des autres provinces. Issus principalement de l'immigration européenne, à la même époque qu'une large part de la population américaine, les Canadiens anglais ont parfois eu d'importantes difficultés à définir ce qui les distinguait des Américains.

Ironie de l'histoire, c'est en partie l'action des souverainistes québécois qui a suscité de nouvelles réflexions sur « l'identité canadienne ». Déjà, dans les années 60, la Commission royale d'enquête sur le bilinguisme et le biculturalisme cherchait à résoudre le problème de l'unification – ou du moins de la cohabitation – des deux groupes fondateurs. Les tentatives du Québec de se voir reconnaître comme société distincte au sein de la fédération révélait jusqu'à quel point la superposition de groupes différents rendait difficile la constitution d'une entité symboliquement unifiée. Or, la question se pose d'autant plus que le Canada continue d'être, aujourd'hui, une terre d'accueil.

Dans les années 70, le principe d'un Canada multiculturel devint la thèse la plus développée et la plus ouverte sur la question. Elle s'est d'ailleurs vite imposée comme le fondement du discours fédéral en matière culturelle. Elle ne fait cependant pas encore l'unanimité. D'autres clivages viennent en effet s'ajouter à ceux que la langue ou la culture impose.

Du point de vue du statut économique, John Porter, dans l'ouvrage désormais classique *Vertical Mosaic* (« La Mosaïque verticale »), s'en prend avec véhémence à la « mosaïque » canadienne qui est, selon lui, une structure hiérarchique aux disparités marquées, contraignant certains groupes ethniques à vivre dans des ghettos professionnels. On estime que les élites politiques, financières et culturelles

gine indienne (James Bartleman) et une présidente directrice générale de la branche canadienne de General Motors (Maureen Kempston Darkes). Cette dernière fut nommée par Paul Martin, alors ministre des Finances, à la présidence de la campagne nationale du Programme d'épargne-salaire des nouvelles obligations du Canada pour l'année 2001. Bien sûr, ces trois personnes ont des carrières exceptionnelles, mais leur exemple est le signe d'une certaine évolution de la société canadienne. Il n'en reste pas moins vrai que les élites du pays portent majoritairement l'étiquette WASP (*White Anglo Saxon Protestant*).

ne représentent que 2 000 personnes au Canada, mais la composition de ce groupe de *happy few* connaît quelques changements. Jusqu'à une date assez récente en effet, ni les femmes ni les Indiens ne pouvaient accéder à la classe dirigeante. Or aujourd'hui, on compte une femme d'origine chinoise au poste de gouverneur général (Adrienne Clarkson), un lieutenant-gouverneur de l'Ontatio d'ori-

Pages précédentes : Indiens à une fête traditionnelle ; jeunes filles dans une herboristerie. Page de gauche : chef huron en habit de cérémonie ; Canadienne d'un nouveau genre ; ci-dessus, enfants lors d'un concours agricole à Morden, dans le Manitoba ; à droite, loup de mer des îles du Prince-Édouard.

Dans les domaines culturels et politiques, la situation est plus contrastée, les Québécois y jouent un rôle décisif. Ces caractéristiques ne font évidemment pas du Canada une exception. La concentration des leviers de commande de l'économie entre les mains d'une minorité reste un phénomène général et, dès le lendemain de la conquête britannique, les Canadiens français en subirent les premiers effets dans une certaine « désappropriation » de leur économie.

Ces dimensions n'en rendent que plus difficile la définition d'une image intégrée de l'identité canadienne. Une identité qui permette le développement d'un réel sentiment d'appartenance nationale, et puisse assurer, notamment au Canada anglais, une image différente de celle du voisin américain.

Les autochtones

Les autochtones du Canada, c'est-à-dire les Indiens (300 000 personnes réparties en 600 tribus inscrites), les Inuit (27 000 personnes) et les Métis (400 000 personnes), représentent aujourd'hui 2,8 % de la population du pays (27 millions d'habitants). Contraints de vivre dans des réserves situées dans des territoires à demi-colonisés, où les dons du gouvernement, les écoles « blanches », sont tenus d'y être acceptés et appréciés comme des améliorations

les autochtones), et faire la synthèse d'un héritage culturel distinct et des impératifs politiques et économiques prendra sûrement du temps. Mais les cérémonies et les fêtes qui se déroulent dans tout le pays témoignent de la farouche volonté des Amérindiens de sauvegarder leur identité et leur détermination à se tailler la part d'existence qui leur revient.

Les Bois-Brûlés

Au début du XVIe siècle, Samuel de Champlain s'adressa aux Hurons en souhaitant que « les deux peuples s'unissent ». Le fondateur de la Nouvelle-France ne pensait pas que son désir

par rapport au mode de vie antérieur, les Indiens ont longtemps été considérés comme des citoyens de deuxième catégorie. Un Indien inscrit comme tel ne pouvait pas voter, mais s'il renonçait à son statut (on appelait cela l'émancipation), il perdait tous les droits attachés à ce dernier au profit de ceux dont jouit tout Canadien. Une lente évolution des mentalités et plusieurs crises, dont certaines violentes, ont cependant fait évoluer les choses. Depuis le début des années 80, les Indiens (dont 72 % vivent officiellement dans des réserves) se sont constitués en véritable force politique qui ne peut plus être ignorée, à aucun niveau de l'État.

Certes, tous les problèmes ne sont pas réglés (le taux de suicide est trois fois supérieur chez

se réaliserait au-delà de ses espérances. Pendant deux siècles, de jeunes Français, les coureurs de bois, se lancèrent dans le commerce de la fourrure. Ils s'installèrent dans les villages indiens, épousèrent des *squaws*. Les trappeurs anglais de la baie de Hudson firent de même. La conséquence de ces unions fut la constitution, à la fin du XVIIIe siècle, de groupes de Métis qui s'implantèrent à l'ouest du lac Supérieur, le long de la rivière Rouge et près du lac Winnipeg. Catholiques, francophones, chasseurs de bisons et hostiles aux Anglais, les Bois-Brûlés, surnommés ainsi en raison de la couleur de leur peau, tentèrent, au cours de plusieurs soulèvements au XIXe siècle, de faire reconnaître leur identité. Aujourd'hui, un million de descendants de ces Bois-Brûlés vivent dans l'ouest du Canada dans les provinces du Manitoba, de la Saskatchewan et de l'Alberta. Ils forment une population catholique et francophone mal intégréc à la société anglo-saxonne. Marginalisés, refoulés dans les banlieues des métropoles, à l'Est comme à l'Ouest, les métis sont les derniers témoins d'une histoire que bien des Canadiens refusent de reconnaître.

LES CANADIENS FRANÇAIS AUJOURD'HUI

La communauté francophone du Canada fut la première à s'installer durablement le long du

et une langue où se mêlent encore aujourd'hui une série d'expressions typiquement canadiennes et un vocabulaire qui tire ses particularités lexicales et ses accents des parlers du XVIIe siècle français. Toujours menacés dans leur identité culturellc et linguistique et luttant contre le risque constant d'assimilation, les francophones – et les Québécois en particulier – sont consternés par le refus de nombreux anglophones d'apprendre le français. Dans les provinces anglophones où ils ont survécu, les francophones doivent encore mener de rudes batailles pour la reconnaissance du droit à des écoles françaises. Accueillants pour les immigrants juifs, grecs, italiens, haïtiens,

Saint-Laurent, dès le XVIIe siècle. Elle forme encore aujourd'hui plus de 25 % de la population canadienne, et reste concentrée au Québec. Les ancêtres des Canadiens francophones sont venus de Normandie, de Bretagne, de l'Aunis, du Poitou, de Saintonge, de Guyenne, du Languedoc, de Picardie et d'Ile-de-France.

Après la conquête anglaise de 1759, les francophones ont très vite perdu le contact avec la France. Cet isolement relatif leur permit à la fois d'inventer des rapports sociaux originaux

De gauche à droite, une «babouchka» ukrainienne sur un marché du Manitoba ; une Indienne de la tribu des Dene, originaire du Yukon ; une Canadienne grecque ; un Canadien écossais.

portugais ou vietnamiens qui sont venus s'établir sur leur rude coin de terre, les Québécois tentent de défendre la reconnaissance de leur apport comme peuple fondateur du Canada et se méfient des discours qui tendraient à les assimiler à l'une des nombreuses «communautés ethniques» du pays. Au «multiculturalisme», les francophones préfèrent le «biculturalisme», qui tient davantage compte de leur contribution historique propre et justifie une autonomie accrue.

ANGLAIS, ÉCOSSAIS ET IRLANDAIS

Le Canada est une société à prédominance anglaise. Le faste et la solennité des événements publics, l'omniprésence du portrait de la reine Élisabeth II dans les édifices publics du Canada anglophone, tout évoque la filiation à l'Angleterre. L'histoire des Anglo-Saxons du Canada est cependant bien plus disparate que la tradition britannique ne le souhaiterait.

A côté de la souche authentique (immigrants venus directement d'Angleterre) de nombreux sujets britanniques sont entrés au Canada par les États-Unis. Les Yankees loyalistes fuyant la guerre d'Indépendance américaine arrivèrent par milliers à la fin du XVIIIe siècle, faisant pencher la balance en faveur d'une population à dominante anglaise.

d'à côté ». Les Highland Games écossais, les fêtes populaires irlandaises et le cérémonial politique (comme par exemple une imitation curieuse de la relève de la garde devant Buckingham Palace) sont des spectacles courants.

LES ALLEMANDS, LES SCANDINAVES ET LES UKRAINIENS

Après les Français et les Anglais, arriva une vague de colons d'origine allemande. Les Allemands émigrèrent en Nouvelle-Écosse à partir de 1750 et fondèrent la ville de Lunenburg en 1753. Cette petite métropole devint, par la suite, un centre de construction navale

Ils furent rejoints par les réfugiés irlandais, victimes pour la plupart de la Grande Famine, et qui avaient traversé l'Atlantique pour survivre. Les immigrants écossais, évacués de leurs terres pour céder la place à l'élevage du mouton, s'aventurèrent au Canada pour la même raison. L'antagonisme entre catholiques irlandais et protestants écossais engendra au XIXe siècle des émeutes, généralement au cours de l'une ou l'autre des parades annuelles. Même atténuées par le temps, certaines de ces tensions anciennes persistent encore. Aujourd'hui, les produits culturels irlandais, anglais et écossais coexistent presque partout au Canada, que ce soit à la séance inaugurale du Parlement ou au « café

prospère. Les loyalistes d'origine allemande émigrèrent eux aussi vers le Haut-Canada, où ils fondèrent une ville qu'ils appelèrent Berlin Celle-ci existe toujours, mais elle fut rebaptisée Kitchener au cours de la Première Guerre mondiale, par crainte des sentiments anti-allemands qui régnaient alors.

Les Suédois, les Norvégiens et les Finlandais (ceux-ci fuyant le plus souvent l'oppression tsariste), fondèrent des colonies à l'ouest, dans les régions du Canada ressemblant le plus à la Scandinavie. Ces régions ont conservé le cachet d'origine des populations qui les habitent. Établis dans les années 1880, un groupe d'Islandais entreprenants a fait prospérer la ville de Gimli, dans la Prairie. Chaque été, au début du mois d'août, ils se rassemblent pour l'Islendingada-gurinn, la « fête des Islandais ».

Au XVIIIᵉ siècle, le Canada reçut des milliers d'émigrants venus d'Ukraine, ces « hommes aux manteaux de mouton », ainsi que les désignait le journalisme populaire de l'époque. Attirés par les fermes gratuites dans l'Ouest et les terres de la Prairie en friche, ressemblant étonnamment aux steppes de leur pays natal, les Ukrainiens s'installèrent d'abord dans le Manitoba, la Saskatchewan et l'Alberta. Après les Canadiens français, ce sont eux qui ont peut-être le sentiment d'identité nationale le plus fort. La reconnaissance de leur patrimoine culturel est promue par une dynamique agressive,

sol de la Colombie britannique, les premiers Chinois du Canada furent des mineurs. Ils furent vite rejoints par des Japonais. Leur résistance physique et leur frugalité leur permirent de s'implanter dans l'Ouest et de prospérer malgré l'hostilité ambiante et la discrimination de la politique gouvernementale fédérale.

Les années 1880 virent en Colombie britannique l'arrivée en masse de coolies asiatiques : les Chinois avaient été recrutés pour la construction de la ligne du chemin de fer Canadian Pacific. Sous-payés, travaillant dans des conditions pénibles et dangereuses, de nombreux Chinois sont morts au service d'un pays qui les sous-estimait. En 1903 arrivèrent

servie par des organisations puissantes, des quotidiens et des hebdomadaires et des groupements politiques qui sont le fer de lance dans la lutte pour l'octroi à d'autres langues que le français et l'anglais d'un statut privilégié.

LES ASIATIQUES

Abandonnant les mines d'or épuisées de Californie et attirés par les perspectives d'emplois offertes par l'exploitation des richesses du sous-

A gauche, deux visages du monde anglo-saxon de Toronto : la nouvelle génération et un officier de l'Armée du Salut ; ci-dessus, devant une cafétéria à Elora dans l'Ontario.

les premiers Sikhs, qui finirent par former une importante communauté.

Lorsque la ligne de chemin de fer fut terminée, beaucoup quittèrent le Canada. Ceux qui restèrent connurent une vie difficile, travaillant dans les usines, comme domestiques ou se lançant dans de petites affaires. L'essor des petites entreprises commerciales chinoises se heurta à la loi de 1923, qui interdisait l'immigration des Asiatiques. Dans les années 60, l'assouplissement de la politique en matière d'immigration — le Canada cessant de donner sa préférence aux Européens — favorisa l'arrivée de populations en provenance de l'Asie, de l'Afrique, des Antilles et de l'Amérique du Sud.

FRANÇAIS ET ANGLAIS : TROIS SIÈCLES DE COHABITATION

Née en 1867, la confédération du Canada ne garantissait nullement la réunion de ces deux mondes. Le pacte présentait de grands avantages économiques, et il renforçait la sécurité du territoire. A présent, l'estuaire du Saint-Laurent, le chemin de fer canadien, l'autoroute transcanadienne (la Transcanada Highway), ainsi que les attraits touristiques de Montréal et de Québec assurent une constante circulation entre ces deux communautés. Éco-

nomiquement et institutionnellement, le Canada est désormais une nation. Mais une fois écartées ces considérations économiques et politiques, les liens entre les francophones et les anglophones apparaissent distendus, fragmentés et problématiques.

LE POIDS DE L'HISTOIRE

La nature des relations entre francophones et anglophones dans le Canada d'aujourd'hui ne se comprend qu'à la lumière de l'histoire de l'Amérique du Nord. On y retrouve les rivalités anciennes entre l'Angleterre et la France, qui se livrèrent une guerre d'Empire dont l'Amérique fut un des champs de bataille.

Au Canada, les premiers colons français s'installèrent généralement sur les rives du Saint-Laurent, dans l'actuelle province du Québec. Par incursions successives et à l'issue des différentes guerres coloniales, les Anglais s'établirent plus avant dans l'arrière-pays et, tout d'abord, dans la région des Grands Lacs. Du fait de la rapide expansion démographique des colonies anglaises du Sud, les Français se trouvèrent rapidement très isolés et constituèrent assez vite aussi une « minorité » numérique en Amérique du Nord.

Dès 1759, les Québécois perdirent l'illusion d'un rattachement quelconque à la France métropolitaine. Comme toujours, une guerre en Europe entraînait un conflit aux colonies. La bataille des plaines d'Abraham contribua de façon décisive à la formation du Canada contemporain. La victoire anglaise – que les francophones appellent encore aujourd'hui, la conquête – et ses lendemains – la mainmise britannique sur le Canada – éliminèrent pratiquement tout espoir de réconciliation entre les deux peuples. Les Anglais étaient des vainqueurs, les Français des vaincus. Les colons d'origine française abandonnés par la métropole étaient obligés de se défendre seuls sur un continent occupé par « l'Anglais ». En 1759 apparut un schéma de cohabitation qui persiste aujourd'hui. Un gouvernement contrôlé par les autorités britanniques, ou en majorité anglophone, dictait ses lois à une population en majorité francophone (essentiellement concentrée le long des rives du Saint-Laurent). Les tensions, est-il besoin de le dire, ne tardèrent pas à se manifester.

Dès 1867, et même avant, des relations socio-économiques d'un type assez rigide s'étaient établies. Au Québec, les Anglais tenaient la banque, les affaires, en un mot le pouvoir, alors que la très grande majorité des ouvriers, des paysans, mais aussi des créateurs se recrutaient parmi les Français, toujours attachés à une culture spécifique et étonnamment riche.

En échange, la Confédération donnait au Québec un cadre politique qui lui assurait une autonomie toute relative : le gouvernement provincial. La décentralisation issue de la convention accordait un certain pouvoir aux provinces ; elle aurait pu, de ce fait, fournir aux citoyens francophones de la province de Québec les moyens de s'affirmer. Mais les tendances centralisatrices du gouvernement fédéral rendront souvent difficile une affirmation effective. Et, de fait, la première moitié de ce siècle ne vit guère de changement notable dans la situation. Le Canada anglais s'étendait et consolidait ses frontières, tandis que l'Ontario prenait en main l'économie du pays.

Ainsi, les compagnies implantées au Québec employaient un personnel entièrement francophone, mais une direction exclusivement anglophone : illustration des discriminations économiques exercées contre la population de langue française. En outre, les hommes d'affaires canadiens anglais réinvestissaient rarement sur place les profits tirés de ces activités. De sorte que, pour assurer l'embauche d'une main-d'œuvre grandissante issue de l'exode rural, certains dirigeants politiques québécois – notamment Maurice Duplessis dans les années 50 – appuyèrent les investissements financiers anglophones, contre les aspirations des Québécois visant à bâtir et à contrôler l'économie du Québec.

Dans le Canada anglais, les francophones passaient pour un peuple rétrograde et attardé, n'ayant à offrir au pays que les meilleurs éléments des équipes de hockey sur glace. A Montréal même, la communauté anglophone, très ignorante de la culture québécoise qui l'entourait, considérait la population comme inapte à la langue « économique » et « politique » du Canada.

LA RÉVOLUTION TRANQUILLE

La Révolution tranquille qui trouva d'abord ses racines dans le désir d'une affirmation culturelle spécifique et d'une croissance économique autonome, se développa rapidement dans une perspective plus politique visant à l'établissement d'un projet d'indépendance nationale pour le Québec.

Dans ses dimensions culturelles, la Révolution tranquille conduira à la revalorisation du fait français au Québec et, par là, au foisonnement de la création artistique. Investissant les champs encore nouveaux de la télévision, ou les formes plus traditionnelles du théâtre, les manifestations culturelles se multiplièrent. Le développement de thèmes propres aux réalités spécifiques du Québec (référence au climat difficile, définition de repères historiques nouveaux, etc.) permettait à cette société française d'Amérique du Nord

Les deux communautés linguistiques puisent chacune à leur manière dans leurs traditions : le théâtre de Shakespeare (à gauche), le souvenir de la noblesse française (à droite).

de se définir à la fois comme francophone et nord-américaine.

Dès 1960, l'idéal d'un Québec « souverain » donna naissance à une multitude de groupes actifs qui cherchèrent à promouvoir une forme plus politique d'affirmation de l'identité québécoise. Parmi les tout premiers groupes, le Rassemblement pour l'indépendance nationale (RIN) devait largement contribuer par son action publique à diffuser l'idéal d'un Québec « libre ». Forçant les hommes politiques à prendre position, les groupes indépendantistes présentèrent eux-mêmes un certain nombre de candidats aux élections provinciales de 1966. Ils y obtiendront 8 % des

suffrages, sans pour autant faire élire de candidat. Leurs voix, prises à la clientèle « moderniste » des libéraux, firent néanmoins perdre à Jean Lesage le soutien électoral qui aurait été nécessaire à sa réélection. Son rival, Daniel Johnson, plus traditionaliste, continua néanmoins les réformes engagés par les libéraux. La modernisation du Québec était devenue un processus incontournable, alors que la « question nationale » s'imposait comme un enjeu nouveau dans le champ politique québécois.

Cette prise de conscience détermina un certain nombre de députés libéraux à quitter leur parti pour fonder une nouvelle structure politique qui puisse faire la promotion de la « souveraineté nationale » et réunir les tenants de l'indépendance politique. Sous la direction de René Lévesque, ces représentants fondèrent le Parti québécois. Cependant, dans le même temps, des groupes terroristes avaient déjà fait leur apparition, et se signalèrent par de nombreuses actions entre 1963 et 1970. Cette flambée de violence provoqua de grandes inquiétudes dans le Canada anglais, qui prenait ainsi brutalement conscience des aspirations d'une partie de la population québécoise.

La « vague terroriste » ne devait cependant pas empêcher la poursuite du mouvement moderniste et autonomiste engagée au Québec. Le gouvernement libéral de Robert Bourassa (réélu en 1973) poursuivit le développement de

101 » devait renforcer davantage, du côté francophone, le sentiment de son appartenance à la francophonie et de sa spécificité nationale. Elle conduisit toutes les autres provinces à se questionner sur leur propre identité.

Désirant provoquer le processus de négociation permettant la reconnaissance de rapports nouveaux entre le Québec francophone et le reste du Canada anglophone (forme de « souveraineté-association »), le gouvernement de René Lévesque lançait, en 1980, une procédure de consultation référendaire auprès de la population. Affrontant les tenants du « non », largement soutenus par le gouvernement fédéral, le gouvernement du Québec devait cependant

l'État québécois et fut à l'origine de nouvelles réformes sociales. Mais ses difficultés à définir un statut protégé pour la langue française au Québec lui coûtèrent les élections de novembre 1976, alors qu'au même moment, et pour la première fois, le Parti québécois (souverainiste) gagnait les élections provinciales.

D'inspiration social-démocrate, le PQ renforça l'intervention de l'État et engagea une série de réformes sociales qui accentuèrent le caractère particulier du Québec au sein du Canada. L'adoption de la « loi 101 » (Charte de la langue française) devait enfin assurer la protection du français dans les sphères sociale et économique du Québec. Plutôt mal reçue par la minorité anglophone de la province, la « loi

perdre le référendum en mai de la même année (40 % de « oui », contre 60 % de « non »).

Mis en déroute, le Parti québécois emporta malgré tout les élections provinciales de 1981. L'année suivante, Pierre Elliott Trudeau, désireux d'affirmer symboliquement l'autonomie politique du Canada vis-à-vis de l'opinion internationale, présentera au pays un projet de « rapatriement » de la loi britannique de 1867 qui, jusque-là, lui servait de constitution. Cette situation comportait l'inconvénient d'imposer au parlement britannique le vote de tout amendement nouveau au texte constitutionnel canadien. Ce rapatriement, unilatéralement décidé par Ottawa, rencontra la résistance de huit des dix provinces canadiennes, qui exigèrent la négociation d'une formule d'amendement constitutionnelle qui les aurait protégées des tendances centralisatrices du gouvernement fédéral. Animé par le Québec, ce front uni devait cependant s'effriter au cours des négociations, et les provinces anglophones acceptèrent de signer sans le Québec le nouvel acte constitutionnel. A nouveau, le Québec retombait dans l'isolement politique.

ET DEMAIN...

Le 30 octobre 1995, un nouveau projet de souveraineté québécoise (associée à un partenariat économique et politique avec le Canada)

Canada, ni à obtenir une plus grande décentralisation des compétences et la reconnaissance de son identité. Pourtant, plusieurs éléments laissent penser qu'une page du conflit canado-québécois s'est peut-être tournée. D'une part, le départ de J. Parizeau a entraîné de nombreux changements parmi les responsables du camp souverainiste. De son côté, J. Chrétien a renforcé l'équipe québécoise au sein du cabinet fédéral. Il a ensuite offert de satisfaire les demandes du Québec sur des points essentiels avec, en contrepartie, un contrôle fédéral plus étroit du processus référendaire provincial. Cette proposition a de quoi séduire de nombreux Québécois qui crai-

fut proposé par le Bloc québécois de L. Bouchard, le Parti québécois du premier ministre de la province Jacques Parizeau et l'Action démocratique. Il fut repoussé par les Québécois à une très faible majorité (1,12 %), le taux élevé de participation – 93 % de l'électorat – donnant tout son poids à cette consultation.

Au lendemain d'un résultat aussi serré et dans un climat d'amertume, de nervosité et d'incertitude dénoncé notamment par les acteurs économiques et financiers, la situation pouvait apparaître plus bloquée que jamais. Le Québec ne parvenait ni à se détacher du

gnent que l'enlisement de l'imbroglio canado-québécois grossisse les rangs de ceux qui, dans les régions ayant massivement rejeté la souveraineté, réclament la partition du Québec.

Du côté anglophone, on comprend souvent mal les aspirations du Québec à plus d'autonomie et son acharnement à maintenir son identité linguistique au sein d'une Amérique du Nord en majorité anglophone. Mais, dans la Belle-Province, la question de la langue conserve plus que jamais son caractère mobilisateur et les assouplissements de la « loi 101 » sont autant de motifs à d'importantes mobilisations populaires. Quoique moins accentuée, une certaine ignorance réciproque des communautés subsiste.

A gauche, des conducteurs de calèche à Québec; ci-dessus, les cafés « à la française » de Montréal.

LA LANGUE QUÉBÉCOISE

En 1756, le général Montcalm peut, à sa grande surprise, s'entretenir en français avec les paysans de la côte de Beaupré : les colons, originaires de Normandie, de l'Ile-de-France avaient déjà réalisé leur unité linguistique, alors qu'en France, les deux tiers de la population ignoraient encore le français.

Cependant, comme toute langue qui émigre et se coupe plus ou moins de son terroir d'origine, le français du Canada a conservé des mots et des tournures syntaxiques devenus rares, littéraires ou archaïques dans la mère patrie.

se sont traduits par l'emprunt de mots qui ont désormais leur place dans les dictionnaires alors que certains amérindianismes sont propres au français du Québec, comme « annedda » (remède), « tabagane » (traîneau sans patins glissant sur la neige), ou encore « babiche » (fine lanière de peau crue d'anguille utilisée comme fil à coudre).

Les premiers colons s'établirent d'abord sur les rives du Saint-Laurent et, en l'absence de route pavée, les déplacements s'effectuaient le plus souvent par canot ou par bateau. Ainsi, la terminologie navale devint bientôt familière à la plupart des habitants. Depuis le XVIIe siècle, les Québécois emploient des centaines de

DIALECTALISMES ET MODES DE VIE

Le québécois présente bon nombre de ces particularités : « avaricieux » (avare), « capot » (manteau), « dalle » (gouttière), « gravelle » (gravier), « ménage » (meubles), « menterie » (mensonge), « noirceur » (obscurité), « endêver » (taquiner), « pâtir » (souffrir), « serrer » (ranger), « mais que » (lorsque), « quand et » (en même temps), « c'est selon » (ça dépend). Nombreux également sont les vocables que l'on ne rencontre que dans certaines provinces françaises dont étaient originaires ceux qui les importèrent au Canada.

A côté de ces archaïsmes et idiotismes, les contacts avec les habitants du Nouveau Monde

mots tirés ou inspirés du vocabulaire maritime. Aujourd'hui encore, on « appareille » ou on « greille » les enfants pour l'école, on « hale » de l'eau et on « embarque » dans une voiture ; de même, on dira « larguer » (jeter) un objet, faire des « radoubs » (réparations), poser du « prélarts » (linoléum) sur un parquet et, au figuré, être « à l'ancre » (être chômeur ou sans emploi), ou faire pacager les vaches « au large » (loin de l'étable).

En revanche, l'hiver auquel les colons français étaient confrontés ne ressemblait à rien de connu. Ils durent donc inventer un vocabulaire pour en exprimer les nuances. Très tôt sont donc apparus des néologismes comme les verbes « poudrer » (impersonnel), « faire de la poudrerie » (neige sèche déjà au sol que le vent soulève), ainsi que deux diminutifs, « poudrailler » et « poudrasser ». La poudrerie crée les « bancs de neige » ou congères. On appelle « croûte » une surface de neige durcie (à la suite d'une pluie ou d'un dégel) suffisamment épaisse pour porter les piétons.

L'INFLUENCE ANGLAISE

Après la « conquête », le français ne demeura langue véhiculaire qu'à l'église et dans les familles. Le fait que l'administration et le commerce soient passés aux mains des Britanniques contribua largement à l'anglicisation du fran-

çais au Canada. L'Angleterre approvisionnait le pays, tout arrivait et se vendait sous étiquette anglaise : le *corduroy* (velours côtelé) les gants de *kids* (chevreau) ou les *saucepans* (casseroles). Il suffisait parfois qu'une denrée passe entre les mains de commerçants pour qu'elle soit désignée sous un nom anglais. La publicité par catalogues illustrés, à la fin du XIXᵉ siècle, accentua encore ce phénomène. Avec le temps, l'assimilation de ces anglicismes à la syntaxe française finit par produire un langage truculent, appelé le « joual ». Pendant la Révolution

De gauche à droite : fondement de l'identité culturelle québécoise, le français est défendu aussi bien dans la vie quotidienne que dans la littérature.

tranquille s'exprimer en « joual », même par écrit, était considéré, par certains, comme une façon d'affirmer l'identité québécoise.

NOMS DE FAMILLE ET JURONS

Parmi les patronymes québécois, on relève des surnoms portés autrefois par des soldats de régiment : Bellehumeur, Brindamour, Sansfaçon, Sansregret, Sanssouci, Tranchemontagne. Certaines appellations évoquent les origines de leurs titulaires : Anjou, Larochelle, Normand, Picard, Poitevin ; ou des noms très liés à l'Église : Cardinal, Chrétien, Larchevêque, Lévesque. Quant aux Bouchard et aux Trem-

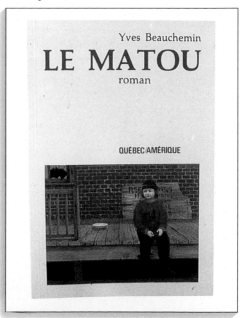

blay, ils sont au Québec ce que les Martin et les Dupont sont à la France.

L'omniprésence de l'Église et le caractère archaïque de certains aspects du français québécois expliquent que, dans la Belle-Province, on jure d'une manière très particulière. En effet, les jurons renvoient, pour la plupart, à des objets liturgiques ou au culte : « ciboire ! » « calice ! », « tabernacle ! », « calvaire ! », ou encore « sacrement ! ». La gamme s'enrichit en outre de toutes les combinaisons possibles de ces différents éléments, comme dans « saint-ciboire ! » Absents de la langue châtiée, ils reviennent sous le coup de l'émotion. Comme l'écrit le chansonnier québécois Plume Latraverse, *« ça met du piquant dans la vie ».*

LES INUIT

Les Esquimaux du nord du Canada se sont toujours donné le nom d'Inuit, qui signifie « êtres humains ». Une désignation qui paraît on ne peut plus pertinente lorsqu'on sait que les Inuit furent, pendant des millénaires, les seuls êtres humains qui aient jamais habité cette partie de l'Arctique.

DORSÉTIENS ET THULÉENS

A la fin de l'ère quaternaire, l'environnement arctique connut des alternances de réchauffements et de refroidissements. Les habitants nomades des régions septentrionales du Canada eurent donc à s'adapter à ces changements climatiques affectant la flore et, par conséquent, le déplacement des gibiers dont dépendait leur survie.

On suppose que le premier groupe humain qui occupa ces régions polaires arriva par le détroit de Béring à une époque de relative chaleur. Ce groupe, connu sous le nom de Prédorsétien se dispersa dans l'archipel arctique, au nord du détroit de Béring, ainsi qu'en direction de l'Est jusqu'au Groenland. Ces hommes chassaient le phoque et pêchaient dans les eaux de l'océan Arctique, comme leurs parents à l'ouest du détroit de Béring.

Vers 1 500 av. J.-C., un refroidissement les contraignit à émigrer vers le sud et à gagner le continent. La civilisation dite des Prédorsétiens évolua alors donnant naissance à la culture indigène du Dorset. Cherchant de nouveaux moyens de subsistance, les Indiens se mirent à chasser le caribou qui se déplaçait en troupeaux. Leurs attaches culturelles avec leurs cousins asiatiques, à l'ouest du détroit de Béring, étaient désormais rompues.

Les Dorsétiens ne sont cependant pas les ancêtres directs des Inuit. A partir de 900 avant notre ère, une vague de réchauffement se produisit dans l'Arctique ; elle fut à l'origine de la migration vers le nord des Thuléens de l'Alaska. Les Thuléens chassaient les gros mammifères marins. Avec la disparition des icebergs continentaux, les baleines, les phoques et les morses passèrent le détroit de Béring et s'engagèrent dans la mer de Beau-

A gauche, le « trampoline arctique », une distraction très appréciée des Esquimaux ; à droite, jeune Inuit jouant à cache-cache avec l'appareil photographique.

fort. Les Thuléens les suivirent. Ils se distinguaient des Dorsétiens à différents égards. Ils installaient de vastes campements en bordure de mer, tandis que les Dorsétiens vivaient en petits clans familiaux. Par ailleurs, les Thuléens étaient des chasseurs plus évolués que les Prédorsétiens, voire les Dorsétiens eux-mêmes.

Assez paradoxalement, vers l'an 1500 de notre ère, les Thuléens se trouvèrent dans la situation où s'étaient trouvés les Dorsétiens 3 000 ans plus tôt, lorsqu'une une petite glaciation accrut l'étendue de la banquise. Les mammifères marins, qui empruntaient le détroit de Béring pour passer dans l'océan Arctique, se

raréfièrent, tandis que les chemins migratoires du caribou descendirent plus au sud. Pour s'adapter à ces conditions nouvelles, les Thuléens se divisèrent et adoptèrent une vie moins sédentaire. C'est à cette étape de leur histoire, que les Thuléens sont devenus les Inuit.

UN ENVIRONNEMENT HOSTILE

Les Inuit élurent domicile dans l'Arctique, en dépit de l'adversité de l'environnement. Leur évolution, leur culture et leur langue se distinguent de celles des Amérindiens qui migrèrent vers le Sud peu après avoir traversé le détroit de Béring. Sur ce sol âpre et froid, ils perfectionnèrent leur technique de construction des igloos et des kayaks et se spécialisèrent dans la chasse à l'ours polaire et au phoque. Bien qu'exposés au froid et à des ressources incertaines, les Inuit parvinrent à s'implanter.

Chez eux se mêlaient une ingéniosité innée et une humilité qui faisait d'eux un peuple tolérant et stoïque, acceptant ses limites dans un pays où l'obscurité règne six mois par an. Le fait que les Inuit aient survécu et lutté durant des siècles paraît d'autant plus remarquable que les Eurocanadiens, en dépit de leur immense bagage technologique, éprouvèrent des difficultés psychologiques insurmontables lorsqu'ils affrontèrent les solitudes septentrionales ne fût-ce que quelques années.

il l'enferma dans la cale et fit voile vers le large. La recherche de l'or et celle de l'itinéraire vers l'Ouest s'étant révélées toutes deux infructueuses, Frobisher décida de rentrer en Angleterre afin de présenter son ambassadeur du Nord à la reine et, fort de ce témoignage, d'obtenir de la souveraine les moyens d'une nouvelle expédition. Hélas, la captivité eut rapidement raison du malheureux Inuit qui mourut d'un rhume. Hormis les expéditions de Frobisher, les Inuit du Grand Nord n'eurent que de rares contacts avec les Européens jusqu'en 1818, date à laquelle les premiers équipages de baleinières firent leur apparition dans l'océan Arctique oriental.

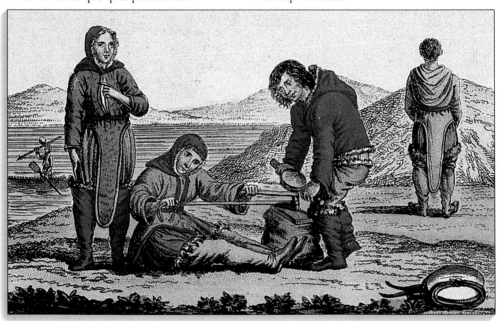

PREMIERS CONTACTS AVEC LES EUROPÉENS

En 1576, l'isolement des Inuit prit fin lorsque l'Europe, en la personne de Martin Frobisher, explorateur et corsaire au service de Sa Majesté Élisabeth d'Angleterre, pénétra dans une immense baie de la terre de Baffin. Il cherchait à la fois de l'or et le passage nord-ouest conduisant aux Indes. Des Inuit vinrent à sa rencontre et encerclèrent son navire de leurs kayaks. Afin de les attirer, Frobisher fit retentir une cloche. Poussé par la curiosité pour ce son si étrange, un Inuit s'approcha du navire et essaya de s'emparer de la cloche. Frobisher réussit à hisser l'homme et son embarcation hors de l'eau, puis

Outre les périls propres à cette forme de pêche, les baleinières couraient le risque d'être prises par les glaces lorsqu'elles s'engageaient dans le détroit de Davis encombré d'icebergs, à la recherche de la baleine franche. Les pêcheurs souffraient de gelures, du scorbut et de dépression nerveuse engendrée par la grande solitude de ces régions polaires. Entre 1830 et 1840, une série de désastres s'abattit sur les baleinières – certaines furent prises dans les glaces et détruites sous la pression de celles-ci. On se posa alors la question du bien-fondé de la pêche à la baleine sous de telles latitudes.

On envisagea alors la création de ports d'attache permanents pour les baleinières sur les îles de l'Arctique. Dans les années 1840-1850, l'Écossais William Penny, capitaine de baleinière particulièrement avisé, commença à employer les Inuit de la région dans son établissement de la terre de Baffin. Il découvrit bientôt qu'ils étaient d'excellents pêcheurs de baleines, ce qui n'était guère surprenant chez ce peuple de la mer, héritier d'une tradition millénaire de pêche aux grands mammifères marins. Bientôt W. Penny et d'autres pêcheurs de baleines adoptèrent le chaud vêtement des Inuit, leurs harpons sophistiqués, et d'autres accessoires de leur technologie.

Malheureusement, en raison du succès immense de cette industrie, la population des baleines franches fut complètement décimée

ter exclusivement sur les ressources de la mer, utilisèrent les armes à feu et modifièrent leurs habitudes alimentaires. Pour certains, les comptoirs de la baie d'Hudson devinrent une base, voire un deuxième foyer. Mais, lorsque dans les années 1840-1850, le prix des fourrures s'effondra, ils ne purent plus acheter ni munitions, ni d'autres produits qui leur étaient devenus indispensables. Sur la terre de Baffin, les deux tiers des comptoirs fermèrent définitivement. Commença alors, pour les Inuit, une longue période de famine et de privation.

Seuls les missionnaires luttèrent pour leur venir en aide. Ils adressèrent aux autorités médicales des rapports sur les épidémies de

dès les années 1880. Mais, alors que la pêche à la baleine déclinait, la Compagnie de la baie d'Hudson, première compagnie britannique du commerce des fourrures, noua de nouveaux contacts avec les habitants des régions hyperboréales.

TENTATIVES D'ASSIMILATION ET ÉPIDÉMIES

Les Inuit conservèrent un mode de vie semi-nomade, tout en se faisant trappeurs pour assurer leur subsistance. Ils cessèrent ainsi de comp-

A gauche, préparatifs de chasse ; ci-dessus, chasseurs inuit près de la Great Whale River, vers 1920.

grippe et les progrès de la tuberculose qui décimaient la population inuit. Les virus européens s'étaient en effet infiltrés dans les communautés septentrionales du pays, faisant de très nombreuses victimes. William Penny notait dans son journal qu'à son arrivée en terre de Baffin, après 1840, la population inuit comptait 1 000 hommes alors qu'en 1858, la maladie en avait tué les deux tiers. En 1931, à Coppermine, on dénombra également 19 cas de tuberculose pour une population de 100 habitants.

D'une manière générale, jusqu'à la fin des années 40, le gouvernement canadien ignora totalement le problème inuit. Cependant, sur les instances de l'Église, il prit progressivement des mesures. En 1950, les autorités médicales dirigèrent 1 600 Inuit (soit 14 % de la population) vers les sanatoriums d'Edmonton et de Montréal. Cette mesure, dictée dans un souci de protection, se révéla néfaste : la presque totalité des Inuit, qui n'avait jamais quitté le Nord, en mourut. Le corps médical, qui s'appliquait à soigner leur tuberculose, fut frappé de l'ampleur de la mortalité infantile dont le taux était alors de 257 pour 1 000.

Tout en mettant en place un plan médical pour sauver les Inuit, le gouvernement fédéral prit des dispositions visant à intégrer ce peuple à la population canadienne. Ces mesures les encourageaient notamment à abandonner le nomadisme au profit d'une vie sédentaire dont

LES COOPÉRATIVES

Leur première démarche date de 1959, avec la création, en terre de Baffin, de la première coopérative des artistes du cap Dorset. Les Inuit possèdent, en effet, une tradition séculaire du travail de l'ivoire, de l'os, de la pierre et des peaux, qu'ils utilisent dans la fabrication de vêtements, d'ustensiles, d'armes de chasse, de jouets et d'amulettes religieuses. L'arrivée des baleinières avait engendré le commerce de cet artisanat ; ils fabriquèrent alors des plats en ivoire à destination commerciale. Mais ce n'est que dans les années 50 que les Canadiens du Sud commencèrent à découvrir les talents

les structures administratives étaient définies par l'État. Des établissements mis à leur disposition offraient l'habitat, des soins, une église et des écoles. Les Inuit pouvaient désormais accéder à tous les avantages dont bénéficiait la société canadienne.

Dans la mise en œuvre de ce programme, les agents du gouvernement, sans doute animés par la bonne volonté, montrèrent pourtant une totale incompréhension des Inuit et de leur environnement. Ce généreux élan se solda par la création d'une sorte de « réserve » inuit encadrée par des fonctionnaires ignorants de la culture esquimaude. Malgré cela, les Inuit firent, dès le début, tout leur possible pour préserver leur identité ethnique et leur communauté.

remarquables de ce peuple. Les fonds nécessaires au développement de cet artisanat furent réunis, permettant l'épanouissement des coopératives inuit. Bientôt, cette production (lithogravure, sculpture et bas-relief) fut reconnue par un public international.

En évoluant, le système des coopératives aborda de nouveaux secteurs d'activité. Dans de nombreuses communautés, la coopérative organise désormais des expéditions de chasse, assure les services d'une municipalité et s'occupe de gérer la production de ses artistes. Basée sur le concept inuit de communauté, la coopérative est également la synthèse d'une matrice sociale traditionnelle et d'un cadre capitaliste.

LE SENTIMENT COMMUNAUTAIRE

L'attitude de la communauté consiste moins à pénaliser un de ses membres par souci d'équité qu'à tenter de préserver l'harmonie du groupe. Les réunions des communautés inuit sont d'une invraisemblable longueur, ponctuées de longues pauses silencieuses destinées à la méditation. D'une façon générale, les Inuit ne quittent pas une réunion tant qu'un consensus n'a pas été trouvé. L'isolement relatif des villages les a conduits à développer le sens de l'abnégation, la tolérance à l'égard de leurs semblables et le respect des décisions de la communauté. Les Inuit savent travailler et vivre ensemble.

grands-parents, par un oncle ou par une tante. Par ailleurs, les tabous à l'encontre de l'illégitimité sont moins stricts, sans doute en raison du sentiment de responsabilité partagée par la communauté entière à l'égard des enfants. Dans les années 60-70, les Inuit furent très contrariés lorsque les assistantes sociales tentèrent de réglementer les procédures d'adoption. Par ailleurs, ces dernières eurent bien des difficultés lorsqu'elles essayèrent d'établir la filiation exacte des uns et des autres.

La société inuit est régie par des valeurs qui font que la recherche de la fortune individuelle est dans l'ensemble réprimée, voire dénigrée. Le respect que l'on acquiert en revanche aux

On ne saurait sous-estimer l'importance des enfants, dans une société où la démarcation est floue entre noyau familial, famille au sens large et communauté. Selon la tradition, les femmes inuit enfantent de la puberté jusqu'à l'âge de quarante-cinq ans et plus. En conséquence, il n'est pas rare de voir le neveu tenir son oncle sur ses genoux... Si, pour une raison quelconque, les parents d'un enfant ne peuvent l'élever, il est très rapidement adopté par ses

A gauche, vivant dans un environnement difficile, les Inuit sont très attachés à leur vie communautaire, gage de survie et d'harmonie ; ci-dessus, neige et glace constituent le terrain de jeu quotidien des enfants inuit.

yeux de la communauté n'a pas de prix. Les Inuit, en particulier ceux des générations plus âgées, se montrèrent réticents à l'égard d'un degré supérieur d'éducation ou de savoir-faire, valeurs reconnues du Sud. La scolarisation, rendue obligatoire par le gouvernement fédéral, a été perçue comme une mesure contraignante destinée à forcer les parents inuit à suivre leurs enfants inscrits dans les écoles des communautés créées par l'État, ou encore à les séparer de leurs enfants en envoyant ceux-ci dans des écoles lointaines. De même, de nombreux Inuit s'interrogèrent sur le bien-fondé d'un enseignement obligatoire de l'anglais, des sciences et des mathématiques pour leurs enfants.

Tous les gouvernements se sont trouvés confrontés à un même problème : celui de recruter pour le Nord une équipe d'enseignants qui s'y maintienne plus que quelques années. La brièveté de ces séjours didactiques est perçue par les Inuit comme le reflet du manque d'intérêt et du non-engagement des méridionaux. Pour résoudre ce problème, le gouvernement fédéral a tenté d'intégrer le système d'enseignement à la collectivité. Un programme de recrutement et de formation des maîtres inuit a été instauré. Il a échoué en raison du petit nombre d'Inuit désireux d'abandonner leur communauté pour une durée de huit mois. Car, si les méridionaux ressentent cruellement l'iso-

lement de la vie dans le Grand Nord, les Inuit ont les mêmes difficultés à quitter l'Arctique.

Les Inuit aujourd'hui

Le développement des moyens de transport et de communication a désenclavé les villages et permis à leurs habitants de jouir de certains « bienfaits » de la civilisation. Dans les régions arctiques, des barges ravitaillent les villages côtiers une à deux fois au cours de la saison estivale, en fonction de la météo, apportant des conserves, du carburant, des matériaux de construction, des meubles, des motoneiges et parfois un véhicule. Les denrées périssables et les produits qui font l'objet d'une demande urgente sont livrés par avion-taxi. Deux compagnies aériennes (Air Inuit et First Air) sont des filiales de la société inuit Makivik qui assure depuis 1975 la gestion des fonds reçus. C'est ainsi que le pain de mie et les pêches en conserve, le poulet rôti, le sucre, le thé et le café, le Coca-Cola accompagnent désormais la viande de phoque, de morse ou de baleine.

Le téléphone et la télévision par satellite relient les communautés au monde extérieur, et les paraboles fleurissent sur les cabanes en rondins. Mais, même si les traîneaux à chiens ont fait place aux motoneiges et si les bateaux à moteur se sont substitués aux barques en peau ou en écorce de bouleau, les emplois salariés restent limités dans les régions les plus reculées et la vie des populations autochtones repose encore largement sur une économie de subsistance : chasse, pêche et cueillette fournissent plus de 50 % des ressources alimentaires. Mais il faut de l'argent pour acheter de l'essence et des balles pour les fusils automatiques. Aussi les communautés indigènes restent-elles dépendantes des programmes publics d'aide. Dans nombre d'entre elles, seuls les crédits et les emplois publics pallient l'érosion de l'économie de subsistance et l'absence d'une véritable économie de marché.

Le coût de la vie est plus élevé dans ces régions alors que le revenu per capita des Inuit y est beaucoup plus faible que celui des Canadiens du Sud. L'introduction des valeurs capitalistes a bouleversé les structures sociales, remettant en cause le partage traditionnel des tâches entre les hommes et les femmes, les notions d'entraide, de travail communautaire, de propriété collective et l'identité même des Inuit. Mais ces derniers ont décidé de prendre en main leur destin et, le 12 novembre 1992, à l'issue de plus de 15 ans de négociation, la communauté inuit, le gouvernement fédéral et les provinces ont signé l'accord qui a conduit à la création, le 1er avril 1999, du Nunavut (« notre pays »). Ce territoire de 219 000 km² regroupe 7 000 Inuit répartis dans 14 villages. La capitale, Iqualuit, se trouve en terre de Baffin. Une partie de la population inuit continue cependant de vivre dans les Territoires du Nord-Ouest. Autonomie ne signifiant pas indépendance, à l'occasion du référendum de 1995, 85 % des Inuit (et des Cris d'ailleurs) s'étaient prononcés pour leur maintien dans le Canada.

A gauche, portrait de famille ; à droite, tenue caractéristique de la femme inuit.

LA VIE CULTURELLE

La première moitié du XXᵉ siècle fut marquée par une profonde évolution des conditions matérielles et culturelles de la vie des Canadiens. En s'urbanisant, la société canadienne commença à édifier une culture à la fois plus nettement nord-américaine et naturellement plus urbaine. Cette mutation marqua durablement les arts et la littérature jusqu'à ce que les particularismes (certains ouvertement séparatistes, comme les mouvements québécois et inuit, d'autres surtout régionalistes, comme les associations écossaises ou acadiennes dans les Maritimes), se conjuguant avec une critique de la société de consommation, amorcent à la fois une recherche d'identité et un retour à la nature.

VERS L'AFFIRMATION D'UNE CULTURE CANADIENNE

Frederick Philip Grove, dont les nouvelles évoquent surtout le monde rural, publie, en 1944, *The Master of the Mill*, (« Le Maître du moulin ») dont l'histoire s'inspire des conflits sociaux des années 30. Si l'œuvre de Morley Callaghan traite des tensions sociales et spirituelles de la vie urbaine, tandis que celle d'Hugh McLennan se penche sur les relations entre anglophones et francophones, au fond, tous deux sont à la recherche du Canada. On note les mêmes tendances dans la littérature québécoise. Avec *Bonheur d'occasion*, Gabrièle Roy explore l'existence urbaine des Canadiens français. Avec sa pièce *Tit-Coq*, créée en 1948, Gratien Gélinas essaie de comprendre la position du Canada français pendant la guerre. En poésie, qu'il soit francophone ou anglophone, le romantisme pionnier et patriotique cède à une écriture moderne. Saint-Denys Garneau, Anne Hébert, E. J. Pratt, Earle Birney et Dorothy Livesay incarnent cette nouvelle exigence.

Si l'exode rural vers les banlieues bouleversa la société canadienne, celle-ci ne connaissait pas encore la culture de masse déjà bien implantée aux États-Unis. La musique classique, le théâtre et les autres manifestations de la vie culturelle traversèrent une crise sans précédent

Pages précédentes : totems de Colombie britannique. A gauche, le chanteur k. d. lang ; à droite, Blunden Harbour (1928-1930), un tableau peint par Emily Carr qu'inspira profondément l'art amérindien.

à la fin des années 40, tandis que la radio vivait ses heures de gloire avant que la télévision ne vienne la détrôner. Les réseaux français et anglais de la Société Radio-Canada, auxquels il faut ajouter des stations privées, offraient à leurs auditeurs des émissions plus créatives et plus variées que jamais. Chaque soir, les Canadiens suivaient religieusement des programmes comme *La soirée du hockey*, et ces nouveaux-venus originaires des États-Unis et promis à un bel avenir, les *soap-operas*, « romans-savons » comme disent les Québécois.

Trois événements décisifs vinrent progressivement transformer le paysage culturel. Des initiatives privées dynamisèrent la vie artis-

tique : l'ambitieux Royal Winnipeg Ballet rejoignit les rangs des professionnels dans la foulée de ceux de Montréal et de Toronto. En 1951, trois Montréalais fondèrent le Théâtre du Nouveau Monde, puis ce fut au tour d'un homme d'affaires ontarien, Tom Paterson, de créer, à Stratford, un grand festival annuel Shakespeare.

L'entrée, en 1952, de Radio-Canada dans l'ère télévisuelle s'accompagna d'une démarche nouvelle : trouver des ressources pour financer des productions que la redevance seule ne pouvait couvrir. Mais, ce faisant, elle perdit une grande partie de son autonomie, comme en témoignent les nouvelles émissions de qualité discutable qui firent leur apparition sur les ondes. Enfin, la mise en place d'une politique de la création avec la constitution d'un Conseil des arts doté d'un budget de 100 millions de dollars engagea l'État dans le domaine de la création, même si les choix de cette commission demeuraient très conservateurs.

Dans les années 60, les passions sociales s'estompèrent pour laisser place à une idéologie plus individualiste. Une contre-culture importée en grande partie de Californie vint consacrer la libération de presque toutes les contraintes traditionnelles. On investissait beaucoup dans les productions culturelles, dominées à la fois par le souci de préserver le pays des invasions américaines et celui, au

de vue, il semble bien que les choses aient beaucoup évolué depuis les années 60. Ainsi, les créateurs anglophones ont su trouver un équilibre entre leur fidélité à la culture britannique et leur propre histoire. En revanche, la pression culturelle du voisin américain apparaît presque irrésistible, surtout dans le domaine audiovisuel. Cela dit, sur ce terrain, le Canada est capable d'utiliser les méthodes des Américains, tout en apportant une certaine fraîcheur qui leur fait parfois défaut. La réussite des studios de Vancouver semble le démontrer. Va-t-on vers un style canadien, sous-ensemble de la culture nord-américaine, comme il existe déjà un style côte ouest et un autre côte est ?

niveau régional, de défendre l'identité de chaque province. Mais, outre les succès passagers d'artistes très à la mode, ces années furent plutôt marquées par la réussite de quelques aînés : les musiciens Glenn Gould et Oscar Peterson, devenus tous deux des légendes, ou la romancière Antonine Maillet. Margaret Atwood se hissa au premier rang des jeunes écrivains de sa génération. Parmi de nombreux jeunes dramaturges, Michel Tremblay s'affirmait par le dynamisme de ses pièces.

Le Canada comptait de nombreux artistes, et souvent de grand talent, mais avait-il une culture propre ? Cette question n'a pas cessé d'être au centre des préoccupations des artistes canadiens jusqu'à aujourd'hui. Or, de ce point

Pour les artistes francophones, tout le problème pouvait se résumer en une affirmation : se différencier et résister à l'assimilation ne suffit plus. Le premier pas dans cette direction consistait à troquer l'adjectif français, désuet et aux yeux de beaucoup inacceptable, pour celui de francophone. Il fallait ensuite combattre l'idée, si fréquente à Paris, que la culture qui s'élabore loin de la Seine n'est pas simplement un régionalisme, ou pis, du folklore. En trois siècles et demi, une véritable culture francophone s'est construite en Amérique du Nord, qui, si elle conserve naturellement des liens étroits avec la France, se nourrit d'une mémoire et d'un environnement qui lui sont propres.

LE SANCTUAIRE DU GROUPE DES SEPT

Au sud du lac Simcoe, en vue des gratte-ciel de Toronto, s'élève un sanctuaire de l'art canadien, celui qui renferme la collection McMichael dans le village de Kleinburg (Ontario). Ce musée, qui rassemblait à l'origine une collection privée, est aujourd'hui, au Canada, le plus riche en œuvres du groupe des Sept.

Les sept peintres, parmi lesquels figurent A.Y. Jackson, Lawren Harris et Tom Thompson créèrent, dès les années 20, une peinture spécifiquement canadienne, qui bouleversait littéralement les valeurs picturales de l'*establishment*. S'inspirant de l'impressionnisme des rouges et des dorés fut contestée ; marchands et acheteurs, attachés au plus traditionnel des naturalismes, accueillirent froidement ces interprétations de la réalité.

Aujourd'hui, le groupe des Sept est l'unique mouvement pictural canadien qui ait obtenu l'adhésion du grand public à l'échelle nationale. Leur interprétation du Grand Nord et de sa troublante beauté a donné forme à l'imaginaire et à l'identité canadienne.

THÉÂTRE DU CANADA ANGLOPHONE

Depuis les années 50, le théâtre a pris une place considérable dans la vie artistique canadienne.

français et de l'art contemporain scandinave, les Sept et leurs émules cherchèrent à représenter, au moyen d'un chromatisme lumineux, le monde sauvage du Canada et l'âpreté de ses régions septentrionales.

L'être humain y est rarement représenté et, lorsqu'il apparaît, sa taille est réduite à celle d'un nain à côté de l'immensité sauvage. Les représentations que donnèrent les Sept du parc Algonquin ou du canyon Algoma furent considérées d'abord comme des mystifications par les marchands d'art de Toronto. L'audace

A gauche, le dérangeant hyperréalisme du peintre Alex Colvile ; ci-dessus, une représentation à l'occasion du festival Shakespeare de Stratford (Ontario).

Avec un budget annuel de près de 25 millions de dollars, et une audience qui approche les 500 000 spectateurs, le festival Shakespeare de Stratford n'est plus le rêve de quelques passionnés, mais bien une institution pivot, indispensable pour la formation des acteurs, des metteurs en scène et des techniciens de plateau. Le festival sert également de point de référence, pour ses défenseurs comme pour ses détracteurs. S'appuyant sur trois salles (le Festival Theatre, l'Avon Theatre et le Tom Patterson Theatre), son programme s'étend sur six mois et comporte à la fois des œuvres du grand dramaturge anglais, des comédies musicales ou des pièces du répertoire contemporain. Fondé en 1962, l'autre grand festival est également placé sous la tutelle d'une figure majeure du théâtre anglais, George Bernard Shaw, et se déroule à Niagara-on-the-Lake. Chaque été, le festival de Charlottetown, la petite capitale provinciale des îles du Prince-Édouard, programme, entre autres, une version musicale de *Anne of Green Gable*, le personnage créé par Lucy Maud Montgomery.

Les textes des dramaturges canadiens contemporains rencontrèrent l'hostilité d'un environnement conservateur, ce qui fait que, dans les années 60 et 70, certains décidèrent de créer des lieux destinés à accueillir ces œuvres. Ces salles d'avant-garde avaient pour nom le Savage God à Vancouver, le théâtre Passe

Muraille, le Factory Theatre et le Tarragon Theatre à Toronto, ou encore le Neptune Theatre à Halifax. C'est en grande partie leur travail qui attira l'attention sur le théâtre canadien et sa capacité à aborder des thèmes brûlants. La création, en 1972, de l'union des Dramaturges du Canada marqua un tournant dans la publication et la production de centaines d'œuvres originales. Parmi les figures de proue de la seconde génération d'auteurs dramatiques, on trouve Carol Bolt, Rex Deverell, Michael Cook, Davic Fenario, Davic French, Ken Mitchell, John Murrell, Rick Salutin, Judith Thomson, Ken Gass, Guy Sprung et George Walker. Le succès considérable de grandes productions telles que *Le fantôme de*

l'opéra ou *Les Misérables* ont porté un coup fatal aux petits théâtres déjà confrontés à de sérieuses difficultés financières.

LES ARTS SCÉNIQUES AU QUÉBEC

Si des auteurs comme Gratien Gélinas, Marcel Dubé et Michel Tremblay ont régné tour à tour sur la scène théâtrale depuis le début des années 50, metteurs en scène et scénographes dominent aujourd'hui l'art de la représentation. De grands dramaturges renouvellent l'écriture théâtrale et de brillants acteurs perpétuent une tradition de jeu « à l'américaine ». Mais la relecture des classiques et la création d'images scéniques puissamment évocatrices distinguent désormais le théâtre québécois. Les chorégraphes montréalais ont, pour leur part forgé, dans les années 80, des langages singuliers, en dehors des codes, au point de faire de leur ville une capitale de la création chorégraphique contemporaine, à l'intérieur de laquelle on peut indiquer quelques points de repère.

Acteur, metteur en scène et aujourd'hui réalisateur, Robert Lepage est un peu le touche-à-tout talentueux du théâtre québécois. Puisant à la fois dans sa vie, ses expériences et dans une vision personnelle des grands textes, passant d'un genre à l'autre (opéra, théâtre et des fresques qui empruntent à l'un et à l'autre), cet artiste sait conjuguer profondeur et virtuosité. Dans les spectacles de *La La La Human Steps*, les corps virevoltent de manière spectaculaire, cherchant sans cesse à repousser les limites du possible.

JAZZ, PROHIBITION ET POLITIQUE À MONTRÉAL

La vie nocturne à Montréal a toujours été trépidante. Dans l'entre-deux-guerres, ce fut l'une des rares grandes villes nord-américaines à ne pas être touchée par la prohibition et où le jazz (la ville n'est pas américaine pour rien) a continué, sans complexe, de mener la fête. Les années 30 et 40 y ont laissé des souvenirs merveilleux, sur les rythmes des plus grands noms de la musique « nègre ». Le cœur du jazz montréalais battait alors au Corner, à l'angle de la rue Saint-Antoine et de la rue de la Montagne, ainsi qu'au café Saint-Michel. Par dizaines, les boîtes de nuit restaient ouvertes « à la nuit longue », comme on dit au Québec.

C'était l'époque du grand pianiste Oscar Peterson, qui débuta sa carrière à 17 ans en jouant du swing dans l'orchestre de Johnny

Holmes au Victoria Hall de Westmount. Peterson développa ensuite son propre son au sein d'un trio qui jouait à l'Alberta Lounge, en face de la gare Windsor, avant d'aller chercher la célébrité aux États-Unis. Le trompettiste Maynard Ferguson fit également ses débuts avec Johnny Holmes avant de connaître, lui aussi, le succès au sud des «lignes» en montant son groupe. Mais, en 1954, le maire, Jean Drapeau, décida de débarrasser la ville de ses «vices». La pression qu'il exerça sur la vie nocturne, combinée à la concurrence de la télévision et du rock'n'roll dont l'étoile ne cessait de monter, porta un coup presque fatal au jazz montréalais. Cette histoire a été racontée par le critique

Le premier festival de jazz de Montréal fut organisé par Alain Simard, en 1979. Aujourd'hui, l'atmosphère intense du festival est le moment fort de la scène montréalaise, active tout au long de l'année. Le contrebassiste Charlie Biddle, arrivé de Philadelphie en 1949, joue avec les meilleurs musiciens de la ville dans son bar, le Biddle's Bar and Restaurant (n° 2060, rue Aylmer). Dans le Vieux Montréal, l'Air du Temps et le Bijou résonnent des plus beaux standards. Rue Saint-Denis, le Grand Café présente des groupes de jazz quatre soirs sur cinq et, rue Saint-Laurent, les amateurs trouvent leur bonheur au Lux. Un label local est même apparu, Justin Time Records, tandis que l'uni-

John Gilmore dans *Swinging in Paradise*. Le jazz réapparut dans les années 60, grâce à la Révolution tranquille. C'est le quartette Jazz libre qui refit entendre cette musique si chère au cœur des Montréalais. Ce groupe, au style rappelant celui de John Coltrane, était mené par des musiciens militant pour un séparatisme très teinté de socialisme. Dans les années 70, le *big band* de Vic Vogel enflammait Montréal avec un jazz plus conventionnel. Enfin, dans les années 80, le groupe Uzeb bouleversait à nouveau la scène montréalaise.

A gauche, ballet classique sur la scène en plein air du Major's Hills Park, à Ottawa; ci-dessus, l'orchestre symphonique de Montréal en répétition.

versité McGill créait un programme d'études de jazz, couronné d'un diplôme. Quant à la municipalité, elle consacrait l'un de ses trois corps de ballet au jazz, sous le nom des Ballets Jazz de Montréal... connus pour leurs créations exubérantes sur des thèmes à connotation sociale ou historique, et sur des musiques allant de Gershwin à Pat Metheny.

Le Festival international de jazz de Montréal, en juin et juillet, attire pendant dix jours un millier de musiciens du monde entier, que viennent voir 1,5 million de spectateurs – ce qui le place aux premiers rangs des grandes scènes internationales de jazz, avec Montreux et Monterey. Les concerts ne sont pas confinés dans des salles spécialisées ou dans des boîtes enfumées, mais sont également organisés aux carrefours des rues Saint-Denis et Sainte-Catherine, interdites pour l'occasion à la circulation. On peut y voir des rassemblements de 40 000 personnes.

LA CHANSON CANADIENNE ANGLOPHONE

Depuis les années 60, les interprètes canadiens ont acquis une réputation méritée qui s'est traduite par des renommées internationales. Le pays a surtout produit des solistes, généralement très attachés à la qualité des textes et à la force émotionnelle. Si ce constat ne saute pas aux yeux, c'est que beaucoup de ces chanteurs travaillent et vivent aux États-Unis.

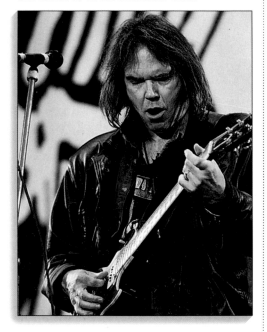

Deux genres musicaux ont particulièrement réussi aux Canadiens, le folk et le folk rock. Parmi les grands noms qui s'y sont illustrés, on trouve en effet Leonard Cohen, Bruce Cockburn, Gordon Lightfoot, Joni Mitchell, Stompin'Tom et Neil Young. Dans une veine plus country, Patricia Conroy, George Fox, k. d. Iang, Anne Murray, Prairie Oyster, Rita McNeil, Ian et Sylvia Tyson et Shania Twain se sont distingués. Enfin, dans un genre intermédiaire entre folk et country, plusieurs noms retiennent l'attention : Jann Arden, les Barenaked Ladies, Blue Rodeo, les Cowboy Junkies, Kate & Anna McGarrigle et Sarah McLchlan. Quant à Buffy Sainte-Marie, elle fut la toute première à sortir la musique amérindienne et

inuit de l'alternative traditionnelle, folklore ou ethnologie. La chanson, le rock et le cinéma attirent un nombre croissant d'artistes amérindiens et inuit dont certains sont à présent très connus, comme Susan Aglukark, le groupe Kashtin ou encore Lawrence Martin.

Avec Jeff Healey et Collin James, deux excellents guitaristes, le blues a également des représentants de valeur. Quant au rock, les têtes d'affiche sont Brian Adams, Tom Cochrane, Allanah Mile et Kim Mitchell. Parmi les nouveaux venus sur la scène canadienne, on retiendra les Tragically Hip et Alanis Morissette déjà récompensée par un Grammy Award (une récompense très enviée dans le monde de la musique américaine).

CHANSON ET CHANSONNIERS À QUÉBEC

Vecteur par excellence de l'identité culturelle, la chanson a joué très tôt un rôle prépondérant dans cette région francophone au cœur de l'Amérique anglophone. La chanson québécoise a hérité de ceux qu'on appelle là-bas les « porteurs de traditions », et plus particulièrement des conteurs (autrefois, ces derniers passaient de chantier en chantier pour raconter leurs histoires aux bûcherons isolés), et des musiciens et des danseurs qui animaient les fêtes locales. Pendant la crise de 1929-1930, une « petite bonne femme » se mit à parcourir le Québec avec un répertoire de chansons variées, rencontrant un succès populaire fulgurant. Mary Travers, dite la Bolduc, chantait à la fois de vieilles chansons françaises, dont certains avaient quatre siècles, et les dures réalités de son époque. Elle se produisait un peu partout avec son mari, qui l'accompagnait sur des pianos de fortune, et jouait de la « musique à bouche » (harmonica).

A la fin des années 50, une chanson spécifiquement québécoise vient bousculer les repères entre folklore et chanteurs de charme (français ou américains). De sa voix grave (inhabituelle à l'époque), Félix Leclerc (1914-1988), le père de la chanson québécoise, dit tout haut ce que beaucoup pensent tout bas. Tantôt frondeur, tantôt poète, il ouvrit la voie à toute une génération qui, en hommage à une de ses chansons, s'appela les Bozos : Jean-Pierre Ferland, Raymond Lévesque (1928), Hervé Brousseau, Clémence Desrochers ou encore Claude Léveillée, sans oublier André Gagnon au piano.

Durant la Révolution tranquille, le contexte politique fit de ce genre l'un des principaux porte-parole de l'affirmation nationale. S'appuyant sur une poésie très évocatrice, ces artistes chantaient leur amour du pays, des grands espaces et des petites gens. A leur tour, ils montrèrent le chemin à toute une génération d'auteurs-compositeurs et interprètes qui firent les beaux soirs des boîtes à chansons, ces lieux au décor souvent rustique, où la jeunesse se rassemblait pour écouter, outre les Bozos, Gilles Vignault (1928), Georges Dor, Claude Gauthier, Pierre Letourneau ou Pauline Julien. Les métiers se décloisonnèrent, les paroliers se faisant interprètes et les chanteurs compositeurs. En outre, la production, essentiellement centralisée à Montréal, était d'une qualité irréprochable, ce qui contribua à la diffusion de cette

« *gars ben ordinaire* », n'aime pas l'hiver, préfère la Floride et le rythme de la pop anglo-saxonne. Témoin du subtil équilibre réussi par l'artiste, sa chanson *Lindberg*, un immense succès, conjugue l'énergie du rock, un texte bien tourné puisant directement dans le quotidien québécois, mais également dans son « américanité ». Jamais un tel vent de liberté n'avait soufflé sur la chanson québécoise : le langage choquait, la musique secouait. Peu de temps après, Diane Dufresne, grande interprète des textes de Luc Plamondon, chantait la rébellion, la liberté et la folie. En vingt-cinq ans de carrière, elle connut tous les succès comme interprète, scénariste, réalisatrice et tragédienne. Dans les

musique à l'étranger. Certes, le phénomène yéyé n'épargna pas le Québec : des dizaines de chanteurs et de musiciens aux cheveux longs et aux tenues excentriques se lancèrent dans la carrière en interprétant à leur manière des succès américains ou anglais. Dans les années 70, des groupes comme Harmonium, Beau Dommage, Octobre parlaient d'amour, de paix, de liberté et accusaient la société de tous les maux.

Mais ce fut Robert Charlebois (né en 1944) qui, à sa manière, amorça un nouveau tournant dans la chanson francophone. Ce Québécois, ce

A gauche, l'Ontarien Neil Young a fait une immense carrière américaine et internationale ; ci-dessus, les studios de la télévision canadienne.

années 80 et 90, les groupes se séparèrent au profit de carrières solo et de nouveaux noms émergèrent : Luc de Larochellière, Jean Leloup, Marie-Denise Pelletier. Le Festival de la chanson de Granby a révélé de superbes voix, surtout féminines, comme celles de Fabienne Thibeault ou de Diane Tell. Parmi ces chanteurs, Céline Dion et l'Acadien Roch Voisine sont passés au rang des stars internationales.

LE CINÉMA

Depuis les débuts du cinéma local, à la fin du siècle dernier, les salles canadiennes vivent sous le signe d'une présence étrangère dominante. La création d'institutions et de studios, dans les années 40, favorisa la production cinématographique locale. Majoritairement francophone, la production québécoise oscillait entre le divertissement et le cinéma d'auteur. Elle devait, en effet, relever deux défis : se définir une personnalité dans un contexte dominé soit par le cinéma américain, soit par le cinéma français, et toucher un vaste public.

A la fin des années 70, on croyait le cinéma québécois irrémédiablement condamné. Le marché étant anglo-saxon, il fallait faire des coproductions avec des vedettes étrangères. Un projet d'autant plus intéressant que la fiscalité permettait de déduire 100 % du capital investi. Lancées avec un énorme battage publicitaire,

ces réalisations essuyèrent échec sur échec, entraînant le désintérêt du public pour ce cinéma. Pourtant cette crise fut bénéfique puisqu'elle donna leur chance à de véritables cinéastes québécois qui ne tournaient plus depuis plusieurs années ou qui réalisèrent leur premier long-métrage : Roger Frappier, Jean Chabot, Michel Brault, Denys Arcand, Claude Jutra, Jean-Guy Noël, Gilles Carle, Pierre Perrault, André Forcier, Jean-Claude Lauzon, Yves Simmoneau, Francis Mankiewicz et bien d'autres. Ce renouveau fut, en outre, une naissance, dans la mesure où ce cinéma québécois abandonnait le pittoresque qui lui avait souvent nui. Aujourd'hui, les succès et la tonalité très particulière des films de Denys Arcand (né en

1941) – *Jésus de Montréal* (1989), *Le Déclin de l'Empire américain* (1986), *Le Crime d'Ovide Plouffe* (1984), *Les Invasions barbares* (2002) – témoignent de la vivacité du cinéma québécois dans un contexte qui demeure difficile.

En 2002, au Québec, 14 festivals de cinéma mirent en avant les œuvres de metteurs en scène de renom (Jean Beaudin, Michel Brault, François Girard…) et consacrèrent le phénomène Kino, du nom du groupement de cinéastes et de vidéastes formé à la fin des années 90, qui, voulant échapper aux contraintes budgétaires, mirent au point le Kino-Kabaret. Grâce à ce nouveau mode de production, les participants à un festival cinématographique ou interdisciplinaire peuvent devenir des artistes en résidence en concevant et réalisant un film sur place et en un temps limité.

Le cinéma canadien anglophone a beaucoup de mal à exister, les grandes compagnies américaines attirant tous les talents. Et c'est dans les domaines du documentaire (délaissé par son grand voisin) et du film d'animation qu'il a conquis ses lettres de noblesse. Norman McLaren fut peut-être le premier à remporter un succès international avec des œuvres de fiction canadiennes. Les cinéphiles se souviennent peut-être de *Neighbours* qui remporta un Academy Award en 1952, ou d'un *Pas de Deux* (1969) et ses magnifiques scènes dansées. Si on considère souvent Norman Jewison (né en 1927), le réalisateur, entre autres, de *L'Affaire Thomas Crown* (1968), de *Jésus Christ Superstar* (1973), de *Rollerball* (1975), de *F.I.S.T.* (1978) et de *Moonstruck* (1987), comme le père des réalisateurs canadiens anglophones, c'est sans doute en raison de ces succès. Mais, ce cinéaste venu de la télévision a fait toute sa carrière dans les studios américains. Il est donc bien difficile de discerner dans ses réalisations un style plus particulièrement canadien.

David Cronenberg (né en 1943) s'est imposé comme l'un des maîtres modernes du film d'horreur américain. De tous les cinéastes spécialisés dans ce genre, il est souvent considéré comme le plus personnel et le plus original. Il s'est fait connaître par des films tournés au Canada (jusqu'en 1982), mais il a signé ses œuvres les plus renommées dans le cadre de productions américaines, *The Dead Zone* (1983), *The Fly* (1986) et *Dead Ringers* (1988).

A gauche, connu dans le monde entier, Austin Powers, ici dans Goldmember, *est interprété par Mike Myers, qui est originaire de l'Ontario ; à droite, Montréal affiche sa bonne humeur.*

L'ART INUIT :
UNE TRADITION BIEN VIVANTE

L'art inuit s'inscrit dans une longue tradition qui remonte à la préhistoire. De petites figurines sculptées dans l'ivoire ont été retrouvées sur presque tous les sites préhistoriques de la culture du Dorset. Cet art avait

très probablement une signification religieuse liée au chamanisme et à ses rites.

Vivant exclusivement de chasse et de pêche, les Inuit étaient de fins observateurs de la nature et d'habiles artisans. Chaque membre de la communauté connaissait les secrets du travail de la pierre, du bois, de l'os, de l'ivoire et de la peau. Les premiers explorateurs et navigateurs entrés en contact avec les Inuit manifestèrent un vif intérêt pour leur artisanat et leurs figurines. Les artisans prirent alors l'habitude de fabriquer des miniatures de kayaks, d'animaux ou d'humains qu'ils échangeaient avec les Occidentaux contre des biens importés.

Encouragée par le gouvernement fédéral, la commercialisation de ces objets a commencé en 1948, depuis les coopératives de Puvirnituk et d'Inukjuak (situées à l'extrême nord du Québec). Parallèlement, les commerçants des comptoirs continuaient d'acheter ou de troquer cet artisanat qui, dès les années 60, se transforma en une véritable production artistique. Un marché se développa dans les provinces canadiennes grâce à une forte demande de statuettes représentant des scènes du quotidien. Amorcée dans quelques villages inuit du Québec arctique, la production s'est vite étendue à tous les Territoires du Nord-Ouest. Plus tard, grâce à la collaboration des chefs de comptoirs commerciaux et des coopératives, les Inuit se sont initiés à la gravure sur stéatite. Leur art s'est également épanoui à travers d'autres techniques : l'estampe, les appliqués, la sérigraphie et l'acrylique. Le succès international de plusieurs expositions itinérantes consacrées à cet art a accru la demande pour ces œuvres d'art et cet artisanat, si bien que des magasins se sont spécialisés dans leur diffusion.

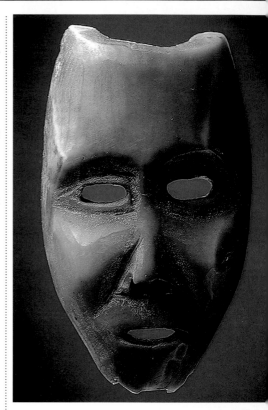

▲ *Ce masque miniature en ivoire appartient à la culture du Dorset, établie dans la baie d'Hudson. Très probablement destiné à un usage religieux, il jouait peut-être un rôle dans un rite chamanique.*

◄ *Les animaux sont le motif le plus fréquent dans les sculptures inuit. Cette statuette, haute de 8 cm, a été taillée au XIXᵉ siècle, sur la côte nord-ouest.*

« Ma Mère et moi » (1990), pierre, par Ovilu Tunnillie, l'une des artistes les plus connues du groupe implanté à Cape Dorset. ▶

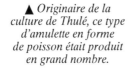

▲ *Collier et pendentif taillés dans l'os. De tels objets sculptés étaient destinés à conjurer les mauvais sorts.*

▲ *Originaire de la culture de Thulé, ce type d'amulette en forme de poisson était produit en grand nombre.*

Taillé et gravé mille ans avant J.-C., ce peigne en bois au motif anthropomorphe appartient à la culture de Thulé. ▼

Attention aux imitations ! Recherchés, pour certains très coûteux, les objets d'art inuit font à présent l'objet de contrefaçons en plastique, en céramique et en bois. Seules la présence du logo « igloo tag » et la signature de l'artiste en garantissent l'authenticité.

Peigne orné d'une scène de chasse (500 ans av. J.-C). L'arc et la flèche auraient été introduits en Amérique du Nord par la culture du Dorset. ▶

A LA RENCONTRE DE DEUX MONDES

L'art inuit comporte un grand nombre de particularités stylistiques régionales, liées aux différentes traditions, aux matériaux disponibles et aux artistes eux-mêmes. La plupart d'entre eux ont fait l'expérience de vivre loin de leurs communautés et conjuguent à présent ces différentes influences extérieures. David Ruben Piqtoukum est né en 1950, dans la région du delta du fleuve Mackenzie. Il fut envoyé à l'école pour acquérir la culture anglaise. Son travail exprime le choc qu'a représenté l'intrusion d'une culture étrangère dans le monde inuit. Ovilu Tunnillie est née en 1949 en Terre de Baffin. Tuberculeuse, elle a passé une partie de son enfance dans le Manitoba. A son retour, elle dut réapprendre sa langue maternelle et les gestes quotidiens de sa culture. Elle a été formée à la sculpture par son père.

L'ÉCONOMIE CANADIENNE

Les énormes ressources naturelles et l'immensité des distances, les difficultés liées aux conditions naturelles, la faiblesse de la population, mais également l'importance croissante des vastes marchés américains et européens : tous ces facteurs ont d'emblée marqué la vie économique canadienne et fait apparaître un mode de gestion très particulier. En effet, le poids des investissements nécessaires – la construction de la ligne de chemin de fer, de l'autoroute transcontinentales, ou du vaste réseau d'oléoducs et de gazoducs ont englouti des sommes colossales –, celui des risques naturels, et les questions de transport ont très vite conduit le pays à se doter de banques, de compagnies d'assurances et de transport de grande taille indispensables au fonctionnement de son économie. Mais c'est surtout l'État – à la fois entrepreneur industriel, arbitre des choix économiques et redistributeur du revenu lié aux richesses nationales – qui a joué un rôle crucial dans le développement économique du pays.

Ainsi, l'extraction des matières premières destinées à l'exportation est exploitée par de grandes entreprises directement contrôlées ou possédées par l'État. Le Canada est un des premiers producteurs d'uranium, de potasse, d'amiante, de nickel, d'argent, de plomb, d'argent, d'or, de charbon, de gaz, de pétrole et d'hydroélectricité. La prolifération des entreprises publiques dans ce secteur stratégique ont d'ailleurs longtemps fait du Canada un pays industriel d'économie mixte. D'autant que les administrations, tant provinciales que nationales, avaient largement tendance à mettre en œuvre des politiques dirigistes. Amorcée sous le gouvernement conservateur, la déréglementation de l'économie s'est poursuivie non sans difficulté et des débats très vifs.

LE CANADA EN CHIFFRES

En 1996, le pays comptait 29,7 millions d'habitants contre 23,2 millions en 1975. Compte tenu de l'étendue du pays, ses presque 10 millions de km² (soit 18,2 fois la France), on ne s'étonnera pas de la faible densité de la population : 2,98 hab./km² contre 2,3 hab./km² en

A gauche, un mineur; à droite, les fibres optiques. Les industries traditionnelles ont fait la prospérité du Canada, les nouvelles technologies prennent le relais.

1975. Mais cette statistique masque le caractère nettement urbain de l'habitat, puisque ce dernier concerne 76,7 % des Canadiens.

Seule la baisse de la mortalité infantile, l'augmentation de l'espérance de vie et surtout l'immigration (qui demeure le facteur décisif pour l'avenir) tirent la très faible croissance de la population. En revanche, l'indice de fécondité (1,10 en 1996 contre 1,16 en 1975) indique clairement qu'il n'y a pas de renouvellement des générations et que, par conséquent, comme dans la plupart des pays européens, la population canadienne vieillit.

Après avoir connu des taux très élevés dans les années 70, le rythme de croissance de l'éco-

nomie canadienne a accusé un net ralentissement au cours des vingt dernières années (1,5 % en 1996 contre 5 % en 1975). Mais avec 21 250 dollars par habitant, les Canadiens n'en disposent pas moins d'un des revenus par tête les plus élevés du monde.

UNE ÉCONOMIE OUVERTE ET CENTRÉE SUR LES SERVICES

En ce qui concerne la structure économique du pays, les évolutions amorcées depuis plus de vingt ans se poursuivent. Ainsi, les services progressent à un rythme très soutenu (65,7 % du PIB en 1996 contre 59,3 % en 1975). Des branches comme la restauration rapide se sont développées dans tout le pays, tandis que la banque, l'assurance et l'immobilier prospèrent sur le marché américain. Il faut signaler à ce sujet qu'une part considérable des capitaux qui ont fui Hong-Kong à la veille de sa rétrocession à la Chine ont choisi le Canada, et en particulier Vancouver, comme placement refuge. Quant à l'activité industrielle, elle poursuit sa contraction (31,4 % du PIB en 1996 contre 35,7 % en 1975), tandis que l'agriculture n'occupe plus qu'une part très modeste de la richesse nationale (2,9 % du PIB en 1996 contre 5 % en 1975). Ce dernier chiffre doit cependant être relativisé. En effet, l'agriculture alimente en bois et en denrées alimentaires des grands

emploient la plus grande partie de la main-d'œuvre en Ontario et au Québec. L'agriculture n'absorbe plus que 4,1 % de la population active (contre 6,1 % en 1975). La crise de la pêche à la morue a fait disparaître beaucoup d'emplois et atteint de plein fouet des régions qui, comme Terre-Neuve ou la Nouvelle-Écosse, vivaient de cette activité depuis la colonisation. En revanche, les services emploient désormais 73,1 % de la population active. Après avoir connu son niveau le plus haut en 1985 (10,5 % de la population active), le taux de chômage est revenu à 9,7 % en 1996.

L'économie canadienne est très ouverte puisque son commerce extérieur représente

secteurs secondaires aussi importants que l'agroalimentaire et le papier, et contribue à la maîtrise de l'espace (tâche vitale dans un pays aussi vaste que le Canada). Par conséquent, elle est indispensable à de nombreux autres services, à commencer par le tourisme qui représente 5 % du PIB et emploie pas moins d'un Canadien sur dix.

La répartition de la population active correspond globalement à la structure du PIB compte tenu de la productivité de chaque secteur. Hautement productive, l'industrie n'emploie que 22,8 % de la population active. Beaucoup plus que le raffinage pétrolier ou l'agroalimentaire, ce sont les secteurs de l'automobile, de la machine-outil et des biens d'équipement qui

36,8 % du PIB en 1996 (contre 24,9 % en 1975). La part des importations et des exportations s'est nettement accrue en vingt ans. L'accord de libre échange nord-américain (Alena) signé en 1992 n'y est sûrement pas étranger.

Le Canada exporte des produits agricoles (8 % de ses exportations), de l'énergie, des produits miniers (6,25 %) et surtout des produits manufacturés (31 %) dont la part s'accroît tandis que les exportations traditionnelles (agriculture et mine) se réduisent. Le Canada effectue naturellement plus des deux-tiers de ses échanges avec les États-Unis, l'Europe et l'Asie se partageant le reste dans des proportions assez voisines.

DES DÉBATS EN PERSPECTIVE

Depuis 1997, il semble que le Canada renoue avec une croissance assez vive. Le FMI prévoit, en effet, un taux de croissance du PIB, pour 1997 et 1998, de l'ordre de 3,5 %, ce qui placerait le pays dans le peloton de tête des économies industrialisées et constituerait, de toute façon, le meilleur résultat depuis longtemps. Les organismes internationaux ont d'autres motifs de satisfaction puisque, d'un niveau de 6 % du PIB, le déficit des finances fédérales est revenu à 3 % pour l'exercice 1996-1997. En outre, le taux d'inflation est, lui aussi, resté très faible, de l'ordre de 2 %.

comme en témoigne le débat politique qui a lieu dans les provinces (qui gèrent les régimes sociaux), où les partis se situent au moins autant par rapport à ces questions que vis-à-vis des problèmes institutionnels concernant le fonctionnement de la fédération. Sa récente victoire en Ontario et dans l'Alberta encourage le Reform Party (une formation conservatrice assez proche des républicains américains) à réclamer une réduction considérable du poids de l'État dans l'économie. *A contrario*, le Bloc québécois, plutôt de centre gauche, prédominant dans une région d'industrialisation ancienne et par conséquent plus touchée par le chômage, préconise le réaménagement

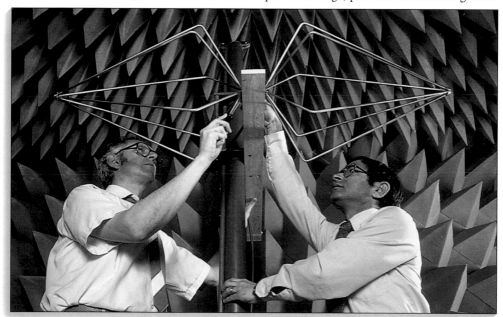

Enfin, la balance commerciale canadienne a enregistré, en 1996, un excédent record. Pourtant, s'ils satisfont les analystes financiers et attirent les capitaux, ces chiffres déçoivent une grande partie des Canadiens.

En effet, la lutte contre les déficits publics s'est faite au détriment des programmes sociaux à un moment où, en dépit du retour de la croissance, le chômage reste élevé et les inégalités se creusent. Longtemps l'un des modèles de l'État-providence, le Canada remet aujourd'hui en question ce système

A gauche, une scène de la série télévisée américaine Macgyver, *tournée à Vancouver; ci-dessus, un laboratoire de recherche à Ottawa.*

des dispositifs sociaux plutôt que leur disparition, et recommande, pour ce faire, de recourir à la négociation.

DÉPENDANCE OU AUTONOMIE

Bien que familière, l'omniprésence économique de leur grand voisin n'en suscite pas moins de vives controverses. Certains la dénoncent, d'autres rappellent que la transformation d'un comptoir de fourrure en la septième puissance économique mondiale n'eut sûrement pas été possible sans le concours des investissements américains. Et ceux-ci ne sont nulle part plus présent que le long de l'axe reliant Toronto, Montréal et Québec. Les géants automobiles General Motors, Ford et Chrysler, tous installés autour des Grands Lacs, dominent l'économie du sud de l'Ontario. Sans les stations-service Petro-Canada qui la jalonnent, l'autoroute 401 qui les relie – familièrement appelée « la grand'rue du Canada » – se distinguerait à peine de la voie conduisant de Détroit à Cleveland. Et ce n'est pas la mode vestimentaire, commune à toute l'Amérique du Nord, qui distinguera les deux rives du lac Huron.

Le constat revenait sans cesse : depuis le début des années 80, l'économie canadienne se trouvait à un tournant avec, selon certains observateurs, la possibilité de s'adapter et de

maintenir son rang, ou bien celle de s'isoler et de décliner. Ce débat s'est naturellement cristallisé autour des négociations commerciales avec les États-Unis qui ont précédé la signature, en 1988, d'un premier accord de libre-échange américano-canadien, puis, en octobre 1992, avec la ratification de l'Accord de libre-échange nord-américain (Alena, Nafta en anglais), un traité rassemblant le Mexique, les États-Unis et le Canada dans un vaste marché commun.

La marge de manœuvre de l'État canadien va s'en trouver nécessairement réduite et il ne peut qu'en aller de même de sa capacité à conserver certaines particularités de la société canadienne. Première victime de cette évolu-

tion, le « système horizontal » bâti autour du cœur industriel (Ontario et Québec) et qui favorisait les complémentarités entre les pôles économiques de l'Est et de l'Ouest du Canada, devrait progressivement disparaître au profit d'échanges nord-sud plus conformes à la géographie. Ainsi, au lieu de prendre le chemin de l'Ontario, le bois de la Colombie britannique et le gaz de l'Alberta se dirigeront vers la Californie, tandis que le blé du Manitoba ira alimenter les boulangeries industrielles du Middle-West. Depuis bien longtemps déjà, les pièces détachées fabriquées à Toronto et à Québec sont acheminées vers les centres d'assemblage automobile de l'Ohio.

Autrefois symboles du « modèle » canadien, les grandes entreprises publiques comme Air Canada, Petro-Canada (la compagnie pétrolière) ou encore Ontario Hydro et Hydro Québec (deux géants de la production d'électricité) sont toutes concernées par une éventuelle privatisation. Air Canada a déjà été cédé au marché, Petro-Can est sur le point de l'être, et certains évoquent la possibilité de vendre la Canadian Broadcasting Corporation, le réseau national de télévision. Mais à l'heure où ces mutations s'opèrent, les valeurs vedettes de la Bourse de Toronto ne sont déjà plus les géants de l'industrie comme Stelco, de la mine comme Noranda, ou de l'exploitation forestière comme MacMillan Bloedel, mais des sociétés de haute technologie telles Bombardier (spécialiste des fibres optiques), Corel (logiciels graphiques), ou Newbridge (téléphonie). Sans compter, qu'avec Vancouver, le Canada possède désormais un pôle très puissant dans l'industrie audiovisuelle. Celui-ci dispose en effet d'équipements modernes (à des coûts moins élevés) et il est beaucoup moins saturé que les studios de San Fransisco ou de Los Angeles.

Or, comment séparer l'économique du social et du culturel ? Les nouvelles relations économiques américano-canadiennes ne peuvent qu'entraîner un alignement du Canada sur son grand voisin dans ces domaines. Il ne faut pas s'étonner, dès lors, si les débats relatifs aux systèmes de protection sociale, et à l'identité culturelle des provinces ont, ces dernières années, plus que jamais occupé le devant de la scène politique canadienne.

A gauche, les géants canadiens de l'électricité exportent leur savoir-faire à l'étranger ; à droite, un ingénieur de chez Bombardier, spécialiste de la fibre optique.

GASTRONOMIE : ABONDANCE ET VARIÉTÉ

Longtemps, le Canada est resté un vaste espace composé de régions ayant peu de contacts les unes avec les autres et où les colons s'efforçaient surtout de survivre dans des conditions extrêmes. Se nourrir consistait alors à chasser, à pêcher et à cueillir ce qui se présentait de manière à ne pas mourir de faim. Bon nombre de pionniers apprirent les précieux secrets de la survie en plaine et en forêt de ceux-là même qui les pratiquaient comme un art de vivre depuis des millénaires, les Indiens. Ils découvrirent dans l'exceptionnelle variété de la flore et de la faune canadienne (riche en poissons, en gibiers, en céréales, en fèves, en légumes et en fruits sauvages) des produits qui leur étaient totalement inconnus et tentèrent, dans un premier temps, de recréer, à partir de ces éléments, les régimes alimentaires qu'ils avaient laissés derrière eux. Puis, renonçant peu à peu à imiter, ils se mirent à s'adapter, et la cuisine canadienne devint cet étonnant mélange dans lequel se croisent presque toutes les gastronomies du Vieux Monde, celle des États-Unis (elle-même fruit de différents assemblages) et des Indiens et, depuis plus récemment, les saveurs exotiques de l'Asie.

Rien qu'à Toronto, on ne compte pas moins de soixante communautés culturelles différentes – la communauté italienne est l'une des plus importantes à l'étranger et celle des Canadiens originaires de Chine la deuxième d'Amérique du Nord – et près de 5 000 restaurants. Et s'il y a un endroit où l'on peut trouver du chianti et des nouilles de riz, c'est bien entendu à Toronto ! Mais on pourrait tout aussi facilement se régaler d'un poulet au barbecue à la manière portugaise, accompagné de salades thaï, le tout arrosé de bière jamaïcaine.

On pardonnera cependant aux visiteurs distraits qui s'imaginent que la cuisine canadienne est une variation sur le thème américain bien connu « hamburger-hotdog-taco ». La proximité géographique du berceau de la restauration rapide et une certaine identité des styles de vie et surtout des modes de consommation ont effet beaucoup contribué à

A gauche, dans le Yukon, les Indiennes Dene préparent le saumon de manière traditionnelle ; à droite, cultivé par les Iroquois, le maïs est devenu le symbole de l'agriculture canadienne.

la diffusion de cette nourriture, dont seul le nom varie lorsqu'on entre au Québec (la « loi 101 » oblige les grandes chaînes à franciser leur appellation, comme par exemple *« le poulet frit à la Kentucky »*). Mais la restauration rapide n'est pas la seule à avoir franchi la frontière, et les cuisines de Californie et de Nouvelle-Orléans sont également devenues familières des palais canadiens.

RETOUR AUX SOURCES

On constate que, de plus en plus, la gastronomie canadienne puise dans l'immense réservoir de produits naturels qui font la richesse

de ses provinces. Certes, cet ensemble ne constitue peut-être pas « une » cuisine, et les Canadiens restent très attachés aux particularismes culinaires de leurs régions, mais d'un point de vue étranger, un repas composé de homard, de galettes et de gaufres passe volontiers pour un menu typiquement canadien. L'analyse de ces régimes alimentaires et de leur étymologie reflètent à la fois la diversité des communautés et des cultures qui ont formé le Canada, mais aussi leurs activités, et même, parfois, les circonstances dans lesquelles elles sont arrivées dans ce pays.

La gastronomie des Provinces maritimes se présente comme le mariage de la cuisine française et des produits trouvés sur place – gibier, poisson, crustacé et sirop d'érable dont les pionniers français apprirent les secrets des Indiens Micmacs. Bien qu'en partie chassés par les Anglais et déplacés vers la Louisiane où ils s'établirent, donnant naissance à la communauté cajun, les Acadiens ont marqué de leur empreinte les cuisines de Nouvelle-Écosse et du Nouveau-Brunswick. En témoignent d'ailleurs certains termes encore en usage chez les anglophones, tels que *galettes*, qui désigne une galette de farine d'avoine et de mélasse. A Halifax, longtemps centre de la vie sociale britannique au Canada, de nombreuses traditions culinaires se sont mêlées : celle des Anglais (des loyalistes anglo-améri-

nom. La région est aussi renommée pour ses pêches, son blé, ses champs de tomates et le vin (produit dans la région de Niagara) dont l'Ontario est le premier producteur.

Dans les grandes étendues du Manitoba, de la Saskatchewan et de l'Alberta, mennonites, Scandinaves et colons anglo-américains apportèrent chacun leur gastronomie, souvent étroitement liée à leur activité. Les premiers introduisirent des recettes à base de laitage et de céréales, les immigrés américains le bifteck, le lièvre, les haricots et les gâteaux de raisin. Sur cette cuisine anglo-saxonne vinrent s'ajouter toutes les spécialités de la deuxième vague d'émigration, composée d'Ukrainiens, de

cains), des Allemands (des fermiers du Hanovre s'y établirent vers 1750), puis au XIXᵉ siècle celle des immigrants écossais et irlandais, qui introduisirent les gâteaux d'avoine et les sablés. A Terre-Neuve, les pêcheurs anglais et irlandais ont apporté les salaisons de morue (ce poisson se mangeant aussi gratiné), de porc et de bœuf, la purée de pois cassés, la mélasse et les *scones* (petits pains de blé au lait de forme ronde).

L'Ontario est une grande province agricole où, bien avant l'arrivée des pionniers, les Hurons et les Iroquois cultivaient déjà des céréales, des haricots et des potirons. Parmi les loyalistes qui s'y établirent, un certain John Mackintosh créa une pomme qui a gardé son

Slaves d'Europe orientale, de juifs d'Europe centrale, d'Islandais et de Chinois, donnant naissance à une cuisine éclectique.

La gastronomie traditionnelle de la Colombie britannique est peut-être moins marquée par la nationalité des immigrants qui s'y sont établis, que par les circonstances de leur arrivée. En effet, les chercheurs d'or qui se lancèrent dans cette aventure emportaient surtout dans leurs bagages des denrées non périssables et très riches en calories : viandes salées et fèves séchées. Le ragoût de bœuf (de caribou ou de bison) aux haricots resta longtemps le menu quotidien dans les campements de mineurs. Plus tard, les pionniers plantèrent des vergers (pommiers, cerisiers, pêchers, abricotiers et poiriers) et des vignes dans la vallée de l'Okanagan. Quant à Vancouver, jadis ville de la viande et des pommes de terre, elle est devenue une cité de gourmets.

SAVEURS QUÉBÉCOISES

Occupés aux durs labeurs des champs ou des bois, dans un climat marqué par des hivers redoutables, les colons de la Belle-Province avaient besoin d'une nourriture riche et consistante qui devait pouvoir mijoter des heures pendant que les cuisinières vaquaient à d'autres tâches. Ainsi, la pomme de terre (venue d'Amérique du Sud), le maïs (qui, lui de boulettes, le jambon au sirop d'érable, le ragoût de pattes de cochon, la gibelotte (fricassée de poisson), etc. Les Québécois se délectent aussi de l'étonnante (et plus récente) poutine, composée de frites recouvertes de sauce et de fromage, et les Montréalais de *smoked meat* (viande fumée), introduite par les immigrants juifs au début du XXe siècle. A partir du mois d'août, les familles se réunissent pour les « épluchettes de blé d'Inde » (prononcer « blédaine »), surnom du maïs fleurant bon la Nouvelle-France : les jeunes épis sont débarrassés de leurs feuilles, puis mis à bouillir ; chaque convive le roule ensuite dans du beurre, puis le sale avant de le croquer.

aussi venu du sud, a sauvé les colons de la famine), les fèves et les haricots (initialement cultivés par les Amérindiens), le lard, le gibier ou le poisson sont-ils les ingrédients principaux des plats traditionnels, dont chaque région a sa propre variante : la tourtière (tourte à base de viande), les fèves au lard, le pâté chinois (hachis parmentier agrémenté de grains de maïs), la soupe aux pois, les cretons (sortes de rillettes), la cipaille ou six-pâtes (pâté à base de plusieurs viandes), les têtes-de-violon (jeunes pousses de fougères), le ragoût

A gauche, gaufres qui n'attendent plus qu'un délicieux sirop d'érable ; ci-dessus, les fruits de mer sont très prisés dans l'île du Prince-Édouard.

Au Québec, la plupart des restaurants sont des « établissements licenciés », c'est-à-dire comme en France, détenteurs de permis de vente d'alcool. Ceux qui ne possèdent pas cette autorisation permettent en général aux clients d'apporter leur propre vin. Les plats du jour s'appellent les « spéciaux du jour » et se composent d'habitude d'une soupe ou d'une salade, d'un plat principal, d'un dessert et d'un café (très léger).

Les Québécois ont longtemps consommé de la bière industrielle. Ces dernières années, des « microbrasseries » (brasseries traditionnelles) se sont lancées dans la fabrication de bières aux goûts plus variés et aux noms évocateurs (la Maudite, la Fin du Monde, la Boréale).

Cette nouvelle production n'est d'ailleurs pas limitée au seul Québec, et un peu partout au Canada, les microbrasseries sont venues mettre un terme au monopole des deux grandes marques Molson et Labatt. Parmi les marques disponibles citons Upper Canada, Sleeman, Conners, Moosehead, Les Brasseurs du Nord, Great Western, Drummond, Arctic Brewing Company. Généralement, tous ces établissements brassent des bières blondes, brunes et amères plus ou moins fortes.

Des liqueurs à base de baies, très abondantes dans la forêt québécoise (myrtilles, mûres, fraises, etc.), appelées le Sortilège, la Chicoutée, etc., concurrencent le traditionnel « caribou » (mélange d'alcool et de vin rouge). Mais, l'amateur d'alcools forts ne doit en aucun cas demander une « liqueur » car, sous ce nom, les Québécois désignent les boissons gazeuses non alcoolisées. Enfin, quelques vignobles québécois réussissent même à produire, malgré le climat, des vins de bonne qualité, mais la concurrence des vins de France (voire de Californie, du Chili et d'Afrique du Sud) a, pour l'heure, limité leur développement.

LE SIROP D'ÉRABLE

Si la feuille d'érable n'occupe le centre du drapeau canadien que depuis 1965 (date de son d'adoption en remplacement du pavillon de la marine marchande britannique), en revanche, la sève d'érable, déjà connue et utilisée par les Amérindiens, et ses produits dérivés (sirop, tire, beurre, réduit, sucre) jouent un rôle de premier plan dans les plats principaux, comme dans les desserts. Souvent très sucrés, ces derniers, qui s'accompagnent parfois de « crème glacée » (glace), traduisent la virtuosité des cuisinières québécoises : tartes aux pacanes (noix de pécan), au sucre, au sirop d'érable, aux bleuets (myrtilles), ou pouding-chômeur (pâte cuite accompagnée d'un sirop de sucre) et sucre à la crème.

La récolte du sucre commence à la mi-mars et dure environ un mois et demi. A cette époque de l'année, les « sucriers » se rendent dans les érablières et s'installent dans la cabane à sucre, si présente dans les traditions québécoises. Les Amérindiens connaissaient les propriétés de la sève d'érable et le moyen de la transformer en résidu sucré. Mais, l'emploi de chaudrons métalliques, capables de bouillir la sève à de hautes températures, permit aux Européens de diversifier la gamme des produits plus ou moins épais : le sirop, la tire (une sorte de caramel), le beurre et le sucre mou ou dur. La récolte de la sève d'érable est très comparable à celle de l'hévéa. L'arbre est entaillé et une rigole placée à la base de cette incision dirige la sève vers un récipient (appelé chaudière) accroché au tronc. A l'aide d'un tonneau monté sur des patins et tracté par un cheval, ou dans des seaux transportés à dos d'homme, la récolte était ensuite transportée dans la cabane où se déroulait la cuisson. Autrefois, cette opération, que les Québécois appellent le « bouillage », avait lieu en plein air. Si le principe de la cueillette n'a pas changé, en revanche, le matériel employé a naturellement évolué au fil du temps. Depuis les années 60, les grandes sucreries utilisent une tuyauterie en plastique actionnée par la succion.

Si la fabrication artisanale subsiste, l'industrie a pris le relais. Le Canada produit à présent près de 10 millions de litres de sirop, ce qui représente 78 % de la production mondiale.

LE VIN

A en croire les *Sagas* islandaises, la vigne sauvage abondait sur les côtes septentrionales de l'Amérique du Nord. On pense plutôt aujourd'hui que ce que Leif Eriksson et ses compagnons de voyage prirent pour de la vigne était des baies de myrtilles. C'est sans doute les missionnaires jésuites qui, les premiers et pour les besoin du culte, firent du vin. Mais c'est véritablement au début du XIXe siècle que la viticulture prit une véritable dimension commerciale, notamment sous l'impulsion d'un Allemand, le caporal Schiller, établi à Cooksville, près de Toronto, en 1811.

L'appellation d'origine contrôlée (en anglais *Vintner's Quality Assurance*, VQA) est un label de qualité qu'ont également adopté des producteurs de Colombie britannique, de Nouvelle-Écosse et du Québec. Parmi les principaux vignobles de l'Ontario citons Inniskillnen, Stoney Ridge, Marynissen Estates et Pelee Island. Summer Hill Estate, Mission Hill et Kettle Valley sont quelques-unes des meilleures appellations de Colombie britannique. Grâce à ses hivers rigoureux, le Canada est également producteur d'un vin très particulier, le vin *glacé*, dont les grappes sont cueillies gelées. Ce breuvage très apprécié est servi en apéritif ou en dessert.

A droite, un café de Vancouver. Les tables rappellent les cafés français, mais le bar est résolument d'inspiration américaine.

ITINÉRAIRES

A niart usque ad mure, d'un océan à l'autre... telle est la devise du Canada, ce pays si vaste et si divers qu'il n'est pas de mot, d'expression ou de phrase qui puisse décrire de façon satisfaisante son étonnante variété. Le Canada s'étend de la pointe la plus occidentale du continent nord-américain jusqu'au mont Logan qui domine, de ses 6 050 m, les étendues glacées de l'Alaska voisin, et se prolonge, au nord, dans les régions mystérieuses et inhospitalières de l'Arctique. La traversée du pays présente une multitude d'atmosphères, de paysages et de tempéraments différents. L'autre réalité de ce grand pays, c'est le désert humain : 89 % du territoire est inhabité et 80 % de la population se concentre dans la conurbation qui relie Toronto à Québec. En un mot, le Canada est imprévisible.

Plages balayées par les vents dans les Provinces maritimes, riches et paisibles vallées du Niagara ponctuées de vignobles, immensité des étendues sauvages de la Prairie : ce ne sont que trois facettes entre mille du prisme qui s'offre au regard du voyageur. La palette humaine n'est pas moins riche, des Inuit de la Terre de Baffin aux Terre-Neuviens héritiers de quinze générations de pêcheurs de morue, en passant les « cow-boys » de la Saskatchewan ou encore les hommes pressés de Toronto. Champs, prairies, lacs, forêts tempérées ou boréales, toundra et montagnes escarpées se succèdent ; métropoles culturelles et bourgades prisonnières de leur histoire alternent. Le paysage canadien invite à la contemplation, à l'aventure et parfois même, son appel est si fort que le spectateur s'y installe. C'est un puzzle qui illustre idéalement le mot de S. Coleridge : « *unité dans la diversité* ».

Dix provinces (Terre-Neuve, Nouvelle-Écosse, Ile-du-Prince-Édouard, Nouveau-Brunswick, Québec, Ontario, Manitoba, Saskatchewan, Alberta et Colombie britannique) et trois territoires (ceux du Nord-Ouest, du Yukon et du Nunavik) sont les structures historiques, géographiques et politiques de la fédération du Canada. Dans les pages suivantes, ces régions sont réparties en quatre sections : le Centre, l'Est, l'Ouest et le Nord qui seront parcourues au fil des paysages, des bourgades et des grandes agglomérations.

Pages précédentes : reconstitution d'un village du XIXe siècle à King's Landy, dans le Nouveau-Brunswick ; de retour des champs, dans l'Alberta ; le calme et la sérénité du lac Louise, en Colombie britannique. A gauche, un col dans les Rocheuses.

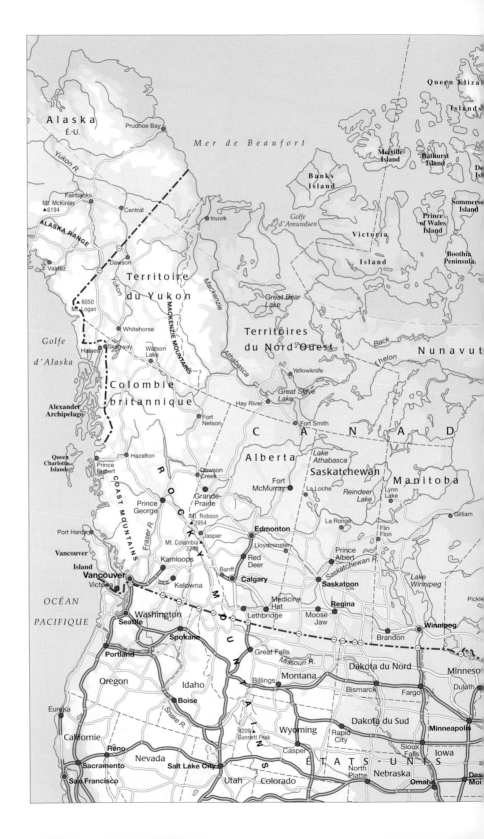

Alaska
É.-U.

Prudhoe Bay

Mer de Beaufort

Queen Eliza
Islands

Melville
Island

Bathurst
Island

De
Is

Banks
Island

*Golfe
d'Amundsen*

Sommers
Island

Prince
of Wales
Island

Victoria

Boothia
Peninsula

Island

Yukon R.

Fairbanks

Mt. McKinley
▲6194

Central

Inuvik

ALASKA RANGE

Dawson

Valdez

Territoire
du Yukon

▲6050
Mt. Logan

Yukon

Mackenzie

*Great Bear
Lake*

Back

Nunavut

Whitehorse

MACKENZIE MOUNTAINS

Watson
Lake

Territoires
du Nord-Ouest

Yellowknife

Thelon

*Golfe
d'Alaska*

Haines

Skagway

Colombie
britannique

Athabasca

Hay River

*Great Slave
Lake*

Alexander
Archipelago

Fort
Nelson

Fort Smith

C A N A D

Queen
Charlotte
Islands

Hazelton

Alberta

*Lake
Athabasca*

Saskatchewan

Manitoba

COAST MOUNTAINS

Prince
Rupert

Dawson
Creek

Fort
McMurray

La Loche

*Reindeer
Lake*

Lynn
Lake

Gilliam

Prince
George

Grande-
Prairie

ROCKY

La Ronge

Flin
Flon

Port Hardy

Fraser R.

Mt. Robson
▲3954

Jasper

Edmonton

Lloydminster

Prince
Albert

Saskatchewan R.

*Lake
Winnipeg*

Pickle

Vancouver
Island

Mt. Columbia
▲3748

Kamloops

Lloydminster

Red
Deer

Saskatoon

Vancouver
Victoria

Kelowna

Banff

Calgary

MOUNTAINS

Medicine
Hat

Moose
Jaw

Regina

Winnipeg

OCÉAN

Washington

Seattle

Lethbridge

Brandon

PACIFIQUE

Spokane

Great Falls

Missouri R.

Dakota du Nord

Minneso

Portland

Oregon

Idaho

Billings

Montana

Bismarck

Fargo

Duluth

Eureka

Boise

Snake R.

Wyoming

Dakota du Sud

Minneapolis

Iowa

Californie

Reno

Nevada

▲4209
Gannett Peak

Casper

Rapid
City

Sioux
Falls

Sacramento

Salt Lake City

Utah

Colorado

North
Platte

Nebraska

Des
Moi

San Francisco

É T A T S - U N S

Omaha

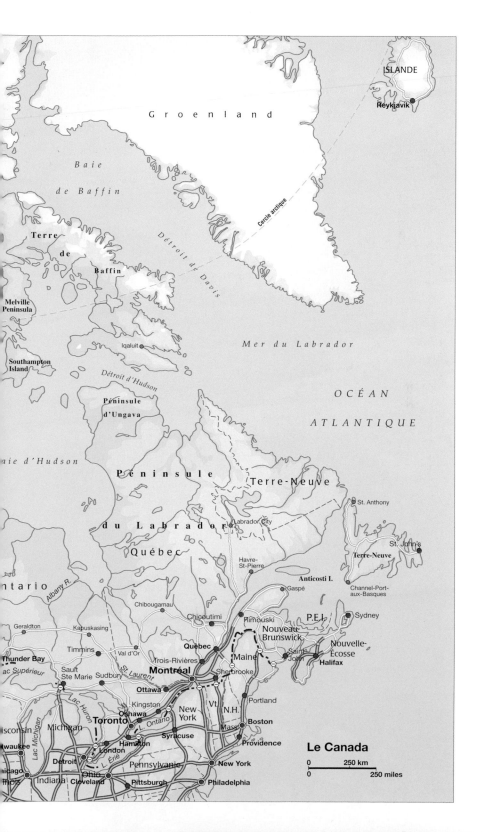

ISLANDE

Reykjavik

G r o e n l a n d

B a i e

de B a f f i n

Cercle arctique

Terre

de

Baffin

Détroit de Davis

**Melville
Peninsula**

M e r d u L a b r a d o r

Iqaluit

**Southampton
Island**

Détroit d'Hudson

O C É A N

**Péninsule
d'Ungava**

A T L A N T I Q U E

aie d'Hudson

P é n i n s u l e

Terre-Neuve

St. Anthony

d u L a b r a d o r

Labrador City

St. John's

Q u é b e c

Terre-Neuve

Havre-
St-Pierre

Chibougamau

Anticosti I.

Gaspé

Channel-Port-
aux-Basques

ntario

Albany R.

Chicoutimi

Rimouski

P.E.I.

Sydney

Geraldton

Kapuskasing

**Nouveau-
Brunswick**

Timmins

Val d'Or

Québec

Maine

**Nouvelle-
Écosse**

Thunder Bay

Saint-
John

ac Supérieur

Sault
Ste Marie

Sudbury

St. Laurent

Trois-Rivières

Montréal

Sherbrooke

Halifax

Ottawa

Portland

Kingston

Vt

N.H.

Oshawa

New
York

Toronto

L. Ontario

Boston

Lac Huron

Lac Michigan

Michigan

Syracuse

Mass.

isconsin

Hamilton

Providence

London

Le Canada

ilwaukee

Pennsylvanic

New York

Detroit

L. Érié

| 0 | 250 km |

Indiana

Cleveland

Pittsburgh

Philadelphia

| 0 | 250 miles |

hicago

linois

Ohio

LE CENTRE

Pour le plus grand déplaisir des autres provinces, on parle souvent de l'Ontario et du Québec comme des deux poumons de la fédération canadienne. Ces deux provinces abritent non seulement les villes les plus prospères du pays, mais encore 63 % de sa population. Riches de traditions culturelles aux attaches lointaines mais fortes, ces provinces représentent les origines du Canada colonial et attestent, aujourd'hui encore, des tensions qui divisèrent leurs ancêtres britanniques et français au cours de trois siècles d'histoire commune.

Largement tournée vers le riche marché nord-américain, l'Ontario est la province canadienne la plus dynamique du point de vue touristique. Le chapitre qui lui est consacré se propose de donner le goût de cette région à travers la découverte de ses villes et de ses bourgades. Chacun des lieux présentés est unique, par son caractère, ses paysages et sa place dans la mosaïque canadienne. Si leur statut respectif de capitale et de métropole justifiait que Toronto et Ottawa fassent l'objet d'une description plus détaillée, les perles que sont les villes de Stratford, d'Elora, de Midland, de Kingston, de London et tant d'autres ne seront pas oubliées.

Le Québec est l'autre centre historique du pays, le premier par l'ancienneté et le plus original par son caractère francophone. L'accent sera, par conséquent, placé sur le caractère français de la province, ses institutions culturelles, ses conflits avec les coutumes anglaises, et l'effort de ses habitants pour sauvegarder leur patrimoine tout en revendiquant leur identité américaine. Ces thèmes se manifestent dans les monuments historiques, les activités culturelles, en ville comme à la campagne. Enfin, la magnifique remontée du Saint-Laurent révèle au passage la beauté de la campagne riveraine, pour finir dans la péninsule de la Gaspésie, où tout commença le 24 juillet 1534, lorsque, après trois mois de mer, Jacques Cartier et son équipage débarquèrent.

Point de passage incontournable de tous les voyages organisés, les chutes du Niagara comprennent les Horseshoe Falls (les « chutes du Fer à Cheval ») du côté canadien (sur la photo à gauche), et leurs rivales américaines, à Goat Island. Le débit de l'eau varie heure par heure en fonction des besoins des turbines hydroélectriques situées en amont.

TORONTO

La vocation commerciale de la ville de Toronto est ancienne, puisque avant l'arrivée des Européens, les Indiens s'y réunissaient déjà pour des échanges commerciaux et des rencontres entre chefs. Dans la langue des Hurons, *toronto* signifie tout simplement « lieu de rencontre ». Un explorateur français du nom d'Étienne Brûlé (le premier Européen à atteindre les grands lacs) découvrit ce site en 1615. A l'époque, s'y dressait un village iroquois au bord de la rivière Humber. Un siècle plus tard, un comptoir commercial s'y établit. Quelques années après la défaite française devant les Anglais, ceux-ci achetèrent ce territoire aux Indiens Mississauga qui avaient progressivement remplacé les Iroquois dans la région. Durant toute cette période, l'activité commerciale de Toronto se poursuivit, des marchands anglais remplaçant leurs homologues français dans le trafic des fourrures.

Rebaptisée York, la bourgade devint, en 1793, la capitale du Haut-Canada. D'abord exclusivement britannique, le peuplement de la ville s'accrut de 40 000 Irlandais dans les années qui suivirent la grande famine de 1847, d'immigrants juifs originaires d'Europe centrale et orientale vers 1830, puis vers 1880. Malgré tout, la population d'origine britannique demeurait largement majoritaire. La cité resta donc, jusqu'à la fin du siècle dernier, un bastion de loyauté à la Couronne, à l'Empire et à ses traditions, même les plus rigoureuses. Y compris le draconien code édicté par lord Day, et dont le respect du sabbat dominical prohibait non seulement le travail, mais également le sport et toutes espèces de loisirs. Pourtant, cet attachement aux convictions puritaines ne découragea pas l'immigration qui s'est poursuivie jusqu'à nos jours. Avec, cependant, des périodes plus favorables comme les années 1970-1990, durant lesquelles de nouvelles vagues d'immigrés en provenance d'Asie, d'Amérique latine, d'Afrique et des Caraïbes s'établirent en ville et à sa périphérie. Toronto compte à présent environ 3,8 millions d'habitants (avec les banlieues), répartis en quatre-vingts groupes nationaux (à l'intérieur desquels on parle une centaine de langues). Naturellement, ces derniers n'ont pas tous la même influence et, si la place de la communauté anglo-saxonne s'est réduite sur le plan démographique, son poids financier et politique n'a cessé de croître. Pourtant, c'est malgré tout vers Toronto que se tournent tous ceux qui, au Canada, défendent un modèle multiculturel.

« DOWN TOWN »

Dans un film canadien de 1971, *Going Down the Road*, deux brutes naïves à bord d'une vieille Chevrolet délabrée en provenance de Terre-Neuve, roulent à vive allure sur la Transcanadienne en direction de Toronto, terre promise. Ils appro-

Pages précédentes : Toronto vu depuis le lac Ontario, a une architecture résolument moderne.

Bloor Street, l'une des plus longues artères de Toronto. Le centre-ville conjugue dynamisme avec propreté et sûreté. Deux caractéristiques qui distinguent la ville de beaucoup de ses voisines d'Amérique du Nord.

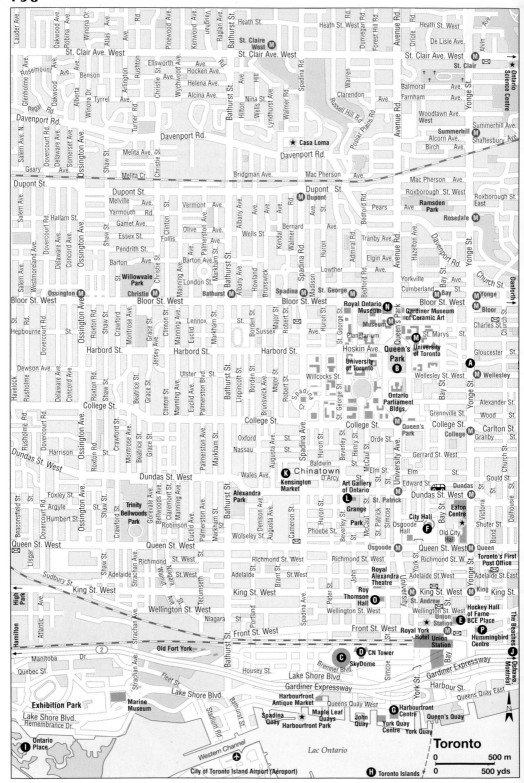

Toronto

chent de la plus grande ville du pays, et cela dans la plus pure tradition américaine : en voiture et de nuit. On voit Toronto s'étaler sur de petites collines qui s'étendent jusqu'à la pointe septentrionale du lac Ontario. Port abrité des grands lacs, la ville se flatte de posséder une superbe ligne d'horizon lorsqu'on l'aperçoit depuis la route qui longe le lac. Dans la nuit, les immeubles de bureaux éclairés et la **tour CN** (Canadien National) **❹**, la plus haute de sa catégorie (553 m), sont d'une beauté résolument moderne. Le film fut salué par la critique comme une évocation des faux espoirs suscités par la ville dans l'esprit des provinciaux et, en l'occurrence, dans celui de la population « en retard » de la côte Est. Le Canada tout entier se reconnut dans ce film car nul, en réalité, n'est véritablement dupe des leurres de la métropole surnommée T. O., ce baromètre politique, culturel et financier de la réussite canadienne, qui revendique, avec un peu d'arrogance, une place internationale.

YONGE STREET

L'impression de nos deux Terre-Neuviens, le touriste pourra peut-être la saisir en descendant **Yonge Street ❶** (appelée aussi l'« autoroute »), qui est l'artère principale de la ville, et passe pour être la rue la plus longue du monde (elle commence au lac Ontario et file tout droit jusqu'à la baie géorgienne).

Le tronçon de Yonge Street situé entre **King Street** et **Bloor Street**, et appelé le **Strip**, est fréquenté par une faune interlope, un monde équivoque et marginal. Souteneurs, prostituées, curieux et clochards se partagent le trottoir. Cette population est aujourd'hui cependant plus clairsemée que naguère. Le Strip mérite néanmoins le détour. On y fait de bons achats et d'excellents repas, ce qui en soit est déjà une raison suffisante pour s'y rendre. A noter qu'il est préférable d'abandonner la voiture et de circuler à pied.

Nettement plus bucolique, le **Queen's Park ❸**, au bout de Wellesley Street West, abrite le **Parlement** de la province. Construit en grès entre 1886 et 1892, le bâtiment possède une riche collection de peinture canadienne des XIXᵉ et XXᵉ siècles.

Yonge Street coupe la ville en deux selon un axe nord-sud ; elle est desservie par trois lignes de métro. Celles-ci restent plus sûres que tous les autres moyens de transport public. Les visiteurs à la recherche de spectacle emprunteront plutôt les autobus. Ces derniers circulent jusque vers 1 h (les jours de fête, des rames supplémentaires poursuivent le service plus tard). Les dernières rames de métro passent vers 2 h du matin.

Les tramways sillonnent la ville basse. Ils ont leurs adeptes, nostalgiques du « rétro », qui voient d'un œil triste ces vestiges du XIXᵉ siècle en passe de disparaître. Les « vieux » tramways, les Red Rockets (« fusées rouges »), rouge et jaune, aux fenêtres curieusement inclinées, sont

Carte p. 138

Les Reds Rockets, les vieux tramways de Toronto, sont le moyen de transport le plus pittoresque de la ville.

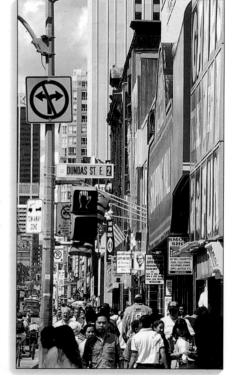

Longue de 8,97 km, Yonge Street porte le nom d'un ministre de la Guerre britannique du début des années 1790, sir George Yonge. C'est la rue la plus animée de Toronto.

*Le base-ball,
ses joueurs
et ses points
légendaires
appartiennent
à la culture
de Toronto.*

*Ci-dessous,
l'architecture
transparente
du Eaton Centre;
à droite,
la tour CN vue
depuis le port
de plaisance
de Harbourfront.*

très pittoresques. Mais, malgré ce parc de véhicules abondant, Toronto est une ville où l'on marche beaucoup, surtout dans le centre.

LES ÎLES DE TORONTO

Pour se rendre sur les **îles de Toronto ⓗ**, dune longue de 5 km, on prendra le ferry, en emportant son vélo, à moins d'en louer un sur place. Ce lieu, situé à 10 mn du port de Toronto, possède une vie communautaire originale au regard de sa voisine moderne. Ses habitants luttent pour y préserver un mode de vie plus simple et plus authentique. En été, des essaims chahuteurs de piqueniqueurs, équipés de radios portatives hurlantes, font la traversée pour la journée. L'hiver en revanche, la dune est vide, balayée par le vent glacial qui souffle sur le lac Ontario. L'île est approvisionnée par le ferry ou par de petits avions qui viennent se poser sur un minuscule aéroport situé à la pointe occidentale.

La vie, ici, n'est certes pas toujours facile. Mais, pour rien au monde, les insulaires ne voudraient en changer. Et la vieille querelle qui oppose l'administration de Toronto (qui voudrait faire de cet espace une villégiature pour l'agrément de ses citadins) aux insulaires est loin d'être réglée.

UN KALÉIDOSCOPE CULTUREL

Toronto, comme la majeure partie du Canada, s'est peuplée à la faveur de vagues successives d'immigration et de l'exode rural. Cet ancien comptoir anglais de pelleterie (castor essentiellement) abritait, à l'origine, une population presqu'exclusivement « WASP » (White Anglo-Saxon Protestant). La cité présente aujourd'hui une physionomie plus hétérogène. Et l'arrogance des premiers venus s'est nettement atténuée au fil du temps.

La culture anglo-saxone et les sentiments monarchistes ont eu ici même, de tout temps, leurs adver-

saires. C'est la raison pour laquelle les WASP de Toronto vivent presque exclusivement dans les deux quartiers anciens de **Rosedale** et **Forest Hill**. Les villas qui se partagent ces quelques arpents de terre sont cossues. Il n'est pas rare de d'apercevoir une ou plusieurs BMW par garage dans ce district où résident des spécialistes de la finance et du droit qui, de jour, s'activent dans **Bay Street**.

Mais, plus on descend en direction du lac, et plus les quartiers se diversifient. En effet, de 1850 à 1950, les Italiens, les Grecs, les Chinois, les Portugais, les Ukrainiens, les Polonais, les Japonais, les Indiens, les Jamaïcains et les Irlandais sont arrivés en nombre. Chaque communauté s'est installée à l'intérieur d'un périmètre bien défini, donnant à la ville sa configuration de kaléidoscope multiculturel.

Le **marché de Kensington** Ⓚ est le lieu de rencontre de ces microcosmes. L'échange est ici plus authentique qu'au « Caravan », festival multiculturel officiel de Toronto. On y trouve le charme des marchés de l'Ancien Monde. Ici une vieille Chinoise se chamaille avec une marchande de fruits portugaise dont le calcul mental est contesté par le boulier de son interlocutrice. Fidèles aux traditions méditerranéennes, des marchands grecs somnolent un peu, ou dégustent des boulettes de viande arrosées non pas de *retsina* mais de *ginger ale*. Des étudiants essaient des vêtements rétro d'occasion, dans les décibels de l'amplificateur local. Des Italiennes, vêtues de noir, s'en vont, chargées de fruits frais, bousculant des lycéens chinois arborant des vêtements à la dernière mode.

Mais, en dehors du marché, les communautés sont relativement fermées les unes aux autres, malgré leur proximité géographique. Le territoire des Grecs voisine Danforth Street, celui des Italiens et des Portugais College Street et St. Clair Avenue, celui des Ukrainiens Harbord Street ; les Chinois habitent

Carte
p. 138

A gauche, l'arrivée du ferry dans les îles Toronto ; ci-dessous, situé en face de la salle de spectacle St Lauwrence Hall, le marché du même nom, à quelques pas de la station de métro King.

Des maîtres nageurs surveillent les « plages » de Toronto.

Un marchand de fruits et légumes dans le quartier chinois.

Dundas Street, quant aux Indiens d'Asie, ils se sont établis dans les banlieues.

Chaque quartier étant le plus souvent fermé sur lui-même, ils ne donnent pas le sentiment de former, tous ensemble, une véritable communauté. En outre, à l'attachement jaloux que chaque groupe porte à son identité, à ses différences, s'ajoute cette sorte de distance, si spécifiquement « anglo-canadienne », ce côté collet monté si répandu parmi les colons d'origine britannique. Mais, disons-le sans détours, le visiteur qui persévérera au-delà de cette apparente froideur, découvrira finalement une gentillesse authentique et beaucoup de chaleur humaine. De plus, caractérisant surtout les premières générations émigrées au Canada, qui parlaient mal l'anglais et demeuraient très attachées à leur pays d'origine, ce constat vaut sans doute moins pour les jeunes générations qui ont grandi dans ce pays, y sont allées à l'école, et parlent plus facilement l'anglais que le grec, l'italien, ou l'ukrainien.

De passage dans le quartier chinois, on se rendra à l'**Art Gallery of Ontario ❶** (surnommée « AGO ») qui possède la plus importante collection au monde du sculpteur Henry Moore, de l'art canadien de toutes les époques, y compris un ensemble d'œuvres inuit, ainsi que des tableaux et des sculptures européennes du XVᵉ siècle jusqu'à nos jours. Le ticket d'entrée à la galerie donne également accès au bâtiment adjacent, la **Grange**, un édifice de style géorgien datant du siècle dernier. L'ameublement et les vêtements exposés sont d'époque et évoquent la vie d'un *gentleman farmer* de l'époque.

Les collections du **musée Bata de la Chaussure** dépassent largement ce que l'on s'attend à trouver dans un tel endroit. Débutant par une empreinte de pas vieille de 4 millions d'années, la visite propose, à travers un passionnant voyage dans

le temps et l'espace, de tout savoir sur la chaussure féminine au XIXe siècle, ou sur la fabrication des bottes par les Inuit.

PLAISIRS DE LA TABLE, THÉÂTRE ET CINÉMA

La mosaïque culturelle que nous avons décrite se traduit par la diversité de la table à Toronto. Les restaurants chinois sont nombreux autour des rues Spadina et College; les amateurs de cuisine indienne ou italienne trouveront facilement où satisfaire leur fantaisie. La cuisine française est honorablement représentée, ainsi que la cuisine grecque et la cuisine antillaise. Les goulaches hongrois – nourriture de base de l'étudiant – mijotent dans les cuisines des établissements de Bloor Street (près de Bathurst St).

Quant aux amateurs de pièces de bœuf, ils ne seront pas déçus dans cette ville d'origine anglaise où la viande rouge, les légumes cuits à l'eau et le *yorkshire pudding* constituent, depuis toujours, le menu de base. Mode *new-age* oblige, les végétariens trouveront eux aussi leur compte.

Tout autant que les plaisirs de la table, les habitants de Toronto apprécient toutes les activités de loisir. L'hédonisme est ici pris très sérieusement, il fait l'objet de soins attentifs et, pour le satisfaire, les Torontois ne reculent devant aucun sacrifice. Par conséquent, les visiteurs disposant d'un budget confortable ne seront jamais à court de distractions. Toronto est une ville de théâtre, les « espaces », les prix, les répertoires y sont d'une extraordinaire diversité: de la compagnie vouée au culte de Shakespeare dans la grande tradition de Laurence Olivier, au répertoire le plus moderne (Tom Stoppard, Sam Shepard ou Marguerite Duras).

Toronto figure également au premier rang des villes d'Amérique du Nord pour le nombre et la variété de films que l'on peut y voir. De vieux cinémas non dépourvus de charme y sont encore en activité; le public, cinéphile, connaît généralement bien les films étrangers (grâce aux nombreuses salles d'art et d'essai). Le festival annuel du cinéma, qui se déroule en septembre, présente plus de 400 productions et rivalise désormais avec ses homologues de Cannes, de Berlin, de New York et de Los Angeles.

MANIFESTATIONS MULTICULTURELLES

L'une des traditions victoriennes les plus fâcheuses qui sévissent encore à Toronto est la fermeture des bars et des pubs à 1 h du matin. Aussi, rien d'étonnant à ce que, vers 1 h 40, heure de la fermeture du métro, la vie disparaisse des trottoirs. On s'empresse d'ajouter à cet égard que les lois appliquées dans la province sont encore plus restrictives. A l'exception de quelques clubs où l'on danse, la vie nocturne n'y est pas très active. Mais les clubs de jazz sont éclectiques et de bonne qualité; cela vaut égale-

Carte p. 138

Aucun doute, c'est bien dans le quartier chinois.

Un café à la mode, place BCE, à deux pas du Hockey Hall of Fame. Restaurants, cafés et bars abondent dans le centre-ville. Ils sont rarement bon marché, et, dans beaucoup d'entre eux, fumer est strictement interdit.

Le mariage de la cuisine indienne et de la restauration rapide.

Les traditionnelles maisons anglaises dans Mirvish Village.

ment pour le rock, le funk, le folk, et tous les autres styles de musique. Cette diversité s'explique en partie par le fait que Toronto possède de bonnes formations d'amateurs. Elle est en outre l'escale obligatoire de toutes les tournées européennes, depuis toujours très populaires ici. D'un lieu à l'autre, prix et qualité varient considérablement. *Now Magazine*, hebdomadaire gratuit consacré aux spectacles, permet de se faire une idée, ainsi que *T.O. Magazine*, mensuel de même nature.

Le multiculturalisme de Toronto se manifeste bien entendu dans les célébrations multiples qui s'y déroulent. Au festival international de Caravan, on mange bien, on boit bien, on danse beaucoup et l'on entend de la bonne musique. « Caribana », festival des Caraïbes, est un magnifique spectacle de rue qui dure plusieurs jours au mois d'août. Pique-nique multiculturel dont la gratuité fait en partie le succès, CHIN dure trois jours. C'est l'hom-

mage de Toronto au mauvais goût. Son organisateur Johnny Lombardi recrute, tous les ans en juillet, dans la population des « monsieur Muscle » et des reines de beauté. Dans un tout autre registre, l'orchestre symphonique de Toronto, la Compagnie d'opéra canadienne et le Ballet national du Canada sont des institutions de qualité internationale. Établies à Toronto, elles se produisent à l'automne et en hiver. Une soirée au **Roy Thomson Hall O**, au **Hummingbird Centre P** ou au **Centre O'Keefe** vous laissera un souvenir inoubliable.

HARBOURFRONT

Le port de Toronto est, en été, l'un des sites les plus agréables de la ville. Comme le trafic portuaire est désormais réduit (tous les transports de marchandises s'effectuent en train), les anciens entrepôts ont été transformés en boutiques. L'enfilade de magasins, de restaurants et de

ports de plaisance en font un endroit charmant où passer un après-midi. L'été, des spectacles se déroulent au **Harbourfront Centre** . Des compagnies de danse de très haut niveau ont élu domicile au Premier Dance Theater, et les environs du York Quay Centre s'animent tout au long de l'année d'activités culturelles, en particulier l'International Festival of authors, qui se déroule en octobre.

Du port, des pistes cyclables et piétonnes conduisent à l'est vers les plages par une jolie promenade en planches longeant des boutiques de brocanteurs ; à l'ouest, elles mènent vers **High Park**, le plus grand espace vert de la ville. On y trouve des terrains de jeux, un étang où l'on peut canoter et pêcher l'été, skier et patiner l'hiver. Le soir ont lieu parfois des représentations théâtrales en plein air.

Citons, parmi les autres lieux favoris des Torontois, l'**Ontario Place** ❶ (le grand parc provincial en bordure de lac), le **Canada's Won**-derland (un luna-park sans charme particulier), l'**Exposition nationale canadienne** (foire annuelle agricole et technique qui, depuis plus de cent ans, a lieu tous les ans au mois d'août), et les **Beaches** ❶ (plages situées à l'est de la ville).

En matière de sport, l'équipe de base-ball de Toronto – les Blue Jays – soulève l'enthousiasme des foules ; un spectacle à voir également pour le magnifique stade de 56 000 places, le **Sky Dome** ❻, couronné par un dôme qui peut s'ouvrir ou se fermer. En revanche, son équipe professionnelle de hockey sur glace, les Maple Leaves, n'emporte pas une telle adhésion. Elle est, dit-on, l'une des plus médiocres d'Amérique du Nord. On se consolera en visitant le **Hockey Hall of Fame** ❸ (près de la place BCE) dédié à l'histoire du sport national canadien. La ville compte également une équipe de football américain, les Toronto Argonauts, et une équipe de basket, les Toronto Raptors.

Carte p. 138

Peintures canadiennes et européennes du XIXᵉ siècle au musée royal de l'Ontario.

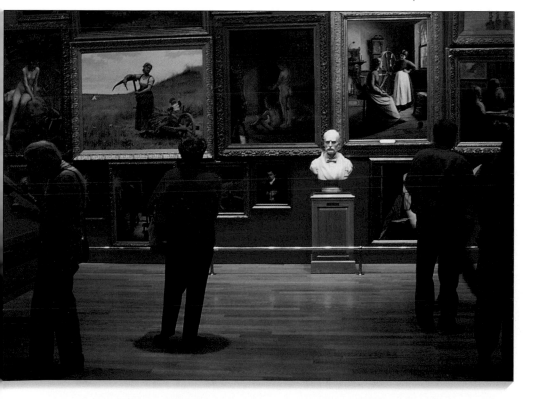

Carte
p. 138

MÉTROPOLE OU CAPITALE ?

Si les habitants de Toronto savent se distraire, ils sont réputés pour leur ardeur au travail. La ville figure parmi les plus dynamiques d'Amérique du Nord. On y trouve le siège des grandes sociétés canadiennes, une Bourse des valeurs, un gouvernement provincial, deux universités et cinq collèges, une kyrielle de cabinets d'avocats, trois grands quotidiens, des douzaines d'éditeurs, etc. L'emprise financière et politique de Toronto sur le reste du pays est incontestable.

A Toronto, les affaires concernent surtout la finance et la gestion, et on y rencontre peu d'industries, qui, en revanche, sont nombreuses dans la périphérie. Cette configuration économique, somme toute assez ordinaire, conduit plus d'un Torontois à penser que sa ville est le cerveau du Canada. Ce sont en général les mêmes qui estiment que, plus qu'aucune autre ville, Toronto mérite la place de capitale nationale.

A droite,
l'hiver,
on patine
devant
l'hôtel de ville.

A une époque où politique et finance ont partie liée, on peut penser que les puissants groupes de Bay Street ont autant d'influence sur le gouvernement fédéral que le parlement d'Ottawa. Comme les Torontois ont la passion de la politique et des affaires, on ne s'étonnera pas de trouver l'hôtel de ville dans le quartier de Bay Street. Construit en 1965 par l'architecte finnois Viljo Revell, le **City Hall** ❻ présente une étonnante architecture surmontée d'un dôme et flanquée de deux tours aux lignes courbes.

Dans les deux universités, l'**University of Toronto** ⓜ, que les anciens élèves appellent « U of T » et dont les édifices sont dispersés, comme à Oxford, dans la ville basse, et la **York University**, nouvel ensemble construit dans la banlieue, on a résolument choisi le modèle anglo-saxon, et il y règne un esprit libéral favorable à l'épanouissement. D'ailleurs, à quelques minutes en descendant University Avenue se dresse le **Royal Ontario Museum** ⓝ (« ROM »), qui s'enorgueillit d'une large variété de collections, comprenant aussi bien de la peinture que de l'archéologie ou des œuvres d'art d'Extrême-Orient (on y verra l'une des plus belle collection d'art chinois du monde).

UNE VOCATION INTERNATIONALE

Cependant, qu'on le veuille ou non dans le reste du pays, le constat s'impose : Toronto est une métropole internationale. Et, à bien des égards, elle peut se flatter d'être l'égale de Londres, Paris, New York ou Tokyo, même si, avec une population de 2,4 millions d'habitants, elle conserve la taille d'une « petite » mégalopole (la Région du Grand Toronto compte 4,8 millions d'habitants). Son charme européen et sa sophistication, irrigués par sa prospérité économique, en font un lieu de culture agréable à visiter. Bien entretenue, coquette, comme beaucoup de villes au Canada, Toronto semble posséder les qualités qui lui permettront de dépasser par elle-même ses propres inhibitions.

Bay Street,
le quartier
des affaires
de Toronto,
est l'un des
centres de
décision
les plus
importants
du pays.
La récession
économique
des années 90
n'a pas remis
en question sa
prééminence
financière.

L'ONTARIO

L'Ontario est le cœur du Canada. Bay Street, à Toronto, en est le nerf industriel et commercial. Ottawa, pour sa part, est le siège du Parlement qui gère les questions politiques de la nation. Les Ontariens sont très fiers de leur place dans la Confédération ; ils se laissent aller à croire que le soleil se lève chaque matin sur le Saint-Laurent et se couche chaque soir à l'extrémité du lac Supérieur. Mais pourquoi leur refuser cela, après tout ? L'Ontario ou Bas-Canada, était déjà le Canada avant le Canada.

Bien qu'encastré dans un bassin industriel des États-Unis, l'Ontario reste profondément méfiant à l'égard du grand État voisin, et ardemment épris de monarchie britannique. Région parmi les plus urbanisées et les plus modernisées du monde, l'Ontario demeure malgré tout une contrée désertique, avec 90 % de terres boisées. C'est une vaste province (1 million de km²), à côté de laquelle tous les pays européens, et la plupart des provinces (hormis les Territoires du Nord-Ouest et le Québec), paraissent minuscules. Sa population est massée le long de la frontière méridionale, dans des villes situées à la verticale au bord des Grands Lacs.

Bien que d'origine diverse, les Ontariens (10 millions d'habitants) donnent le spectacle d'un amour commun des lieux qu'ils occupent, qu'il s'agisse d'une ferme de style néogothique à Punkeydoodles Corners ou d'un carré de courgettes dans Markham Street, à Toronto. Et pourtant, en 1844, J. R. Godley, un visiteur britannique, décrivait le Haut-Canada comme un lieu où « *chacun est un étranger, et où chez moi signifie invariablement un autre pays* ». Aujourd'hui encore, l'Ontario est un pays dont les habitants ont des origines multiples. Mais tous, quelle que soit leur provenance, y ont planté de nouvelles racines et s'y sont ancrés pour toujours.

L'EST ONTARIEN

Habité depuis des millénaires par des Indiens, puis voie de passage pour le commerce des fourrures, l'Ontario voit son identité moderne se dissocier du portage. Il reste toutefois identifié aux maisons en calcaire des loyalistes fidèles à l'Empire britannique, dispersées sur les rives du Saint-Laurent. Plus que toute autre région de la province, cette partie de l'Est ontarien reste fidèle aux traditions d'ordre, de paix et de bon gouvernement des loyalistes. Les fermes trapues, les palais princiers et les hautes flèches anglicanes semblent proclamer avec fierté « *loyale elle fut, loyale elle restera* ».

Il n'est pas de lieu en Ontario où on parle davantage d'histoire que dans les comtés de Prescott-Russell et de Glengarry, situés dans la pointe formée par la confluence des deux fleuves qui font l'orgueil de l'histoire canadienne : l'Ottawa (la rivière des Outaouais) et le Saint-

Carte p. 152

Pages précédentes : flottage du bois sur le lac Ontario. A gauche, scène victorienne, lors du festival de Brindretwine, à Kleinburg.

Des champs immenses, une mécanisation très poussée et des rendements exceptionnels font du Canada, et de l'Ontario en particulier, l'un des greniers à blé de la planète.

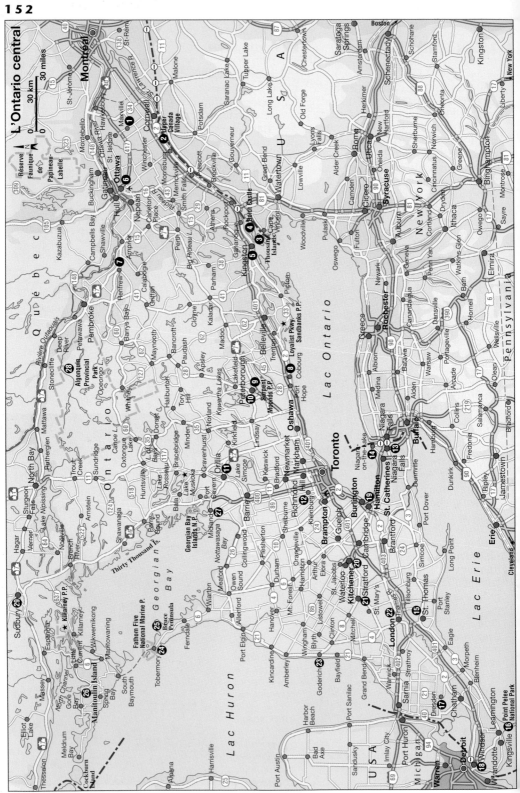

L'Ontario central

Laurent. Dans les basses terres de l'Ontario, on sent fortement l'influence canadienne française. Les toits des granges en forme de tremplin de ski, argentés, orangés ou verts, et les villes, ramassées autour d'imposantes églises paroissiales, nous plongent dans le monde francophone canadien. Mais, vu d'avion, un paysage de l'Ontario est facilement reconnaissable : la terre porte la trace du système britannique de découpage des terres. En effet, les ingénieurs de l'armée britannique ont fait un relevé de tout l'Ontario méridional et l'ont divisé de façon rationnelle : grands lots subdivisés en petits terrains, le tout quadrillé par un réseau routier qui ne tient pas compte des éléments accidentels de la configuration du sol.

GLENGARRY L'ÉCOSSAISE

Au fur et à mesure que l'on s'éloigne de la rivière des Outaouais vers le sud-ouest, la toponymie française cède la place aux noms anglais ou écossais de Dunvegan, Lochiel, Maxville et Alexandria : nous sommes dans le **comté de Glengarry**. Mondialement connu par l'œuvre du romancier Ralph Connor, ce comté fut la première de quelques centaines de colonies écossaises de l'Ontario, dont la fondation remonte à l'arrivée d'un régiment loyaliste en 1783. Le pays de collines situé au nord du Saint-Laurent devint dès lors la destination de milliers d'émigrants écossais. Des paroisses entières du comté de Glengarry, en Écosse, émigrèrent sur la promesse d'obtenir des terres et dans l'espoir d'échapper à l'oppression des seigneurs.

Le Glengarry d'aujourd'hui est tout aussi écossais que son homologue littéraire, quoique plus catholique que calviniste. Tous les ans, au début du mois d'août, les joueurs de cornemuse et les danseurs écossais de tous les coins d'Amérique du Nord se rassemblent pour participer aux jeux de Glengarry (Glengarry Highland

Carte
p. 152

Animatrice en costume d'époque dans l'Upper Canada Village, près de Morrisburg, dans le Haut-Canada.

Games) à **Maxville** . Au **musée pionnier de Glengarry Dunvegan** on peut voir, parmi la collection d'objets, la gamelle utilisée par Bonnie Prince Charlie à l'époque où il se cachait dans le Glengarry d'Écosse, après sa défaite contre l'Angleterre à la bataille de Culloden, en 1747.

L'ENJEU DU SAINT-LAURENT

Cornwall est la ville industrielle la plus à l'est de l'Ontario. La centrale hydroélectrique R.H. Saunders du Saint-Laurent barre le fleuve à l'endroit où il s'étrangle et où, sous la poussée des Grands Lacs, l'eau est retenue avant de poursuivre sa course vers l'Atlantique. Une peinture murale abstraite du peintre Harold Town décore la tour de l'observatoire de cette centrale, véritable performance technique. L'ouverture, en 1959, de l'**estuaire du Saint-Laurent** à la navigation des géants de la marine marchande a placé le fleuve au premier rang mondial de la navigation fluviale, place occupée naguère par le Rhin.

Le Saint-Laurent a été l'enjeu pour lequel Français et Anglais se sont âprement battus pendant cent cinquante ans et, à leur suite, les Canadiens et les Américains. Pour rester sujets britanniques, les loyalistes américains émigrèrent au nord où ils partagèrent les avantages du fleuve avec les anciens ennemis de l'Empire britannique, les Canadiens français. A **Morrisburg**, en amont de Cornwall, **Upper Canada Village** ❷ est la reconstitution d'une petite ville d'avant 1867 qui recrée l'atmosphère de cette époque. Les cabanes en bois d'autrefois y jouxtent les vastes demeures néoclassiques américaines.

LES MILLE ILES

Dans le combat de titans qui, dans la légende iroquoise, opposa l'esprit du bien et l'esprit du mal, d'énormes blocs de pierre, lancés de part et d'autre du fleuve, dans un bruit de

Le château de Boldt, dans la solitude de l'île de Heart.

tonnerre, tombèrent dans l'étranglement du **lac Ontario**. De riches forêts de bouleaux, de trilliums rouges et blancs, d'érables argentés, de sumacs, surgirent sur ces innombrables îlots de granite dispersés sur le fleuve, témoignage de la victoire de l'esprit du bien. Ce sont aujourd'hui les **Mille Îles ❸**.

Brockville, ville loyaliste d'allure majestueuse qui recèle des trésors d'architecture ancienne le long de Courthouse Avenue, est le point d'accès de navigation des Mille Iles. Des croisières au départ de Brockville et de **Gananoque** (station plus touristique, à 60 km en direction de Kingston) sillonnent l'archipel.

Les Mille Iles ont longtemps été le site des résidences d'agrément de grandes familles qui s'y sont livrées à des exploits architecturaux souvent d'un goût douteux. Le plus célèbre de ces « cottages » de millionnaire est le **château Boldt ❹**, qui se dresse dans l'**île de Hearst**. Ce château, construit en 1898 par George C.

Boldt comme résidence d'été pour son épouse, n'a jamais été terminé après le décès prématuré de cette dernière et reste exposé à tous les vents et aux curieux.

KINGSTON

Capitale des provinces unies du Canada de 1841 à 1844, la ville de **Kingston ❺** ne s'est jamais tout à fait remise d'être supplantée, en 1857, par Ottawa, choisie alors comme capitale du dominion du Canada. Aujourd'hui, les citoyens de Kingston semblent attendre de la reine Élisabeth qu'elle reconsidère cette décision prise, selon eux, bien hâtivement, et qu'elle reconnaisse enfin à leur ville le rang qu'elle mérite.

Il est vrai que les atouts de Kingston étaient nombreux à l'époque de sa fondation en 1673, les plus connus étant le **fort Frontenac**, ses maisons de pierre patinée, alignées fièrement en file indienne, et son hôtel de ville (City Hall) de style néoclassique,

Carte p. 152

Les gardes du fort Henry, à Kingston.

A gauche, joueurs de cornemuse à Kleinburg ; ci-dessous, le Royal Military College de Kingston.

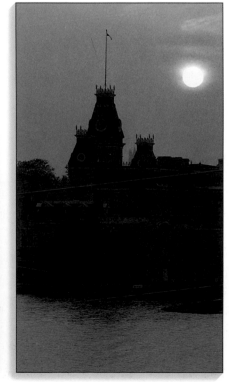

érigé en 1843 et dont le caractère grandiose illustre la splendeur à laquelle Kingston prétendait.

Mais il manquait à la ville un rempart pour empêcher les Américains venus par les Grands Lacs d'y pénétrer. Les tours de Martello, stratégiquement placées autour du port de la ville, et la grande forteresse de calcaire de fort Henry, témoignent de la crainte permanente d'invasion, engendrée par la guerre de 1812.

L'esprit de 1812 plane encore sur l'**université Queens**, l'orgueil de Kingston, qui fut fondée à l'emplacement d'un séminaire presbytérien en 1841. En 1956, les étudiants envahirent la ville voisine de Watertown dans l'État de New York et, à la faveur de l'obscurité, remplacèrent, sur tous les édifices publics, le drapeau américain par l'Union Jack.

Le souvenir du tout premier Premier ministre du Canada, sir John A. Macdonald, est très vivace à Kingston. **Bellevue House**, élégante villa de style toscan, où il vécut à la fin des années 1840-1850, est aujourd'hui un musée où sont relatés tous les événements mémorables de sa vie.

Le souvenir de Macdonald est également omniprésent à **Grimason House** (aujourd'hui auberge The Royal Tavern), lieu de rendez-vous toujours très couru du centre de la ville. Macdonald avait en effet une réputation de vieux roublard porté sur la bouteille. Un jour, ivre au point de vomir au beau milieu d'un discours politique, il ne trouva rien de mieux à dire, pour sa défense et s'excuser auprès de la foule, que la vue de son adversaire suffisait à le rendre malade…

LE CANAL RIDEAU

La population de Kingston s'élève à 60 300 habitants ; construite en pierre dans un souci d'harmonie architecturale, la ville est dominée par les flèches rivales des églises **Saint-Georges** et **Sainte-Marie**, qui se découpent à l'horizon. Sur la bordure

Kingston et son atmosphère très britannique.

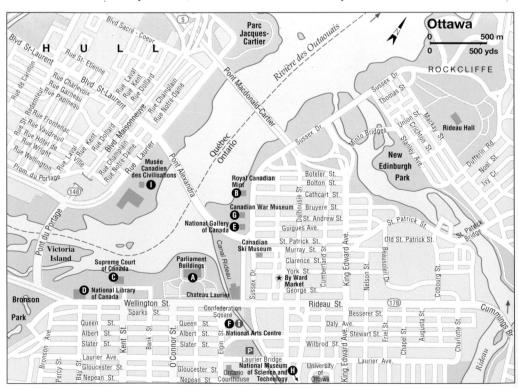

orientale de Kingston, entre le port et le vieux fort Henry, se trouve l'entrée méridionale du **canal Rideau**. Construit entre 1826 et 1832, il longe le **fleuve Rideau** en direction du nord et est ponctué de 49 écluses fermant lacs et canaux. Au bout de sa course, il émerge près de la **colline du Parlement**, dans l'Ottawa ou rivière des Outaouais.

Aujourd'hui, cette voie navigable fait les délices des plaisanciers, amateurs de voile. Mais autrefois, pour les milliers d'Irlandais amenés pour la construction du canal, ce fut le domaine des moustiques, de la fièvre et des mauvais traitements des maîtres d'œuvre de l'armée britannique. Le coût en vies humaines de l'entreprise fut considérable. La fièvre jaune eut raison de 1 000 ouvriers employés à la construction du canal d'une longueur de 30 km dans le marais de Cranberry. L'objectif poursuivi était purement militaire. L'armée britannique voulait disposer d'un second itinéraire, plus sûr, reliant le Haut et le Bas-Canada, pour parer à l'éventualité d'une invasion américaine par le Saint-Laurent.

De nombreux ouvriers se sont, par la suite, fixés dans la région. Un groupe de maîtres bâtisseurs écossais s'installa de l'autre côté du fleuve et fonda la ville de **Perth**, sur la rivière Tay. En l'espace de deux décennies, ils y édifièrent des bâtiments en pierre de toutes les architectures imaginables. Les maisons géorgiennes, Régence et néogothiques font de Perth, aujourd'hui encore, la ville la plus pittoresque de la province.

OTTAWA

Le choix de Bytown, rebaptisée **Ottawa ❻** en 1855, comme capitale de l'Empire britannique au Canada fut accueilli avec consternation par les sujets dévoués de la reine Victoria. Au milieu du XIXᵉ siècle, Bytown était non seulement un arrière-poste, mais aussi le plus triste des camps de coupe du bois de l'Amérique du

Carte pp. 152, 156

La colline du Parlement à Ottawa avec, sur la gauche, la Galerie nationale.

Dominant la rivière Ottawa, le bâtiment translucide de la Galerie nationale brille de tous ses feux.

Nord. Des équipes rivales de forestiers vivaient dans des tentes et des baraquements. Exploités, mal nourris, isolés et divisés par les préjugés raciaux, les forestiers occupaient leur temps libre à se saoûler, à se battre à coups de poing et à s'éborgner. C'est au milieu des rues sales et dangereuses de Bytown qu'émergèrent, en 1865, telle la perle dans la porcherie, les édifices du **Parlement Ⓐ**.

Ce passé sauvage d'Ottawa transparaît aujourd'hui encore et, sur les collines de la **région de Gatineau**, au nord-est d'Ottawa, des hordes de loups viennent parfois hurler à la tombée du jour. De même, la **Monnaie royale canadienne Ⓑ** (Royal Canadian Mint) continue d'émettre des billets de banque de 1 dollar représentant des troncs de bois flottant sur la rivière des Outaouais, au pied de la colline du Parlement. Le plan d'urbanisation de Jacques Gréber (1882-1962) – l'auteur, entre de nombreuses autres réalisations, du plan d'aménagement de la ville de Philadelphie – met en valeur la beauté du site, auquel il subordonne les édifices. Ainsi, les promeneurs peuvent-ils profiter, l'été, des parcs de la ville basse, tandis qu'en hiver, ils vont patiner sur le canal Rideau, transformé en patinoire. Les milliers de tulipes offertes tous les ans par les Pays-Bas, en signe de gratitude pour avoir accueilli la famille royale hollandaise lors de la dernière guerre mondiale, font du printemps une fête pour les yeux.

En tant que capitale fédérale, dotée à ce titre d'importants édifices publics comme la **Cour Suprême Ⓒ** (Supreme Court) ou la **Bibliothèque nationale Ⓓ** (National Library), Ottawa est un grand centre culturel : l'importance et le nombre des musées et des galeries couvrent largement les besoins d'une population de 300 000 habitants. Citons la **Galerie nationale Ⓔ** (National Gallery of Canada), le plus important musée des Beaux-Arts canadien ; le **centre national des Arts Ⓕ** (National Arts Centre), le **musée national des Sciences et de la Technologie Ⓗ** (National Museum of Science and Technology) et le **musée canadien de la Guerre Ⓖ** (National War Museum).

Un séjour à Ottawa serait incomplet sans une visite à la ville voisine de **Hull**, au Québec, de l'autre côté du fleuve. Grâce aux lois plus libérales du Québec en matière de boissons alcoolisées, les bars de Hull restent ouverts deux heures plus tard que ceux d'Ottawa. Un manège assez comique commence dès 1 h du matin : une file ininterrompue de voitures en provenance d'Ottawa traverse le pont qui relie les deux cités ; à 3 h du matin c'est le même encombrement, mais en sens inverse. Mais on peut également se rendre à Hull pour admirer les collections du **musée canadien des Civilisations Ⓘ**, qui offrent un panorama complet de l'histoire du pays, des arts et des traditions de ses peuples autochtones.

L'écrivain Hugli MacLennan, dans *Seven Rivers of Canada* (« Sept Fleuves du Canada ») décrit l'Outaouais comme le fleuve « inconnu » et « oublié » du Canada. Le Saint-Laurent l'ayant supplanté comme voie de navigation principale, il n'est plus qu'un court affluent reliant les cités d'Ottawa et de Montréal.

Et pourtant, pour les voyageurs et les forestiers du Canada d'autrefois, l'Ottawa, ou rivière des Outaouais (nom d'une tribu indienne installée sur ses rives), était la « Grande Rivière », la voie de navigation principale conduisant aux Grands Lacs supérieurs et aux prairies de l'Ouest. Du **point d'observation Champlain Ⓥ**, qui surplombe la ville de **Renfrew**, on est surpris par la puissance du courant et l'on comprend pourquoi le voyage, vers l'aval ou l'amont, était si redouté. A **Pembroke**, le flottage des grumes sur l'eau écumante donne une idée de la grandeur passée du fleuve.

LE CENTRE DE L'ONTARIO

La limite entre l'Ontario oriental et l'Ontario occidental est floue. Néanmoins, lorsque le calcaire traditionnel se substitue à la brique rouge des constructions victoriennes, et que se dressent, de plus en plus nombreux, les panneaux publicitaires vantant l'hôtel Toronto équipé de jacuzzis et de télévisions gratuites, ou l'eau chaude des Cornouailles, ce qui n'était d'abord qu'une impression devient une certitude, on sait que l'on a changé d'univers. Toutefois, bien que sous l'influence de Toronto, les hameaux et villes de la région s'efforcent de conserver leur caractère et leurs traditions, même si, il est vrai, les banlieues prétentieuses de la mégalopole gagnent de plus en plus sur les bonnes terres cultivables.

La ville de **Cobourg** ❽ doit à sa position très à l'est de Toronto de ne pas être devenue une cité-dortoir. Comme ses voisines **Port Hope** et **Colbourne**, elle fut jadis un port actif, à l'époque où les bateaux à vapeur circulaient sur les Grands Lacs. Ces petites villes de la rive canadienne du lac Ontario abritent à présent des ports de plaisance. On y jouit d'une belle vue sur le lac qui, à l'instar de ses grands frères, est un océan d'eau douce de la dimension de la mer Baltique. Le centre de Cobourg est dominé par **Victoria Hall**, hôtel de ville néoclassique achevé en 1860. Celui-ci comporte une salle d'audience qui est la réplique exacte de celle du tribunal de l'Old Bailey de Londres, et l'un des deux meilleurs opéras d'Amérique du Nord au point de vue acoustique. Cet hôtel de ville fut, en son temps, l'expression d'une formidable ambition culturelle.

LES LACS DU KAWARTHA ET LE DISTRICT DE PETERBOROUGH

Juste au nord de Cobourg, les **lacs du Kawartha**, au charme bucolique, suivent une droite imaginaire qui file à l'est jusqu'au **lac Simcoe**. Plus au nord, on tombe sur les **lacs Shield** dont la perle est incontestablement le **lac Rice**, situé à l'extrémité sud. Encadré de *drumlins* (éminences elliptiques) dont les pentes douces abritent des fermes laitières, ce lac est semé d'îlots boisés. Il y a environ

2 000 ans, une civilisation indienne inhumait ses morts le long de ces côtes curvilignes. Le **parc provincial Serpent Mound** ❾ renferme l'un des plus grands spécimens de ces tertres-sépultures, avec ossements et offrandes funéraires.

Les lacs du Kawartha alimentent le **canal Trent-Severn**, emprunté par les yachts et les bateaux de croisière qui remontent de **Trenton**, sur le lac Ontario, à **Port-Severn**, dans la baie géorgienne du lac Huron.

Peterborough ❿, centre de la région des lacs du Kawartha, est l'attraction principale de la voie navigable de **Trent-Severn**. Depuis 1904, l'**écluse de Peterborough** (Peterborough Hydraulic Lift Lock) se flatte d'une performance mondiale ; son système hydraulique de levage lui permet d'élever et d'abaisser simultanément deux bateaux.

Fondé plus tardivement que les autres comtés sur les rives du lac Ontario, le district de Peterborough avait la réputation, dans les années

Carte p. 152

Le canal Trent-Severn.

L'écluse de Peterborough, sur le canal de Trent-Severn. Son système hydraulique de levage lui permet d'élever et d'abaisser simultanément deux bateaux. Un modèle réduit exposé dans un petit musée permet au visiteur de comprendre le fonctionnement de cet ouvrage.

Vitrail de l'une des premières églises canadiennes (Hay River).

1830-1840, d'être le lieu de résidence de la « société la plus aristocratique et la plus sophistiquée du Haut-Canada ». Les officiers de l'armée britannique, auxquels la terre avait été concédée gratuitement et les cadets de familles de l'aristocratie terrienne anglaise ont donné à l'environnement de Peterborough et de **Lakefield** un aspect « collet monté » inhabituel dans les premiers établissements européens du Canada.

Aujourd'hui, Peterborough est constituée d'une société de classes moyennes. C'est donc une cible idéale des enquêtes de marché et des publicitaires.

ORILLIA

Rien de grandiose ne caractérise **Orillia** ⓫, située entre les lacs Couchiching et Simcoe, si l'on excepte l'imposante statue de Samuel de Champlain sur le socle de laquelle on peut lire qu'il s'arrêta non loin de là lors de son grand tour de l'Ontario,

Prairie printanière, dans le nord de l'Ontario.

en 1615. Le charme d'Orillia réside dans son extrême banalité : frondaisons d'érables ombrageant de petites rues, façades dotées de porches où les commérages vont bon train, et le salon de coiffure, forum de la gent masculine, orné des photographies des champions locaux de hockey sur glace. L'écrivain Stephen Leacock, passa de nombreux étés à Orillia, traduisit à merveille la saveur des lieux. Dans l'une de ses œuvres, *Sunshine Sketches of a Little Town*, il croque toute une série de portraits irrésistibles comme celui de Golgotha Gingham, l'entrepreneur des pompes funèbres, dont l'air mélancolique perpétuel dénote un haut sens du devoir professionnel. Lorsqu'elle fut publiée en 1912, cette œuvre, pleine d'ironie tendre et cruelle, valut à Stephen Leacock une renommée mondiale. Aujourd'hui, la ville d'Orillia, flattée d'être entrée dans la légende, rend hommage à l'écrivain en présentant un musée littéraire dans sa propre demeure.

Au sud du lac Simcoe, en vue des gratte-ciel de Toronto, s'élève un sanctuaire de l'art canadien : la collection **McMichael** dans le village de **Kleinburg** ⑫. Ce musée, qui fut à l'origine une collection privée, est aujourd'hui de tous les musées canadiens le plus riche en œuvres du **groupe des Sept**.

L'ONTARIO MÉRIDIONAL

L'incomparable réseau routier du sud-est de l'Ontario atteste de la prospérité de cette province. L'autoroute Macdonald-Cartier, connue sous le nom de **401**, relie Windsor à la frontière québécoise ; c'est la route des camions et des gens pressés. Mais, pour faire connaissance avec l'Ontario méridional, tout en champs ondoyants de blé, de maïs, de betteraves à sucre, de tabac, en pâturages et en cultures maraîchères, il vaut mieux emprunter les voies secondaires. Ormes et érables bordent majestueusement les routes, les rues des villages et les chemins de campagne. Dans le paysage se succèdent tous les types d'habitation introduits par les Européens : des maisons en rondins des origines aux manoirs victoriens et édouardiens en brique rouge et jaune. Les cours d'eau y sont nombreux : il est difficile de faire 30 km sans traverser un torrent ou un ruisseau.

A l'ouest de Toronto s'étendent les plus riches terres agricoles du Canada. Alignées comme des perles sur un fil, des bourgades, qui semblent tout juste sorties de terre, se suivent sur ces routes sans virages. Les *fast-foods* et magasins de location de films vidéo ne parviennent pas à effacer la trace laissée par les pionniers. Nostalgiques, les organisateurs d'expositions agricoles vantant les mérites des premiers tracteurs et des premières batteuses à vapeur, sont des hommes déterminés à conserver la mémoire de ce qu'ils étaient et de ce qu'était la vie avant l'apparition des routes.

Carte p. 152

Silos à blé au bord du lac Ontario.

LE DOMAINE DU CASTOR

Avec la prise de Fort Detroit en 1759, les Anglais arrachaient aux Français le contrôle absolu de la frontière nord des États-Unis. Mais la colonisation de l'immense péninsule, cernée par les lacs Ontario, Erié et Huron, se fit avec retard par rapport aux territoires situés au sud des Grands Lacs. Il fallut attendre que ces colonies soient indépendantes de la France pour que les étendues sauvages qui allaient devenir l'Ontario présentassent un attrait pour les colons. Cette indépendance acquise au traité de Paris, en 1763, les loyalistes laissèrent derrière eux leurs exploitations agricoles pour recommencer à partir de rien dans cette nature sauvage, simplement parce qu'elle était devenue anglaise. Mais, de par leur origine américaine, ces hommes étaient nourris de sentiments égalitaires et l'esprit pionnier qu'ils portaient contribua à modeler l'Ontario.

A l'arrivée des Européens, le sud-ouest de l'Ontario était couvert d'une épaisse forêt qui s'étendait de Kingston aux rives du lac Huron, sur près de 500 km. Les pelletiers français et leurs guides indiens connaissaient chaque bras du réseau de cours d'eau qui irriguait cette couverture forestière, puisqu'ils l'utilisaient comme voie de communication pour le commerce des peaux. Bien que la mise en valeur de ces terres eût renforcé la position des Français en Amérique du Nord, ceux-ci ont choisi de laisser la nature suivre son cours : l'abattage des arbres gigantesques et l'assèchement des marais auraient chassé les castors, dont la fourrure était si recherchée. Au début, d'ailleurs, les Anglais adoptèrent la même attitude.

UNE ALLIANCE ANGLO-IROQUOISE

Mais la guerre d'Indépendance américaine modifia le tableau. Pendant cette guerre, et immédiatement après, des milliers de colons venus

Sur la piste des Indiens, à Elora ; le cimetière d'une église rurale avec ses tombes dispersées sous le gazon anglais.

Carte
p. 152

des Treize Colonies, craignant ou se méfiant du nouveau régime, s'infiltrèrent au Canada en traversant le fleuve Niagara, comme leurs compatriotes à Kingston. John Butler, fils d'un officier de l'armée britannique, conduisit un groupe de loyalistes vers le Nord.

En 1778, il recruta des guérilleros qui se firent appeler Butlers Rangers, et avec lesquels, jusqu'à la fin de la guerre, il harcela les communautés américaines de la région. Puis, mis en poste à Fort Niagara, il fut chargé d'entretenir les bons rapports des Britanniques avec les Iroquois des Cinq Nations. Ces Cinq Nations étaient la confédération de cinq tribus iroquoises : les Mohawk, les Oneidas, les Onondagas, les Cayugas et les Senecas, dont les territoires s'étendaient au sud du lac Ontario. Butler accomplit brillamment sa mission et réussit même à convaincre les tribus seneca et mohawk à se battre contre les rebelles.

Joseph Brant fut placé à la tête des Mohawk. Brant, qui avait reçu une éducation anglaise, était connu pour sa fidélité aux traditions de l'Empire. Lorsque les anciens territoires des Cinq Nations furent cédés aux Américains en vertu du traité de 1783 qui mettait fin aux hostilités, Brant fit appel aux Britanniques pour rétablir la situation. Il lui fut concédé, ainsi qu'à ses hommes, les Mohawk, les territoires qui bordent la Grande Rivière sur une étendue de 10 km de part et d'autre du fleuve.

Au cours des années qui suivirent, Brant vendit une grande partie de ses terres à des colons indiens, à la consternation du gouvernement colonial, qui ne considérait les Indiens que comme des gardiens, et non des propriétaires, du territoire. Or, les concessions de Brant avaient été officiellement confirmées en 1874. Il eût été difficile de les révoquer, et sept ans plus tard, une réserve de 20 000 ha fut préservée. Ces terres forment aujourd'hui encore la patrie des Cinq Nations iroquoises.

LES CHUTES DE NIAGARA

L'escarpement du **Niagara** ⓭ est une pente ondoyante qui se termine abruptement à l'est par une falaise rocheuse. Cet accident géographique est apparu à la dernière époque glaciaire. L'escarpement émerge des plaines dans l'État de New York, à proximité de Rochester, suit les rives du lac Ontario jusqu'à Hamilton, serpente sur la terre ferme jusqu'à la crête de Blue Mountain, au sud de Collingwood, sépare le lac Huron de la baie de Géorgie – son nom est alors péninsule de Bruce –, puis plonge pour refaire surface sous le nom de l'île de Manitoulin.

L'escarpement disparaît à nouveau pour réémerger sur la rive ouest du lac Michigan et, finalement, vient mourir dans le Wisconsin. Les premiers fermiers de la région du Niagara n'avaient pas la moindre idée de l'étendue de cette formation, mais ils découvrirent, et leurs fils après eux, la fertilité du sol entre cette colline et

En 1859, et après plusieurs traversées réalisées en solitaire les années précédentes, l'équilibriste français Blondin franchit les chutes du Niagara, sur une corde, portant, pour corser le tout, un homme sur son dos.

le lac. Le climat tempéré fait en effet de cette région une terre d'élection pour la culture des pêches, des prunes et du raisin. Mais aujourd'hui, la Fruit Belt (« ceinture fruitière ») est menacée par le voisinage de la Golden Horseshoe (« fer à cheval Doré »), région très fortement industrialisée des bords du lac Ontario, située entre Hamilton et Oshawa. Tous les ans, un millier d'hectares environ de la meilleure terre agricole du Canada fait l'objet d'un nouvel investissement de l'industrie.

Les **chutes du Niagara** (Niagara Falls), par lesquelles le lac Érié se jette dans le lac Ontario, ont un débit de 35 000 l par seconde. Elles ont attiré les voyageurs longtemps avant la colonisation et restent toujours un haut lieu touristique du continent nord-américain. De son pèlerinage aux chutes, Dickens a écrit : « *Nous avons visité les chutes de part en part. Nous n'avons négligé aucun point de vue... Rien dans les plus belles aquarelles de Turner,*

Les chutes du Niagara, une formidable source d'énergie.

celles de ses meilleurs jours, n'est aussi éthéré, aussi imaginatif, aussi réjouissant par la couleur que ce que j'ai pu contempler ici. Il m'a semblé être transporté bien loin de la terre, admirer une vision de paradis. » La plupart des spectateurs partagent l'avis de Dickens, davantage que celui du cynique Oscar Wilde qui, notant la popularité des chutes auprès des jeunes mariés en voyage de noces, remarquait : « *Les chutes du Niagara sont certainement en Amérique la deuxième grande déception de la vie conjugale.* »

Les chutes, en raison des foules qu'elles attirent, sont un lieu de prédilection pour les acrobates. Parmi ceux-ci, notons la performance du cascadeur français Blondin, qui, en 1859, traversa la cataracte sur une corde. Il répéta l'exploit de diverses manières : sur des échasses, en faisant la roue, en s'arrêtant au milieu des chutes pour s'y préparer un petit déjeuner, ou encore en portant un homme à califourchon. En 1901,

Annie Edson Taylor fut la première femme qui descendit la chute dans un tonneau et survécut.

En 1792, lorsque John Graves Simcoe arriva en ce lieu, celui-ci s'appelait « Niagara-on-the-Lake ». La ville était la capitale du Haut-Canada, province nouvellement créée à l'intérieur des territoires anglophones de l'ancienne colonie du Québec. J. Simcoe, premier lieutenant gouverneur du Haut-Canada, avait hâte de promouvoir l'expansion et la sécurité de sa « Petite Angleterre ».

L'une de ses premières initiatives fut de désigner une nouvelle capitale. **Niagara-on-the-Lake** ⓮ était, en effet, trop proche de la frontière américaine. Il opta pour un emplacement situé à la confluence du Niagara et d'un fleuve qu'il appela la **Tamise** (Thames). La capitale devait naturellement s'appeler Londres et devait être reliée à l'extrémité occidentale du lac Ontario par une route baptisée du nom du secrétaire d'État britannique. Mais à peine la rue Dundas avait-elle émergé de la forêt déboisée que J. Simcoe changea d'avis et alla installer sa capitale à Toronto qu'il rebaptisa York. Joseph Brant, le chef des Mohawk, déclara un jour : « *Le général Simcoe a fait beaucoup pour cette province, il a changé tous ses noms de lieux.* »

Niagara-on-the-Lake tomba politiquement dans l'oubli. Elle est, de ce fait, l'une des villes coloniales les plus belles et les mieux conservées de l'Amérique du Nord. Chaque été, elle reçoit le festival Bernard Shaw, événement théâtral de premier plan.

NIAGARA ET LA GUERRE DE 1812-1814

Les craintes d'une agression américaine redoutée par J. Simcoe furent bientôt justifiées. En juin 1812, les États-Unis profitèrent du fait que l'Angleterre était préoccupée par Napoléon pour lui déclarer la guerre. De nombreux Américains pensaient que le Canada tomberait aussitôt et qu'il suffisait de l'envahir. C'était aussi ce que pensaient de nombreux Canadiens. Isaac Brock, commandant des armées et lieutenant-gouverneur en titre du Haut-Canada, a décrit, dans une lettre de juillet 1812, la situation fâcheuse dans laquelle il se trouvait : « *Ma situation est des plus critiques, non pas que je redoute l'ennemi de quelque façon que ce soit; mais il s'agit plutôt de la disposition de la population à mon égard... Quelle amélioration me vaudrait l'apport d'un régiment supplémentaire dans cette partie de la province! La plupart des gens ont perdu toute confiance. Pour ma part, je parle haut et fort et me montre assuré.* » Il agit non moins efficacement, prit des mesures rapides et décisives. Ses troupes prirent Fort Michilimackinac au nord du Michigan et repoussèrent une attaque sur le fleuve Detroit. Ces victoires entraînèrent l'adhésion des autochtones à la cause britannique dans la région et galvanisèrent la détermination des colons.

Carte p. 152

Le parc national de la pointe Pelée au soleil couchant. En automne et au printemps, de très nombreuses espèces d'oiseaux font étape sur ce site protégé qui regroupe des bois, des marais et des plages de sable. On peut le découvrir à pied, à vélo ou en canoë.

Jusqu'à la fin de la guerre, la région du Niagara demeura l'épicentre des hostilités. Les Américains attaquèrent **Queenston**, en aval des chutes, en octobre 1812. En 1813, les ils prirent le contrôle du lac Ontario et s'emparèrent d'York. La capitale resta aux mains des Américains pendant une semaine et les bâtiment du Parlement furent brûlés. L'infanterie américaine pénétra jusqu'à Stoney Creek, près d'Hamilton. Elle fut alors repoussée au cours d'une célèbre bataille qui se déroula en juin de cette même année.

En 1814, les Anglais purent enfin disposer d'effectifs militaires plus importants pour protéger la frontière canadienne. La dernière intrusion américaine fut sanctionnée en juillet par la bataille de Lundy's Lane, près des chutes du Niagara. Grâce à la présence de la flotte anglaise sur les Grands Lacs, aux décisions rapides d'Isaac Brock et à la lassitude des troupes américaines, le Haut-Canada réussit à repousser totalement l'enva-

Le lac Ontario, dont le nom indien signifie « eaux miroitantes ».

hisseur sur le front sud. La population de l'Ontario n'a, depuis lors, qu'un seul grief : les livres d'histoire américains ne sont pas suffisamment explicites sur cette campagne...

LA PISTE TALBOT

Aujourd'hui, la route nationale qui longe la rive septentrionale du lac Érié est appelée **piste Talbot** ⓯ (Talbot Trail). La ville de **Saint-Thomas**, fondée en 1817 entre London et le lac Érié, portait elle aussi le nom du colonel Thomas Talbot auquel avait été concédé, en 1803, un territoire de 19 600 ha pour y fonder une colonie. Talbot gouverna sa « principauté » – ainsi qu'il l'appelait lui-même – avec efficacité et compétence. Il avait édicté des lois très strictes pour que les colons défrichent leur terre et bâtissent leur maison dans les meilleurs délais. Ceux qui ne remplissaient pas leur mission étaient chassés, mesure sans précédent dans le pays. La raison pour laquelle la route

Talbot était alors la meilleure du Haut-Canada est que les fermiers devaient obligatoirement défricher et entretenir le tronçon qui se trouvait devant leur terrain.

La piste Talbot s'enfonce jusqu'à la pointe occidentale de l'Ontario qui est aussi le territoire le plus méridional du Canada. C'est là que se trouve le **parc national de la pointe Pelée** ⓰ sur la péninsule qui s'étend au sud de **Leamington**. Située à la même latitude que Rome et que la Californie septentrionale, Pointe-Pelée reçoit, en automne et au printemps, la visite de 342 espèces différentes (soit 60 % de l'avifaune présente au Canada). Une piste à travers bois, des planches jetées en travers des marais en font un musée vivant d'histoire naturelle.

La **réserve ornithologique Jack Miner** (Jack Miner's Bird Sanctuary) à **Kingsville**, à quelque distance de là, au bord du lac Érié, est un lieu de prédilection pour les naturalistes. C'est l'une des plus anciennes réserves d'oiseaux vivant en milieux aquatiques du Canada. C'est le lieu de passage de tous les migrateurs, volatiles et humains. Jack Miner, dont la famille dirige aujourd'hui la réserve avec des subsides du gouvernement a déclaré un jour : « *Au nom du Seigneur, créons sur la terre un endroit où l'argent n'ait pas cours.* »

LE REFUGE DE L'ONCLE TOM

Cette partie de l'Ontario, qui se prolonge jusqu'au cœur des États-Unis, a joué un rôle exceptionnel dans l'histoire : celui de terminus d'une ligne de fuite... A l'aube du XIXe siècle, des esclaves du sud des États-Unis s'y réfugièrent, se plaçant sous la protection de la nature et des abolitionnistes de la région.

Le révérend Josiah Henson, esclave du Maryland, emprunta ce chemin avec sa famille en 1830. Il s'installa à **Dresden** ⓱ et se consacra à l'accueil d'autres réfugiés du Sud. Paradoxalement, J. Henson est l'archétype du héros d'Harriet Beecher

Carte p. 152

Une chambre à coucher du château Dundurn, à Hamilton.

Stowe, dans le roman *La Case de l'oncle Tom*, et l'on peut voir sa maison à Dresden, au **musée de la Case de l'oncle Tom** (Uncle Tom's Cabin Museum) consacré à sa vie et à son œuvre.

Dans la région du Niagara, **Chatham** était une gare ferroviaire, comparable à celles de Montréal et de Catherine. C'est à Chatham que l'abolitionniste John Brown organisa, en 1812, le raid sur l'arsenal militaire d'Harper's Ferry, en Virginie. Il espérait par là pousser tous les esclaves au soulèvement. Mais il fut capturé, condamné et pendu pour trahison.

Windsor ⓲ est la plus grande des villes frontières du Canada, l'homologue, toutes proportions gardées, de Detroit aux États-Unis. Mais, contrairement à cette dernière, ce centre de l'industrie automobile, est aussi une ville en partie résidentielle. En bordure du lac s'étendent des jardins et des parcs immenses et agréables. Le casino de la ville attire les joueurs de toute la région.

HAMILTON ET LES CITÉS MENNONITES

Entre 1820 et 1830, les villes et les fermes en expansion sur la rive occidentale du lac Ontario continuèrent à se multiplier et à croître, au détriment des étendues sauvages environnantes. Des villes comme **Ancaster**, **Dundas**, **Stoney Creek** et **Burlington** étaient en rivalité. Lorsque l'ambitieuse Hamilton parvint au rang de première des villes riveraines, cette rivalité cessa.

Hamilton ⓳ s'étend sur deux niveaux de la colline de Niagara que l'on appelle ici la « montagne ». Les industries sidérurgiques et autres industries lourdes ont contribué à donner de la ville une idée peu plaisante. Mais il faut savoir que les **jardins botaniques royaux**, au nom trompeur, contiennent une réserve zoologique appelée le « paradis des Foulques », couvrant 486 ha, dont les marais et les ravins boisés sont sillonnés de pistes.

*Oktoberfest,
la fête de la Bière
de Kitchener.*

Le joyau architectural d'Hamilton est le **château de Dundurn**. Sir Allan Napier McNab, propriétaire terrien, financier, tory bon teint et premier avocat ayant jamais résidé à Hamilton, le fit construire en 1835 pour commémorer sa propre gloire. Aujourd'hui, pendant la période estivale, des concerts et des pièces de théâtre sont donnés dans l'arrière-cour du château restauré.

C'est à Hamilton que fut installé le premier central téléphonique de l'Empire britannique en 1878, quatre ans seulement après l'invention du procédé par Graham Bell. Certaines des autres inventions de Bell sont exposées dans la **Bell Homestead**.

La première chose qui frappe à **Kitchener** ⑳ et à **Waterloo**, situées à 8 km de Windsor, est leur prospérité. Kitchener se flatte d'être l'agglomération qui connut l'expansion la plus rapide de tout le Canada. Arrivés dans les années 1780-1790, les premiers colons de cette région étaient membres de l'austère secte mennonite des communautés allemandes de Pennsylvanie. Craignant, dans l'éventualité où la jeune république américaine se lancerait dans une autre guerre, d'avoir à verser le tribut du sang, ce que leurs règles leur interdisent en toutes circonstances, ils avaient suivi les loyalistes vers le Nord. Ils espéraient, en effet, être exemptés des obligations militaires par la loi britannique.

Les mennonites eurent bientôt – c'était inévitable – des voisins d'obédience différente. Le caractère fortement germanique du lieu (une petite ville fut alors baptisée du nom de Berlin) attira des immigrants allemands qui vinrent s'installer ici dès 1830-1840. Cette identité profondément germanique devint problématique à l'époque de la Première Guerre mondiale. Pour maintenir de bonnes relations avec le reste du pays, Berlin se choisit, en 1916, un nom à résonance plus anglaise : Kitchener, du nom de lord Kitchener, mort sur le front cette même année.

Carte p. 152

L'écorce de bouleau fournit un excellent moyen de transport l'hiver.

Tavail collectif de femmes mennonites.

Mais aujourd'hui, Kitchener et Waterloo restent plus allemandes que jamais et le festival Oktoberfest (fête de la Bière), le plus important de toute l'Amérique du Nord, attire plus de 350 000 personnes chaque année. On y sert bière, saucisses, choucroute, dans la meilleure tradition bavaroise.

Les communautés mennonites sont aujourd'hui prospères dans toute la région. Les plus conservateurs de leurs membres s'habillent encore comme il y a plus de 100 ans. Ils refusent l'électricité et l'automobile, aussi les fiacres et les charrues tirées par des bœufs sont-ils un spectacle courant sur les petites routes qui sillonnent ces régions rurales.

LA COMPAGNIE DU CANADA

En 1820, le territoire séparant le lac Huron du site de la moderne Kitchener était une étendue sauvage connue sous le nom de **piste Huron** (Huron Tract). La mise en valeur de

ce territoire, comme d'autres appartenant à la Couronne britannique, fut l'objectif de la Compagnie du Canada. Le succès de cette dernière revient à son premier directeur, le romancier et homme d'État écossais John Galt, ainsi qu'au lieutenant qu'il avait choisi pour le seconder, le docteur William « Tiger » Dunlop.

La première tâche de J. Galt consista à fonder une ville à la frontière des terres vierges. Le nom de **Guelph**, dont il la baptisa, était emprunté à l'arbre généalogique de la famille royale anglaise. Inaugurée en avril 1827, la ville présente aujourd'hui un mélange frappant d'architectures du début de l'histoire du Canada. L'église **Notre-Dame-de-l'Immaculée-Conception**, inspirée de la grande cathédrale de Cologne, domine l'horizon de ses deux tours gothiques. Chaque semaine, un grand marché anime la Grand-Place.

Dès la fondation de Guelph, Tiger Dunlop s'enfonça dans les « boisés » pour arpenter le terrain et découvrit

Un marché à London.

l'embouchure de la Red River, sur le lac Huron ; il comprit que ce port naturel servirait admirablement la compagnie et posa la première pierre de la future ville à laquelle il donna le nom de Goderich.

Après avoir examiné la piste des Hurons, Dunlop déclara : « *Il est impossible de réunir ici 200 arpents de terre, qui feraient en plus une mauvaise ferme.* » J. Galt projetait la construction d'une route allant de Waterloo à Goderich, de telle sorte que la colonie pût s'établir le long de cet axe. En 1828, Dunlop en dirigea la construction à travers marais, forêt vierge et sous-bois impénétrables. Il plut sans discontinuer au cours du même été. Le travail avançait lentement et la malaria sévissait dans les campements. Malgré ces conditions, la route fut achevée et elle figure aujourd'hui sur les cartes sous le nom de **Nationale 8** (Highway 8). Ce qui était à l'origine la piste des Hurons est devenue l'artère centrale de toute la colonie.

L'OUEST ONTARIEN : STRATFORD OU LE CULTE DE SHAKESPEARE

Après 18 km à travers la forêt, le premier sentier huron s'arrêtait près d'une clairière bordée d'une rivière. C'est à cet endroit que s'établit la première petite colonie de Stratford ; la rivière fut baptisée Avon en hommage à Shakespeare dont la ville natale est Stratford-upon-Avon. Les quartiers et les rues de la ville ont pour nom « Roméo », « Hamlet », « Falstaff », etc.

Dans les années qui suivirent immédiatement la Seconde Guerre mondiale, Tom Patterson, natif de Stratford, réalisa son rêve : créer un théâtre abritant une compagnie shakespearienne à demeure. Le 13 juillet 1953, Richard III – alias Alec Guinness – montait sur la scène du théâtre, une tente plantée sur les bords de l'Avon. Un festival de théâtre permanent fut inauguré en 1957 ; la modernité de sa scène en gradins a influencé une génération

Carte
p. 152

Le lac Huron, une véritable mer intérieure.

d'architectes de théâtre. Le festival shakespearien de Stratford se déroule à présent dans trois théâtres séparés et le programme de la saison (de mai à octobre) comporte également des concerts. Ce festival remporte un énorme succès, et la beauté du site y contribue certainement.

DE LONDON AU PAYS DE L'EAU BLEUE

Une autre route prolonge l'ancienne piste des Hurons ; c'est la route nord-sud qui aboutit – comme tant d'autres dans le sud-ouest de la province – à **London** ㉒. N'ayant pas réussi à s'imposer comme capitale du Haut-Canada, London resta une petite agglomération jusqu'au jour où elle devint le siège du district en 1826. Ce « district » recouvre aujourd'hui la quasi-totalité de la région qui sépare les lacs Huron et Erié.

Ici, la tradition anglaise et la prédilection américaine pour les grands espaces se conjuguent harmonieuse-

Au bord de la baie Géorgienne.

ment. Au hasard des noms de rue de London, on trouve Oxford, Piccadilly, mais aussi des noms évocateurs de l'histoire canadienne, tels Simcoe, Talbot ou Dundas. D'autres noms encore, tels Wonderland Road (« rue du pays des merveilles ») ou Storybook Gardens (« parc du livre des contes ») feront penser au nouveau venu qu'il est entré ici dans la dimension du rêve.

Le ministère du Tourisme de l'Ontario nomme le rivage du lac Huron Bluewater Country (« le pays de l'eau bleue »). C'est un front de lac parsemé de petits cottages, de plages et de petits ports charmants comme **Bayfield**. Ce village côtier, avec sa grand'rue bordée de vieux édifices intacts, sa plage ombragée et son port de plaisance bien orienté, est une véritable perle.

Un peu plus au nord, **Goderich** ㉓, la ville de Tiger Dunlop intéressera le visiteur par sa planification urbaine où rien n'a été laissé au hasard. La prison historique du comté de Huron

s'élève au milieu d'un octogone – The Square – à partir duquel les rues partent dans toutes les directions. Le **Square** est le rond-point du monde le plus facile à négocier. Que cette ville soit ou non, comme les panonceaux l'indiquent, « la plus jolie ville du Canada », on y admire, sur toute la longueur du rivage, des couchers de soleil spectaculaires.

Le « sous-bois » de la Reine

Voyant la rapidité avec laquelle la piste Huron était envahie, le gouvernement britannique ouvrit aux colons les territoires indiens situés immédiatement au nord de la piste. Le Queen's Bush (littéralement le « sous-bois de la Reine »), ainsi qu'on l'appelait, n'était pas aussi fertile que les terres situées plus au sud, et certaines villes se créèrent et périclitèrent avec la même célérité. La frontière du Canada occidental s'ouvrit à temps pour laisser passer l'excédent de colons venus du Queen's Bush.

Ceux qui restèrent sur le sol pierreux se recyclèrent dans l'élevage bovin.

Dans les années 70-80, le public manifesta un regain d'intérêt pour l'histoire et l'architecture des petites villes de l'Ontario, ce qu'illustre parfaitement la création du festival de **Blyth**. Dans ce village situé au nord-est de Goderich, la municipalité construisit, en 1920, un édifice destiné à accueillir des spectacles en tout genre. Au premier étage se trouve un bel auditorium avec sol en pente, et dont la scène est restée désaffectée depuis les années 30. Il y a environ vingt ans, elle fut redécouverte et restaurée ; elle est désormais consacrée à un festival d'été de théâtre. A côté de pièces canadiennes, on y produit des « happenings » sur la vie quotidienne des petites villes rurales canadiennes. Le festival de Blyth est désormais adulé par les critiques de théâtre, indice de la qualité de ses productions. L'unique *Bed & Breakfast* du village est installé dans l'ancienne gare.

Carte p. 152

A gauche, d'innombrables résidences secondaires ont vu le jour au nord de Toronto ; ci-dessous, accueil au musée de la mission jésuite de Sainte-Marie-parmi-les-Hurons.

C'est à pied et en canot que l'on découvre le mieux le parc de l'Algonquin.

Un jeune orignal dans le nord de l'Ontario.

Clinton, situé au sud de Blyth, est la ville natale de l'écrivain Alice Munro. Les romans de cette dernières offrent une merveilleuse introduction à la société rurale des petites villes de l'Ontario au XXᵉ siècle.

LA PÉNINSULE DE BRUCE

Tobermory ❷❹ est un village de pêcheurs tout à fait charmant, situé à la pointe extrême de la **péninsule de Bruce** ❷❺. L'île de **Manitoulin** ❷❻, qui lui fait face, est la plus grande île lacustre du monde. La traversée se fait à partir de Sudbury sur le *Chicheemaun* (« grand canoë »), qui est en fait un gigantesque bac. Cette île était la légendaire demeure des esprits du Bien et du Mal dans la mythologie iroquoise, et on y a retrouvé les traces d'une civilisation indienne très ancienne. Sa faune, aussi bien aquatique que terrestre, y est d'une exceptionnelle richesse.

Au sud de la baie Géorgienne, sur le flanc oriental de l'escarpement, la chaîne de collines, que les Ontariens appellent les Blue Mountains, offre les meilleures pistes de ski de la province. La petite péninsule qui s'enfonce dans le lac au milieu de la baie évoque une tranche d'histoire fort ancienne pour l'Ontario. Il y a 350 ans, dans cette région baptisée **Huronia**, des missionnaires jésuites français vinrent prêcher parmi les Indiens Hurons. Lors de sa fondation, en 1639, la mission fortifiée et isolée de **Sainte-Marie-parmi-les-Hurons** était la seule colonie européenne du Nouveau-Monde établie au nord du Mexique. Elle prospéra dix années consécutives, mais la nation huronne finit par être détruite par les Iroquois, qui supplicièrent les jésuites. Sainte-Marie ne fut pas attaquée, mais les jésuites incendièrent le fort avant de s'enfuir, pour empêcher les Iroquois de se l'approprier. Après de longues recherches, on a pu recréer, dans un endroit situé à l'est de **Midland** ❷❼, la mission jésuite et sa vie quotidienne.

Carte p. 152

Les milliers de lacs de l'Ontario méridional ou de la région nord du bouclier canadien offrent d'innombrables lieux de repos aux habitants des villes. La guerre d'extermination menée contre les arbres par les colons a cédé la place au désir de préserver les terrains boisés et les eaux. Cependant, les régions de la baie Géorgienne, Muskoka et Haliburton ne sont plus des étendues sauvages et boisées, mais des galaxies de résidences secondaires. L'Ontario est l'un des rares endroits au monde où chacun, riche et moins riche, possède sa villégiature. Celleci n'est, à la rigueur, qu'une cabane en rondins, mais toujours au bord d'un lac...

LE PARC DE L'ALGONQUIN

C'est au nord de Haliburton et au nord-est de Muskoka que l'on trouve les dernières étendues sauvages de l'Ontario méridional. Le magnifique **parc provincial Algonquin** ❷⓼ s'étend sur une superficie de 7 600 km². Parc provincial depuis 1893, il abrite le patrimoine ancestral (naturel, aborigène et pionnier) de l'Ontario dont il est, en quelque sorte, le musée vivant.

Comme il y a 10 000 ans, à la fin de l'ère glaciaire, c'est le domaine des lummes à gorge noire. Ces oiseaux sont nombreux encore dans les quelque 2 000 lacs de la réserve. Dans l'angle nord-ouest, on peut voir les «puits de visions» des Indiens algonquins. Dans ces puits aux parois tapissées de pierres, l'adolescent jeûnait pendant des journées jusqu'à ce qu'il eût la vision d'un gardien spirituel, événement qui marquait son passage à l'âge adulte. A l'intérieur du parc, à l'est du **lac Opeongo**, s'élèvent les derniers spécimens du grand pin blanc de l'Ontario. Ces quelques douzaines de pins ancestraux sont les seuls vestiges des gigantesques forêts abattues pour fournir des mâts à la flotte de guerre anglaise.

C'est en canot qu'il est le plus approprié de visiter le parc. On peut alors goûter le calme et observer la faune des lieux : porcs-épics, castors, daims, loups, ours et élans.

Mais le parc Algonquin n'est pas à l'abri des menaces de la civilisation. Les retombées d'une technologie inapte à se contrôler y sont cruellement ressenties. L'exploitation des bois et des forêts sévit ici comme ailleurs ; son effet à long terme sur l'écosystème est encore imprévisible. La pollution industrielle, sous forme de pluies acides, crée des dommages irréversibles. Si le rythme actuel de ces pluies n'est pas ralenti, les écologistes prévoient, en l'an 2000, la disparition totale des lummes à gorge noire et de la faune aquatique de la réserve.

Rares sont ceux qui s'aventurent au nord-ouest de l'Algonquin. Depuis **Sudbury** ❷⓽, la «porte du Nord», une cité industrielle (fonderies de cuivre et de nickel) de 150 000 habitants, on peut s'élancer vers la région de **Temagani**, et la petite bourgade de **North Bay**.

La station de Temagami, dans le nord de l'Ontario. Cette petite bourgade située sur la rive nord du lac Temagani sert de point de départ pour des excursions dans une région célèbre pour ses forêts de pins blancs dont certains sont vieux de trois siècles.

MONTRÉAL

Bien qu'elle ait cédé à Toronto son titre de plus grande ville du Canada, et malgré les incertitudes politiques liées à la place du Québec dans la fédération, Montréal demeure une ville à la personnalité extraordinaire. Plus québécoise que jamais, sa quête de joie de vivre n'a pas fléchi depuis l'Exposition universelle de 1967, ou les jeux Olympiques de 1976. En outre, la technologie urbaine, les médias, la consommation, en un mot, une certaine manière de vivre, tout concourt à faire d'elle une grande ville nord-américaine. L'agglomération du Grand Montréal abrite 3 millions d'habitants, soit environ 40 % de la population québécoise.

MONTRÉAL, PLUS QUÉBÉCOISE QUE JAMAIS

Le cœur de l'activité économique et culturelle de Montréal est à proximité de son sommet géographique, les trois belvédères du **mont Royal** , que les Montréalais appellent affectueusement « La Montagne », bien qu'il atteigne à peine 230 m. C'est l'endroit idéal pour commencer une visite de la ville. De là haut, si le temps le permet, le point de vue est magnifique ; on voit toute l'agglomération et son intense trafic, le fleuve aux reflets bleutés et les collines environnantes. Plus loin, on aperçoit également les autres montagnes de la chaîne des Montérégiennes et, par temps dégagé, les monts Adirondacks et même les montagnes du Vermont.

La ville s'étale sur les versants du mont Royal et descend jusqu'aux rives du Saint-Laurent. L'aspect du centre-ville a beaucoup changé ces vingt dernières années. Et pourtant, ce sont toujours la tour de la place Ville-Marie, en forme de croix, et l'immeuble un peu plus élevé de la **Banque du commerce**, qui le dominent. Entre ces deux tours, sobres et austères, se dresse l'immeuble victorien de la **Sun Life** qui fut, en son temps, le bâtiment le plus élevé du Commonwealth et le symbole de la domination commerciale des anglophones.

En vingt ans, le français est devenu la langue des milieux d'affaires, celle des panneaux de signalisation routière et des enseignes des magasins. Mais cette grande cité de langue française, l'une des plus grandes hors de France, fait aussi l'interface entre les univers anglophones et francophones. En 1976, au lendemain de l'élection du Parti québécois à la tête du gouvernement provincial, de nombreux Montréalais anglophones ont quitté la province pour s'installer ailleurs, mais beaucoup sont restés, par attachement pour leur ville, prêts à vivre une nouvelle approche de la langue française et des Québécois. D'ailleurs, malgré la nouvelle législation linguistique (lire pp. 82-85), la ville reste encore très largement bilingue. Après une courte période de stagnation, elle est redevenue aussi animée que par le passé.

Pages précédentes : scènes d'hiver à Québec. A gauche, à Montréal, on profite le plus possible de la belle saison et les terrasses ne manquent pas.

On peut manger de tout à Montréal, même de la cuisine catalane. La ville compte près de 5 000 restaurants. Certains offrent une ambiance à la mode, d'autres sont plus traditionnels. C'est ce mélange qui fait cet art de vivre à l'Européenne typique de la ville.

Carte p. 180

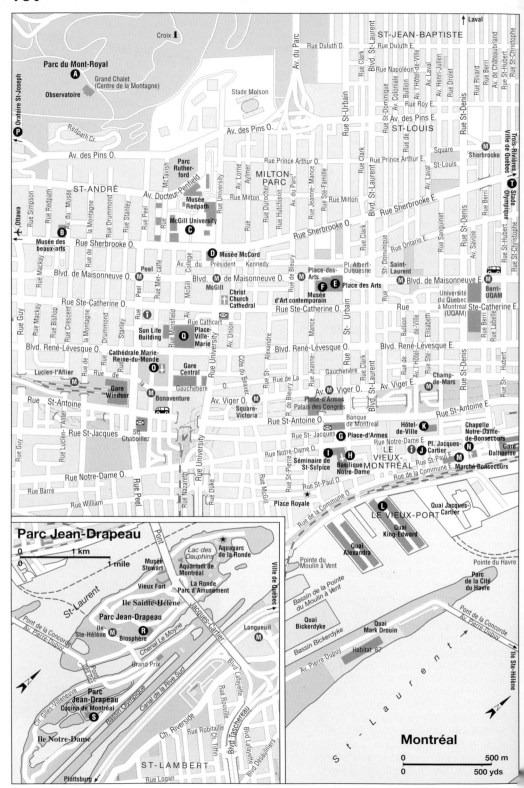

Montréal

LE CENTRE

Le quartier commerçant du centre-ville est à peine à 10 mn de marche sur le flanc sud du mont Royal en prenant le **chemin de la Côte-des-Neiges** et la **rue Guy**. C'est dans la section de la **rue Sherbrooke** qui marque la limite inférieure du « Golden Square Mile », ancien quartier des habitants anglophones fortunés, que l'on trouve les plus beaux magasins et les hôtels de luxe tel que le **Ritz Carlton**.

Le **musée des Beaux-Arts de Montréal** ❸, célèbre pour l'originalité de ses récentes expositions, se situe dans cette même partie de la rue. Quelques pâtés de maisons plus à l'est, l'**université McGill** ❸ a vu passer des célébrités telles qu'Ernest Rutherford, le célèbre physicien britannique, ou Stephen Leacock, le grand satiriste de la fin du XIXᵉ siècle. Son musée d'histoire naturelle, le **Redpath Museum**, abrite des collections de fossiles, de minéraux et d'animaux (préhistoriques entre autres). Montréal possède quatre universités, deux dans chaque langue, autant dire que nul ne lui conteste le rôle de capitale universitaire du Canada. Face à l'université, le **musée McCord** ❸ possède une imposante collection historique sur le Canada, les autochtones et leurs traditions. Le musée abrite également les **archives Notman** qui regroupent, entre autres, plus de 450 000 photographies anciennes.

Un peu plus au sud, et beaucoup plus animée, la **rue Sainte-Catherine** offre de nombreuses boutiques, des cafés, des grands magasins, des établissements de restauration rapide et des arcades. A l'intersection de cette artère bruyante, la **rue Crescent**, l'un des endroits de la ville où est réunie une grande concentration de boîtes de nuit à la mode, de clubs huppés et de restaurants, confère à Montréal sa réputation de ville nocturne.

Plus à l'est, on trouve quatre des principaux **grands magasins** de la ville (Simpson, Eaton, La Baie et Ogilvy) et un grand nombre de **centres commerciaux** en étages, comme les Terrasses et Galeries 2001 et 2020, qui sont reliées au métro par des passages souterrains. Très sophistiqué, le **métro** de Montréal dessert des stations qui ont chacune une architecture audacieuse et spécifique. Inauguré en 1976, il reste le moyen le plus pratique et le plus agréable de se déplacer. En raison des conditions climatiques, les issues donnant sur le trottoir ont été évitées au profit des grands halls des édifices voisins. Lancé dans les années 60 à partir du projet de la place Ville-Marie, le concept de ville souterraine a conduit les autorités municipales à aménager des liaisons (au total 29 km de passages piétonniers) entre le métro, des magasins, des hôtels et les établissements publics, comme les bibliothèques.

Plus à l'est, on aperçoit un immeuble à l'architecture imposante, le **Complexe Desjardins**, qui regroupe un hôtel et un ensemble de boutiques. La **place des Arts** ❸ abrite trois salles de spectacle pou-

L'équipe des Canadiens de Montréal est l'une des meilleures d'Amérique du Nord.

Principal foyer de la culture québécoise, Montréal abrite une intense vie artistique. A la belle saison, on vient flâner devant les œuvres des peintres et des graveurs de la rue des Artistes.

Carte p. 180

Avec son festival de jazz, Montréal accueille chaque année, depuis quinze ans, l'une des plus grandes manifestations musicales du Canada.

Une partie de foot-ball américain improvisé sur les gazons de l'université McGill.

vant abriter plus de 5 000 spectateurs ; la plus grande, la **salle Wilfrid-Pelletier**, accueille, entre autres, l'Opéra de Montréal, les Grands Ballets canadiens, l'Orchestre symphonique de Montréal et des artistes du monde entier.

Après avoir failli se dissoudre en 1973, l'Orchestre symphonique de Montréal a pris un nouvel essor sous la direction de Charles Dutoit. Considéré aujourd'hui comme l'un des meilleurs orchestres au monde, il a obtenu des critiques dithyrambiques au cours de ses tournées internationales et a remporté plusieurs prix pour ses enregistrements. Autre locataire de la place, le **musée d'Art contemporain** ❻, fondé en 1964, est le seul au Canada à se consacrer entièrement à l'art contemporain. Ses collections couvrent les principaux courants de la vie artistique québécoise depuis les années 50.

Derrière la place des Arts, s'étend le domaine des petites boutiques éclectiques, représentatives des diffé-

rentes communautés ethniques installées dans le voisinage : grecque, italienne, portugaise, vietnamienne et chinoise. C'est dans ce quartier que se trouve un des grands lieux de rendez-vous des noctambules de Montréal : la **rue piétonnière Prince Arthur**. La plupart des restaurants grecs invitent le client à apporter lui-même son vin qu'il saura se procurer chez l'un des « dépanneurs » du quartier ou au magasin de la Société des alcools du Québec. En été, les amuseurs publics, jongleurs ou acrobates, se chargent de distraire les clients et les badauds.

En longeant la rue piétonnière **Prince-Arthur**, on aboutit **square Saint-Louis** (les Québécois disent « carré » pour square) un havre de paix planté de grands arbres et rafraîchi, l'été, par une fontaine. Elle est bordée par la **rue Saint-Denis**, dont une section est connue des étudiants de l'**Université du Québec à Montréal** (l'UQAM) comme le « quartier Latin ». Née dans l'agitation de 1968,

l'université se dresse sur le site de l'église Saint-Jacques, dont elle intègre la flèche néogothique.

La rue Saint-Denis déclasse largement la rue Crescent comme centre d'activités nocturnes à Montréal. Elle est, par ailleurs, la plus québécoise des rues à cafés et à bistrots. Chaque été, le quartier est envahi par les nombreux amateurs de jazz qui viennent assister au Festival international de jazz de Montréal qui a lieu début juillet. Au n° 1 700 se dresse la **bibliothèque Saint-Sulpice**, un monument de style Art déco réalisé en 1912.

Classé arrondissement historique, le Vieux-Montréal gravite autour des places d'Armes, d'Youville et Jacques-Cartier. Les rues Saint-Paul et Notre-Dame en sont les axes; McGill et Saint-Antoine et le square Victoria (ancien marché au foin), qui ont été aménagés lors du démantèlement des fortifications et du projet d'embellissement (1804-1821), marquent la transition avec le reste de la ville. On accède au Vieux-Montréal par le **square Victoria**, la place d'Armes ou le **Champ-de-Mars**, mais aussi par les pistes cyclables de la **rue de Berri** et du **canal de Lachine**.

Préservé grâce au déplacement du quartier d'affaires vers l'actuel centre-ville après 1945, le **Vieux-Montréal** reste, même pour les Montréalais, un lieu d'exception. Ses rues étroites et courbes sont l'héritage du régime français et de l'administration des sulpiciens qui en établirent le plan en 1672. La compagnie des prêtres de Saint-Sulpice arriva à Montréal en 1657 et joua un rôle majeur dans le développement social, culturel et économique de tout Montréal. L'architecture du quartier, essentiellement du XIXᵉ siècle, y est remarquable : même les entrepôts, comme ceux des **rues Sainte-Hélène**, **Notre-Dame**, **Saint-Pierre**, **Le Moyne** ou **Le Royer** s'ornent de superbes façades sculptées.

En remontant la rue Saint-Sulpice vers le nord, et en longeant la **rue Notre-Dame** vers l'est, on arrive à la

Carte p. 180

A gauche, réalisé vers 1875, le maître-autel doré et peint de la basilique Notre-Dame est l'œuvre du sculpteur Bourriché. Ci-dessous, la statue de Paul Chomedey de Maisonneuve, le fondateur de Montréal, au centre de la place d'Armes.

Le Vieux-Montréal fut classé arrondissement historique par la province en 1964.

Consacrée en 1773, la chapelle Notre-Dame de Bon-Secours, surnommée « chapelle des marins », contient de nombreux ex-voto en forme de bateau.

place d'Armes ❻, cœur économique et religieux de Montréal au siècle dernier. Sur le côté sud de la place se trouve la **basilique Notre-Dame ❽**. Construite de 1824 à 1829, elle est le symbole par excellence du catholicisme québécois. La façade de la basilique est dénuée de toute sculpture car les tailleurs de pierre étaient rares en 1829, époque à laquelle fut construite l'église. L'intérieur de style gothique contraste d'une façon saisissante avec l'extérieur. On y trouve de nombreuses sculptures, peintures et dorures. On observera tout particulièrement le retable et le maître-autel. Toutes ces sculptures sont un hommage à la tradition québécoise du travail du bois. L'ironie du sort veut que la plus belle église de Montréal ait été dessinée par un Américain d'origine irlandaise, James Donnelly, tandis que l'intérieur est l'œuvre d'un Canadien français, Victor Bourgeau. Installées en 1891 les grandes orgues comptent 5 772 tuyaux.

Accolé au mur occidental de la basilique, le **vieux séminaire de Saint-Sulpice ❶**, construit en 1680, est le plus ancien bâtiment de Montréal. De l'autre côté de la place se dresse le bâtiment néoclassique de la **Banque de Montréal**. Construit en 1847, il se voulait la riposte des hommes d'affaires anglais à l'indomptabilité des valeurs franco-canadiennes symbolisées par la basilique Notre-Dame. Pendant les heures d'ouverture, le luxueux hall d'entrée de la banque est ouvert au public. Véritable musée, on y trouve exposés pièces de monnaies et documents financiers anciens.

En empruntant la rue Notre-Dame vers l'est, après avoir dépassé les magasins et les cafés, on tombe d'un côté sur le vieux **palais de Justice**, édifice de style napoléonien surmonté d'un dôme, et de l'autre, sur le nouveau palais de Justice, moins gracieux avec ses lourdes portes et ses colonnes imposantes. L'inscription latine sur la corniche « *Celui qui*

Carte p. 180

transgressera la loi cherchera son recours en vain » ne fait qu'ajouter à la sévérité de l'ensemble. À l'heure actuelle, les deux bâtiments sont la propriété de l'État et abritent des bureaux administratifs.

AU CŒUR DE LA VIEILLE VILLE

La **place Jacques-Cartier** ❶, qui débouche au sud sur la rue de la Commune, est pavée de galets, garnie de fleurs et très animée. Elle est entourée de restaurants et de terrasses de cafés, la plupart installés dans des immeubles vieux d'un siècle et demi, qui occupent tout le pourtour de la place. Elle a su conserver une échelle humaine et le charme d'une autre époque. Érigée en 1809, la **colonne Nelson** demeure un sujet de contrariété pour les indépendantistes québécois.

Faisant face à la colonne, de l'autre côté de la rue Notre-Dame, l'**hôtel de ville** ❶ est un élégant bâtiment de style second Empire, flanqué de colonnes fuselées et d'un toit mansardé. En face, le **château de Ramezay**, un manoir du XVIIIe siècle, fut la résidence du second gouverneur de Montréal, et le siège successif de la Compagnie de Jésus, de la faculté de Médecine et du palais du Justice. Il abrite un musée historique privé, où l'on peut admirer d'impressionnantes pièces de mobilier, des objets et des décorations du XVIIIe siècle.

Il faut aussi voir le **vieux port** ❶ qui, transformé en zone de divertissements, accueille des soirées musicales pendant l'été. C'est également du port qu'on a la meilleure vue sur le **marché Bonsecours** ❶ qui servit d'hôtel de ville de 1852 à 1878 et qui fut pendant plus d'un siècle le principal marché public couvert de la ville. Non loin, la **chapelle Notre-Dame-du-Bon-Secours** ❶, également appelée « chapelle des Marins », était un lieu de pèlerinage pour les marins venus remercier la Vierge Marie de les avoir épargnés dans les naufrages. Elle fut construite en 1657 par Marguerite Bourgeoy, mais l'édifice actuel date de 1772.

La rue Saint-Paul, au sud de la place Jacques-Cartier, est principalement occupée par des magasins et des boîtes à chansons, ces incomparables brasseries québécoises où des salles bondées entonnent en cœur aussi bien les hymnes nationaux que les chansons traditionnelles ou les derniers succès du hit-parade.

L'EMPREINTE DE LA RELIGION

Jusque dans les années 60, la religion, tout autant que la langue, différenciait le Canada français du reste de l'Amérique du Nord. Monseigneur Ignace Bourget fit construire, en plein cœur du quartier affairiste anglophone, la **cathédrale catholique Marie-Reine-du-Monde** ❶, réplique fidèle à échelle réduite de la basilique Saint-Pierre de Rome. Pourtant, c'est à l'**oratoire Saint-Joseph** ❶ que l'importance de la religion apparaît le plus clairement. Cette énorme église, d'une hauteur de 124 m, dont le dôme est le deuxième au monde après celui de Saint-Pierre de Rome, fut édifiée entre 1924 et 1955 au sommet du mont Royal à la faveur d'un grand mouvement de dévotion pour saint Joseph, le patron des travailleurs.

À l'extérieur, c'est la taille plus que la beauté de l'édifice qui surprend. L'architecture intérieure, simple et austère, est beaucoup plus belle. Les 5811 tuyaux de l'orgue grondent comme un tonnerre à travers l'église lors des concerts. Dans un autre style, la crypte est également impressionnante, avec ses rangées de béquilles offertes par les miraculés et ses innombrables bougies votives.

Saint-Joseph symbolise le Québec d'une autre époque. De 1936 à 1959 (excepté pendant les années de guerre), sous l'administration de Maurice Duplessis, un Premier ministre autocrate et dissimulateur appelé « le patron » (The Boss), Québec restait une province conservatrice et arriérée. Mais dans les années 60, la mort de Duplessis et la vague de prospérité amenèrent un changement profond dans le comportement

Carte
p. 180

*A droite,
pique-nique
sur l'île Sainte-
Hélène
avec, à l'arrière-
plan, l'hôtel
de ville.*

et la mentalité des Québécois, comme en témoignent les édifices construits à Montréal à partir de cette époque. Édifiée en 1954-1962, la **place Ville-Marie Q** dispose d'une superficie de plancher sous terre égale à celle de la tour. Ce concept de ville souterraine caractérise l'urbanisme de Montréal et plus encore celui de Toronto. Reconnaissable à ses lignes cubistes, l'**Habitant**, le bâtiment de Moshe Safdie, abrite des logements étudiants.

SAINTE-HÉLÈNE ET NOTRE-DAME

Organisée sur le thème « Terre des hommes », l'Exposition universelle de 1967 choisit les **îles Sainte-Hélène** et **Notre-Dame** (sur le Saint-Laurent) comme emplacement. Les installations du site de l'Expo 67, rebaptisé **parc Jean-Drapeau**, sont encore utilisées pour des expositions temporaires. Le pavillon principal ressemble au décor d'un film de science-fiction et l'ancien pavillon de la

*Les montagnes russes du parc de loisir La Ronde, sur l'île Sainte-Hélène.
Ce lieu de distraction très fréquenté possède également un « aquaparc » doté d'une vingtaine de toboggans dont le plus haut atteint 25 m.*

France est devenu le **palais des Civilisations**, où ont lieu les grandes expositions internationales. Sur l'île, on trouvera également un parc d'attraction, **La Ronde**, avec un aquarium installé dans le **pavillon Alcan** et le **Vieux Fort** (1822), où, l'été, on peut assister à des reconstitutions militaires. Il abrite le **musée Stewart**, qui retrace l'histoire coloniale et militaire de Montréal. L'ancien pavillon américain, la **biosphère R**, abrite à présent un centre d'observation de l'écosystème du Saint-Laurent et de ses lacs.

C'est sur l'île Notre-Dame que se déroulent chaque année les **Floralies**, exposition internationale de fleurs, ainsi que le **Grand Prix automobile du Canada**. Entre deux roulettes, le **casino de Montréal S** réserve à ses clients une très belle vue sur le fleuve et la ville.

L'endroit le plus impressionnant de Montréal est le **parc olympique T**, qui fut construit pour les Jeux de 1976. Le stade olympique, l'un des complexes sportifs les plus ambitieux du monde, fait la fierté des Montréalais, mais également leur désespoir, car c'est un gouffre financier. Ils le surnomment le « Big O » (O comme Olympique, mais pouvant se lire « Big Owe », la « grande dette »). Il s'agit d'une magnifique pièce d'architecture composée de trois parties principales : le stade, le hall de natation et le vélodrome. Avec ses 38 mâts qui encadrent les 60 000 sièges du ring central, le stade a une forme elliptique qui évoque un énorme mollusque. Au centre se dresse un mât de 168 m de haut où l'on a aménagé un belvédère. Un peu plus loin, on aperçoit le dôme du vélodrome. Actuellement, les principaux utilisateurs du stade sont les organisateurs de la ligue nationale de base-ball, les Expos de Montréal et la nouvelle équipe de football de Montréal. Des concerts ou autres événements culturels s'y déroulent occasionnellement.

En face du parc olympique, le **Jardin botanique** de Montréal vient au troisième rang mondial avec ses 75 ha de flore. Il compte trente jardins et neuf serres.

LA PASSION DES SPORTS

Héritée de la France du XVIIᵉ siècle, la culture des premiers Canadiens ne comportait aucune pratique sportive. Il fallut attendre les années 1760 pour voir l'introduction, par les Britanniques, de la notion d'exercices physiques. Cette contribution à la culture canadienne, qui se

manifesta dans les années 1850 par l'apparition des sports d'équipe, se caractérise par la quantité et la diversité. En effet, pas moins d'une vingtaine de nouveaux sports furent adoptés par les Canadiens. Parmi ceux-ci, on compte le curling, la boxe, le cricket, le tir à la carabine, le patinage, la natation, le golf et le tennis. A cet ensemble viendront ensuite s'ajouter les sports collectifs typiquement américains : le basket, le football américain et le base-ball. Mais « le » sport national canadien reste sans conteste le hockey sur glace. Lorsque les grandes équipes du pays disputent une rencontre décisive pour la Stanley Cup, à la fin du printemps, tout le pays s'arrête pour suivre ses joueurs. Créée en 1909 et composée, à l'origine, de joueurs francophones, l'équipe du Canadien de Montréal a remporté 25 fois la coupe Stanley, le célèbre trophée de la Ligue, une performance inégalée. C'est ainsi que sont nées de véritables légendes vivantes comme Maurice Richard (« le Rocket »), Georges Vézina (surnommé le « concombre de Chicoutimi ») et Patrick Roy. Depuis les années 70, la conscience écologique, l'émergence de nouvelles valeurs et une nature à la fois belle et insoumise, favorisent la pratique de nombreuses activités de plein air telles que le ski de randonnée, le vélo tout-terrain, la moto-neige, le canot, le traîneau à chiens ou encore la marche (qui, l'hiver, exige tout de même des raquettes).

L'équipe nationale de hockey sur glace est l'une des meilleures au monde. ▶

▲ *La South Nahanni, rivière des Territoires du Nord-Ouest, offre des eaux fougueuses aux amateurs de rafting.*

Importé d'Europe au XVIIᵉ siècle, le cheval est inséparable de l'épopée canadienne. On pratique l'équitation dans toutes les provinces, y compris dans les montagnes Rocheuses. ▶

LE HOCKEY : LE SPORT NATIONAL

◄ *Nombreuses, en général bien balisées, les pistes des parcs invitent à de simples balades ou à de vraies expéditions, comme le long de la Rideau Trail, en Ontario.*

Les stations préférées des skieurs canadiens se trouvent au Québec, en Alberta et en Colombie britannique. Le ski de randonnée a aussi de nombreux adeptes. ►

On vient des États-Unis et d'Europe pour taquiner la truite et le saumon dans les innombrables cours d'eau et lacs du Canada. Un permis provincial est obligatoire. ▼

Les voies d'eau sont un moyen privilégié pour découvrir cet immense pays. Mais, pour cela, il faut être prêt à tout, notamment à affronter rapides et chutes. ▼

Sport national du Canada, le hockey fut inventé à Montréal, par des militaires anglais en garnison, dans les années 1870. Il se joue sur une patinoire de 56 m sur 26 m. Outre les gardiens de but et l'arbitre, le jeu oppose deux équipes de cinq joueurs, pendant trois périodes de vingt minutes. Le hockey exige vitesse, adresse et puissance, et la bagarre, à condition d'être «juste et franche», n'en est pas exclue. Les puristes regrettent d'ailleurs que l'argent ait dénaturé le jeu moderne. Qu'il soit pratiqué en amateur ou par des professionnels, le hockey est un peu l'âme de l'hiver. Pourtant, en dépit de ses deux millions de licenciés, le hockey canadien ne se porte pas si bien, et beaucoup d'équipes sont rachetées par des Américains, comme les Jets de Winnipeg, devenus les Phœnix de l'Arizona.

LE QUÉBEC

De prime abord, la taille démesurée de cette province (1,5 million de km²) peut décourager d'en entreprendre la visite, mais, petit à petit, ce qui semblait redoutable devient fascinant, car c'est à la découverte de trois siècles et demi d'histoire et d'un paysage magnifique qu'est convié le visiteur. Sans oublier cette ardente francophonie qui ne cède rien sur son caractère américain. Après tout, les premiers Nord-Américains, après les Indiens, ce sont les Québécois. D'ailleurs, c'est peut-être au Québec que l'on comprend le mieux ce que cela a représenté de bâtir une nouvelle société sur ce continent sauvage et grandiose.

Pour autant, le Québec n'est pas la France, pas plus que l'Ontario n'est l'Angleterre, et les 6 millions de Québécois sont parfaitement conscients d'être entourés par 300 millions d'anglophones. Et, tant dans les villes que dans les campagnes, on constate combien ils ont su adapter avec originalité la culture qui s'est élaborée aux États-Unis. Enfin, on découvrira que la joie de vivre française n'a rien d'un cliché, elle est belle et bien présente dans la rue Saint-Denis à Montréal ou pendant le carnaval d'hiver à Québec. D'ailleurs, un peuple capable de baptiser ses villes de noms comme Saint-Télesphore, Saint-Zotique ou encore Saint-Louis-du-Ha!-Ha! possède forcément un sens de l'humour très au-dessus de la moyenne.

AU PIED DU VERMONT, L'ESTRIE

A la suite de la Révolution américaine (1775-1782), des loyalistes quittèrent les États-Unis pour s'établir en Ontario, puis au Québec. Ces colons s'installant sur des terres divisées en *townships* (« cantons »), la région s'appela d'abord les **Cantons de l'Est** avant de devenir, à la fin des années 40, l'**Estrie**. En majorité anglophone jusqu'à la fin du

XIXᵉ siècle, la région est à présent francophone à 90 %, les industries du bois et la construction de chemins de fer ayant attiré de nombreux travailleurs francophones. On remarquera que l'Estrie a cependant conservé une forte tonalité anglo-saxonne. En effet, au lendemain de la guerre de Sécession, les Sudistes venus vivre dans les États nordistes, s'y sentaient mal à l'aise. Ils venaient fréquemment passer leurs vacances dans les beaux hôtels des Cantons, où se maintenait un certain art de vivre aristocratique.

L'autoroute des Cantons de l'Est (Highway 10) mène de Montréal jusqu'aux cantons de l'Est en une heure environ. A 84 km à l'est de Montréal, **Granby** tient son nom de John Manners (1721-1770) marquis de Gambis, le créateur de la collection de fontaines européennes anciennes. La ville abrite l'un des plus importants jardins zoologiques du pays. On peut continuer jusqu'au parc provincial du mont **Orford ❶**, où l'on pratique de

Carte
p. 192

A gauche, sculptures sur glace pendant le carnaval de Québec.

Le territoire de l'Estrie, qui recoupe une partie des montagnes Appalaches, est doté de plusieurs stations de ski. Celle des monts Orford, Sutton, Owl's et Head sont parmi les plus fréquentées.

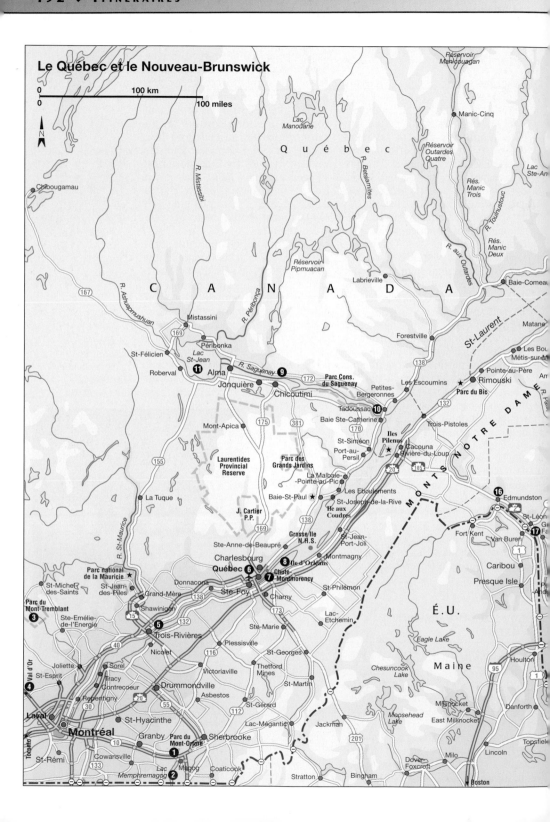

Le Québec et le Nouveau-Brunswick

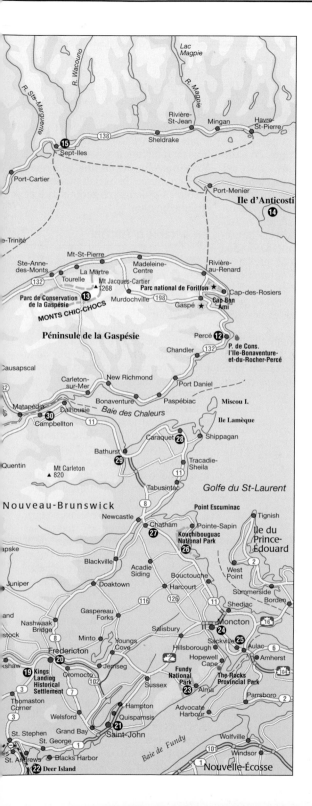

nombreuses activités sportives (ski, randonnée, vélo tout terrain, etc.). Le magnifique **lac Memphrémagog** ❷, long et étroit, le plus grand de la région, mérite le détour. Sur la rive ouest, à flanc de coteau, l'**abbaye bénédictine de Saint-Benoît-du-Lac** (1939) est réputée pour son fromage et son chocolat. La station de sports d'hiver de **Magog-Orford** est le cœur touristique de l'Estrie.

Avec son important réseau hydrographique, ses petits villages, ses troupeaux de vaches et de moutons, et ses champs de framboisiers, cette partie du Québec possède un charme bucolique inhabituel dans une province plutôt austère et aride. Ainsi, le village de **North Hatley**, sur la route 108, magnifiquement situé sur la rive nord du **lac Massawippi**, se niche dans une vallée abritée et bénéficie d'un microclimat prolongeant l'été et adoucissant l'hiver. Ces conditions particulières sont propices à de nombreuses espèces d'oiseaux et à une flore plutôt méridionale. A la fin du XIXe siècle, de riches estivants y élevèrent de belles résidences et y créèrent une animation mondaine et culturelle qui se manifeste encore à travers le Concours international d'art naïf.

LES LAURENTIDES, LE JARDIN DES MONTRÉALAIS

Les Laurentides comptent parmi les chaînes de montagnes les plus anciennes du monde. L'érosion a transformé les pics en collines arrondies d'une hauteur moyenne de 300 m. Avec ses 975 m, le mont Tremblant est le point culminant des Laurentides. Cette région est accessible par l'autoroute 15 ou la route 117, qui est plus lente, mais offre un plus beau spectacle jusqu'au **parc du Mont-Tremblant** ❸. A seulement une heure et demie de Montréal (140 km), celui-ci offre à peu près tous les agréments des sports d'hiver (92 pistes de ski) et d'été (2 superbes terrains de golf), la beauté des paysages et la solitude en prime. Des télésièges fonctionnent toute l'année dans cette ancienne réserve forestière transformé en parc en 1894. Plus de 380 lacs sont disséminés et de nombreuses installations permettent aux visiteurs de faire de la planche à voile, du canotage ou du raft sur (les chutes du Diable), ou, tout simplement, de pêcher et de nager.

Situé au pied du **Mont-Tremblant**, le village du même nom possède de bons hôtels et des terrains de camping. Pendant l'été, on peut louer des bungalows dans le parc, ou planter sa tente dans un petit coin tranquille. Avec 4 000 habitants, **Saint-Jovite** est le centre nerveux de la région. A présent entièrement tourné vers le tourisme, cet ancien village (1875) voué à l'industrie du bois a su préserver son cachet historique. Pratiqués dans cette région depuis les années 30, les sports d'hiver, et le tourisme en général, ont permis un véritable développement économique.

Le printemps qui, comme chacun le sait, dure environ un jour et demi au Québec, est la seule saison pendant laquelle les Montréalais évitent

Un ancien moulin sur la rivière du Loup. Dans la région du Bas-Saint-Laurent, la forêt et les pêcheries gagnent peu à peu sur l'agriculture et l'élevage. L'exportation du bois connut un essor important au début du siècle dernier.

les Laurentides. En hiver, on y rencontre tout Montréal sur des skis profitant de la moindre colline. En été, les familles migrent vers les chalets en bordure des lacs pour nager, faire du ski nautique, de la planche à voile ou du bateau. En automne, ce sont les couleurs somptueuses et profondes du parc qui attirent des milliers de randonneurs. **Sainte-Adèle** et **Saint-Sauveur-des-Monts** (qui possède un musée du Ski) et méritent le détour pour leurs restaurants et leur charme unique.

LA RÉGION D'ABITIBI

Comme son nom l'indique, **Val-d'Or ❹** naquit dans un mouvement de fièvre de l'or. La ville se situe à l'est de la **faille de Cadillac**, riche en or, qui s'étend jusqu'au lac Kirkland dans l'Ontario. Bien qu'elles aient toujours permis à la population locale d'en vivre, depuis le jour où le prospecteur Stanley Siscoe découvrit un peu de métal jaune en 1914, les mines ne sont pas très riches. On y retire environ 7 g d'or par tonne de roche et seul le prix élevé de l'or a permis l'exploitation. Récemment la ville a trouvé une nouvelle source de prospérité avec le vaste projet hydraulique de la baie James ; elle se trouve en effet à un endroit stratégique entre celui-ci et Montréal.

Petit village à caractère historique, **Bourlamaque** évoque, avec ses cabanes en rondins et son petit musée, le temps de la ruée vers l'or et de l'industrie du bois, l'autre richesse de la région. Elle a le caractère provisoire de la plupart des villes minières. Depuis toujours, les habitants croyaient que si la mine se tarissait, ou que le prix de l'or chutait, ils devraient sans doute partir vivre ailleurs. Mais l'optimisme et l'esprit d'entreprise semblent à nouveau prévaloir depuis que le Val-d'Or, accueille, tous les ans au mois d'octobre, le **festival de l'Orignal** (l'élan est chassé à cette époque de l'année), qui est l'occasion de parades, de compétitions d'aviron et de tir. Dans la ville de **Malartic**, d'anciens mineurs ont créé un **musée régional des Mines** consacré à l'histoire de cette industrie et à l'étude des minéraux.

TROIS-RIVIÈRES : QUELLE EST DONC LA TROISIÈME ?

Trois-Rivières ❺ qui, avec une production de 2 500 t par jour, est l'un des tous premiers centres de pâte à papier, a pour origine le poste de traite fondé en 1536 par le sieur de Laviolette. Cette ancienneté fait de la ville le deuxième plus ancien pôle de peuplement de la vallée du Saint-Laurent. Mais les feux qui ravagent régulièrement ces régions ont effacé l'essentiel des traces des premiers siècles de son histoire.

Arrivé en Nouvelle-France à treize ans, Pierre Boucher (1622-1717) devint interprète (auprès des Indiens) et soldat. Nommé gouverneur de Trois-Rivières, il se rendit auprès de Louis XIV pour le convaincre de reprendre le développement de la colonie. Son *Histoire véritable et naturelle des mœurs et des productions du pays de la Nouvelle-France*, publiée en 1664, est l'une des meilleures chroniques de l'époque.

A milieu du XVIIIe siècle, tous les édifices en bois de l'ancien bourg de Trois-Rivières furent remplacés par des bâtiments en pierre. Dans la **rue des Ursulines** se dressent le **manoir de Tonnancour** (1797), la **maison de la Fresnière** (de nos jours elle abrite la maison des Vins) et le **couvent des Ursulines**, première congrégation à venir s'établir dans la ville en 1697.

Au début du mois de septembre, Trois-Rivières accueille deux événements majeurs : le Grand Prix automobile, qui passe dans les rues de la ville, et la classique Internationale de canots, qui se déroule sur la **rivière Saint-Maurice** et crée de l'animation autour du pont Laviolette et dans le quartier du port.

A 13 km à l'est de la ville, en remontant le **boulevard des Forges**, le **lieu historique national des Forges**

Cartes
pp. 192
et 196

Sur le site du château Frontenac se sont successivement élevés le fort Saint-Louis (1620), puis l'hôtel du comte de Frontenac (1629) qui, agrandi en 1692, devint la résidence des gouverneurs. Reconstruite après la conquête, celle-ci disparut dans un incendie en 1834. Le bâtiment actuel date de 1893.

Construites entre 1690 et 1831, les fortifications encerclent la haute-ville de Québec sur près de 5 km. La terrasse Dufferin porte le nom d'un Lord qui les sauva de la destruction réclamée par la population.

du Saint-Maurice met en valeur les anciens établissements fondés en 1730. Mais c'est le **sanctuaire de Notre-Dame-du-Cap**, situé à 10 km au nord de Trois-Rivières, qui attire certainement le plus de visiteurs. Le petit sanctuaire, construit en 1714 et dédié à Notre-Dame-du-Rosaire, n'attirait que peu de pèlerins, jusqu'à ce jour de 1883, où le père Frederic Jansoone et deux de ses compagnons virent la statue de la vierge Marie ouvrir les yeux. Depuis, l'endroit est le troisième centre de pèlerinage du Québec.

Au confluent du Saint-Laurent et du Saint-Maurice, tous se demandent où est passée la troisième rivière. En remontant le Saint-Laurent en bateau, comme le firent Jacques Cartier et Samuel de Champlain, on remarque en effet que les deux îles deltaïques de l'**embouchure du Saint-Maurice** donnent l'impression que trois rivières débouchent à cet endroit. Aujourd'hui, seul le nom a survécu à cette illusion.

QUÉBEC, « GIBRALTAR » DE L'AMÉRIQUE DU NORD

« *Les hauteurs vertigineuses de sa citadelle suspendue dans les airs, ses rues pittoresques, ses portes menaçantes et la vue magnifique qui surprend à chaque coin de rue laissent au visiteur une impression unique et impérissable.* » Il est remarquable de constater que cette description de Québec par Charles Dickens, qu'il intitula « *ce Gibraltar de l'Amérique du Nord* », est toujours d'actualité plus d'un siècle après sa visite. En effet, Québec a conservé l'atmosphère du XVIIIe siècle avec ses ruelles étroites et sinueuses, ses calèches et ses bonnes odeurs de cuisine française qui émanent de façades ravissantes. Le seul changement important réalisé dans la vieille ville depuis l'époque de Dickens est la construction, en 1892, d'un imposant château destiné à servir d'hôtel : le **château Frontenac A**. Ce vaste bâtiment construit en 1893 est admiré de

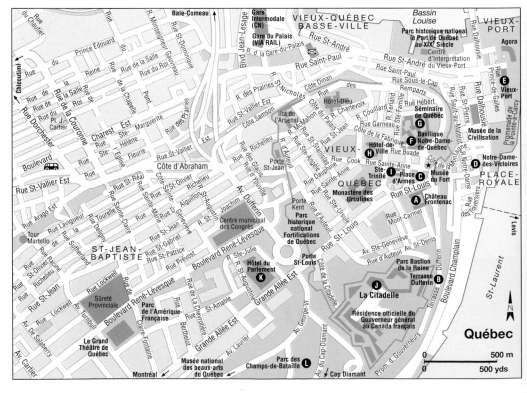

Québec

0   500 m
0   500 yds

ceux qui lui reconnaissent une majestueuse silhouette, et par ceux qui lui reprochent d'écraser la vieille ville aux maisons basses.

LA BASSE-VILLE ET LA HAUTE-VILLE : LE VIEUX-QUÉBEC

La ville de **Québec ❻** se dresse toujours comme la sentinelle du Saint-Laurent. Elle est l'unique ville fortifiée du continent américain au nord de Mexico. La **terrasse Dufferin ❽**, en face du château Frontenac, offre une vue magnifique sur le fleuve, la côte de Beaupré, l'île d'Orléans, les collines bleutées des Laurentides, le mont Sainte-Anne, la campagne vallonnée des alentours.

Juste au nord, la **place d'Armes ❻** était un ancien terrain d'exercices et de manœuvres. La **rue du Trésor** tire son nom de la maison où les colons payaient leur redevances au Trésor royal. Elle est aujourd'hui une rue pittoresque où des artistes vendent peintures, dessins et sérigraphies.

En descendant la **rue Buade** jusqu'au **parc Montmorency**, qui fait face au bureau de poste de la haute-ville, on remarquera le monument de monseigneur de Laval-Montmorency, érigé à la gloire de ce premier évêque de Québec et fondateur de sa plus grande université. En continuant la **rue Côte-de-la-Montagne**, qui descend très abruptement vers la basse-ville, on aperçoit la **porte Prescott**, une réplique de l'originale érigée en 1797. A mi-pente, l'**escalier Cassecou** qui mène au **quartier Petit-Champlain**, avec ses boutiques et ses restaurants. Au bas de l'escalier Cassecou, il suffit de tourner le coin de la rue pour être place Royale. En face se dresse le château Frontenac qui domine la basse-ville.

La **place Royale** s'étend à l'emplacement exact où fut construite la première habitation de Samuel de Champlain. Elle fut le cœur de l'activité économique de Québec jusqu'à 1832. Son nom lui vient de la statue de Louis XIV, érigée sur la place en

Cartes pp. 192 et 196

Caractéristiques de la province en général, et de Québec en particulier, les terrasses des cafés sont très fréquentées à la belle saison.

La rue du Trésor appartient à un réseau de ruelles étroites situé à proximité de la place d'Armes. Des artistes y vendent peintures, dessins et sérigraphies surtout destinés aux touristes.

1686. Aujourd'hui, le site est un lieu d'animation culturelle. Dominant la place Royale, l'**église Notre-Dame-des-Victoires** ❶ fut construite en 1688, incendiée et rebâtie après la conquête du Québec par le général anglais Wolfe, en 1759. Son nom lui fut attribué en souvenir de deux grandes victoires des troupes françaises : celle contre Phips (1690) et la destruction de la flotte de Walker.

La défaite de Phips intervint après six jours de combats. Les Canadiens combattaient à la façon des Indiens. Les troupes de Phips, rangées en ordre formel de bataille, essuyèrent de lourdes pertes, tandis que les Canadiens ne comptèrent qu'une seule victime dans leurs rangs. Quant à la seconde victoire, elle résulta d'une tempête dans le golfe du Saint-Laurent, qui anéantit la flotte de sir John Walker en 1711, sauvant ainsi Québec d'une défaite quasi certaine. Ces deux événements sont décrits dans de petites saynètes sculptées au dessus de l'étrange maître-autel, qui lui-même reproduit un ouvrage de fortification ancienne.

DU VIEUX PORT À LA CITADELLE

En traversant la **rue Dalhousie** qui suit les bords de mer, on laisse derrière soi le XVIIIe siècle, pour pénétrer dans la partie moderne du port. Une passerelle conduit les passagers au ferry qui assure, depuis 1816, la liaison avec **Lévis**, sur l'autre rive du fleuve. Sur ce site qui doit son nom au chevalier François-Gaston de Lévis (1719-1787), commandant en second du marquis de Montcalm, se dressent deux ouvrages défensifs : **Le Fort** (1865) et la **Martinière** (1907) construits contre une éventuelle attaque américaine.

En marchant vers le nord, le long de la rivière, on atteint le nouveau complexe commercial, dénommé le **Vieux-Port** ❸ malgré son architecture entièrement contemporaine. Ce complexe entoure l'**Agora**, un immense amphithéâtre de 5 500

places qui, situé au milieu de massifs fleuris, de cascades et de fontaines, accueille des manifestations culturelles diverses, et plus particulièrement les concerts estivaux.

Le moyen le plus facile pour retourner vers la haute-ville consiste à prendre le petit funiculaire en haut de la **rue Sous-le-Fort**.

Au croisement des **rues Buade** et de la **Côte-de-la-Fabrique** se dresse l'imposante église baroque de Québec, la **basilique Notre-Dame-de-Québec** **F**. Elle s'élève sur l'emplacement de la chapelle construite par Samuel de Champlain en 1633, appelée Notre-Dame-de-la-Recouvrance en hommage à la fin de la tutelle britannique sur la Nouvelle-France. Tout comme pour les victoires précédemment citées, les colons français considéraient le fait d'avoir récupéré la Nouvelle-France des mains des protestants comme une manifestation de la volonté divine. Juste à côté, on peut admirer le séminaire de Québec et **l'université Laval**. Les jésuites fondèrent un collège à cet emplacement dès 1635, soit un an avant l'ouverture de Harvard, mais officiellement, il fut installé en 1663 par monseigneur de Laval. L'université existe toujours, mais son campus moderne se situe actuellement dans le quartier de Sainte-Foye, les anciens bâtiments abritant le **séminaire** **G** et le collège.

Le **musée du Séminaire**, fondé en 1874, est l'un des plus intéressants de la ville. Il rassemble, dans une architecture très moderne, des œuvres de la Renaissance, des peintures baroques et quelques-unes des plus belles pièces de la peinture canadienne du XIXᵉ siècle.

En face de la basilique, on remarque le monument dédié au **cardinal Taschereau**, premier cardinal canadien. L'air majestueux, le personnage semble toujours prêt à menacer d'excommunication le premier ouvrier qui aurait le malheur de se syndiquer ! A l'arrière plan, le vaste **hôtel**

Cartes pp. 192 et 196

Québec, la place d'Armes.

Au programme du carnaval de Québec : un spectaculaire château de glace, un concours de sculptures de neige, des défilés et des soirées thématiques.

Le Saint-Laurent abrite une faune marine très riche, mais menacée par les activités industrielles situées en amont.

de ville **❶** fut bâti en 1895. A l'angle de la rue, le seul édifice de la vieille ville susceptible de rivaliser en hauteur avec le château Frontenac est l'édifice **Price**. Premier gratte-ciel du Québec, c'est un bel exemple d'architecture Arts déco. Un peu plus loin, la **cathédrale Holy Trinity ❶**, la première cathédrale anglicane construite hors des « îlots » britanniques, est entièrement britannique, depuis son architecture jusqu'à ses bancs, taillés dans des chênes massifs importés de la forêt royale de Windsor.

La **rue Saint-Louis**, si vivante avec ses restaurants et ses petits hôtels, serpente depuis la rue des Jardins jusqu'à la **porte Saint-Louis**. Celle-ci fut reconstruite dans un style néogothique grandiose (avec des tourelles et des créneaux) après la destruction de la porte d'origine qui datait du XVIIᵉ siècle. La porte Saint-Louis donne sur la route qui mène à la **citadelle ❶**. Ce bastion en forme d'étoile construit au sommet du **cap aux Diamants** qui surplombe le

Saint-Laurent d'environ 90 m.

Construite pendant la première moitié du XIXᵉ siècle par les Anglais selon un plan approuvé par le duc de Wellington, la citadelle possède un double mur de granit et occupe une position majestueuse en haut de sa falaise. Elle fut longtemps considérée comme la place forte la plus inexpugnable de tout l'Empire britannique. En dépit de son rôle militaire aujourd'hui réduit, la citadelle ne manque pas d'occasions solennelles. Outre la relève quotidienne de la garde, on peut citer le cérémonial du drapeau, qui a lieu quatre fois par semaine, et les tirs de canon deux fois par jour.

LES PLAINES D'ABRAHAM

Dès que l'on quitte l'enceinte fortifiée, la ville devient beaucoup plus spacieuse. Ainsi, en sortant de la haute-ville, on découvre la **Grande-Allée**, une magnifique avenue bordée d'arbres, et les vastes pelouses de

l'**hôtel du Parlement** , le siège du gouvernement de la province du Québec. Le parlement, bien que récent pour la ville de Québec (sa construction a débuté en 1881), est un bâtiment massif, de style second Empire, dessiné par Eugène Taché. Il incarne tout à fait les racines historiques de Québec et ses liens avec la cour de Louis XIII. Ses symboles, en revanche, sont purement québécois : les principaux protagonistes de son histoire sont tous présents dans les niches de la façade ; on reconnaît, entre autres, les statues de Frontenac, de Wolfe, de Montcalm, de Lévis ou encore de Talon... Les bronzes de Louis-Philippe Hébert représentent des groupes d'Indiens, les « nobles sauvages », vus par l'homme blanc.

Le **parc national des Champs de Bataille** ❶ ou **plaines d'Abraham**, est parallèle à la Grande-Allée et offre une vue magnifique sur le Saint-Laurent et les Appalaches. D'une étendue de 107 ha, parsemé de pelouses et planté de grands arbres ombreux,

il a été créé pour commémorer la bataille de 15 minutes durant laquelle Louis-Joseph, marquis de Montcalm de Saint-Véran, perdit la moitié de l'Amérique du Nord au profit des Anglais.

Avant sa nomination à la tête des troupes, les Canadiens gagnèrent de nombreuses victoires contre les Anglais en pratiquant un combat à l'indienne. La situation se gâta lorsque le marquis de Montcalm, un tradionaliste, fut nommé commandant en chef de l'armée de terre. Le général Wolfe, qui descendit le Saint-Laurent avec moitié moins de soldats à ses côtés que Montcalm n'en avait dans la forteresse de Québec, n'espérait guère prendre la ville. C'est pourquoi il en détruisit 80 %. Montcalm attendait Wolfe à Beauport, au nord de la ville, et se précipita dans la plaine pour contrer l'ennemi en faisant combattre ses hommes à l'européenne, une technique à laquelle ils étaient très mal entraînés. Wolfe fut tué, Montcalm mortellement blessé

Cartes pp. 192 et 196

La traversée du Saint-Laurent en canot est l'une des activités les plus prisées du grand carnaval de Québec.

On aperçoit fréquemment orques et baleines dans l'estuaire et le golfe du Saint-Laurent.

Mince bande de terre dentelée d'anses et de pointes, l'île d'Orléans vit de l'élevage et de la fabrication d'un fromage très renommé.

et, bien que les Anglais ne contrôlassent que les plaines à l'issue de la bataille, il se rendit.

Tout au bout du parc des Champs de bataille, juste un peu après la **petite Bastille**, dans une prison aujourd'hui désaffectée, se trouve le **musée national des beaux-arts du Québec**, un magnifique édifice de style néoclassique abritant d'importantes collections d'art québécois. Il renferme une collection impressionnante d'œuvres d'artistes tels que Alfred Pellan, Marc-Aurèle Fortin, Paul-Émile Borduas ou encore Jean-Paul Riopelle, dont les travaux vont du paysage expressionniste à la peinture abstraite la plus avancée.

LES ENVIRONS DE QUÉBEC

La route 440 au nord mène au site des **chutes Montmorency ❼**. Tombant de 83 m de haut, elles sont une fois et demie plus hautes que celles du Niagara, mais moins impressionnantes en raison de leur étroitesse.

Les autorités locales ont construit une esplanade en granit au pied des chutes, afin que les visiteurs puissent se tenir dans le nuage d'eau. En hiver, celui-ci se solidifie et forme une sorte de pain de sucre, un cône de glace et de neige qui fait un parfait toboggan.

A environ 1,5 km au sud des chutes, il faut quitter la route et prendre le pont qui mène à l'**île d'Orléans ❽**, classée site historique par les autorités provinciales en 1970. C'est l'un des endroits les plus pittoresques de Québec et un haut lieu historique. Les fermes anciennes et les vieilles églises sont remarquables – beaucoup d'entre elles datent d'avant 1759 – par l'homogénéité de leurs architectures bretonne et normande.

La fertilité exceptionnelle de la région explique qu'en 1600, il y ait eu autant d'habitants sur l'île qu'à Québec ou à Montréal. Aujourd'hui encore, l'agriculture reste la principale activité économique.

LE SAGUENAY
ET LE LAC SAINT-JEAN

Parmi les innombrables lacs et plans d'eau du Québec, aucun n'égale la splendeur du **fjord du Saguenay ❾** dont les hautes falaises ciselées enserrent les eaux bleues du Saguenay qu'elles surplombent de plusieurs centaines de mètres. Des pêcheurs basques et des Vikings pénétrèrent dans ce fjord bien avant que Jacques Cartier ne le surnomme le « royaume du Saguenay », quand il atteignit cette partie de la côte canadienne en 1535.

Les baleines ne manquent jamais de se réunir dans les eaux profondes de l'estuaire, chaque année, au mois de juillet. Elles y séjournent généralement jusqu'au mois de décembre, période à laquelle elles repartent pour des destinations inconnues. Des bateaux de croisière qui partent de la baie Sainte-Catherine, à 150 km au nord de Québec par la route 138, permettent d'aller à leur rencontre.

Un ferry gratuit assure le passage des personnes et des voitures jusqu'à **Tadoussac ❿**. C'est dans ce village que se trouve la plus vieille église en bois d'Amérique du Nord, la chapelle de Tadoussac, construite en 1747, ainsi que le premier fort de la Nouvelle-France édifié en 1600, mais rebâti depuis. Si l'hôtel Tadoussac paraît familier, c'est parce qu'il a servi de décor naturel au film *Hotel New Hampshire*, tourné ici.

Plus à l'intérieur des terres, on peut rejoindre la plaine fertile de la région du **lac Saint-Jean ⓫**. Jusqu'au milieu du XIXe siècle, des compagnies faisant le commerce de la fourrure détenaient un monopole sur cette région. Il cessa en 1883 quand le chemin de fer favorisa le développement de l'industrie du bois et de la pâte à papier, suivi, un peu plus tard, de l'implantation de grands complexes hydroélectriques et de fonderies qui continuent de faire la prospérité du lac Saint-Jean. Mais ces industries sont assez discrètes, sauf dans les centres de Chicoutimi, de Jonquière et d'Alma.

Chaque année, la région produit quelque 4 500 t de bleuets, une petite baie (le fruit d'un arbuste appelé l'airelle à feuilles étroites) proche de la myrtille qui entre dans la composition de pâtisseries, agrémente parfois les viandes et donne aussi une liqueur. Les tourtières, sorte de pâtés de viande épicée en croûtes, ou encore la soupe à la gourgane, faite à base de haricots secs, sont d'autres spécialités culinaires locales, sans oublier les poissons d'eau douce (truite, brochet, etc.).

Au-delà des centres commerciaux, groupés autour du lac Saint-Jean, s'égrènent de très jolis petits villages tels que **Péribonka**, où se déroulait le roman de Louis Hémon, *Maria Chapdelaine*, ou **Mistassini**, la capitale des bleuets. **Val-Jalbert**, ville fantôme pendant trente-cinq ans, a été réhabilitée et a su conserver son caractère et ses bâtiments d'origine, comme le vieux moulin près des chutes d'Ouiatchoüane, qui plongent de 72 m de haut.

Carte p. 192

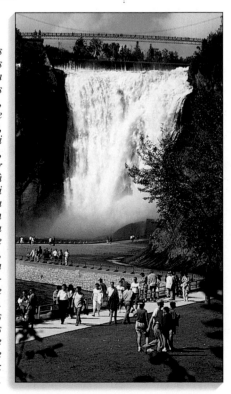

Moins larges que les chutes du Niagara mais plus hautes (83 m), les chutes de Montmorency, et la rivière qui les alimente, doivent leur nom à Champlain qui les baptisa ainsi en mémoire du duc Charles de Montmorency, vice-roi de la Nouvelle-France entre 1620 et 1625. Téléphériques et passerelles équipent ce site offrant de très beaux panoramas.

LA GASPÉSIE

La route 132, qui part et arrive à Sainte-Flavie, dessine une boucle de 900 km autour de la péninsule de la Gaspésie, reliant tous les petits ports de pêche reculés de la côte Ouest. Les Micmacs lui donnèrent le nom de Gespey, « là où finit la terre ».

Bien que la **Gaspésie** ait été colonisée très tôt dans l'histoire du Canada (1535), elle n'a jamais connu de développement industriel notable. Elle est restée une région essentiellement rurale, avec un mode de culture acadien traditionnel.

La route part vers le sud-est et traverse la **vallée de la Matapédia** en longeant la **rivière aux 222 Rapides**, qui coule dans une gorge profonde en bordure des **monts Chic-Chocs**. Dans le village de **Matapédia**, la route tourne vers le nord-est, pour longer ensuite la baie des Chaleurs. Les hérons et les sternes se rassemblent sur les dunes, et les longues plages de sable sont désertes la plu-

En Gaspésie, les avancées rocheuses exposent les entrailles tant de fois pliées au gré des tressaillements de la croûte terrestre.

part du temps. La route serpente entre les multiples anses et villages, dont certains ont des noms anglais tels que New-Carlisle, New-Richmond ou Douglastown. Ces appellations viennent des loyalistes qui s'installèrent là pour échapper à la guerre d'Indépendance américaine.

A un certain moment, la côte fait une percée au nord et rencontre les falaises rouges à l'endroit où les monts Chic-Chocs tombent dans la mer. On aperçoit le **Rocher percé ⓬**, un énorme bloc de calcaire de 86 m de haut qui émerge de l'eau, solitaire et surréaliste. Non loin se trouve le sanctuaire d'oiseaux de l'**île Bonaventure**, où l'on dénombre quelque 50 000 fous de Bassan.

LA CÔTE NORD DE LA GASPÉSIE

La côte nord de la Gaspésie est plus sauvage et plus rude. La route serpente sur les flancs escarpés du **mont Jacques Cartier** (1 268 m), qui occupe la partie centrale du **parc**

Matane ⓭, la réserve naturelle de la région. Elle est peuplée d'ours, d'orignaux, de caribous et de cerfs de Virginie, et ses lacs et ses rivières sont très poissonneux. La route rase le bord de falaises vertigineuses dont la base est largement battue par la mer. Une atmosphère menaçante est restée attachée à cette côte depuis l'époque où les bateaux venaient s'écraser contre les falaises. Certains se souviennent encore de ce jour de 1914 où l'*Empress*, bateau irlandais, entra en collision avec un autre navire et coula en 15 mn, causant la mort de 1 140 personnes.

On retrouve un relief plus hospitalier en visitant les **jardins de Métis**, près de **Métis-sur-Mer**, station balnéaire du début du siècle où lord Mount Stephen fit construire, à la fin du XIXe siècle, une somptueuse villa, **Reford House**, au milieu d'un superbe jardin floral à l'anglaise où sont cultivées 2 500 variétés de fleurs. La maison et les jardins sont ouverts aux visiteurs.

plorateur du Mississippi. Quelques fermiers s'installèrent sur l'île, puis des entrepreneurs anglais tentèrent de la coloniser. Mais, en 1895, un riche chocolatier français, Henri Menier, l'acheta et importa le premier chevreuil sur l'île. On peut encore voir, près de Port-Menier, les restes de sa maison brûlée par les compagnies de pâte à papier qui rachetèrent l'île à son fils. Les Canadiens commencèrent à s'intéresser à l'île en 1937, quand l'Allemagne nazie voulut l'acheter, probablement pour son cuivre. L'Allemagne se retira de la compétition quand la transaction commença à faire du bruit auprès du public.

Il n'y a qu'un seul hôtel, l'auberge Port-Menier, deux terrains de camping et six chalets sur cette île de 225 km². Plusieurs siècles de peuplement ont laissé des traces : villes fantômes, cimetières envahis par les herbes, voies de chemin de fer, ainsi que les vestiges, vieux de 4 000 ans, de ses tout premiers habitants.

Carte p. 192

L'ÎLE D'ANTICOSTI

L'île d'Anticosti ⓮, qui a l'air d'avoir été crachée de la bouche du Saint-Laurent, est assez isolée. C'est d'ailleurs son principal avantage. Aménagée en réserve naturelle depuis 1974, elle compte 300 habitants et 10 000 chevreuils. Les visiteurs doivent demander une autorisation au ministère du Tourisme pour la visiter et un permis pour y voyager et y chasser. A part ces formalités, l'accès est facile : il existe des vols quotidiens au départ de **Sept-Iles** et un ferry, le **Fort Mingan**, transporte les passagers de la baie Sainte-Claire à **Port-Menier**, l'unique localité d'Anticosti qui ressemble un tant soit peu à une ville.

Bordée de falaises escarpées et de récifs trompeurs, Anticosti fut longtemps connue comme le « cimetière du golfe ». On dénombre environ 400 navires naufragés le long de ses côtes, dont certains ont échoué récemment. En 1680, Frontenac offrit Anticosti à Louis Jolliet, l'ex-

La mouette tridactyle niche en colonies dans les falaises et s'alimente en mer. Son grand ennemi, le labbe parasite, la poursuit et l'oblige à régurgiter sa nourriture qu'il attrape au vol. Se distinguant par sa tête toute noire, la mouette de Bonaparte se nourrit des poissons que rejettent les baleines.

L'EST

Terre d'accueil des premiers immigrants européens qui s'établirent au Canada, les Provinces maritimes entretiennent un rapport très particulier avec la mer. Qu'il s'agisse des Écossais ou des Acadiens, leurs racines se trouvent au-delà de l'Atlantique, mais leur éloignement de la conurbation « ontaro-québécoise » les a paradoxalement rapprochés de ces terres lointaines. Et, parfois, en Nouvelle-Écosse, on se sent plus proche des Highlands et d'Édimbourg que de Toronto. Dans ces provinces, le lien avec l'océan est aussi vital ; longtemps, et aujourd'hui encore, les abondantes ressources halieutiques de l'Atlantique Nord ont nourri des générations de pêcheurs et fait la fortune de ces rivages. D'ailleurs, à Terre-Neuve comme sur la côte du Nouveau-Brunswick, le déclin de la pêche à la morue est vécu comme un véritable traumatisme.

Ces provinces, ce sont d'abord des côtes, tantôt si abritées qu'elles portent, comme la baie des Chaleurs, des noms étranges sous ces latitudes, et tantôt si vulnérables aux puissants mouvements de l'océan que l'amplitude des grandes marées y atteint des records, comme dans le baie de Fundy. Le long des rivages, ou non loin d'eux, on découvre les magnifiques plages désertes de la Nouvelle-Écosse, l'hospitalité parfois un peu rude, mais non sans charme, des habitants de Terre-Neuve, la passion non dissimulée des fermiers de l'île du Prince-Édouard pour leurs sillons de pommes de terre impeccablement alignés, ainsi que l'élégance raffinée des villes du Nouveau-Brunswick.

Bien que confiné dans un espace relativement étroit, au moins comparativement aux immensités canadiennes, ce versant atlantique ne forme pas un tout homogène. La nature et le travail des hommes ont donné à chaque prairie un charme spécifique.

La côte fortement découpée du Nouveau-Brunswick ouvre le circuit des Maritimes et donne un aperçu des vastes étendues sauvages et de l'inhabituelle atmosphère marine des villes qui jalonnent ces régions. On découvrira ensuite la Nouvelle-Écosse, Nova Scotia, en empruntant la route côtière qui traverse des villages étonnants et de charmantes bourgades, où le tartan et la cornemuse font partie de la vie quotidienne. La beauté sauvage et l'isolement de Terre-Neuve sont présentés conjointement avec un portrait de ses habitants. Enfin, pour clore ce circuit en dégustant un homard, l'autre richesse de l'île du Prince-Édouard, on se rendra dans la plus petite des provinces canadiennes.

Pages précédentes : les couleurs flamboyantes de l'été indien dans les forêts tempérées canadiennes figure parmi les plus beaux spectacles du monde. A gauche, King's Landing, un village loyaliste restauré et transformé en musée de plein air.

LE NOUVEAU-BRUNSWICK

Un pays où la mer et la forêt se rencontrent... Tel est le Nouveau-Brunswick, territoire des descendants des loyalistes et des Acadiens, colons de la première heure, qui cohabitent harmonieusement dans cette région généreuse en ressources naturelles.

LE LONG DU FLEUVE SAINT-JEAN

Le **fleuve Saint-Jean** prend naissance au nord de l'État du Maine, dont il marque la frontière. De là, on peut descendre son cours tortueux sur quelque 725 km jusqu'à la ville de Saint John, située à son embouchure dans la baie de Fundy. Bordée par le Québec, le Maine et le fleuve Saint-Jean, la pointe occidentale du Nouveau-Brunswick est plus connue sous le nom de **république de Madawaska**. En effet, lassés des interminables conflits frontaliers opposant le Canada aux États-Unis, les habitants de cette région finirent par créer ce royaume fictif pour avoir la paix. Cet État désigne son président (le maire d'Edmundston) et possède son propre drapeau.

Francophones pour la plupart, les habitants de Madawaska sont des gens fiers et exubérants, et la foire Brayonne (dans cette région, les Français étaient appelés Brayons à cause de l'instrument qu'ils utilisaient pour filer le lin) est certainement la meilleure occasion pour s'en rendre compte. Cet événement estival donne lieu, entres autres, à des danses folkloriques et à des concours de bûcherons.

Petite bourgade industrielle située au confluent du Saint-Jean et de la rivière Madawaska, **Edmundston** ⓰ est avant tout la capitale de la légendaire république. Parmi, les curiosités intéressantes à visiter, notons l'**église de Notre-Dame-des-Sept-Douleurs** (Church of Our Lady of Sorrows) avec son chemin de croix en bois sculpté de Claude Roussel. Aux alentours, on pourra voir la très

productive **vallée du Saint-Jean**, qui a toujours été un axe de passage important, jadis grâce aux bateaux à vapeur, aujourd'hui grâce à la route.

La région située entre **Saint-Léonard** et Woodstock est réputée pour la culture de la pomme de terre. Chaque année à **Grand Falls** ⓱ (Grandes Chutes) se tient le **festival de la Pomme de terre** (Potato Festival), durant lequel des bateaux chargés de fleurs sont mis à l'eau et lancés dans les cataractes. Cette coutume trouve son origine dans la légende de Malabeam, une jeune Indienne qui se serait sacrifiée en menant ses ravisseurs sur les cascades plutôt que de les mener à son village. Aujourd'hui, les chutes sont beaucoup moins hautes qu'autrefois en raison des aménagements hydroélectriques.

Plus en amont de la rivière, la petite ville agricole de **Hartland** ⓲ doit sa renommée à son pont couvert qui enjambe majestueusement le fleuve Saint-Jean depuis 1897. Avec ses sept travées parcourant quelque

Carte
p. 192

A gauche, travail du fil de lin à l'ancienne dans un village acadien.

Balade en kayak parmi les « pots-de-fleurs » du parc national d'Hopewell Cape, dans la baie de Fundy. Ces rochers en grès rouge modelés par le vent et la mer doivent leur surnom aux bouquets d'épinettes et de sapins qui les coiffent.

Le musée du Rail de Fredericton possède de superbes locomotives à vapeur.

390 m, c'est le pont couvert le plus long du monde.

La petite ville de **Woodstock** est très fière de sa tradition d'hospitalité. Ses fondateurs avaient, en effet, décrété que « *nul visiteur, connu ou inconnu, ne traverserait cette communauté sans en partager l'hospitalité* ». Chaque été, elle organise une grande fête dédiée à cette vertu, la semaine de l'Old Home. L'édifice le plus significatif de la ville est probablement l'ancien **palais de justice** (Old Courthouse), qui a servi successivement, au cours des années, de tribunal, de gare routière, puis de salle de réunions politiques. Restauré, il est à présent ouvert au public.

Pour se faire une idée de ce qu'était la vie entre 1780 et 1890, on visitera **Kings Landing Historical Settlement** ⓭, un village du XIXe siècle restauré sur un site de 121 ha en bordure du fleuve Saint-Jean. Il offre aux visiteurs une reconstitution fidèle de la vie quotidienne des loyalistes à cette époque. On compte 45 bâtiments,

Les costumes d'époque se fondent dans le décor du XIXe siècle, tel qu'il a été restauré dans le village de Kings Landing. En bordure du lac Saint-Jean, il regroupe notamment une église, une école, un magasin, une scierie et une dizaine d'habitations.

dont une scierie en activité, un théâtre, une forge, un magasin général, une école et une auberge, le Kings Head Inn, où l'on sert des repas dans le style des années 1850.

FREDERICTON, CENTRE CULTUREL

Le **parc provincial de Mactaquac**, qui domine le réservoir du barrage du même nom, se trouve entre le Kings Landing et Fredericton. Ce superbe parc de 567 ha est un centre de sports nautiques très fréquenté tout au long de l'année, surtout par les pêcheurs. Mai marque le début de la saison avec son fameux tournoi de pêche.

Fondée par les loyalistes en 1783, **Fredericton** ⓴ a été surnommée la « cité des ormes majestueux » (The City of Stately Elms), ce qui convient bien à cette capitale provinciale. La ville est également un actif centre culturel, en grande partie grâce au mécénat de l'homme d'État et magnat de la presse lord Beaverbrook, qui n'oublia jamais le Nouveau-Brunswick où il grandit dans les années 1880-1890. La **galerie d'art de Beaverbrook** (Beaverbrook Art Gallery) abrite sa collection personnelle de peintures, qui compte notamment des toiles de Gainsborough, de Turner, de Reynolds, de Dali et des œuvres du groupe des Sept.

Construit en 1882, l'édifice de l'**assemblée législative** (Legislative Building) abrite des portraits signés de Joshua Reynolds ainsi qu'une copie très rare du Domesday Book. Sur les restes de l'**ancien terrain d'entraînement militaire** (Military Compound) se dresse le **musée historique York-Sunbury** (York-Sunbury Historical Society Museum) dont les collections relatent l'histoire militaire et civile de la ville. Mais le plus beau monument de la ville est certainement la cathédrale **Christ Church**, édifiée en 1845-1853 et considérée comme le plus bel exemple d'architecture néogothique du continent.

En remontant la rivière depuis Fredericton jusqu'à son embouchure, on traverse **Oromocto**, petite ville située près de la plus grande base militaire canadienne, **Gagetown**. Les villages paisibles de **Jemseg**, plus au sud, abritent un artisanat très actif. En divers points de la rivière, des bacs gratuits facilitent les possibilités d'exploration.

SAINT JOHN, LA CITÉ LOYALISTE

Saint John ㉑ (Saint-Jean), la plus ancienne ville du Canada, est située dans la baie de Fundy. Samuel de Champlain découvrit ce site le 24 juin 1604, jour de la Saint-Jean-Baptiste, dont il donna le nom au havre naturel qu'il avait sous les yeux et au camp qu'il fit dresser à l'embouchure. Mais ce n'est qu'en 1783, avec l'arrivée d'un groupe de 3 000 loyalistes en provenance de Nouvelle-Angleterre et de New York, que ce lieu fut véritablement habité.

La « Cité loyaliste » célèbre son anniversaire en juillet pendant les « journées loyalistes » (Loyalist Days). Une semaine de festivités, durant laquelle on met en scène une reconstitution du débarquement des loyalistes. Ces colons rendirent la ville prospère grâce à l'industrie du bois et plus particulièrement la construction navale. Mais à la fin du XIXᵉ siècle, Saint John connut un déclin, à cause de l'incendie désastreux de 1877 et surtout en raison de l'avènement de la marine à vapeur. Depuis, d'autres industries telles que la pâte à papier, le textile, une raffinerie de sucre, des conserveries de poissons ont pris la relève et redonné à la cité son énergie d'antan.

La **tour Carleton Martello** et le **fort Howe**, qui se font face de chaque côté du port, servaient jadis d'observatoires. Aujourd'hui dépossédés de leur rôle militaire, ils offrent toujours une vue magnifique de la ville. Les **Reversible Falls** (chutes « réversibles »), situées à l'embouchure du Saint-Jean, mérite amplement le détour. Cet étonnant phénomène naturel s'explique par un renversement du courant du fleuve provoqué par le flux et le reflux de la marée.

Carte p. 192

Bateau de pêche amarré dans le port de Saint John.

Au cœur du **parc Rockwood**, le **lac Lily** est un plan d'eau beaucoup plus serein! L'été, il fait le bonheur des nageurs et des pêcheurs, et l'hiver celui des patineurs. A une distance de marche raisonnable du centre-ville, **Rockwood** est l'un des plus grands espaces verts situés dans l'enceinte d'une ville canadienne.

Dans le domaine de l'histoire et des sciences naturelles, Saint John possède le plus vieux musée du pays: le **musée du Nouveau-Brunswick** (New Brunswick Museum). Parmi ses trésors, on trouve une gamme hétéroclite d'objets allant de la dent de mammouth au cornet musical en or ciselé.

Trois parcours permettent de découvrir le passé de la ville: Prince's Williams Walk, Victorian Stroll et **Loyalist Trail**. En suivant le «sentier loyaliste», on visitera le jardin public de **King Square** dont les parterres reproduisent le drapeau britannique, le cimetière, ou encore Loyalist House, bâtisse de style géor-

Depuis 1876, une cloche annonce l'ouverture et la fermeture du marché de Saint John.

gien construite en 1810. On ne pourra plus douter des origines des fondateurs de Saint John. Occupée pendant un siècle et demi par David Daniel Meritt et ses descendants, **Loyalist House** est l'un des plus vieux édifices de la ville resté intact depuis sa construction et l'un des rares à avoir échappé à l'incendie de 1877. Il a conservé la plupart de son mobilier initial. C'est le joyau de la société historique du Nouveau-Brunswick et un hommage aux artisans du XIXe siècle.

Le sentier loyaliste mène également au **marché de la ville** (City Market) qui a, lui aussi, survécu au feu. Cet édifice est au cœur de l'histoire de la cité depuis 1876. Comme autrefois, une cloche retentit pour annoncer le début et la fin du marché. Le toit du bâtiment est une coque de navire et sa grille de fer forgé est joliment ouvragée.

Le front de mer, baptisé **place du Marché** (Market Square) en 1983, a bénéficié d'un plan de rénovation qui

a abouti à la création d'emplois, de commerces et à la relance du tourisme. Une façade en brique du siècle dernier cache un grand centre commercial où l'on peut flâner à loisir, faire du lèche-vitrines et dîner. On y trouve notamment une bibliothèque régionale, dont les larges baies vitrées permettent d'admirer le port tout en feuilletant de vieux ouvrages canadiens. Une horloge en forme de phare se dresse à l'entrée. C'est une horloge sans aiguilles. La queue d'un serpent indique l'heure, tandis qu'à la base, trois personnages en trompe l'œil sont assis nonchalamment.

La **baie de Fundy** s'étend de la pointe est de l'État du Maine jusqu'au nord-est de la baie de Chignecto. Elle est très pittoresque, avec ses villages de pêcheurs dignes des plus belles cartes postales. Les loyalistes investirent cette région en masse après la guerre d'Indépendance et, là aussi, il n'est pas rare de voir flotter l'Union Jack aux mâts des maisons.

Située entre le Maine et le Nouveau-Brunswick, la **baie de Passamaquoddy** constitue une entaille dans la baie de Fundy. A son extrémité est se trouve **Black's Harbour**, capitale de la sardine, connue pour son importante usine de conserve, la plus grande du Commonwealth. Le **lac Utopia**, situé non loin de là, pourrait s'appeler le Loch Ness du Nouveau-Brunswick : certains habitants de la région soutiennent qu'il est habité par un monstre marin.

En faisant le tour de la baie, on passe par **Saint George**, dont le **parc provincial d'Oak Bay** occupe une partie du littoral. **Saint Andrews** est un centre de pêche apprécié des amateurs. Située à l'extrémité d'une petite péninsule, la commune abrite également un centre de recherche de biologie marine, le **Hunstman Marine Laboratory and Aquarium**. Fondé en 1783, Saint Andrews possède un habitat typique des XVIIIe et XIXe siècles. Quand, en 1842, la frontière avec le Maine fut définitivement

Carte p. 192

Avec ses 390 m, le pont couvert d'Hartland est le plus long du monde.

Phénomène provoqué par la marée, les chutes réversibles offrent un spectacle unique.

établie, certaines familles démontèrent leur maison pierre par pierre et la remontèrent à Saint Andrews. Avec l'**hôtel Algonquin**, la ville possède l'un des meilleurs établissements du Canada.

La ville frontière de **Saint Stephen** est située juste en face de la ville de Calais dans le Maine. Ces deux villes sont un symbole d'amitié internationale car, pendant la guerre de 1812, les citoyens de Saint Stephen donnèrent aux habitants de Calais, ville pourtant ennemie, de la poudre à canon pour célébrer dignement le jour de l'Indépendance. Aujourd'hui, les deux villes organisent des festivités communes tous les étés.

LES TROIS ÎLES AUX OISEAUX

Les îles Fundy sont un paradis pour les observateurs d'oiseaux et de baleines et pour les pêcheurs. Leur charme rustique, la beauté de leurs paysages sauvages ont attiré certains des plus illustres amoureux de la nature comme le naturaliste américain John James Audubon ou son compatriote, le président Roosevelt.

L'île du Grand-Manan est la plus grande et la plus éloignée des trois îles Fundy. C'est l'île préférée des ornithologues, en raison de ses quelque 245 espèces d'oiseaux identifiées, parmi lesquelles le macareux, devenu le symbole de l'île. L'île est également connue pour la *rhodymenia palmata*, une algue marine rouge, comestible et tout à fait délicieuse.

L'île Campobello, l'île « bien-aimée » du président Roosevelt, est la seule des Fundy accessible par un pont international. Celui-ci la relie à Lubec dans le Maine. Sur l'île, la visite de la résidence d'été du président des États-Unis et de son parc, une réserve naturelle qui occupe toute la partie sud de l'île, vaut le coup d'œil. Située à cheval sur le 45e parallèle, l'**île Deer** 22 ne fait que 12 km de long. Cependant, son vivier de homards, l'un des plus grands au monde, est très impressionnant.

LA RÉGION SUD-EST

Ville historique de la province, **Saint Martins** mérite le détour. Le **Quaco Museum** retrace l'histoire de ce charmant petit port de pêche qui fut un centre de construction navale. La façade maritime (13 km) du **parc national de Fundy** 23 se compose de falaises fouettées par la mer et de longues plages balayées par les fortes marées de la baie de Fundy. L'intérieur abrite un massif forestier, qui alimentait autrefois une industrie du bois locale florissante et un grand nombre de trappeurs. La conjugaison de ces deux activités faillit bien altérer définitivement le site naturel. En 1918, la forêt initiale était détruite en grande partie et, vers 1930, la population d'**Alma**, ancien centre forestier, se réduisait à deux pauvres familles. Depuis la création du parc, cette région a petit à petit retrouvé son état sauvage : ses forêts et ses rivières sont protégées et on a réintroduit certaines espèces animales, dont le saumon.

Qu'ils descendent des Acadiens ou des loyalistes, les habitants du Nouveau-Brunswick ont conservé de leurs ancêtres, les colons de la première heure, le courage, l'entêtement et une bonne dose d'ironie.

Hopewell Cape, petit village situé dans la **baie de Shepody**, et son **parc provincial The Rocks** sont célèbres à cause des fameux **rochers « pots-de-fleurs »**. Sur la plage attenante on trouve, en effet, d'étranges rochers en grès rouge, modelés par la mer et les vents, et qui sont coiffés par des plumeaux d'épinette ou de sapin (d'où leur vient cette appellation de pots-de-fleurs).

Moncton ㉔, « pivot » des Maritimes, est un important centre ferroviaire. Cet ancien village micmac fut conquis vers la fin du XVIIᵉ siècle (1698) par des colons français, puis détruit par les Anglais au moment de la déportation. Malgré les efforts de ces derniers pour éradiquer les populations françaises de la région, beaucoup d'Acadiens survécurent dans les forêts avoisinantes avec l'aide des Micmacs. D'autres revinrent d'exil quelques années plus tard. Aujourd'hui, le tiers de la population de Moncton est d'ascendance acadienne.

L'université de Moncton est la seule université francophone des Provinces Maritimes. La galerie d'art de l'université et le Musée acadien abritent une collection très complète d'objets acadiens. On pourra également assister à deux phénomènes naturels surprenants : le **mascaret**, une vague qui, deux fois par jour, remonte le cours de la **Petitcodiac** sous l'effet des fortes marées ; puis la colline magnétique, un curieux phénomène d'optique : les voitures mises au point semblent remonter la pente comme si elles étaient attirées par un aimant.

Près de Moncton, la **voie de chemin de fer** (Salem and Hillsborough Railroad) qui serpente le long de la Petitcodiac entre Hillsborough et le petit hameau de Salem est tout à fait pittoresque. Une antique locomotive à vapeur tire, pendant une heure, quelques vieux wagons sans toit, en forme de gondoles. Cette balade rétro à travers les marais salants est des plus agréables. Le

Carte p. 192

Marée basse à Alma, dans le parc national de la baie de Fundy.

Hiram Trestle, un pont de bois reliant deux collines, est certainement le clou de la balade.

Malgré ses allures de village anglais, **Sackville** ㉕ est une ville universitaire. **Mount Allison University** s'honore d'avoir été le premier établissement de l'Empire britannique à avoir décerné un diplôme à une femme, en 1875. **Fort Beauséjour** est l'un des derniers endroits où Français et Anglais se livrèrent bataille. Construit par les Français en 1751, il fut pris par les Anglais quatre ans plus tard. Seule trace de ce passé agité, le vieux fort, transformé en musée, d'où l'on a une superbe vue sur la campagne alentour.

LA RÉGION CÔTIÈRE ACADIENNE

La région côtière s'étend du nord de Moncton jusqu'à la « baie des Chaleurs » découverte et baptisée ainsi par Cartier. C'est dans cette région, balayée par les courants chauds du détroit de Northumberland, que les Acadiens revinrent après la déportation. Les plages du Northumberland sont étonnamment plaisantes pour une région septentrionale : c'est la région côtière au nord de l'État de Virginie où l'eau est la plus chaude, notamment à **Shediac**, célèbre pour sa superbe plage appelée Parlee. C'est également la capitale du homard, et il est préférable de la visiter en juillet, au moment du festival du homard.

La côte est parsemée de petits ports de pêche acadiens dont les plus célèbres sont **Cocagne** et **Bouctouche**. Ce dernier doit sa réputation à ses huîtres et à l'**Irving Éco-Centre** (ouvert à la visite) et sa **dune de Bouctouche**, l'une des dernières grandes dunes de la côte nord-est du continent américain. Le **parc national de Kouchibougouac** ㉖, récemment créé, offre 241 km² de forêts, de plages et de dunes. À l'intérieur du parc, on rencontrera quelques villages français où l'on peut faire de délicieux repas, de homard notamment.

Les « pots-de-fleurs » de Hopewell Cape.

Plus au nord sur la côte, les villes de **Chatham** ㉗ et **Newcastle** ont conservé un fond de culture britannique dans une région à majorité acadienne. Chatham fut un important centre de construction navale et surtout le premier bastion de l'empire des frères Cunard, célèbres constructeurs de bateaux. C'est à Newcastle que grandit lord Beaverbrook, généreux donateur des musées de la cité.

Les villages de **Burnt Church** et **Tracadie** sont liés par leur passé. Le premier, comme son nom l'indique (église brûlée en anglais), fut victime d'un raid anglais et le second fut jadis un village de lépreux. L'ancien hôpital a été transformé en musée.

LE NORD DE L'ACADIE

Plus on remonte vers le nord, plus on voit flotter le drapeau acadien. **Shippegan** est un village de pêcheurs typique de la région, où l'on pourra visiter un aquarium et un **centre marin**. Celui-ci est consacré à l'univers de la pêche dans le golfe du Saint-Laurent. Des cartes élaborées sur ordinateur, des montages audiovisuels et des spécimens vivants de la faune aquatique y sont présentés. On pourra fuir le tohu-bohu de Shippegan en empruntant le traversier (gratuit) pour l'**île Miscou**, où s'étirent de magnifiques plages désertes.

Caraquet ㉘ est la ville la plus prospère de la région côtière acadienne ainsi que son principal centre culturel. Elle fut fondée en 1757 par quatre familles acadiennes ayant échappé à la déportation. Symbole de l'irrédentisme acadien, c'est là que se déroule tous les ans, en août, le **Festival acadien**. A cette occasion, on peut assister à la cérémonie de la bénédiction des bateaux de pêche du nord-est du Nouveau-Brunswick.

Le village historique acadien de Caraquet, à **Sainte-Anne-du-Bocage**, regroupe des bâtiments datant des XVIIIe et XIXe siècles récupérés dans la région de Saint John et remontés là, au bord de la rivière du Nord. Des figurants en costumes d'époque

accueillent et guident les visiteurs. Le magasin de souvenirs vend des ouvrages historiques sur la région.

Bathurst ㉙ est un bon exemple de cohabitation entre les cultures française et anglaise. Ce village acadien fut déserté par les Français au moment du « grand dérangement », repeuplé par des Écossais et des loyalistes américains puis réoccupé par les Acadiens à leur retour d'exil. Il est situé dans la **rade de Nepisiguit**, sur la baie des Chaleurs. Cette baie est célèbre pour son vaisseau fantôme qui se promène entre Campbellton et Bathurst. Certains pensent qu'il s'agit du fantôme d'un navire français coulé lors d'une bataille, tandis que d'autres préfèrent parler de nappes de brume.

Dalhousie et **Campbellton** ㉚ furent colonisées par des Écossais, des Irlandais et des Acadiens. Il faut avoir l'oreille fine pour distinguer les accents. Campbellton est un centre de sports d'hiver et de pêche au saumon.

Carte p. 192

Les villes de la province ont prospéré grâce à l'industrie du bois et, notamment, à la construction navale. Tradition de marins, la sculpture sur bois est à présent un artisanat très dynamique sur les côtes du Nouveau-Brunswick.

LA NOUVELLE-ÉCOSSE

La Nouvelle-Écosse évoque des montagnes creusées d'anfractuosités qui font écho au son des cornemuses. Mais, bien avant l'arrivée des montagnards écossais dans cette contrée, il y eut d'abord les Micmacs, puis successivement les Français, les Anglais et enfin les loyalistes venus des colonies américaines. Tous ont laissé leur empreinte sur cette province, dont la population (930 000 habitants) est aujourd'hui à 77% d'origine britannique et à 10% d'origine française. Or, par l'économie et la géographie, les Néo-Écossais sont liés à la mer autant qu'à leur passé. La province n'est rattachée au continent que par une mince bande de terre de 28 km de long, l'isthme de Chignectou et se termine, à l'est, par une île, le Cap-Breton. Aucun point n'est éloigné de la côte de plus de 56 km. Par humour, et peut-être aussi pour rendre hommage à cet animal symbole de la gastronomie locale, les habitants disent de leur province qu'elle ressemble à une langouste.

LA TERRE DES MICMACS

Les premiers habitants de la Nouvelle-Écosse, les Micmacs, vivent encore dans cette province, mais leur nombre a considérablement diminué. Certains faits archéologiques laissent penser que des Vikings seraient venus dans cette région aux environs de l'an mil. Quelques siècles plus tard, Jean Cabot, qui naviguait sous pavillon britannique, aborda l'extrême nord de l'île du Cap-Breton. On pense également que, dès le XVIe siècle, les eaux de la Nouvelle-Écosse étaient fréquentées par des pêcheurs français et des baleiniers portugais.

Les Français baptisèrent Acadie cette terre qui comprenait alors l'actuelle Nouvelle-Écosse, le Nouveau-Brunswick, l'île du Prince-Édouard et le Maine. Des familles originaires de l'ouest de la France s'installèrent le long de la baie de Fundy et au bord de la rivière Annapolis, sur les terres marécageuses qui demeurent les plus fertiles de la Nouvelle-Écosse. La majorité des Acadiens actuels, comme les Cajuns de Louisiane, descendent de ces familles françaises immigrées au XVIIe siècle.

Si certaines traditions se maintiennent encore, la prospérité de la province déclina à la fin du XIXe siècle avec l'apparition de la machine à vapeur et des navires à coque d'acier. Devenue obsolète, la construction navale en bois, la principale industrie locale, disparut progressivement entraînant avec elle toute l'économie de la région. Dans un premier temps, les mines de charbon prirent le relais, mais celle-ci déclinèrent à leur tour au lendemain de la Seconde Guerre mondiale.

Aujourd'hui, des ultimes richesses naturelles de la province – d'abondants lieux de pêche en eau douce et salée, la grande fertilité de la vallée d'Annapolis et, bien sûr, le tourisme (la région reçoit plus de visiteurs

Carte
p. 222

*A gauche,
un marin de
Nouvelle-Écosse.*

*Le phare de
Peggy's Cove,
modeste
hameau
de pêcheurs
(60 habitants)
fondé en 1811,
est devenu
l'un des lieux
les plus
touristiques
des Provinces
maritimes. Les
rochers de
granit qui
affleurent dans
les environs
complètent
la carte postale.*

que les autres Provinces maritimes), seul ce dernier, et de nouveaux services, semblent en mesure de jouer dans l'avenir un rôle économique moteur. En effet, fortement concurrencée, la pêche est loin d'être aussi rentable qu'autrefois et l'extrême productivité de l'agriculture n'a plus guère besoin de bras.

HALIFAX ET DARTMOUTH

Les deux plus grandes villes de Nouvelle-Écosse, Halifax et Dartmouth, sont situées de chaque côté d'un même havre naturel dans la **baie de Chibouctou** (le «long port» en langue micmac) et reliées par deux ponts suspendus. Probablement parmi les plus grands ports naturels du monde, celui-ci a l'avantage d'être libre des glaces toute l'année. Port international très actif, base stratégique navale de premier ordre, il est le fondement même de la vie de la métropole Halifax-Dartmouth. **Halifax ❷** est certainement la plus avan-

tagée des deux «jumelles». Elle est la capitale de la province et le principal centre commerçant et culturel de la côte atlantique canadienne. Mais **Dartmouth ❶** n'est pas dénuée de charme pour autant. Bien qu'elle soit surtout réputée pour son industrie en pleine croissance, on l'appelle couramment la «ville des lacs», car elle est dotée de 23 plans d'eau naturels. Ses habitants peuvent ainsi pratiquer la pêche et le canoë pendant l'été sans même quitter la ville. L'hiver, les lacs se transforment en vastes patinoires et, au début de février, ils accueillent le carnaval d'hiver.

Dartmouth fut fondée en 1750, un an après Halifax, après le passage des troupes britanniques, qui traversèrent la rade pour aller chercher du bois. La ville était alors périodiquement assiégée par les Micmacs. Dartmouth se développa très largement en fonction des besoins d'Halifax et, dès 1752, un bac reliait les deux villes. Ces vieux bacs, qui circulent aujourd'hui encore, représentent le plus

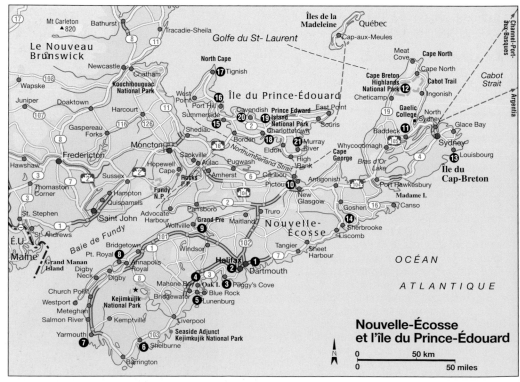

Nouvelle-Écosse
et l'île du Prince-Édouard

0   50 km
0   50 miles

ancien service maritime traversier d'Amérique du Nord. Entre 1785 et 1792, après la guerre d'Indépendance, des quakers, venus de l'île de Nantucket, s'installèrent à Dartmouth. Ils en firent un important centre de pêche à la baleine, dont le principal siège était la **Dartmouth Shipyards**. Les maisons qu'ils édifièrent et qui devaient résister aux intempéries, toutes simples, aux portes excentrées, sont toujours debout. Une promenade dans **Ochterloney Street** permet d'en admirer quelques-unes, dont la **Quaker House** (1786), sans doute le plus vieux bâtiment de la ville. Dans **Newcastle Street**, se dresse **Evergreen House**, charmante demeure de style victorien construite en 1867 et restaurée depuis, où résida la romancière Helen Creighton. La collection éclectique du **Dartmouth Heritage Museum** retrace l'histoire de la ville. Quant au **Black Cultural Centre for Nova Scotia**, situé dans la rue principale, il évoque l'histoire encore mal connue des Noirs, qui débarquèrent dans la région à partir de la fin du XVIIIe siècle.

LE PASSÉ À L'HONNEUR

Dans les années 60, les habitants d'Halifax décidèrent de mettre fin à la réputation de ville grise attachée à leur cité. Le quartier des quais, classé patrimoine historique, fut sauvé de la démolition par un comité civique, puis rénové. Aujourd'hui, les touristes peuvent déambuler dans ce vieux quartier pavé de galets comme au XIXe siècle. Cette alliance entre le traditionnel et le moderne est particulièrement flagrante en été quand la goélette *Bluenose II (voir p. 227)* croise dans le port, tandis que les voix des vendeurs à la criée s'élèvent depuis les berges. Plusieurs festivals animent Lunenburg en été : en juillet, le Lunenburg Craft Festival, et en août, le Lunenburg Folk Harbour Festival, le Nova Scotia Folk Art Festival ainsi que le Nova Scotia Fisheries Exhibition.

Carte p. 222

Dans ce petit port abrité, chaque maison dispose d'un ponton pour amarrer un bateau.

Un peu plus loin, après **Water Street**, on découvre **la Brasserie** (Brewery Market) et le **musée maritime de l'Atlantique** (Maritime Museum of Atlantic), qui ont tous les deux été restaurés. Alexander Keith, l'un des gouverneurs de Nouvelle-Écosse, construisit la brasserie en 1820. Aujourd'hui, ses arrière-cours et ses caves voûtées sont à nouveau remplies d'alcool. Le musée maritime de l'Atlantique ne jouit pas uniquement d'une vue superbe sur le port, il possède un navire océanographique, le *CSS Acadia*. Il fut une époque ou ce navire, aujourd'hui relégué dans les jardins du musée, affrontait les eaux glacées de l'Atlantique Nord et de l'Antarctique pour effectuer des relevés des fonds marins.

UNE ANCIENNE FORTERESSE

Construite en 1749, la forteresse d'Halifax était destinée à contrer le dispositif militaire français de Louis-bourg. La **citadelle** (Citadel) était alors juchée sur une colline qui dominait le port. Quatrième ouvrage fortifié construit sur ce promontoire, l'édifice actuel fut érigé en 1828. Aujourd'hui il abrite le **musée de l'Armée** (Army Museum). De la citadelle, on a un point de vue imprenable sur la ville basse, la baie, ainsi que sur la **Town Clock**, une petite tourelle à quatre côtés portant chacun une horloge, et surmontée d'un clocher, qui symbolise probablement Halifax plus que tout autre monument de la ville. Il lui fut offert par le prince Édouard, duc de Kent, qui avait la réputation d'être un maniaque de la ponctualité.

Consacrée au culte catholique, la **basilique Sainte-Marie** (St. Mary's Basilica) est célèbre pour son clocher de granit de 58 m, qui compte parmi les plus hauts du monde. L'**église Saint-Paul** (St Paul's Church), située dans Barrington St, est la plus vieille église protestante du Canada (1749) et mérite également un détour.

Ci-dessous, le front de mer à Halifax ; à droite, marché dans les rues d'Halifax.

Quelques rues plus loin, on atteint le **parlement provincial** (Province House), le plus ancien du Canada, où siège toujours le gouvernement provincial de Nouvelle-Écosse. Charles Dickens en parlait comme du « joyau de l'architecture géorgienne ».

Au pied de la citadelle, les touristes pourront flâner dans les **jardins publics**, véritable oasis de 7 ha créée en 1867. Non loin de là, se trouve le **muséum d'Histoire naturelle** (Summer Street), vaste bâtiment dans lequel est présentée l'histoire naturelle et sociale de la province, ainsi qu'une très belle collection d'artisanat micmac.

HALIFAX, LES FRONTS DE MER

A l'extrême pointe sud de la presqu'île sur laquelle s'étend Halifax, on découvre **Point Pleasant Park**. Le gouvernement fédéral contrôle ces terrains du fait de leur importance stratégique, mais les loue à la ville moyennant un shilling symbolique par an pour un bail d'une durée de 999 ans. La **tour Martello du Prince de Galles** (The Prince of Whales' Martello Tower) y fut érigée en 1796. Elle fut la première d'une série de fortins circulaires construits sur la côte nord-américaine et sur les îles britanniques. Son parc est le seul endroit de tout le continent nord-américain où pousse naturellement la bruyère écossaise – certains prétendent que les graines tombèrent des matelas de soldats britanniques.

A l'autre bout de la ville, le **parc de Fort Needham** a été créé pour commémorer la tragique journée du 6 décembre 1917, au cours de laquelle se produisit « la grande explosion d'Halifax ». Un navire français rempli de munitions et d'explosifs, le Mont-Blanc, entra en collision avec un remorqueur belge, produisant l'une des plus grandes explosions du fait de l'homme jamais vue avant Hiroshima. Il y eut des milliers de morts et de blessés, et

Carte p. 222

Couleur pastel et architecture de la Nouvelle-Angleterre pour cette belle demeure des environs d'Halifax.

la partie de la ville que l'on aperçoit depuis le parc fut totalement détruite. Halifax se remit de ses blessures et érigea une sculpture contenant symboliquement un morceau du Mont-Blanc en face de la bibliothèque du **mémorial de Fort Halifax** (Halifax North Memorial), un monument dédié lui aussi aux victimes de l'explosion.

LA CÔTE SUD, SOUS LE SIGNE DES PIRATES

La côte accidentée qui se situe au sud-ouest d'Halifax est désignée par l'office du tourisme sous le nom de **route des Phares** (Lighthouse Route). Et pourtant, malgré ces sentinelles de la nuit, cette côte, si belle et si mystérieuse, reste dangereuse pour les bateaux.

Avec ses rades, ses criques et ses nombreuses îles, la côte sud était appréciée des pirates et des corsaires. Non loin d'Halifax, dans **Shad Bay, Weeping Widows Island**

La relative douceur du climat de Nouvelle-Écosse donne des printemps très fleuris.

La baie de Mahoné est une destination touristique très prisée et on y vient fréquemment en week-end depuis Halifax, qui n'est qu'à une centaine de kilomètres.

(« l'île des veuves éplorées ») fut le théâtre d'un épisode sinistre rattaché au fameux William, pirate d'origine écossaise connu sous le nom de capitaine Kidd (v. 1645-1701). Cet adversaire acharné des Français engagea 43 hommes pour creuser deux trous destinés à cacher son trésor. La légende veut qu'il ait enterré ses ouvriers avec le trésor, laissant derrière lui leurs femmes éplorées. Cette histoire a suscité beaucoup de recherches dans l'île…

Un peu plus loin, on peut visiter **Indian Harbour** et **Peggy's Cove ❸**. Petit village de pêcheurs perché sur une avancée de granit, Peggy's Cove a acquis une notoriété touristique telle, que certains prétendent qu'il s'agit du village de pêcheurs le plus photographié au monde. Le **phare** (*lighthouse*) y attire beaucoup de monde. Les visiteurs peuvent se promener sur le promontoire de granit et même s'asseoir pour faire leur correspondance car c'est le seul endroit au Canada où un phare tient lieu de bureau de poste.

Saint Margaret's Bay ❹, ainsi baptisée par Samuel de Champlain en 1631, est réputée pour ses plages de sable fin et ses petites villas estivales. Elle est voisine de la **baie de Mahoné** (Mahone Bay), célèbre pour ses 365 îles. Elle fut longtemps le repaire des pirates de l'Atlantique, et son nom dérive du terme français mahonne, qui désignait les embarcations (chalands de petit tonnage) utilisées par ces pilleurs de haute mer. La criminelle besogne de ces derniers a aussi marqué la toponymie des îles, comme en témoignent des noms tels que **Sacrifice Island** (île du Sacrifice), ou **Murderer's Point** (cap du Meurtrier). **Oak Island** est certainement le plus mystérieux de tous ces îlots. On raconte en effet que le capitaine Kidd y aurait enterré l'autre partie de son trésor. Autrefois, l'île était abondamment plantée en chênes et selon une légende locale assez macabre, le trésor ne sera découvert que lorsque tous les arbres seront tombés (or très peu d'arbres subsistent…).

La ville de **Mahone Bay** est une halte idéale pour les amateurs de brocante et d'artisanat. Elle aussi possède sa propre légende : un bateau corsaire américain, le Young Teazer, flamba au large de la baie pendant la guerre de 1812. Selon les habitants, le jour anniversaire de l'événement, on aperçoit encore le navire flamber au loin.

LUNENBURG ET LA BELLE « BLUENOSE »

« *Un petit port tranquille depuis 1753* (date de sa fondation). » Voilà comment on présente généralement **Lunenburg** ❺, l'un des tout premiers ports de pêche du Canada et un lieu où les traditions maritimes sont encore bien vivantes. C'est depuis ses quais que s'élança la célèbre goélette *Bluenose*, « la reine de l'Atlantique Nord », construite en 1921. Un sujet de fierté pour les habitants de la ville que cette goélette, dont la silhouette fut long-temps reproduite sur les pièces de 10 cents. La *Bluenose* fut mise hors service après la Seconde Guerre mondiale, puis vendue. Elle partit pour Haïti en 1946. Plus tard, les chantiers navals de la ville réalisè-rent le bateau utilisé pour le tour-nage des *Révoltés du Bounty*, et c'est un équipage de Nouvelle-Écosse qui le conduisit jusqu'à Tahiti. Cette commande inhabituelle incita les chantiers navals de Lunenburg à construire une réplique exacte de la première *Bluenose*. Celle-ci fut réalisée selon les mêmes procédés de charpenterie navale qui avaient fait la robustesse et la vélocité de l'originale. Lancée en 1963, elle est depuis une sorte d'ambassadeur flottant de la province.

Établie sur les berges de la rivière La Have, **Bridgewater** est une petite ville industrielle qui organise tous les étés l'Exposition de la côte sud, aussi appelée **Grande Expo** (The Big Ex), pendant laquelle se déroule le **Concours international de bêtes**

Carte p. 222

Le soleil se couche sur les quais de Lunenburg, où sont encore amarrés de vieux gréements.

La pêche au homard est une des activités lucratives de la province.

William de Garthe a sculpté ce monument des Pêcheurs dans le granit de Peggy's Cove.

de trait, dans lequel s'affrontent les bœufs les plus puissants du continent.

De retour sur la côte, il faut poursuivre la route vers le sud de Bridgewater pour atteindre **Port Medway**. Aujourd'hui très calme, ce port prospéra à la fin du XIXe siècle grâce à des échanges commerciaux très dynamiques avec les Caraïbes où le bois et le poisson de Nouvelle-Écosse s'échangeaient contre du rhum et de la mélasse. Construit sur les bords de la Mersey, **Liverpool** est resté un port très actif. Chaque année, on y célèbre les corsaires qui marquèrent l'histoire de la ville, à l'occasion du **jour des Pirates** (Privateer Days). En ville, on peut visiter la maison (bâtie en 1767) de Simeon Perkins, lequel tenait un journal très à jour sur la vie à Liverpool aux temps des colonies. Cette maison offre un témoignage historique très vivant sur cette époque.

Plus au sud, sur la côte, on traversera d'abord **Port-Mouton**, charmant petit village acadien, puis **Port-Joli**, endroit très apprécié des oies sauvages qui viennent y passer l'automne et l'hiver.

DE SHELBURNE A YARMOUTH

Située plus au sud de cette côte très découpée, **Shelburne** ❻ s'honore de son passé de cité loyaliste. En effet, pas moins de 16 000 réfugiés loyalistes américains vinrent s'y établir entre 1783 et 1785. La ville connut alors un véritable boum urbain qui la propulsa au même rang que Québec et Montréal ! Après 1787, avec l'arrêt de l'aide gouvernementale, la population diminua très nettement et, en 1820, il restait à peine 300 habitants. La **maison Ross Thompson**, musée du comté de Shelburne, est l'unique magasin construit au XVIIIe siècle subsistant en Nouvelle-Écosse.

Construite vers 1765 dans le style de la Nouvelle-Angleterre, l'ancienne **maison de réunion** (Old Meeting House), près de Barrington, ser-

vit de temple aux adeptes d'une secte fondamentaliste venue du Massachusetts. **Barrington** fut fondée par des Français qui la baptisèrent Le Passage, puis rasée par des colons venus de Nouvelle-Angleterre et ses habitants déportés à Boston. En 1760, des colons venus du Cap Cod et de l'île de Nantucket s'installèrent dans la ville, faisant de ce lieu l'un des plus anciens postes avancés d'immigrants de Nouvelle-Angleterre.

En se dirigeant vers la baie de Fundy, on arrive à **Yarmouth ❼**, qui compte une population francophone à 60 %. Terminus d'une ligne de bateaux reliant les États-Unis au Canada, la cité est également bien souvent le point de départ de circuits touristiques canadiens. C'est le plus grand port de la province, à l'ouest d'Halifax. Il y a un siècle, à l'âge d'or de la navigation, Yarmouth figurait parmi les ports les plus actifs d'Amérique du Nord.

Une région acadienne

Au nord de Yarmouth en direction de Lake George, une kyrielle de petits villages pittoresques méritent un rapide coup d'œil. **Sandford** est connu pour avoir le plus petit pont à bascule de toute l'Amérique du Nord. **South Ohio**, une bourgade de bûcherons, fut fondée par deux hommes qui voulaient initialement émigrer dans l'État d'Ohio, mais qui changèrent finalement d'avis. Mais pourquoi l'appelèrent-ils South Ohio alors qu'elle se trouve très à l'est de l'État en question, nul ne le sait.

La côte française, où l'on trouve la population acadienne la plus importante de Nouvelle-Écosse, commence au sud du comté de Digby, dans la « municipalité » de **Clare**, en fait constituée de 27 villages acadiens. C'est ici que beaucoup d'Acadiens revinrent après leur déportation, certains d'entre eux en parcourant à pied les étendues sauvages entre Boston à Digby.

Pour avoir une vue inégalable sur la baie de Sainte-Marie, les plus courageux emprunteront le chemin de randonnée de 8 km qui suit les falaises entre **Cap Sainte-Marie** et Bear Cove. On recommande vivement de se rendre sur la plage de sable fin de **Mavilette**. Plus au nord, à **Meteghan**, un petit sentier conduit les randonneurs sur une plage déserte qui possède une grotte naturelle, dont on dit qu'elle servait de cachette aux contrebandiers d'alcool pendant la prohibition. La visite de la Vieille Maison, la plus ancienne bâtisse de Meteghan, permettra aux visiteurs de se faire une idée du mode de vie des Acadiens au XVIIIᵉ siècle.

Si la plupart des villages acadiens sont dominés par le clocher de leur église, c'est particulièrement vrai à **Pointe-d'Église** (Church Point). Bâtie au début du XXᵉ siècle, l'**église Sainte-Marie** est le plus grand édifice en bois d'Amérique du Nord. Sa flèche de 55 m est stabilisée par un ballast de 36 t. Elle est située sur le campus de l'**université acadienne Sainte-Anne**, la seule université francophone de la province. Foyer

Carte p. 222

Le personnel d'animation du parc historique de Louisbourg porte des costumes du XVIIIᵉ siècle et vaque tout naturellement à ses tâches d'entretien ou de réfection. Un cinquième des bâtiments et des fortifications de la citadelle ont été restaurés.

culturel d'expression française, l'université accueille tous les étés le **festival acadien de Clare**.

LE BASSIN D'ANNAPOLIS, PAYS D'ÉVANGÉLINE

De ce site majestueux, Samuel de Champlain donna la description suivante : « *Nous entrâmes dans l'un des plus beaux ports naturels qu'il m'avait été donné de voir sur cette côte.* » Tandis que son compatriote Marc Lescarbot considérait qu'il était étrange qu'un lieu aussi merveilleux soit resté désert. Vergers, potagers et autres cultures ont remplacé la forêt initiale le long du fleuve et de la rade, mais la région est toujours aussi belle.

La vieille église loyaliste de **Clementsport**, **Saint Edward**, construite en 1780, est située sur une colline au cœur d'un vieux cimetière. Son intérêt ne réside pas uniquement dans son intégrité architecturale, mais également dans la collection d'objets ayant appartenu à des loyalistes que l'on peut y admirer. De l'église s'ouvre une très belle vue sur le bassin d'Annapolis.

Port-Royal ❻ se trouve de l'autre côté de la rade. On y a reconstitué l'**Habitation** fondée par Samuel de Champlain et le sieur des Monts en 1605. C'est une ville marquée par l'épopée pionnière, où bien des actes symboliques se produisirent pour la première fois : premier établissement européen créé au nord de la Floride, première messe catholique à avoir été célébrée au Canada, premier cercle mondain canadien, première représentation dramatique théâtrale (le Théâtre de Neptune), mise en scène par l'homme de loi et auteur Marc Lescarbot, et bien d'autres encore...

Le développement de l'Habitation s'interrompit très vite. Après avoir décliné, elle fut abandonnée, puis rétablie, enfin pillée et brûlée par les Anglais en 1613. Sa reconstitution, en 1939, après des années de

Pommiers en fleurs dans les vergers de la vallée de l'Annapolis.

recherches archéologiques fut l'un des premiers projets du gouvernement canadien dans le domaine du patrimoine historique de cette époque. La forge et l'Habitation, la cuisine, le fournil et les logis comprennent tous les outils, ustensiles et meubles qui étaient courants en Normandie et au Québec au début du XVIIᵉ siècle.

Protégée par les montagnes au nord et au sud, la **vallée de l'Annapolis** fut exploitée intensivement par les premiers colons acadiens. Cette région belle et fertile est très renommée pour ses pommes. Au printemps, la floraison des vergers offre un spectacle éblouissant que les habitants de la région cherchent d'ailleurs à partager en organisant un **festival des Pommiers en fleurs**.

Grand-Pré ❾ tire son nom des 1 200 ha de prés situés sous le niveau de la mer et que les Acadiens isolèrent grâce à des digues. Nulle part ailleurs de façon aussi poignante qu'à Grand-Pré, le village immorta-

lisé par le poète américain Henry W. Longfellow (1807-1882) la région ne rend un tel hommage à ses premiers colons. Une église en pierre toute simple, transformée en **musée** (Grand Pré National Historic Park), abrite une collection d'objets acadiens, datant notamment de la période de la déportation (aussi appelée le Grand Dérangement) qui débuta en ce lieu en août 1755 et concerna 14 000 personnes.

Dans les jardins qui entourent l'église se dresse une statue d'Évangéline, l'héroïne malheureuse du recueil de poèmes intitulé *Évangéline, un conte d'Acadie* que Longfellow écrivit en 1847. Avec un style à la fois classique et très sentimental, l'auteur évoque la tragique séparation d'un jeune couple au moment de la déportation, et la recherche désespérée qu'entreprend ensuite la jeune femme pour retrouver son amant.

Au sud-ouest de Grand-Pré, au point de rencontre des rivières Avon et Sainte-Croix, se trouve la ville de

Carte p. 222

La statue d'Évangéline et l'église de Grand-Pré qui abrite un musée consacré aux Acadiens.

Windsor. Tous les amateurs d'expressions humoristiques devront faire une petite visite à la **maison d'Haliburton**, résidence construite aux alentours de 1839. Elle fut la demeure du juge Thomas Chandler Haliburton. Ce dernier créa *Sam Slick*, un personnage de fiction, colporteur d'horloges de son état, dont les tribulations à travers la Nouvelle-Écosse sont jalonnées de bons mots et de traits d'esprit multiples qui ont fait sa célébrité.

MERS CHAUDES ET MARÉES HAUTES

Le nord de la Nouvelle-Écosse est baigné par la baie de Fundy, où l'amplitude des marées atteint des records mondiaux, tandis que de l'autre côté de l'isthme de Chignectou, dans le détroit du Northumberland, l'eau est très chaude. Toujours très fortes, les marées de la baie de Fundy varient cependant selon l'endroit où l'on se trouve. C'est à **Burn-coat Head**, sur le **bassin du Minas**, que l'on a enregistré les écarts les plus élevés du monde, avec une différence de 17 m entre les marées basse et haute.

C'est peut-être cette démesure des éléments qui ont incité William D. Lawrence à faire construire par ses chantiers navals de Maitland le plus grand navire en bois jamais construit au Canada, le *W.D. Lawrence*. La demeure de Lawrence est désormais un musée dédié essentiellement aux bateaux à voile et à la construction navale. On peut y admirer une maquette du fameux navire.

Fondé, à l'origine, par des Acadiens qui l'appelèrent Cobequid, **Truro** accueillit, par la suite, des Irlandais et des immigrants du New Hampshire. C'est l'endroit idéal pour observer le « mur d'eau », un phénomène qui se produit lorsque les eaux des marées hautes de la baie de Fundy déferlent à une vitesse de 3 m par minute dans la rivière Salmon.

Casiers à homards sur le bord de la Trout River.

La région située de l'autre côté de l'isthme est baignée par le détroit de Northumberland et son chapelet de plages, où l'on entend fréquemment résonner le son plaintif des cornemuses. On dit qu'il y a autant de clans représentés en Nouvelle-Écosse qu'en Écosse et qu'une bonne partie de ces familles se trouvent précisément dans cette région. La **fête des Écossais** (Gathering of the Clans Festival) ou assemblée des clans écossais, se déroule tous les ans à **Pugwash**, petit port industriel où les plaques des rues sont à la fois en anglais et en gaélique.

Pictou ❿ est, pour ainsi dire, le berceau de la Nouvelle-Écosse. C'est là, en effet, qu'en 1763, l'*Hector* débarqua les premiers immigrants écossais. Ils s'installèrent le long du détroit du Northumberland, où ils découvrirent un pays aussi beau et sauvage que celui qu'ils venaient de quitter, au point de le baptiser sur le champ « Nouvelle-Écosse ». Aujourd'hui, Pictou est un centre de construction navale et le plus important port de pêche de homard de la région. Depuis 1934, on y célèbre tous les ans au mois de juillet une **fête du Homard** (Lobster Carnival).

Comme Pictou, Antigonish est un nom micmac. Antigonish est aujourd'hui une ville de culture écossaise, comme en témoigne le déroulement annuel des **Highland Games**, ces festivités (musique, danse et épreuves sportives) typiques des Highlands d'Écosse.

L'ÎLE DU CAP-BRETON

Le physicien et inventeur américain d'origine écossaise, Alexander Graham Bell (1847-1922), écrivit : « *J'ai voyagé de par le monde. J'ai vu les Rocheuses canadiennes et américaines, les Andes et les Alpes et les Highlands d'Écosse, mais pour la beauté pure, simple, rien n'égale la beauté du Cap-Breton.* » C'est manifestement une opinion partagée, car

Carte p. 222

A gauche, un pêcheur du port de Pictou ; ci-dessous, un buste du navigateur Jean Cabot.

l'**île du Cap-Breton** est l'endroit le plus touristique de Nouvelle-Écosse.

Dans l'histoire de la province, l'île du Cap-Breton a toujours tenu une place à part. Occupée par les Français plus longtemps que le reste de la Nouvelle-Écosse (ils la nommaient l'Isle royale), elle constitua une province séparée jusqu'en 1820. Une digue, construite seulement en 1955, traverse le détroit de Canso et forme à présent un véritable cordon ombilical entre l'île et la partie continentale de la province.

SUR LA ROUTE DE CABOT

La **route de Cabot** (Cabot Trail) a été ainsi nommée en souvenir de l'explorateur italien Giovanni Caboto, dit Jean Cabot (v. 1450-1499), qui fut le premier à débarquer sur le continent nord-américain. L'île du Cap-Breton serait la première qu'il découvrit. Cet itinéraire touristique offre, pendant près de 300 km, un panorama d'une imposante beauté.

Pendant longtemps, les sentiers qui parcouraient les hautes terres de l'île étaient impraticables pendant la majeure partie de l'année, et les villages du nord demeuraient très isolés. Le **cap Smoky**, un imposant promontoire, était la principale barrière. En 1891, une piste étroite pour les charrettes fut tracée, qui parcourait tant bien que mal le Smoky, laissant d'un côté la paroi rocheuse et de l'autre un précipice surplombant la mer d'une hauteur de 365 m.

En 1920, malgré l'augmentation du trafic, les gens qui résidaient le long de la piste étaient encore responsables de son entretien. Il fallut attendre 1932, pour que le Cabot Trail devînt une véritable route. La route actuelle a toujours quelques passages difficiles et il semble que la majorité des automobilistes roulent du côté de la paroi rocheuse par peur du précipice.

Alexander Graham Bell, né en Écosse, construisit une résidence d'été à **Baddeck** ⓫, point de départ

Ci-dessous, festival de musique celtique; à droite, danse traditionnelle écossaise à l'occasion des Highland Games d'Antigonish.

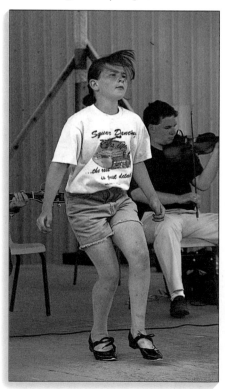

et d'arrivée officiel de la route de Cabot, où il passa la plus grande partie de ses trente-cinq dernières années. Intéressé par le problème de la surdité, il s'occupa de l'éducation de sourds-muets et entreprit des recherches qui le conduisirent, notamment, à l'invention du téléphone. Le **parc historique national Alexander Bell** (Alexander Graham Bell National Historic Park) possède un musée où sont exposés des objets, des documents et des photographies du professeur, inventeur et humaniste.

LE PARC NATIONAL DES HAUTES TERRES DU CAP-BRETON

La route de Cabot, qui part de Baddeck dans le sens des aiguilles d'une montre, suit la **rivière Margaree**, célèbre pour sa beauté et son abondance en truites et en saumons. La côte baignée par le golfe du Saint-Laurent, qui va des Margarees au parc national des hautes terres du Cap-Breton, est parsemée de petits ports de pêches acadiens, dont les habitants descendent des Français qui s'installèrent dans cette région au moment de la déportation. Les coutumes, de même que la langue des Acadiens, ont été très peu altérées par le temps. Le drapeau acadien flotte dans les villages comme à **Cheticamp**, l'un des plus gros ports de cette partie de la côte.

L'entrée du **parc national des hautes terres du Cap-Breton** ⓬ se trouve quelques kilomètres après Cheticamp. Bordé sur trois côtés par la route de Cabot, il s'étend entre le golfe du Saint-Laurent et l'océan Atlantique. Ces 985 km² de réserve naturelle constituent un véritable paradis pour les randonneurs, les nageurs, les campeurs, les golfeurs et autres amoureux de la nature. Grâce à l'un des nombreux sentiers, on peut traverser le parc jusqu'à son extrême pointe nord. Sur la route, au pied du **Sugar Loaf Mountain**, vous pourrez admirer l'endroit où Jean Cabot est supposé avoir débarqué en 1497. Tous les 24 juin, on

joue une simulation de l'événement sur la plage.

A la sortie est du parc se trouvent les **Ingonishs**, un groupe de villages qui a longtemps attiré les visiteurs. On y trouve un complexe touristique ouvert toute l'année, considéré comme l'un des meilleurs du Canada et qui inclut notamment le très cher et très luxueux hôtel, Keltic Lodge.

LA CÔTE GAÉLIQUE, RÉGION MINIÈRE DE LOUISBOURG

La côte entre le Cap Smoky et Baddeck est appelée la **côte Gaélique** (Gaelic Coast). En longeant la **baie de Sainte-Anne** vous atteindrez **Saint-Ann's Gaelic College**. Cette institution, unique de ce genre en Amérique du Nord, constitue un mémorial pour les Écossais originaires des Highlands venus s'installer ici. Elle a été entretenue par leurs descendants. En été, on peut entendre jouer de la cornemuse et

 Carte p. 222

Les traditions écossaises sont très présentes dans l'armée canadienne, dont les régiments de musiciens comptent naturellement des joueurs de cornemuse en kilt.

Une pièce et ses meubles d'époque dans ce qui reste de la forteresse de Louisbourg.

observer des danseurs en kilt. Au début du mois d'août, les clans se réunissent ici pour le **Gaelic Mod**, un festival consacré à la culture celtique. Sur le campus de l'école, la visite du **musée des Pionniers et du Géant MacAskill** (Great Hall of the Clans) mérite un petit détour. Il est consacré aux premiers colons et au fameux géant qui était propriétaire d'un moulin des environs au milieu du XIXe siècle.

Quittons la piste de Cabot pour rentrer dans la partie industrielle de l'île du Cap-Breton. Il fut une époque où le charbon était roi dans cette région et où des hommes venaient du monde entier à Sydney ou à Glace Bay pour y trouver du travail. Aujourd'hui, ces villes sont malheureusement plus souvent vouées au chômage.

Le **musée des Mineurs** (Cape Breton Miners' Museum) à **Glace Bay** est l'un des meilleurs musées de la province. Ses collections apportent un témoignage sur l'industrie char-

bonnière de la région et un hommage aux hommes qui ont risqué leur vie dans les profondeurs des mines. Mais la partie la plus intéressante de la visite de Glace Bay est sans aucun doute la descente dans la **mine Ocean Deeps** (Ocean Deeps Colliery) commentée par un mineur, qui décrit aux visiteurs le labeur, la mort, la fierté, la peine, la camaraderie et les bas salaires des mineurs.

Lorsqu'on passe sous la porte de **Louisbourg** ⓭ avec ses sentinelles en faction, on a l'impression d'être plusieurs siècles en arrière, pendant l'été 1745. Tel est le résultat de la reconstitution du fort dans le **parc historique national de la Forteresse-de-Louisbourg** qui rend très bien l'ambiance de l'époque grâce à la précision des costumes, du mobilier et des détails architecturaux.

Au large de la côte sud, juste avant d'atteindre la partie continentale de la Nouvelle-Écosse, se trouve l'**île Madame**, que l'on peut atteindre en traversant un petit pont qui enjambe le **passage Lennox**. Une route fait le tour de l'île en traversant de charmants villages acadiens. A **Arichat**, une visite au **musée Lenoir** s'impose. On peut y admirer la reconstitution d'une forge française du XVIIIe siècle, probablement le plus vieil édifice de l'île. A **Little Anse**, un sentier mène au **Cap Rouge**. De là, on aperçoit distinctement le phare de **Green Island**.

LA CÔTE EST, UNE RÉGION DE PÊCHE

La côte Est de la Nouvelle-Écosse, entre le Cap-Breton et les « villes jumelles », a gardé une beauté intacte et une personnalité traditionnelle. De plus, elle conserve d'importantes réserves halieutiques. Les habitants prétendent que les choses ont très peu changé avec le temps. Dans certains villages, on voit encore des morues salées sécher dehors, comme autrefois. Plus proche des bancs de pêche de l'Atlantique que n'importe quelle autre ville de la région, **Canso** est devenue un important centre de pêche et de conserve-

Un garde français devant la forteresse de Louisbourg. Celle-ci fut attaquée à plusieurs reprises, détruite par les Anglais en 1758 et finalement reconstituée.

rie. Le village de **Sherbrooke** est situé un peu plus au sud, à l'embouchure de la Sainte-Marie. Petit fortin français pour le commerce des peaux au XVIIe siècle, il fut vraiment colonisé aux environs de 1800, à cause de sa richesse en bois et en saumon. En 1970, un projet de restauration fut mis en œuvre. Aujourd'hui, le centre-ville de Sherbrooke est pratiquement entièrement restauré et les habitants vaquent à leurs occupations en costumes d'époque.

La **forge**, *blacksmith*, toujours en activité depuis 1870, produit des objets utilisés pour la rénovation ; ils sont en vente dans les boutiques de souvenirs. Il en est de même pour les poteries du **Sherbrooke Village Pottery**. L'endroit le plus fascinant est la prison. Construite en 1862, elle a été en service pendant cent ans. Le bâtiment, qui ressemble fort peu à une prison, est en fait une habitation typique du XIXe siècle. Le geôlier, sa famille et les hommes de loi y habitaient.

A la sortie de la ville, le **moulin des frères MacDonald** (McDonald Brothers Mill) a été reconstitué comme au XIXe siècle. La route traverse **Tangier**, connue des gourmets et des gourmands du monde entier car elle héberge l'entreprise Krauch and Sons. Cette dernière est célèbre pour ses poissons (saumons, maquereaux et anguilles) fumés selon la méthode danoise au feu de bois. Plus bas sur la côte, on parvient à **Jeddore Oyster Ponds**, connu pour son **musée du Pêcheur** (Fisherman's Life Museum) dont la vocation est de présenter un portrait d'un pêcheur typique de la côte et de sa famille. Le musée se trouve dans la modeste demeure de James Myers (1834-1915), remise en état pour témoigner de la période du début du siècle. La maison, en elle-même, le mobilier, et les gardiens qui servent d'interprètes, témoignent de la fierté et de l'austérité qui ont caractérisé la vie côtière de l'est de la Nouvelle-Écosse.

Carte p. 222

La porte de Louisbourg, les tonneaux en bois, les vêtements des habitants et les enseignes des maisons donnent l'illusion que le temps s'est arrêté au XVIIIe siècle.

LES BALEINES : DE LA PÊCHE INTENSIVE AU TOURISME

Bien avant la venue de Jacques Cartier, des baleiniers basques pêchaient sur les côtes du Labrador. Employant 1 000 personnes, leurs stations côtières de Red Bay raffinaient jusqu'à 2 millions de litres d'huile chaque saison. Cette pêche miraculeuse, depuis des siècles, les Inuit la pratiquaient dans les eaux arctiques, et les Nootka à l'Ouest du continent. Mais à la différence des pêcheurs européens et américains, ils prélevaient très peu sur le stock existant et utilisaient absolument toutes les parties de ces géants de la mer.

A l'origine, la pêche à la baleine se pratiquait à bord de solides barques mues par une dizaine de rameurs et armées seulement d'un harponneur. Avec beaucoup de chance, les pêcheurs parvenaient à ramener le cétacé sur le rivage. Mais, parfois, ce dernier, ou la houle, retournait l'embarcation. Les profits de cette activité compensaient les énormes risques encourus – dans ces eaux si froides, l'immersion signifiait très souvent la mort. C'est l'armement de grands baleiniers-usines (à voile ou à vapeur), équipés de harpons à poudre (ceux-ci furent munis, par la suite, de charges explosives tuant immédiatement le cétacé), et permettant de chasser et de débiter les proies simultanément, qui bouleversa l'équilibre de l'espèce et la décima en quelques décennies.

A la veille de la Première Guerre mondiale, la pêche à la baleine avait cessé d'être rentable dans les eaux arctiques. Elle se poursuivit en Colombie britannique et au large de Terre-Neuve. La Commission baleinière internationale ne commença à contrôler les prises qu'à la fin des années 40 mais, à cette date, les populations de cétacés fréquentant les eaux canadiennes s'étaient déjà considérablement réduites. Le gouvernement canadien mit un terme à cette pêche en 1972. Aujourd'hui, seuls les Inuit sont autorisés à la pratiquer, et uniquement pour leur propre consommation.

A présent, la fascination qu'exercent les cétacés, et notamment la baleine bleue, alimente une véritable industrie touristique : l'observation des baleines (*whalewatching*). Ces excursions sont organisées le long des côtes de la Colombie britannique (tout l'été), dans le golfe et l'estuaire du Saint-Laurent, dans la baie de Fundy (d'août à septembre), au large du cap Breton et dans les eaux de Terre-Neuve (en juillet et en août).

Le rorqual commun, la baleine à bosse, le petit rorqual, le cachalot et le marsouin commun (le plus petit des cétacés) fréquentent les eaux de la côte est ; la baleine bleue, la baleine grise, l'orque se rencontrent au large des côtes pacifiques ; le légendaire narval vit dans l'Arctique. ▶

Les Inuit utilisaient toutes les parties de la baleine. Ils en mangeaient la chair et la peau, fabriquaient des armes, des outils et des structures d'habitation avec les os, s'éclairaient, cuisinaient et se chauffaient avec l'huile. ▼

Conçues pour la course, les baleinières étaient effilées aux deux bouts et mesuraient 9 m de long. Montées par plusieurs rameurs, un barreur et harponneur, leur équilibre était instable. On forçait la baleine à la rame. ▶

▲ *Près de l'île du Grand Manan, dans le Nouveau-Brunswick, les embarcations réussissent à s'approcher tout près des cétacés, pour le plus grand plaisir des visiteurs.*

Jadis voués à la pêche à la baleine, certains ports de la côte nord de Terre-Neuve tentent à présent d'exploiter le précieux patrimoine naturel qui les entoure, tout en en respectant la faune. Ainsi, des agences de voyage locales conjuguent des excursions en mer (pour observer des cétacés) et des balades à terre permettant de découvrir les oiseaux de l'île, notamment les pygargues à tête blanche et quelques autres espèces rares. Clou du spectacle, mais toujours imprévus, des icebergs dérivant vers le sud se mêlent parfois à l'aventure.

On peut également apercevoir des cétacés dans l'estuaire et le golfe du Saint-Laurent. Riches en éléments nutritifs en amont, ces eaux présentent des conditions favorables à la prolifération des phytoplanctons, des petits crustacés et des petits poissons. Cette manne attire les phoques et les baleines, dont une population de bélugas (un cétacé de couleur blanche) qui compte un demi-millier d'individus.

L'ÎLE DU PRINCE-ÉDOUARD

D'après une légende micmac, le Grand Esprit modela un sol argileux rouge, en fit le « plus bel endroit du monde » et le déposa dans les eaux du golfe du Saint-Laurent. Puis, il le montra à son peuple, qui vint s'y installer pendant l'été, voici environ 2 000 ans. Les Micmacs le baptisèrent Abegweil, la « maison bercée par les vagues ». Aujourd'hui, ils représentent moins de 1% de la population de l'île.

L'île du Prince-Édouard est la plus petite province de ce vaste pays. Elle est située dans le golfe du Saint-Laurent et séparée du continent par le détroit de Northumberland. D'un relief moins tourmentée que celui des Provinces maritimes voisines, elle est, dans l'ensemble, également mieux mise en valeur et mieux cultivée que ces dernières. Certains décrivent d'ailleurs l'île comme deux bancs de sable séparés par des champs de pommes de terre.

Sans doute le premier européen à fouler ces rives pendant son voyage de 1534, Jacques Cartier décrivit ce site comme la *« plus belle île qu'il soit possible de voir »* et en prit possession au nom du roi de France. Pourtant, pendant presque deux siècles, aucun colon ne s'établit sur cette terre qui commença par s'appeler l'**île Saint-Jean**. Fondé par des colons français en 1719, le premier village de l'île, **Port-la-Joie**, fut d'emblée le « garde-manger » de Louisbourg, la place forte française située sur la côte ouest de la Nouvelle-Écosse. Et aujourd'hui encore, l'île joue son rôle de jardin potager des agglomérations du golfe.

Le tourisme est la deuxième activité économique de la province, derrière l'agriculture. La belle saison se concentre presque exclusivement sur les mois d'été. Les installations touristiques des îles sont d'ailleurs rarement ouvertes en dehors de cette période. En revanche, un très bon réseau routier permet d'accéder, pratiquement partout dans l'île, et les distances sont très courtes.

L'OUEST : UNE ROUTE AU NOM D'ORCHIDÉE

L'île se divise en trois parties qui correspondent à peu près aux limites des trois comtés : (d'ouest en est) le comté des Princes, le comté des Reines (Queens) et le comté des Rois (Kings). La région ouest est touristiquement moins développée que les deux autres, mais tout aussi intéressante. Serpentant le long de la côte très découpée, la **Lady Sliper Drive** (route du Sabot-de-la-Vierge), ainsi nommée à cause de l'orchidée rose qui pousse dans cette province, est la route touristique officielle de la région. Elle commence et finit officiellement à **Summerside** ⓯, la deuxième plus grande agglomération de la province après Charlottetown. Située sur la **baie de Bedèque**, cette ville a probablement hérité de son nom en raison de sa situation sur la

Carte p. 222

A gauche, un habitant de l'île du Prince-Édouard fier de ses origines écossaises.

Jusqu'au XIXe siècle, cette étrange créature, vieille de 100 millions d'années, qui écoute avec ses pattes et possède un estomac muni de dents, n'intéressait pas grand monde. Hélas pour lui, les Canadiens découvrirent que sa chair offrait un met succulent. Le homard est pêché à la fin juin et en hiver à l'aide de casiers.

Le phare de Covehead Harbor, à Brackley Beach.

côte ensoleillée de l'île. Si elle fut, par le passé, un important centre de construction navale, l'activité, maritime y est à présent surtout tournée vers la pêche au homard et le transport des produits agricoles, et notamment de la pomme de terre. Le **carnaval du Homard**, le clou de la saison estivale, se déroule à la mi-juillet.

Dès que l'on aperçoit la flèche de l'**église Saint-Jean-Baptiste** (St John the Baptist Church), l'une des plus belles églises de l'île, **Miscouche** n'est plus très loin. C'est dans cette ville qu'en 1884, la convention acadienne adopta son drapeau : tricolore comme le drapeau français, il est orné d'une étoile dorée symbolisant la Vierge Marie, sainte patronne des Acadiens. Le **Musée acadien** possède d'importantes collections d'ustensiles, de meubles, d'objets religieux, d'outils et de photographies évoquant la culture de ces premiers colons, du XVIIe siècle à nos jours.

Au nord de Miscouche s'étend la baie de Malpèque, où l'on découvrit

Habitat typique des campagnes canadiennes. La conception de ces maisons exploite deux des richesses les plus abondantes du pays : le bois et l'espace. Ce style d'architecture est très répandu dans le Canada. Les fenêtres à guillotine indiquent l'influence britannique.

les célèbres huîtres du même nom (on en ramasse toujours autour de l'île). La **fête des Huîtres de la vallée de Tyne** (Tyne Valley Oyster Festival) célèbre ce coquillage chaque année en août. En dehors des huîtres, la baie de Malpèque est à présent renommée pour ses plages de sable blanc. Le **parc provincial Green** à **Port Hill**  (Green Provincial Park) vient cependant rappeler au visiteur que Malpèque avait, au siècle dernier, la réputation d'un grand centre de construction navale. Ce parc, qui fut jadis la propriété du riche armateur James Yeo Jr, réunit sa propre demeure, construite vers 1865 et récemment restaurée, un musée de la construction navale ainsi que la reconstitution d'un chantier naval du XIXe siècle. Dans la cour se dresse une goélette brigantine inachevée, qui semble être venue s'échouer là et interrompre le cours du temps.

A quelques kilomètres de Port Hill, une digue conduit à **Lennox Island**, une réserve indienne habitée par une quarantaine de familles micmacs. Les Indiens Micmacs possèdent une très grande habileté pour les travaux de vannerie. La Lennox Island's Indian Art and Craft of North America est spécialisée dans la vente de leur artisanat, mais aussi dans celle de l'artisanat canadien en général.

VERS LA POINTE NORD

C'est dans la région du **cap Kildare**, au-delà de la petite station balnéaire d'**Alberton Harbour**, que Jacques Cartier jeta l'ancre, lorsqu'il découvrit l'île, en 1534. Un parc provincial, qui s'étend sur environ 5 km de côte sablonneuse, honore la mémoire du grand explorateur. C'est un endroit idéal pour les campeurs.

Plus au centre de l'île, en direction du nord, la route traverse **Tignish** ⑰, un petit village fondé en 1799 par un groupe d'Acadiens, rejoints plus tard par des Irlandais. Les deux cultures sont encore bien représentées dans le village, dont le centre principal est l'**église Saint-Simon-et-Saint-Jude** (Church of St Simon and St Jude). Cette dernière est fière de posséder un orgue Tracker, construit en 1882 par le premier d'une lignée de facteurs d'orgues canadiens français.

La pointe située à l'extrême nord de l'île porte le nom peu original de **pointe Nord** (North Cape). C'est là que s'est implanté l'**Atlantic Wind Test Site**, un centre national chargé d'étudier l'origine des vents et de les mesurer. Il est ouvert au public.

LA JOIE DE VIVRE ACADIENNE

Située plus au centre de l'île, au beau milieu des champs de pomme de terre, la petite ville de **O'Leary** est un peu la capitale de ce légume. En effet, c'est à O'Leary que se trouve le **musée de la Pomme de terre** (Potato Museum), dans le Centennial Park. On y apprend que ce tubercule était cultivé au Pérou il y a 4 500 ans, ou encore que la seule recette des pommes de terres frites absorbe 85 % de la production nord-américaine. Tous les étés, en juillet, un festival est aussi consacré à ce légume.

En longeant **Egmont Bay**, près de la région dite de **Summerside**, on pénètre dans la « région acadienne » par la route reliant les villages d'**Abraham**, de Cap-Egmont et de **Mont-Carmel**. Il n'y a pas de meilleur endroit pour découvrir la culture et la joie de vivre acadienne que dans le village d'Abraham, qui accueille en août l'exposition d'Egmont-Bay et du Mont-Carmel, après le **Festival acadien de la région Évangéline**. Ce dernier comprend des concours agricoles, des danses, des banquets de homard, la bénédiction de la flotte et bien d'autres distractions. Le village d'Abraham est également un centre d'artisanat réputé. On y fabrique plus particulièrement des kilts et des plaids, qui sont exposés et vendus à la coopérative d'artisanat locale.

Le très beau port de pêche de **Cap-Egmont** abrite une curiosité : les **maisons aux bouteilles** (Bottle Houses).

Carte p. 222

Les maisons aux bouteilles de Cap-Egmont conjuguent un projet de recyclage et la fantaisie d'un marin en retraite.

Ce qui ne devait être qu'un projet de recyclage a été magnifiquement réalisé par Édouard T. Arsenault, un pêcheur-menuisier à la retraite. En utilisant 12 000 bouteilles, ce dernier construisit entre 1980 et 1984 plusieurs maisons et une chapelle, où les bouteilles se mêlent à l'architecture de façon très décorative.

CHARLOTTETOWN

Le charme de **Charlottetown** ⑱ réside dans ses maisons en bois, encore largement majoritaires. La plus grande ville de la province en est bien entendu la capitale, le centre gouvernemental, commercial et culturel. Et pourtant, avec ses vendeurs à la criée, ses becs de gaz et son vieux drugstore (Huges Drug Store), elle ressemble plutôt à une petite bourgade où tout le monde se connaît.

Pas un élève canadien ne l'ignore, Charlottetown est surtout le berceau de la Confédération. En effet, la célèbre conférence préparatoire de 1864, qui décida de la création de la confédération canadienne trois ans plus tard, se tint dans la **maison provinciale** (Province House). Cet édifice de style néoclassique abrite toujours l'assemblée législative de la province. On peut visiter la pièce où se déroulèrent les débats entre les ténors politiques de l'époque McDonald, Cartier et Brown.

Juste en face, le **centre de la Confédération** (Confederation Center of Arts) fut inauguré en 1964 à l'occasion du premier centenaire de la confédération. Tous les habitants de chaque province versèrent 15 cents pour sa construction. Le centre abrite une salle commémorative, une galerie d'art, une bibliothèque publique, un musée et deux salles de théâtre. Chaque été, il accueille le **festival de Charlottetown**, le plus célèbre des festivals de musique canadiens, dont l'événement le plus prisé est la version musicale du roman pour enfant *Anne of Green Gables* (*Anne et le*

Les deux richesses naturelles de l'île du Prince-Édouard : les homards et les pommes de terre.

bonheur), écrit par une habitante de l'île, Lucy Maud Montgomery (lire page 246).

Rockford Square est l'un des plus jolis coins de la ville. Ses 110 arbres ont été plantés le jour du « Arbor Day » (en 1884). A côté se dresse la **cathédrale anglicane de Saint-Pierre**, construite en 1869. Sa chapelle dite de « Toutes les Ames » (All Souls' Chapel) est particulièrement remarquable. La construction de ce minuscule sanctuaire, dédié à la mémoire de l'un des premiers curés de la paroisse, débuta en 1888. Cet édifice victorien de style gothique est un témoignage de l'habileté des artisans de l'île qui le construisirent en grande partie.

LE CENTRE DE L'ÎLE

Le centre de l'île est traversé par la **route touristique du Héron cendré** (Blue Heron Drive), qui trace une boucle autour de Charlottetown. Elle longe de superbes plages de sable fin (blanc le long du golfe et rouge le long du Northumberland).

La plus grande partie de la côte du golfe du comté des Reines est située dans le **parc national de l'île du Prince-Édouard** ⓳ (PEI National Park). C'est là que se trouvent les plus belles plages de sable du Canada. Les communes alentour, notamment entre Brackley Beach et North Rustico, sont célèbres pour leurs menus de homard. En été, ces dîners d'un coût abordable sont devenus un véritable rituel pour les touristes.

L'île de Rustico, qui appartient au parc national, est la résidence d'été d'une colonie de hérons bleus. Ces oiseaux, protégés, sont remarquables pour leurs ailes qui peuvent atteindre 2 m d'envergure. **North Rustico** est un vieux village de pêcheurs où l'on peut déguster ou acheter du poisson frais à l'arrivée des bateaux. La ferme de **Green Gables** (Green Gables House) se trouve à **Cavendish** ⓴, une petite station balnéaire

Carte
p. 222

Un magnifique exemple d'architecture coloniale britannique, dans le comté des Reines.

Le succès des romans de Lucy Maud Montgomery (Anne au domaine des Peupliers, Anne dans sa maison de rêve, Anne quitte son île...) a donné naissance à une véritable industrie.

La baie de Cavendish et ses plages de sable fin.

située de l'autre côté d'Orby Head, à l'ouest de Rustico. C'est le décor que Lucy Maud Montgomery (1874-1942), native des environs de **New London**, a choisi pour cadre de son roman *Anne et le bonheur*, livre pour enfants qui conte l'histoire d'une petite orpheline. Publié pour la première fois en 1908, l'ouvrage fut traduit dans plus de 30 langues. C'est aussi un lieu apprécié des touristes et l'attraction principale de l'île.

Victoria est une petite ville de style anglais très pittoresque. Ce port, autrefois important, se contente à présent d'accueillir les touristes qui veulent faire une excursion à bord du *Mirana*, goélette ancrée dans le port. C'est aussi un centre d'artisanat, qui possède un beau théâtre restauré, le Victoria Playhouse.

L'EST, L'EMPREINTE ÉCOSSAISE

Cernée par le **Kings Byway**, un réseau de routes qui constitue le circuit touristique le plus long des trois comtés, la partie orientale de l'île correspond à peu près au comté des Rois. A l'est de Charlottetown, à l'approche de **Hillsborough Bay**, la culture des fraises détrône celle de la pomme de terre. De nombreuses fermes organisent des cueillettes au mois de juillet. **Orwell** est un village écossais de la fin du XIXᵉ siècle qui a été reconstitué en écomusée, le **Orwell Corner Rural Life Museum**. Les immigrants qui s'établirent dans cette partie de l'île étaient en majorité des Écossais. Et l'été venu, la musique des Highlands résonne chaque week-end à l'occasion des *ceilidh* (prononcer *kay-lee*), fêtes de village traditionnelles.

En 1803, un Écossais, lord Selkirk, finança le voyage de trois bateaux transportant des Écossais vers l'île du Prince-Édouard. Ces pionniers s'installèrent à **Eldon**, au sud d'Orwell. Un autre musée en plein air, le **Lord Selkirk Pionneer Settlement**, permet de découvrir l'ensemble de huttes traditionnelles écossaises le plus

important du Canada. Tous les ans en août, les clans se réunissent à Eldon pour le déroulement des traditionnels jeux des Highlands.

Situé au-delà de **Woods Island**, le petit port de **Murray River** relie l'Ile-du-Prince-Édouard et la Nouvelle-Écosse grâce à son service régulier de bacs. Murray River est une charmante petite ville qui fut, en son temps, un important centre de construction navale. A présent, la principale usine (ouverte au public) est l'A. W. Shumate's Toy Factory, fabrique de jouets et d'objets décoratifs en bois.

Murray Bay est le lieu de villégiature préféré d'une importante colonie de phoques. Le meilleur endroit pour les admirer est le **Seal Cove Campground**, au nord de la ville. De là, on peut les voir évoluer sur les bancs de sable, au large de la côte. **Montagne**, qui se trouve non loin de là, est plutôt le centre commerçant de cette partie de l'île. Le **musée du Jardin du golfe** donne un bon aperçu de l'histoire locale. Tous les étés en juillet, un festival de danses traditionnelles est organisé dans les jardins.

LA BAIE DES LÉGENDES

Plus à l'est, la **Bay Fortune Area** (baie des Fortunes) est une région riche en légendes et en anecdotes, celle de l'assassinat d'Edward Abell par l'un de ses fermiers à **Abell's Cape**, ou encore celle des trésors enfouis sous les falaises et enfin celle de l'acteur Charles Flockton, qui acheta le cap à la fin du XIXe siècle pour venir y passer tous les étés avec sa troupe.

Avec 1 500 habitants, **Souris** (prononcer le « s » final) fait presque figure de petite ville à l'échelle des villages voisins. Fondé au début du XVIIIe siècle par des Acadiens, ce port de pêche ne manque pas de charme. Bâtie en 1901 avec des pierres de l'île, l'église catholique Sainte-Marie en est le principal édifice.

Basin Head abrite un musée consacré à l'industrie de la pêche, le **Fisheries Museum** qui, perché sur une falaise, domine de très belles dunes au bord de l'océan Atlantique. Au mois d'août, la ville accueille le **festival de la Moisson de la mer** (Harvest of the Sea Festival), durant lequel les produits locaux sont accommodés suivant de vieilles recettes culinaires de l'île.

En faisant le tour d'**East Point** (ou Kespemenagek, « le bout de l'île », en langue micmac), où se dresse un phare ouvert au public, on arrive à **North Lake**, la capitale de la pêche au thon. Des pêcheurs sportifs viennent du monde entier pour tenter leur chance à la pêche au thon géant.

Le long de la côte qui redescend vers Charlottetown, on ne trouve qu'une succession d'infrastructures sportives (pêche, canoë, voile, natation). La route de l'intérieur, la Kings Byway, suit la rivière **Hillsborough** jusqu'à Charlottetown. Cette voie fluviale, très empruntée par les touristes et les habitants de l'île, était déjà très pratiquée par les Micmacs et les premiers explorateurs.

Carte
p. 222

Le phare d'East Point.

Les dimensions de l'île du Prince-Édouard permettent d'en faire le tour à bicyclette. En dépit de sa petite taille, l'île ne compte pas moins de treize parcs provinciaux, un parc national et de nombreux domaines privés. En général, il est possible d'y camper.

TERRE-NEUVE

Terre-Neuve (et le Labrador qui fait partie de la province) reçoit à peu près autant de visiteurs en une année que Toronto en un week-end. Les infrastructures hôtelières, bien que généralement satisfaisantes, sont moins luxueuses que dans le reste du pays. Il n'y a pas de parcs à thème, pas de musée d'art international. Quant au temps, il est absolument imprévisible, mais le plus souvent brumeux (sauf entre juin et le tout début septembre). Ce manque d'attraits touristiques, en apparence, a certainement contribué à faire de Terre-Neuve un endroit encore très sauvage et peu visité. En effet, son éloignement, les complications du passage en bateau, les distances, son habitat clairsemé et l'indépendance de caractère de ses habitants sont autant de facteurs qui découragent les touristes pressés à la recherche de confort. En revanche, les lacs, les forêts, et les côtes sauvages fouettées par les tempêtes enchanteront les amoureux de nature intacte.

DIX SIÈCLES D'HISTOIRE

C'est vraisemblablement à Terre-Neuve qu'accosta, vers l'an mil, l'expédition scandinave menée par Leif Eriksson, le fils d'Éric le Rouge. Quelques années plus tard, trois bateaux vikings débarquèrent 160 personnes dont le but était de s'établir sur le nouveau continent. Ils appelèrent leur établissement « Markland ». Mais ce peuplement scandinave fut de très courte durée : tout au plus quelques années. Les Vikings rentrèrent chez eux, sans doute en raison de l'extrême rudesse du climat et des maladies dues au manque de vitamines. On peut visiter le site de Markland à l'Anse-aux-Meadows, à l'extrême nord de la péninsule septentrionale de l'île, accessible par route et par caboteur.

Cinq cents ans plus tard, en 1497, l'explorateur vénitien Jean Cabot et son fils Sébastien abordèrent les côtes de Terre-Neuve, mais c'est le Portugais Miguel Corte de Real qui en explora le littoral, vers 1502. En 1524, Giovanni de Verrazano, au service de l'armateur dieppois Jean Ango, en prit possession au nom du roi de France François Ier.

Dès la fin du XVIe siècle, la rivalité pour les riches zones de pêche – les fameux bancs de Terre-Neuve – opposait (déjà !) les pêcheurs bretons, normands, basques, anglais, espagnols et portugais. En 1583, les Anglais fondèrent Saint-John's dans la rade du même nom. Humphrey Gilbert annexa le site avec ses environs, au nom de la reine Élisabeth, tandis que les Français s'établissaient dans la baie de Plaisance dont le sieur de Kéréon devint le premier gouverneur, en 1655. Les Anglais, qui s'installèrent en 1621, attaquèrent vainement ce port à deux reprises, en 1689 et en 1691, mais c'est un officier français, Le Moyne d'Iberville, qui prit Saint-John's en 1696. La paix de Ryswick rétablit le *statu quo* entre les

Carte p. 251

A gauche, le visage buriné d'un marin de la côte est.

Pêché sur les fonds rocheux de la côte sud, à une profondeur de 15 à 50 m, le homard (lobster) peut atteindre 50 cm. Avec juste un filet de citron, c'est l'un des régals de la gastronomie de Terre-Neuve.

deux puissances 1697. En revanche, le traité d'Utrecht (1713) céda toute l'île aux Anglais, la France et ses pêcheurs malouins gardant cependant le monopole de la pêche, assorti du droit de débarquer (pour sécher le poisson), sur toute la partie nord, du cap Race au cap Bauld.

Mais, en 1763, au traité de Paris, la France devait céder la région située entre le cap Bonavista et le cap Race, recevant en contrepartie la côte occidentale du cap Bauld au cap Rayn, cet accord mettant fin à un siècle et demi d'affrontements entre les deux Couronnes. Le traité d'Entente cordiale de 1904 révoqua ces privilèges de pêche accordés aux Français et établit une stricte égalité entre tous les pêcheurs.

UNE TERRE ATTACHÉE A SON INDÉPENDANCE

Les « hommes-libres » (*masterlessmen*) furent les parmi premiers Européens à s'établir dans l'île après les Vikings. Bien souvent, il s'agissait de marins apprentis qui s'échappaient de leur bateau, préférant tenter leur chance dans l'un des ports naturels de la côte plutôt que de continuer à vivre en quasi-esclave sur les bateaux de pêche. Leur indépendance, leur volonté et leur désir de survivre à tout prix sont des traits de caractère qui se retrouvent encore aujourd'hui chez les habitants de Terre-Neuve. Et l'on ne s'étonnera pas que la province soit longtemps restée à l'écart de la fédération.

Dotée d'institutions représentatives (1832) et responsables (1855), l'île reçut le statut de dominion en 1917 et se vit rattacher la côte nord-est du Labrador (du détroit de Belle-Isle au cap Chidley). Les prêts anglais et canadiens sollicités en 1933 pour faire face aux conséquences de la crise mondiale, puis le remplacement de son gouvernement par une commission exécutive amorcèrent progressivement le rapprochement avec la Confédération canadienne. Cette question fut au centre des travaux (1946-1948) d'une convention constitutionnelle élue. Finalement, celle-ci recommanda la tenue d'un référendum (juillet 1948), afin que la population se prononce sur la forme de gouvernement qu'elle souhaitait.

Il y avait trois possibilités : la mise en place d'une commission gouvernementale indirectement responsable devant le gouvernement britannique, celle d'un statut colonial, ou encore l'intégration dans l'Union canadienne. Aucune de ces trois options n'obtint de majorité au premier tour. Au second tour, l'intégration l'emporta avec seulement 7 000 voix d'avance. Il est très probable que le programme social qui accompagnait cette option, notamment les aides à la naissance, fît pencher la balance en sa faveur. En 1949, les parlements canadiens et britanniques ratifiaient cet accord et Terre-Neuve devenait la dixième et dernière province canadienne à rejoindre les rangs de la confédération. Mais ce fut une victoire difficile pour les partisans de l'intégration.

Longtemps, les Terre-Neuviens ont puisé dans les abondantes ressources halieutiques des bancs de Terre-Neuve. Ces hauts-fonds situés au sud et au sud-est de l'île sont le point de rencontre de courants marins polaires froids et des eaux chaudes du Gulf Stream – des conditions qui favorisent le développement d'une riche vie pélagique.

AU PAYS DE LA LANGUE DE SHAKESPEARE

La tradition orale est encore très forte dans l'île et les histoires continuent de se transmettre de génération en génération. On entend encore parler de Guglielmo Marconi comme d'un « incorrigible dandy », alors que son dernier passage dans l'île remonte à 1901, quand il vint capter le premier message télégraphique sans fil provenant d'Europe. La langue de Terre-Neuve est un mélange original entre plusieurs dialectes importés par les premiers colons venus de l'ouest de l'Angleterre et du sud-ouest de l'Irlande. Ce dialecte, qui a très peu changé avec le temps, se rapproche par bien des aspects de la langue shakespearienne. Certains mots, expressions et intonations du XVIIe siècle sont toujours en usage. A elle seule, la toponymie de Terre-Neuve raconte une certaine histoire de l'île, où l'humour dissimule des conditions de vie souvent pénibles : Come-by-Chance

(Venu-par-Hasard), Empty Basket (Panier Vide), Heart's Delight (Délice-du-Cœur). Au Canada, les Terre-Neuviens sont plus réputés pour leur humour que pour leurs poissons. Les farces sur les « Newfy » (« Newfy » est un diminutif qui désigne les habitants de Terre-Neuve, Newfoundland en anglais), les équivalents de nos histoires belges, circulent au Canada depuis des générations. Bien que généralement aux dépens des Terre-Neuviens, elles ne sont jamais aussi drôles que racontées par eux. L'humour fait tant partie du langage et de la vie qu'il est bien souvent difficile de distinguer le vrai du faux.

LA PÊCHE ET LE BOIS

Jusqu'à une époque pas si lointaine, les Terre-Neuviens, dans leur grande majorité, habitaient le long des côtes et vivaient des revenus de la mer. Les bancs de Terre-Neuve sont des hauts-fonds où la rencontre du front hydrologique polaire et du Gulf Stream

Carte p. 251

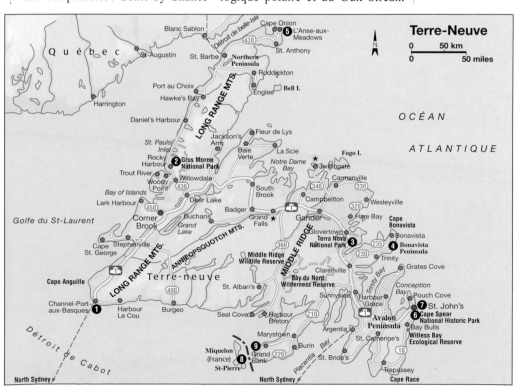

permet l'entretien d'importants stocks halieutiques. La morue est, de loin, le poisson le plus abondant, mais on trouve également d'autres poissons commercialisables, comme la sole, le turbot, le flétan et la plie. En outre, on pêche le saumon en mer et dans les grandes rivières. Quant à la côte sud, elle fournit homards, crabes et langoustes. Au total, le volume annuel des prises avoisine 500 000 t, soit près de la moitié du total canadien. Cette pêche alimente par ailleurs une importante industrie agroalimentaire.

Au printemps, traditionnellement, les Terre-Neuviens pratiquent la chasse au phoque au large des côtes. En 1983, des groupes de protection des animaux d'autres provinces ont réussi à persuader certains gouvernements étrangers d'arrêter l'importation des peaux de phoques pour protéger l'espèce. Cette requête a fortement mécontenté les pêcheurs, qui observent les quotas et utilisent des méthodes respectant les ani-

Une église solitaire aux couleurs vives.

maux. Ils affirment que la surpopulation actuelle des phoques mâles pose d'autres problèmes écologiques.

Durant les cinquante dernières années, l'industrie minière et celle du bois (à la base de la fabrication de papier) ont pris une part grandissante dans l'économie de Terre-Neuve, même si les industries de la pêche restent les principales pourvoyeuses d'emplois. Quant au tourisme, c'est un phénomène relativement récent à Terre-Neuve, et les habitants sont décidés à éviter les erreurs commises ailleurs. Ainsi, l'attitude qui prévaut encore est que le touriste doit s'adapter au mode de vie de la région qu'il visite et non l'inverse. Certes, le nombre des structures d'accueil augmente et leur qualité s'améliore tous les ans, mais les meilleures restent les plus traditionnelles. Dans le programme dit d'hospitalité (Hospitality Home Program), il est prévu que les touristes puissent loger et se restaurer chez l'habitant, évitant ainsi les hôtels et les restaurants.

GASTRONOMIE ET NATURE

Pour les amateurs de fruits de mer et de poissons, les tables d'hôtes de Terre-Neuve ne réservent que de bonnes surprises. On y sert en abondance flétan, crabe, saumon de l'Atlantique, homard etc. Mais il faut savoir que si la mention « poisson » apparaît sur un menu sans autre précision, il s'agit de morue. Les Terre-Neuviens sont d'ailleurs devenus des experts dans la façon de l'accommoder et il existe mille et une recettes.

Le mieux, quand on voyage seul à Terre-Neuve, est d'avoir sa propre voiture. Il existe des lignes d'autobus qui desservent presque toute l'île, mais l'autonomie de transport permet de sortir des sentiers battus. Pour ceux qui préfèrent voyager en groupe, il existe de nombreux tours organisés qui sont également un bon moyen de visiter l'île. Beaucoup d'endroits sont encore accessibles uniquement par bateau. La principale route de Terre-Neuve est la **Transcanadienne**. Elle parcourt l'île d'est en ouest, de Saint-Jean à **Port-aux-Basques** ❶. Ces 925 km de bitume sont une artère vitale pour la province.

Les parcs nationaux sont un motif de fierté pour les habitants et un régal pour les visiteurs. Le **parc national de Gros Morne** (Gros Morne National Park) ❷, situé au nord-ouest de **Corner Brook**, est un véritable paradis pour les amoureux de la nature. Il est remarquable par ses paysages maritimes et alpins, par ses fjords et ses lacs. La meilleure façon d'admirer les fjords est de prendre le bateau à **Western Brook**; de là, à bord, on a toutes les chances d'apercevoir des baleines, des phoques, des caribous et des morses. On dit qu'on peut même voir des ours polaires amenés par des icebergs à la dérive.

Le **parc national de Terra Nova** (Terra Nova National Park) ❸, à l'extrême nord-est de l'île, est très représentatif des paysages de Terre-Neuve. On peut y faire du bateau, de la pêche et des croisières au clair de

Carte p. 251

Une baie à proximité de Saint-Jean-de-Terre-Neuve.

L'OUEST

L'Ouest canadien est composé de quatre provinces : le Manitoba, la Saskatchewan, l'Alberta et la Colombie britannique. Ce sont des régions de peuplement tardif par rapport aux provinces de l'Est. Ces dernières années, cependant, elles ont pris une importance grandissante dans la vie du pays, notamment dans le domaine économique. Le Manitoba, la Saskatchewan et l'Alberta sont en effet toutes trois riches en minerais, en pétrole et en gaz naturel.

L'itinéraire proposé pour visiter ces immenses étendues va d'ouest en est et commence donc par la Colombie britannique. Longtemps considérée comme l'éden du Canada, cette région située le long du Pacifique, de l'autre côté de la haute chaîne des Rocheuses (une position qui lui assure un climat relativement doux) est, à bien des égards, un monde à part, qui n'est pas sans présenter des ressemblances avec la Côte ouest américaine. Son histoire fut marquée, au XIXe siècle, par la découverte d'or, par l'exploitation du bois, puis, par l'arrivée de la voie ferrée transcanadienne. A moins de venir en Colombie britannique pour faire du ski, la meilleure période pour découvrir cette magnifique région et ses deux villes principales, Victoria et Vancouver, se situe entre juin et octobre.

Quittant la Colombie britannique, on pénètre ensuite dans les grandes prairies de l'Alberta, de la Saskatchewan et du Manitoba. A plus d'un titre très différentes de la Colombie britannique, ces trois provinces forment le « corps » de l'Ouest canadien. Outre les vastes étendues de prairie, on partira à la découverte des beautés naturelles des Rocheuses, des parcs nationaux, comme ceux de Banff et de Jasper, de l'animation des villes comme Edmonton ou Calgary, où, une fois l'an, tous les « cow-boys » de l'Ouest canadien se donnent rendez-vous pour le fameux rodéo du Stampede. La Saskatchewan est le cœur du « vieil Ouest » canadien, la terre des trappeurs et des brigands, celle des Métis ; chaque ville, chaque village évoque l'épopée canadienne. Nulle province mieux que celle-ci ne mérite ce nom de Prairie. Quant au Manitoba, il se caractérise peut-être d'abord par ces immenses espaces vides qui s'étendent à perte de vue jusqu'à la baie d'Hudson, seulement interrompue en son centre par un immense réseau de lacs et de rivières. Autour de cette vaste mer intérieure qu'est le lac de Winnipeg, l'immigration a construit une curieuse mosaïque. On y trouve en effet de nombreuses communautés originaires de Scandinavie, d'Ukraine, et le plus important groupe francophone de l'Ouest canadien.

Pages précédentes : plusieurs grands espaces naturels ont été aménagés au pied des Rocheuses, dont on aperçoit les sommets à l'arrière-plan ; prélevé dans les immenses forêts de conifères de la Colombie britannique, le bois est longtemps resté la principale richesse de la province.

VANCOUVER

Vancouver est la perle de la côte ouest, une ville cosmopolite (la communauté chinoise représente le dixième de la population de la ville), élégante et surtout très agréable à habiter grâce à son cadre naturel d'une beauté exceptionnelle. Au nord s'étendent les parcs montagneux Hollyburn, Grouse et Seymour ; au sud et à l'est se déroulent les riches terres agricoles de la vallée du Fraser tandis qu'à l'ouest, la ville fait face à l'île de Vancouver. Principal port canadien de la côte Pacifique (c'est par ses quais que le blé et les minerais partent vers le Japon et les marchés asiatiques), métropole industrielle et commerciale très prospère, la cité connaît une croissance au rythme très élevé. Son secret tient en un constat simple : regarder en direction du plus grand marché mondial de demain, l'Asie. Vancouver semble ignorer Toronto ou Québec et n'avoir d'yeux que pour ses véritables partenaires économiques : Sydney, Hong Kong, Séoul ou Tokyo.

DU CENTRE À STANLEY PARK

Vancouver semble en effet en perpétuelle construction, qu'il s'agisse de la villa au luxe tapageur d'un homme d'affaires asiatique ou d'une tour destinée à une banque ou à des compagnies d'assurance. Certes, la spéculation immobilière n'est pas étrangère à cette activité frénétique, mais pour l'heure, chaque nouveau mètre carré trouve preneur. Le centre compte de grands et beaux hôtels chic, comme le Waterfront Center Hotel, ou le Pan-Pacific Hotel Vancouver, situé près du Canada Place, et dont le coût (100 millions de dollars) en fait l'hôtel le plus cher jamais construit au Canada. Édifié à l'occasion de l'exposition universelle de 1986, qui marqua le centenaire de la ville, le **Canada Place ❹** est un vaste ensemble architectural en forme de paquebot qui intègre l'hôtel Pan-

Pacific, des boutiques, de restaurants et des salles de conférence.

Depuis les ponts-promenades, qui courent tout autour des toits en forme de voiles, on aperçoit le port et le **parc Stanley ❺**. Avec ses allées boisées, ses sentiers, ses terrains de sport, ses piscines et ses plages, ce magnifique espace vert de 405 ha au bord de mer a tous les atouts pour séduire un large public. Sur un périmètre de 10 km (des bicyclettes sont louées à l'entrée nord), on peut se promener en admirant les nombreux bateaux de plaisance amarrés dans le **Royal Vancouver Yacht Club**, derrière l'**île de Deadman** (Deadman's Island), ou les paquebots de croisière qui mouillent en face, le long du quai du Canada Place.

L'un des clous du parc, situé dans la partie sud-est, est le **Vancouver Aquarium Marine Science Centre**, l'un des plus grands d'Amérique du Nord. Pas moins de 8000 animaux y évoluent en effet : loutres de mer, phoques, dauphins, bélougas,

Carte
p. 264

Pages précédentes : entre la mer et la montagne, Downtown, le cœur trépidant de Vancouver. A gauche, le pont suspendu Lion's Gate.

Reflet du majestueux Hotel Vancouver sur les vitres d'un gratte-ciel. La prospérité de la cité n'est nulle part plus évidente que dans les lignes audacieuses des bâtiments et des hôtels de luxe du centre.

Depuis les navettes portuaires qui relient le port au nord de la ville, on a une très belle vue de Vancouver et de ses environs.

requins… C'est également un centre d'études océaniques très réputé. Non loin de là, un peu en retrait de Brockton Point, se dressent des mâts totémiques. Selon une tradition à laquelle tous les Vancouverois sont très attachés, tous les soirs à 21 h, un petit canon, placé à proximité des totems, tire une salve à blanc.

LES ATTRAITS D'UNE VILLE PORTUAIRE

Si l'on souhaite faire une excursion nautique, rien de mieux que d'embarquer à bord du *Britannia*, sorte de bus à impériale flottant amarré près de l'entrée du parc. Voilà en effet l'occasion d'être dépaysé tout en découvrant la ville sous un autre angle. Le *Britannia* longe la côte et emmène les visiteurs jusqu'à l'île de Bowen Island, foyer d'une petite communauté d'artistes et d'écrivains, puis, après avoir dépassé des falaises abruptes coiffées de cèdres et qui ne sont pas sans rappeler les fjords scan-

dinaves, vogue sur les eaux saumâtres de Howe Sound, voie navigable où se déversent rivières et glaces.

Le port de Vancouver est particulièrement vivant, offrant au spectateur le ballet incessant des navires de croisière, des bateaux de plaisance et des porte-conteneurs chargés de charbon, de grain, de potasse, de produits chimiques ou de pétrole.

LES MUSÉES

Le campus de l'**université de Colombie britannique** abrite le **musée d'Anthropologie ⊙**, où l'on pourra admirer la plus importante collection d'art indien d'Amérique du Nord (collection de totems exceptionnelle, œuvres d'artistes contemporains…), une galerie consacrée à d'autres cultures (chinoise, indonésienne, mélanésienne…) ainsi que la copie grandeur nature d'un village indien de la côte Ouest. Signalons, à proximité de l'université, les ravissants **jardins japonais Nitobe**

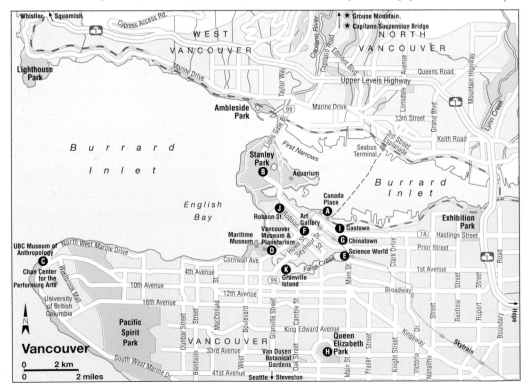

(Nitobe Memorial Gardens) et les **jardins botaniques**. A mi-chemin du centre, le **Musée maritime** abrite de jolies maquettes, la reconstitution d'un *sloop* et d'une cabine de pilotage, et des gravures sur l'histoire maritime de la côte ouest et des expéditions polaires.

Dans Chestnut Street, le **musée de Vancouver ❶** propose un passionnant voyage dans l'histoire de la province depuis l'arrivée des peuples amérindiens jusqu'à aujourd'hui, en passant par l'épopée des pionniers et l'époque victorienne.

Dans le domaine des sciences, Vancouver possède plusieurs sites très intéressants, comme l'**observatoire Gordon MacMillan Southam** ou le **planétarium H. R. MacMillan**, l'un des plus sophistiqués du continent. Mais c'est la **cité des Sciences** (Science World B. C.) **❺**, inaugurée lors de l'Expo' 86, qui attire le plus de visiteurs. L'écran sphérique géant offre un spectacle impressionnant.

Située à l'angle des rues Hobson et Howe, la **galerie d'art de Vancouver ❻** expose de nombreuses œuvres de l'artiste canadienne Emily Carr. Les peintres canadiens, britanniques et américains sont également bien représentés dans les collections permanentes du musée. Emily Carr naquit en 1871 à Victoria, de parents britanniques. Après avoir étudié le dessin et la peinture aux États-Unis, en Angleterre et en France, elle retourna dans son pays, mais n'y rencontra pas la faveur du public. Son travail d'artiste, qui ne fut reconnu que tardivement, subit les influences de l'art indien et du groupe des Sept (Lawren Harris en particulier), dont elle fit partie. Mais Emily Carr eut une seconde carrière, celle d'écrivain. Son premier livre, *Klee Wyck*, connut un succès immédiat et remporta le prix littéraire du Gouverneur général en 1941. *The Book of Small*, son deuxième roman, fut promu livre canadien de l'année en 1942. Elle acheva *Growing Pains,* son autobiographie, fort bien accueillie également, juste avant sa mort, en 1945.

ESPACES VERTS

Vancouver fait penser à San Francisco à cause de son climat, qui se caractérise, sur cette côte soumise aux influences océaniques, par une douceur très nette comparée au reste du Canada. La température moyenne se situe autour de 2 °C l'hiver et de 17 °C l'été. Les précipitations sont abondantes et il neige rarement. Ce climat relativement clément n'est sans doute pas étranger à la création de nombreux jardins. Créé en 1986 par des architectes paysagistes venus de Chine, le **jardin Sun Yat Sen ❻** demeure à ce jour le seul exemplaire de jardin Ming aménagé hors de Chine. L'indispensable visite guidée (comprise dans le prix d'entrée) permet d'en découvrir la conception, fondée sur les principes taoïstes du Ying et du Yang. Le jardin se situe au n° 578 Carrall St., juste derrière **le Centre culturel chinois**.

Avec une superficie de 52 ha, le **parc Queen Elizabeth ❽** (entre les

Carte p. 264

Gastown, quartier des artistes, des artisans et des antiquaires, attire nombre de touristes. Cette emprise de l'art est sans doute redevable à une enfant du pays, Emily Carr, considérée comme l'un des artistes les plus doués du Canada, dont les peintures et les écrits sont conservés dans nombre de galeries et de bibliothèques.

Carte
p. 264

rues Cambie et Ontario et 33ʳᵈ Avenue) est le second espace vert de Vancouver. Il possède un jardin entouré de petites falaises et planté d'essence rares, et un autre d'allure orientale. Aménagés non loin de là (au n° 5251 Oak St), les **jardins botaniques Vandusen**, méritent le coup d'œil pour leur collection de plantes ornementales provenant du monde entier.

SPORT ET CULTURE

La saison théâtrale se déroule de septembre à juin et propose toute sorte de spectacles. La salle la plus prestigieuse, l'**Orpheum** (Smithe Street) accueille l'orchestre symphonique de Vancouver. Le **théâtre Queen-Elizabeth** (Cambie Street) possède deux scènes (et un restaurant) où sont donnés des opéras et des pièces de théâtre classiques. Réputé pour son cadre verdoyant (celui du campus de l'université de Colombie britannique) et l'acoustique de sa salle, le **Chan Centre for the Permorming Arts** s'est spécialisé dans un répertoire plus moderne. Pour aller voir une comédie, il faut se rendre à l'**Arts Club**, dans l'île de Granville. Enfin, la scène de plein air du **Malkin Bowl**, dans le parc Stanley, présente un programme estival très couru.

La vie sportive est essentielle à Vancouver comme dans toute la Colombie britannique. Pendant la saison de hockey, l'activité sportive professionnelle se concentre autour du Pacific Coliseum, club des Vancouver Canucks, de la ligue nationale de hockey. Le magnifique dôme du **British Columbia Place Stadium** est quant à lui le club des B.C. Lions, de la ligue canadienne de football.

On peut skier à quelques minutes en voiture de Vancouver, notamment dans les stations de **Grouse Mountain** (Whistler et Blackcomb), ou dans celle du **Cypress Provincial Park** (Cypress Bowl et Hollynurn). A seulement 16 km du centre, le **mont Seymour** propose lui aussi un très beau domaine skiable. Pour se rendre sur le mont Grouse, on emprunte, à North Vancouver, le **Capilano Suspension Bridge**, passerelle piétonne qui offre une vue à couper le souffle sur la forêt.

GASTOWN ET CHINATOWN

Le quartier historique de **Gastown ❶** tire son nom d'un cabaretier anglais, « Gassy » Jack Deighton. Ancien capitaine d'une embarcation fluviale, ce dernier comprit tout l'intérêt qu'il y aurait à ouvrir un bar à proximité des scieries à l'intérieur desquelles il était (au milieu du XIXᵉ siècle) strictement interdit de boire de l'alcool. Le quartier est délimité par les rues Columbia et Richards et traversé par Water Street. Rénové dans les années 70, il a évolué de la même façon que Cabbagetown à Toronto ou Greenwich village à New York et abrite artisans, artistes, antiquaires et bars.

Les Vancouverois appellent familièrement Robsonstrasse la partie de **Robson Street ❶** située entre les

La plus vieille horloge à vapeur du monde, dans Gastown, à l'extrémité ouest de Water Street, sonne tous les quarts d'heure. Dans ce quartier, qui est le plus vieux de la ville, les bâtiments anciens et les entrepôts ont été remis au goût du jour.

rues Howe et Broughton, à cause des nombreux immigrés allemands qui s'y installèrent dans les années 50. Depuis, ce quartier ouest de la ville est renommé pour ses restaurants (italiens, français, japonais, vietnamiens et danois), ses magasins spécialisés dans les produits européens et ses nuits chaudes.

Les gourmands ne doivent manquer à aucun prix le **marché Granville** (Granville Island Public Market) , établi dans un ancien entrepôt désaffecté. L'installation de restaurants dans les locaux d'anciennes usines ou dans des hangars est très à la mode dans les grandes villes d'Amérique du Nord. En plus des restaurants on trouvera des galeries d'art, des théâtres, des hôtels ainsi qu'un énorme marché de produits frais. Les visiteurs se plaisent à déambuler entre les stalles pour faire leurs emplettes, puis à longer les quais voisins pour déguster leur repas tout en observant le manège des bateaux.

Près de 35 000 personnes d'origine chinoise vivent dans **Chinatown** ⑥, autour de West Pender Street, entre les rues Abbott et Gore. Dans ce quartier très vivant se côtoient des boutiques de toute sorte, mais surtout des magasins d'alimentation.

AU NORD DE VANCOUVER

Whistler Village, centre de villégiature réputé, est situé à 100 km au nord de Vancouver. Ici, le ski a la vedette tout l'hiver, pratiqué sur les monts Whistler et Blackcomb. L'été, leurs pentes s'offrent aux amateurs d'escalade et de vélo tout terrain. Petite touche culturelle : l'orchestre symphonique de Vancouver joue tous les ans sur l'un des sommets.

A 32 km au nord de Whistler, une promenade des plus agréables le long de la Green River conduit en demi-heure aux **Nairn Falls**. Même si elles ne sont pas très élevées, ces chutes sont très impressionnantes en raison de leur puissance.

Carte
p. 264

A droite, Whistler Village. Connue pour l'excellence de ses pistes, la localité a été choisie pour accueillir les Jeux olympiques d'hiver de 2010.

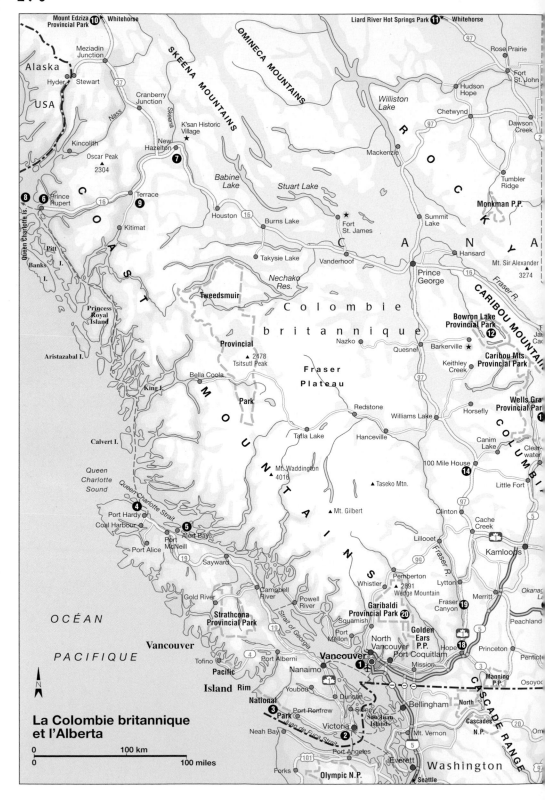

La Colombie britannique
et l'Alberta

OCÉAN

PACIFIQUE

0   100 km
0   100 miles

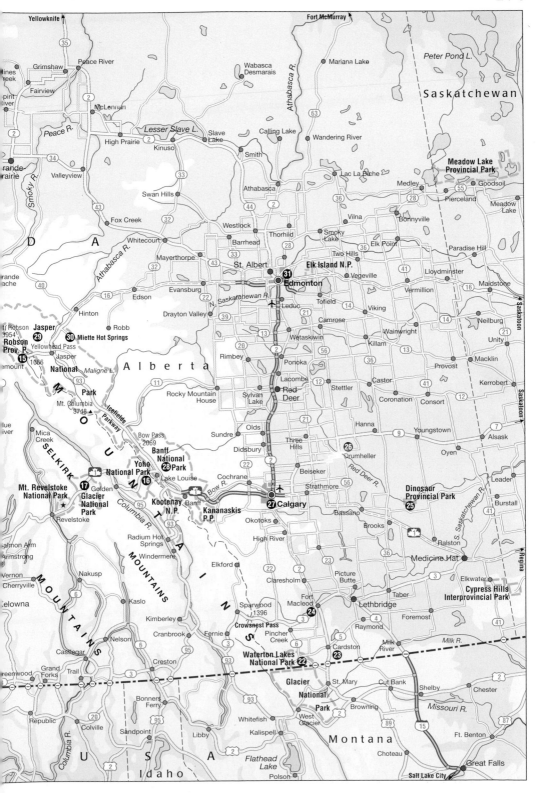

LA COLOMBIE BRITANNIQUE

Si la côte de la Colombie britannique fut reconnue très tôt par des navigateurs espagnols, Juan de Fuca, en 1592, Perez, en 1774, ou britanniques, James Cook (à la recherche du passage du nord-ouest), en 1778, et surtout George Vancouver en 1792-1794 (qui prit possession, au nom de l'Angleterre, de l'île qui porte son nom), l'intérieur du continent ne fut exploré que plus tardivement par Alexander Mackenzie, en 1793, et par les agents des Compagnies du Nord-Ouest et de la baie d'Hudson. Mais c'est surtout un Écossais, Simon Fraser, qui, ayant élu domicile au Canada, consacra sa vie à l'exploration et à la mise en valeur des ressources de cette province. Il remonta la plus petite des deux grandes rivières de la province, la Fraser River, et en fit une importante route pour la traite des fourrures. Ce commerce demeurait en effet une activité très importante au siècle dernier et la concurrence pour en tirer les profits marqua profondément l'histoire de cette région. La Compagnie du Nord-Ouest avait reçu du gouvernement britannique le monopole sur les ressources du Nord-Ouest canadien et la mission de les exploiter. Mais, pour le contrôle des routes et le partage des bénéfices, la compagnie devait compter avec une puissante rivale, la Compagnie de la baie d'Hudson, une société implantée à l'origine dans l'Est, et qui détenait déjà le monopole du commerce canadien avec l'Europe. La « Nord-Ouest » (Nor'west), comme on l'appelait à l'époque, établit un relais commercial à Fort George, aujourd'hui la ville de Prince George. Découvrant la forte rentabilité de la traite des fourrures et l'avenir très prometteur de l'industrie du bois et des mines, la Compagnie de la baie d'Hudson décida d'acheter la Nord-Ouest en 1820 et conserva dans les faits

un monopole sur cette région jusqu'en 1858. Au cours de cette période, les questions nationales redoublèrent l'intensité des rivalités commerciales. En effet, le commerce de la fourrure le long du fleuve Columbia était essentiellement contrôlé par des Américains, dont la plupart avaient émigré des petits établissements de Californie. Tandis que les Britanniques tenaient le commerce le long du fleuve Fraser, au nord de la province. La population d'origine américaine augmentant plus rapidement que la communauté britannique, elle fut tentée de prendre le contrôle des trafics entretenus le long des deux rivières. Son cri de ralliement, « 54,4 ou la guerre », faisait référence à la latitude nord de la frontière du territoire. Cette menace à leurs frontières détermina les Anglais à construire Fort Victoria en 1843.

Des négociations complexes aboutirent, en 1846, au traité de l'Oregon divisant le territoire de

Carte
p. 270

Pages précédentes : on skie à peu de distance de Vancouver. A gauche, totem près de Brockton Point, à Vancouver.

Dans les stations à la mode de Grouse Mountain et du mont Seymour, situées non loin de Vancouver, on peut conjuguer les joies des sports d'hiver et des emplettes.

*Victoria,
ville-jardin de
la Colombie
britannique,
fut fondée
en 1843 par
la Compagnie de
la baie d'Hudson.*

*Déjeuner
en tête-à-tête
à Whistler
Mountain,
la station
la plus huppée
de la côte ouest.*

part et d'autre du 49e parallèle. Ce partage donnait aux États-Unis la plus grande partie du fleuve Columbia et les meilleures zones de chasse. Les loyalistes britanniques devaient, dès lors, trouver un accès aux zones de chasse par l'intérieur de leurs propres territoires. L'unique solution consistait à remonter et à exploiter le cours de la rivière Fraser. Mais il fallait pour cela un gouvernement sur place, fort et mieux organisé.

NAISSANCE D'UNE PROVINCE

Répondant aux vœux des colons, le gouverneur James Thompson, un homme bourru, habile négociateur (notamment dans ses relations avec le Parlement britannique) et jouissant d'un certain charisme auprès des bûcherons et des trappeurs, convoqua, en 1856, les 774 Européens (dont la moitié avait moins de vingt ans) de l'île de Vancouver, à Victoria, dans le Bachelor's Hall,

afin qu'ils élisent leur première assemblée législative. En avril de la même année, des Indiens découvrirent de l'or au nord de la rivière Thompson, juste au-dessus de Kamloops. Puis, dans les années qui suivirent, un gisement beaucoup plus important fut mis au jour et exploité dans la région des Cariboo (nom indien pour la région située au nord du fleuve Fraser). Thompson connaissait les conséquences de la ruée vers l'or à San Francisco en 1848, et il savait aussi que des mesures très sévères s'imposaient pour protéger les richesses de la région de Victoria de la marée humaine qui s'abattit effectivement sur elle. La partie continentale acquit rapidement une autonomie économique vis-à-vis de l'île de Vancouver et les Britanniques décidèrent d'en faire une colonie séparée avec New Westminster pour centre administratif. La reine décida finalement de nommer la colonie (longtemps appelée Nouvelle-Calédonie)

Carte
p. 270

Colombie britannique, et, le 19 novembre 1858, James Thompson prenait sa fonction de premier gouverneur de cette province (il demeura gouverneur de la colonie de l'île de Vancouver jusqu'à ce que celle-ci soit réunie à la partie continentale, en 1866).

Tandis que les régions continentales se développaient, la ville de Victoria, devenue pourtant la capitale provinciale en 1868, traversait une profonde récession économique. Les jours glorieux de la ruée vers l'or étaient loin et la faillite qui lui succéda fit de l'île de Vancouver une colonie économiquement dépendante du continent. Il fallait implanter de nouvelles industries pour diversifier l'économie de l'île et fournir des emplois à tous ceux qui n'avaient pas fait fortune dans les Cariboo. Les colons comprirent alors les possibilités qu'offrait l'immense forêt voisine. L'économie future de la province allait reposer sur l'industrie du bois, dont la région avait le plus grand besoin. Construite sur un terrain situé à l'ouest de l'île de Vancouver, la scierie Albierni fut la première de ce type implantée, à l'ouest des Rocheuses canadiennes.

Mais ce n'était pas l'avenir doré dont avaient rêvé les chercheurs d'or dans les années 1850-1860. Les rivières avaient été nettoyées à la batée et le travail à la scierie ou comme salarié dans une grosse mine d'or différait peu de ce qu'offraient les usines de l'Est : un travail pénible et souvent mal payé. Contre l'esprit d'indépendance qui avait fait la force des premiers pionniers, la colonie devait accepter la dure réalité économique et surtout l'urgente nécessité de s'ouvrir sur d'autres marchés. Après bien des hésitations – certains souhaitaient rejoindre l'Union américaine – le projet de construction d'une voie de chemin de fer reliant la ville de **Vancouver** ❶ au reste du Canada (le Canadian Pacific) fut adopté. En 1871, la

L'hôtel Victoria Empress perpétue un certain art de vivre, inspiré de l'époque victorienne.

La cérémonie du thé (servi entre 12 h 20 et 17 h) à l'hôtel Victoria Empress est une expérience inoubliable.

Le dôme et les nombreuses tourelles du Parlement, à Victoria.

Colombie britannique devint une province canadienne.

L'ÎLE DE VANCOUVER

Longue de 450 km, **Vancouver Island** est la plus grande île de la côte ouest des deux Amériques. La plupart de ses 500 000 habitants vivent sur la côte sud-est et l'île a gardé toute la variété de ses paysages faits de montagnes (le **mont Olympus** culmine à 2 428 m), de forêts, de lacs et de torrents.

L'histoire de la Colombie britannique commence à **Victoria ❷**, la cité fondée par James Douglas (représentant de la Compagnie de la baie d'Hudson) en 1843. Et, pour beaucoup, il est juste que la capitale provinciale conserve la préséance sur sa rivale du continent. Achevé en 1898, le **Parlement ❹** (Parliament Building) est l'endroit idéal où entamer une visite de la province. Ouvert au public, ce vaste bâtiment néoclassique continue d'abriter les

débats de la chambre législative provinciale. Non loin du Parlement se trouvent l'**Undersea World** (pour une découverte des fonds marins locaux) et le **Royal London Wax Museum** (pour voir des personnalités historiques figées dans la cire).

Édifié, comme le parlement, sur des plans de Francis Rattenbury, l'**Empress Hotel ❸** est un magnifique palace tout entier dédié aux traditions britanniques. On dit que le thé n'est pas si bien servi à Buckingham Palace.

Le **Musée provincial** (Royal British Columbia Museum) ❻ conserve des collections riches, variées (géologie, sciences naturelles, faune, ethnologie) et élégamment exposées, et offre un tableau très complet de la province. On y découvre la culture des Indiens autochtones, ainsi que la vie quotidienne à Victoria à la fin du XIXe siècle.

Les hauts-lieux de l'art sont à Victoria : le **Maltwood Art Museum**, situé sur le campus de l'université

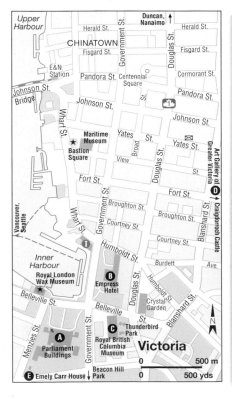

Victoria, et la **galerie d'art Victoria** (Art Gallery of Greater Victoria) **D**, surtout renommée pour ses collections chinoise et japonaise ainsi que ses pièces d'art précolombien. La peinture, d'Emily Carr à l'art contemporain, y est également bien représentée. Née à Victoria en 1871, Emily Carr, dont l'œuvre ne fut reconnue que dans les années 20, noua avec sa région, ses paysages et la culture indienne des liens profonds qui ne cessèrent jamais d'inspirer son travail *(voir p. 265)*. On peut découvrir tous les aspects de son œuvre et de sa vie à la **maison Emily Carr E**. A voir également : Craigdorroch Castle, l'ancienne demeure d'un baron du charbon, Ford Rodd Hill et Fisgard Lighthouse (phare), deux lieux chargés d'histoire d'où l'on pourra admirer l'océan.

NATURE ET PÊCHE

Même si le soleil se fait rare à certaines époques de l'année dans cette partie du monde, on manquerait le meilleur de l'île en restant enfermé. Il faut savoir que la province est un paradis pour les pêcheurs (en mer et en rivière). Sur la côte, mais plus spécialement dans l'île de Vancouver, les saumons remontent les courants pour se reproduire en amont des rivières où ils sont nés. De nombreux pêcheurs s'offrent le voyage pour avoir le plaisir de capturer un chinook, le roi des saumons du Pacifique, sorte de monstre qui peut atteindre 1 m et peser jusqu'à 36 kg. Mais on peut également taquiner le thon ou la morue, traquer les crabes, ou ramasser des palourdes, des huîtres et des crevettes. Dans les rivières, on pêche la truite fardée et la truite *steelhead*. Pour pêcher, il est indispensable de se procurer les permis adéquats et de respecter très rigoureusement les règlements. Les amoureux des oiseaux ne seront pas non plus déçus : l'île en abrite 400 espèces qui se répartissent dans plusieurs grands parcs provinciaux.

Cartes
p. 270
et 276

Un vieux bateau à roue à aubes passant sous le pont de Johnson Street, à Victoria.

LA CÔTE PACIFIQUE

A **Barkley Sound**, petit village sur la côte Ouest, on peut à la fois faire des pêches remarquables et admirer la beauté sauvage des paysages côtiers du **parc national Pacific Rim** ❸. Au large, de février à juin, on peut apercevoir des baleines remontant du Mexique et se dirigeant vers l'océan Arctique. La région possède d'autres ressources touristiques. Au sud-ouest de l'île de Vancouver, une centaine d'îlots minuscules, appelés **Broken Islands**, parsèment l'entrée de la **baie de Barkley**. On y accède par bateau. De Ucluelet, on pourra marcher jusqu'à **Long Beach**, superbe chapelet de plages où les couchers de soleil sur le Pacifique sont particulièrement beaux.

Les bons marcheurs pourront emprunter le chemin de randonnée appelé **West Coast Trail**, qui serpente sur 84 km entre **Bamfield** et **Thrasher Cove**. Il fut défriché pour faciliter le secours aux naufragés le long de cette côte fortement boisée. Tout en cheminant, le promeneur a le loisir d'observer des baleines bleues, des lions de mer et des phoques. Le site est également apprécié des surfers. C'est un parcours difficile, avec des collines abruptes, des sentiers étroits et boueux, des forêts quasi impénétrables et des sections qui passent sur des plages, uniquement praticables à marée basse. Mais que l'on se rassure, on trouve des chemins de randonnée plus accessibles dans les nombreux parcs provinciaux de la Colombie britannique.

L'une des meilleures façons de voir la côte est de faire le voyage sur le **traversier Prince Rupert**. Bien que ce ne soit plus l'unique moyen de se rendre de Vancouver à Prince Rupert ou en Alaska, il continue à faire le voyage depuis **Port Hardy** ❹, à l'extrémité nord de l'île.

En allant à Port Hardy, on s'arrêtera à **Port McNeill** et on prendra le bateau pour **Albert Bay** ❺. Ce vil-

Ci-dessous, les Indiens de Colombie britannique poursuivent la tradition de la sculpture sur bois; à droite, les eaux chaudes du parc provincial de Liard River Hot Springs.

lage d'Indiens Kwakiutl est le meilleur endroit pour admirer leurs sculptures sur bois, plus connues sous le nom de poteaux ou mâts totémiques. La sculpture est composée d'animaux entremêlés et certains d'entre eux atteignent 30 m. Les plus beaux exemplaires sont exposés au **centre culturel U'mista**. Connues en Europe par des photographies, ces œuvres ont inspiré des artistes comme Picasso. Albert Bay est l'un des rares endroits où la tradition de la sculpture perdure. Mais il est rare que les Indiens possèdent encore des œuvres anciennes : ce qu'on voit à Albert Bay, c'est le style actuel, qui s'est développé depuis le renouveau de la sculpture indienne, dans les années 50.

LA ROUTE DE L'ALASKA

L'art indien est présent également dans les environs de **Prince Rupert ❻**, à K'san par exemple. Ce village situé près de **New Hazelton ❼** est peuplé de Nishgas, qui réalisent des œuvres grandeur nature. Un traversier dépose les touristes dans les **îles de la Reine-Charlotte** (Queen Charlotte Islands) ❽. Là, on peut admirer le travail des Haidas à **Skidlgate** et sur les plages de **Sandspit** : selon la légende, c'est là que le corbeau Ne-kil-stlas se posa et donna naissance à la race humaine.

Tandis que l'on retourne vers Prince Rupert, plus à l'intérieur des terres, il est très difficile de choisir une direction, quand on est entouré par tant de beauté intacte. Le choix est néanmoins limité par le peu de routes existantes. En dehors de la route principale reliant l'Est et l'Ouest (East/West Highway 16), les routes, étroites, ne sont pas goudronnées. Ce sont plus des sentiers de bûcherons que des axes touristiques. L'une des plus longues et des plus belles part de **Terrace ❾** en direction du nord vers la route d'Alaska (Alaska Highway) qu'elle rencontre près de **Watson Lake** dans

Carte p. 270

Les Rocheuses protègent la Colombie britannique des courants d'air froid venant du nord et de l'est.

Accessible par l'autoroute transcanadienne, le parc de Glacier National offre aux amateurs d'escalade et de randonnée un ensemble de 422 glaciers.

le Yukon. En route, de petits détours sont possibles pour voir le **parc provincial de Mount Edziza** ❿ et la ville de **Stewart**. La route pour aller à Stewart passe par le **Cambria Snowfield** et offre une vue spectaculaire du **Bear Glacier**. De Stewart, il est possible de rejoindre **Hyder** en Alaska.

Au centre de la Colombie britannique, des milliers de lacs sont reliés par des rivières. On peut y apercevoir toutes sortes d'animaux, de l'orignal et du caribou aux aigles les plus courants, sans oublier les ours bruns. La pêche y est abondante et variée. Dans les lacs du Sud, on trouve parmi les plus grosses truites arc-en-ciel du monde, des saumons *kokani* et les délicieux ombles *dolly varden* (un poisson qui ressemble au saumon, moins lourd que celui-ci mais plus charnu que la truite). Plus au nord, dans la région de **Peace River**, on pêche surtout des ombles de l'Arctique et des brochets du Nord.

Les produits vendus autrefois dans un poste de la Compagnie de la baie d'Hudson, à Fort Langley. Construit par la Compagnie en 1827, ce comptoir fonctionna jusqu'en 1858, date à laquelle, la Colombie britannique y fut proclamée colonie de la Couronne.

Au nord-est de la province, au km 493 de la route, **Liard River Hot Springs Park** ⓫ est un endroit charmant. Dans ce parc sourdent des sources chaudes entourées de vignes et d'orchidées, juste à la lisière de la forêt du Grand Nord. L'eau y atteint 43 °C et les bains sont très relaxants.

DES PARCS PROVINCIAUX CHARGÉS D'HISTOIRE

Au sud de Prince George, près de **Quesnel** et du **parc provincial Bowron Lake**, on découvre l'histoire de la ruée vers l'or des monts Cariboo (Cariboo Gold Rush). L'actuelle **route du Caribou** (Cariboo Highway) suit pratiquement son itinéraire. La construction de la route et l'épuisement des filons les plus accessibles contribuèrent à mettre fin à cette ruée, faisant place à des installations de type industriel plus organisées. On continua à extraire de l'or en grande quantité jusque vers les années 1870, mais les prospecteurs canadiens et américains quittèrent la région et furent remplacés par des immigrés chinois.

Dans le **parc provincial du lac Bowron** ⓬, la prospection amateur au moyen de méthodes modernes est d'ailleurs parfaitement autorisée ; même les visiteurs peuvent s'y livrer. Les commerçants de la région sont toujours enchantés de donner quelques conseils et surtout de vendre l'outillage nécessaire. Mais certains trouveront plus agréable de découvrir la région en se promenant le long des rivières où l'on trouve parfois des galets de jade.

Le **parc provincial Wells Gray** ⓭, occupe environ 5 200 km² dans le bassin supérieur de la **Clearwater**, au cœur des **monts Cariboo**. Là, se trouvent rassemblées toutes les beautés naturelles de la Colombie britannique : des paysages variés où alternent les forêts, les montagnes, les glaciers et de très anciens volcans éteints ; une végétation changeante, des feuillus (aunes, saules, peupliers baumiers) aux conifères dont quelques essences rares de très haute taille (l'épicéa de Sitka, le tsuga de Californie et le mélèze de Douglas). La faune y est tout aussi abondante : orignal, cerf-mulet, caribou, ours noir, chèvre des montagnes, grizzly, loup, coyote, vison, loutre, martre, castor. Enfin, on peut voir les habitations abandonnées par des familles qui fuirent les querelles frontalières du XIXe siècle.

La région est également une terre des « cow-boys », car c'est précisément dans cette zone que se concentre l'élevage bovin de la province. En été, le grand centre de **100 Mile House** ⓮, un village situé au bord d'un lac boisé, propose plusieurs activités (rodéos, courses équestres). C'est à **Williams Lake** que se déroule le rodéo le plus important de tout le Canada, après le Stampede de Calgary. Il dure trois jours, généralement vers la fin juin.

Toutes les routes qui partent vers le Sud-Ouest mènent à Vancouver. Mais avant d'arriver dans la métropole, il y a beaucoup de choses à découvrir, notamment dans la zone qui longe la frontière américaine. Le **parc provincial du mont Robson** ⓯, même s'il est moins connu que ceux de Jasper et de Banff, dans l'Alberta, mérite amplement le détour. C'est là que s'élève le point culminant des Rocheuses canadiennes, le **mont Robson** (3 954 m).

Traversés par la Transcanadienne, les **parcs nationaux de Yoho** ⓰ et de **Glacier** ⓱ disposent de plusieurs terrains de camping et possèdent des domaines skiables (balisés ou horspiste) très étendus. Depuis qu'il a accueilli une épreuve des jeux Olympiques d'hiver de Calgary (en 1960), le site de **Whistler Mountain** est devenu un rendez-vous très prisé des skieurs de l'Ouest canadien *(voir p. 267)*.

La ville de **Nelson**, située dans la vallée de la Kootenay non loin du parc national de Glacier, est une ancienne cité minière, construite au XIXe siècle par les premiers chercheurs d'or. Beaucoup de bâtiments

Carte
p. 270

Le snowboard est le roi sur les pentes enneigées.

Carte
p. 270

d'époque sont encore debout. De là, part un grand choix de routes panoramiques. La **route 3**, dite « Crown's Nest Road », offre une belle vue sur les Rocheuses et passe près de plusieurs mines d'or. Chemin faisant, d'immenses forêts alternent soudainement avec un relief montagneux aux pics enneigés ou avec une large vallée.

La **route 1**, qui part au nord de **Hope** ⓲ en direction de **Cache Creek**, suit le cours des rivières Thompson et Fraser. La plus ancienne route continentale de la Colombie britannique, la **piste du Caribou**, construite entre 1860 et 1863 par les ingénieurs de la Couronne, a été modernisée mais traverse toujours le **Fraser Canyon** ⓳. En été, les plus audacieux pourront essayer la route qui servait de raccourci et qui surplombe le canyon. Ce raccourci, appelé **Lillooet Shorteut**, mène à **Lillooet** par une route de bûcherons qui traverse le **parc provincial Garibaldi** ⓴. Les bateaux

A droite, vingt-huit groupes amérindiens (souvent appelés les First Nations, « Premières nations »), vivent en Colombie britannique.

Le célèbre téléphérique des Hells Gates emmène les visiteurs entre les parois du canyon de Fraser, profond de 180 m. On peut y voir les « échelles » qui y ont été aménagées pour permettre aux saumons de remonter les rapides.

ne pouvant affronter les rapides de la rivière Fraser, cette route était le meilleur moyen de se rendre à l'intérieur avant la construction de la piste du Caribou.

UN VILLAGE DE PÊCHEURS JAPONAIS

Steveston, un village de pêche japonais situé juste au sud de Vancouver, est une curiosité de l'histoire. En 1887, un pêcheur japonais vint dans cette petite ville pour la saison de la pêche au saumon. Les prises furent si abondantes que 40 ans après, on dénombrait 3 000 Japonais dans le village, la plupart d'entre eux venant pour soutenir financièrement leur famille restée au Japon. Très vite, cependant, beaucoup de leurs épouses vinrent s'établir au Canada et travailler dans les conserveries pour quinze cents de l'heure. Craignant que ce groupe n'évince la communauté blanche travaillant dans l'industrie de la pêche, le gouvernement canadien fixa des quotas visant à réduire le nombre d'immigrés japonais autorisés à recevoir un permis de pêche. La communauté japonaise connut une période difficile au moment de la Seconde Guerre mondiale, quand le gouvernement canadien commença à évacuer leurs familles des régions côtières vers le centre. Steveston fut vidé et on confisqua les bateaux ainsi que le matériel de pêche. A la fin de la guerre, les Japonais furent autorisés à revenir dans leur village. Beaucoup d'entre eux le firent, reprenant leur activité tout en essayant de conserver leur indépendance.

En poursuivant au sud-est de Vancouver, le paysage se transforme imperceptiblement, les averses deviennent moins fréquentes, et les reliefs se font plus arides. Le soleil de cette région très particulière et l'eau du **lac Okanagan** ㉑ ont donné à cette région le plus grand verger du Canada : pommes, pêches, poires, abricots, cerises et vignes y poussent en abondance.

UNE FLORE ET UNE FAUNE D'UNE INESTIMABLE RICHESSE

L'Ouest canadien présente une multitude de milieux naturels : la prairie, un très large éventail de forêts – tempérée froide (de feuillus ou d'épineux) et boréale –, les hauts plateaux boisés ou secs, la haute montagne, la toundra, le monde polaire, sans compter le milieu naturel très particulier lié à la douceur climatique qui existe le long des côtes du Pacifique. En outre, la plupart de ces paysages sont traversés de rivières, de fleuves ou de torrents, et ponctués de lacs, dont certains ont les dimensions de mers intérieures. Une flore d'une grande variété a colonisé ces différents biotopes. Selon les régions, on rencontre des lichens, des fougères, des cactus, et même des fleurs telles que les rhododendrons, les azalées ou les orchidées sauvages.

Preuve que cette nature et la faune qui la peuple frappèrent l'imagination des colons, on retrouve plantes et animaux associés dans les drapeaux de chaque province : le Yukon est symbolisé par l'épilobe à feuilles étroites, la Colombie britannique par le cornouiller (un arbuste à fruits comestibles), l'Alberta par la rose sauvage, la Saskatchewan par le lis et le Manitoba par le crocus. On trouve généralement plusieurs animaux dans les blasons : le bélier de Dall (la Colombie britannique), le castor (l'Alberta et la Saskatchewan), le caribou (la Colombie britannique, la Saskatchewan et l'Alberta), le bison (le Manitoba) et le loup (le Yukon).

◄ *Grand amateur de saumon, le grizzly (qui forme avec l'ours brun une seule et même espèce) fréquente les côtes ouest et les montagnes Rocheuses.*

Du haut de ses 90 m, le pin de Douglas domine les essences subalpines communes (le sapin, l'épicéa blanc et noir, le mélèze et l'épinette). ▼

◄ *Symbole du pouvoir fédéral américain, le pyrargue à tête blanche est un rapace diurne qui peut atteindre 2,40 m d'envergure. Pêcheur, il fréquente surtout les côtes et les rivières, notamment en octobre-novembre, lorsque les saumons remontent les cours d'eau. Trouvant du poisson toute l'année, ce rapace ne migre pas.*

Le bison est le plus gros mammifère terrestre d'Amérique du Nord (certains mâles atteignent 1 t). La chasse intensive a décimé ce bovidé qui peuplait par millions la plaine nord-américaine. ▼

◀ *L'épilobe alpestre,
dans le parc national
de Banff. De la limite
supérieure de la forêt
jusqu'au pergélisol
des régions arctiques,
la flore s'adapte aux
climats les plus rudes.*

▲ *Hauts de 2 m environ,
les ours polaires se
nourrissent de phoques
et de poissons qu'ils
chassent sur la banquise
ou en mer. En octobre, on
peut en voir déambuler à
proximité de Churchill.*

Le Canada compte
trente-sept parcs
nationaux (et de
nombreux autres parcs
provinciaux) destinés à
protéger, à préserver,
et à rendre accessible
au plus grand nombre
un patrimoine
extraordinaire. Ces
trésors naturels sont
néanmoins fragiles et
les découvrir exige
quelques précautions.
Les grizzlis fréquentent
surtout les hautes
pentes des Rocheuses
et des monts Selkirk, en
Colombie britannique.
Les campeurs qui
s'aventurent dans ces
régions doivent le
savoir, l'ours est un
superbe animal, mais sa
gourmandise peut le
rendre dangereux. Il
faut conserver la
nourriture dans un sac
hermétique et la tenir
éloignée de la tente.
L'été, sous ces latitudes,
les moustiques sont, de
loin, le plus terrible
fléau pour l'homme.
On raconte que des
randonneurs sont
devenus fous sous
l'effet de leurs
piqures. Pour
contrer ces
insectes, il existe
des produits
très
efficaces.

◀ *Cervidés au pelage
de couleur variable,
les caribous vivent en
troupeau et effectuent
de longs déplacements
entre la forêt boréale,
où ils passent l'hiver,
et les prairies de la
toundra, où ils estivent.*

*L'épilobe fleurit pendant
les longues journées
d'ensoleillement des
courts mois d'été.* ▼

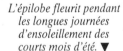

L'ALBERTA

L'Alberta est la plus occidentale mais aussi la plus prospère des trois provinces des Prairies : elle dispose en effet de terres fertiles, de sources d'énergie en abondance (pétrole, gaz et charbon), de villes animées comme Calgary ou Edmonton, sans oublier le formidable terrain de loisirs que constituent les Rocheuses.

Les Albertains font une publicité tapageuse dans le reste du pays sur les vertus de leur région, mais pour beaucoup de Canadiens, leur fierté apparaît comme de la pure vantardise à la manière américaine. Le pétrole, qui fut à l'origine du formidable décollage économique de la province dans les années 70, a été découvert en grande partie par des ingénieurs américains du Texas et de l'Oklahoma. Leur esprit d'entreprise semble avoir eu une grande influence dans la région.

WATERTON LAKES
ET LE TEMPLE MORMON

En 1920, John Lineham ne prit pas beaucoup de risques quand il fora un puits au milieu des flaques de pétrole le long du **cours du Cameron**, dans la partie sud-ouest de la province. Depuis des siècles déjà, les Indiens Kutenais exploitaient ce pétrole dont ils se servaient comme baume. Le **puits de Lineham**, le premier a avoir été creusé à l'ouest du Canada, produisit 300 barils de pétrole par jour jusqu'à ce qu'il se tarisse, quatre ans plus tard. L'emplacement de ce puits, appelé **puits de la Découverte** (Discovery Well), est marqué par un tumulus commémoratif dans le **parc national de Waterton** ㉒.

Le paysage de ce parc varie de façon brutale et passe sans transition de prairies vallonnées à des pics enneigés que surplombent des glaciers de l'ère primaire. Un bateau fait le tour du lac, permettant d'admirer ces glaciers superbement ciselés et les vallées suspendues très haut dans la paroi rocheuse. Un che-

min de randonnée serpente à travers le **canyon Red Rock**, qui est zébré de veines rouges, pourpres et jaunes dues à la présence d'oxydes dans la roche. Un autre sentier mène au **lac Cameron**. D'anciens glaciers ont laissé derrière eux une sorte de promontoire sur laquelle se dresse l'**hôtel Prince de Galles** (Prince of Wales), un bâtiment construit dans le style des grands chalets tyroliens, avec une centaine de chambres qui donnent sur la large vallée des **lacs Waterton**.

Le seul temple mormon qui existe au Canada est un édifice de granit blanc, construit en 1912 dans une prairie à **Cardston** ㉓. La ville de Cardston tient son nom de Charles Ora Card, chef de quarante familles mormones qui immigrèrent en 1887. Un centre d'informations retrace l'histoire de ce groupe, qui quitta l'Utah, en 1897, et peu après son arrivée, creusa un canal de 96 km depuis la rivière Sainte-Marie pour irriguer les champs de cette région

Carte
p. 270

Pages précédentes : les Rocheuses dominant le lac Louise. A gauche, un fermier de la Prairie.

Contemplant le calme et la majesté des lacs Waterton, les plus profonds des montagnes Rocheuses, l'hôtel Prince de Galles, et son étonnant style tyrolien. Inscrit au patrimoine universel de l'Unesco, le parc national des lacs Waterton abrite une flore très riche et quelques espèces rares comme le couguar.

semi-aride, où ils obtinrent de magnifiques récoltes de betteraves à sucre, de maïs, de pommes de terre et autres légumes.

Les immigrants américains qui, dans les années 1870, quittèrent le Montana pour troquer avec les Indiens fourrures et peaux de bison contre de l'alcool frelaté, furent moins bien accueillis. Pour mettre un terme à ce trafic et surveiller la région, la police montée canadienne bâtit, en 1874, le **fort MacLeod ㉔** et y installa une garnison. Le musée du lieu raconte la vie quotidienne de ces douaniers et expose des uniformes de parade.

Lethbridge est une ville prospère située sur un bras de la **rivière Old-man**. Certains habitants de la région prétendent que la ville reçoit plus de 4 000 heures de soleil par an, soit plus que n'importe quelle autre ville canadienne. Le climat semi-aride est égayé par le très joli **jardin du Centenaire Nikka Yuko**, aménagé en 1967 à la façon des jardins japo-

Le tombeau des premiers habitants de la Terre : le parc des Dinosaures.

nais pour commémorer les 6 000 Canadiens japonais qui y furent internés pendant la Seconde Guerre mondiale.

DRUMHELLER : SUR LES TRACES DES DINOSAURES

La région des **Badlands** (« mauvaises terres ») faisait autrefois partie d'un marais subtropical abritant une vaste aire de vie préhistorique, et elle possède aujourd'hui l'un des plus importants dépôts de fossiles de dinosaures qui soit au monde. Les plus impressionnants sont conservés le long de la **rivière Red Deer** (« du cerf »), dans le **parc provincial Dinosaure ㉕** qui a été répertorié par l'Unesco comme l'un des sites à caractère historique d'intérêt universel. Dès l'entrée du parc, le regard embrasse un vaste panorama : quelque 2 830 ha de paysage torturés par le vent et essentiellement composés de grès noueux qui forment des cheminées de fées. Une

route circulaire de 5 km donne accès à de petits circuits pédestres prévus tout du long et mène aux sites où l'on a découvert les ossements des dinosaures. Certaines parties du parc sont accessibles sous la direction de guides, en bus ou à pied.

Plus au nord, **Drumheller** ❷❻ attire tous ceux que fascine la mystérieuse préhistoire. C'est là que commence la **piste des Dinosaures** (Dinosaur Trail). Elle traverse la vallée de la Red Deer pendant 50 km, du **musée paléontologique William Tyrreil**, qui possède l'une des plus belles collections de fossiles au monde, à une vallée encaissée de 1,6 km de large et de 120 m de profondeur, vaste cimetière préhistorique où furent découverts des squelettes entiers de dinosaures. Le sentier mène ensuite à un belvédère en bordure du **canyon Horsethief** (« du voleur de chevaux »), puis redescend vers Drumheller. Un ferry, le *Bleriot*, fait passer les voitures sur la rive ouest de la Red Deer.

CALGARY, MÉTROPOLE PIMPANTE

A la fin des années 70, Pierre Trudeau avait déclaré que **Calgary** ❷❼ avait l'air aussi neuve que si elle sortait d'un emballage. Le célèbre commentaire du Premier ministre pourrait encore s'appliquer à cette jeune métropole de la Prairie, la ville la plus dynamique et la plus prospère de l'Ouest canadien. La ville s'enrichit de nouveaux gratte-ciel tous les mois et les faubourgs ne cessent d'avancer dans toutes les directions. Les habitants sont fiers de leurs bâtiments publics comme le **Performing Arts Center**, qui abrite notamment le Calgary Philarmonic et le **Saddledome**, un stade de 17 000 places où se sont déroulées les compétitions de patinage et de hockey des jeux Olympiques de 1988.

L'engorgement qui sévit dans le centre de la ville est une partie du prix à payer pour cette croissance rapide. Mais des passerelles facili-

Carte
p. 270

Le Saddledome, un stade en forme de selle à cheval, et l'architecture moderne de Calgary.

Banff tire son nom d'un comté écossais, Banffshire, lieu de naissance de deux des hommes d'affaires qui financèrent la voie ferrée transcontinentale.

Une des épreuves du Stampede.

tent la circulation des piétons. Dans le centre-ville, une quinzaine de ces voies aériennes, qui surplombent le trafic automobile de 5 m, relient les nouveaux centres commerciaux et hôtels construits en hauteur.

Dans un jardin intérieur construit en altitude appelé le **Devonian Gardens**, les employés des bureaux alentour viennent manger leur sandwich à l'heure du déjeuner au milieu de fontaines, de bassins et de 130 différentes espèces de plantes.

LES JOURNÉES DE RODÉO

C'est au début du mois de juillet que se déroule la grande fête du rodéo, le Stampede de Calgary, la plus grande manifestation de ce genre au monde. Pendant 10 jours, les habitants de la plus grande ville d'élevage bovin du Canada arborent la véritable tenue de cow-boy, Stetson et bottes de cuir aux éperons rutilants, dansent le quadrille et organisent des défilés. La plus animée des

épreuves du Stampede est une course qui oppose quatre chariots, 20 cavaliers et 32 chevaux, la course des *chuckwagon* (cuisines roulantes de cow-boys), ce qui n'est pas étonnant puisque le vainqueur empoche une bagatelle de 50 000 dollars.

On commémore également le temps des pionniers à **Heritage Park**, où on peut voir des habitats typiques du XIXe siècle, choisis dans toute la région et parfaitement reconstitués. Le **musée Glenbow**, possède une collection impressionnante d'objets indiens.

Si Calgary vous semble trop agitée, échappez-vous dans l'**île Saint-Georges**, sur la **rivière Bow**. Les amoureux de la nature et les amateurs de pique-nique pourront profiter de la forêt où sont présentées des reproductions grandeur nature de dinosaures. Le **zoo** possède plus d'un millier d'espèces animales.

Ceux qui projettent d'aller dans les montagnes pourront avoir un avant-goût des plaisirs alpestres qui

les attendent en gravissant la **tour de Calgary** qui, du haut de ses 190 m, domine la ville. A l'ouest, on aperçoit les crêtes dentelées des montagnes Rocheuses.

LE PARC NATIONAL DE BANFF : LE JOYAU DES ROCHEUSES

Le **parc provincial Kananaskis** est composé de collines, de lacs et de montagnes encapuchonnées de neige. Des pistes cyclables parcourent la forêt et les pêcheurs trouveront des dizaines de rivières où taquiner la truite. Quant aux skieurs, ils pourront s'essayer sur les pistes de **Fortress Mountain**, qui accueillirent les jeux Olympiques d'hiver de 1988. L'une des meilleures façons de profiter du parc du Kananaskis est de séjourner dans l'un des ranchs qui accueillent les touristes, comme le **Rafter Six** ou le **McKenny Homeplace Ranch**.

Le **parc national de Banff** ㉘ concentre les plus beaux paysages de montagne du pays. Fondé en 1887 dans le but de sauvegarder des sources chaudes situées juste à la sortie de l'actuelle ville de Banff, ce fut le premier parc de ce genre au Canada. La **station thermale** (Cave and Basin Centennial Centre) a ouvert juste à temps pour le centenaire du parc. Ses eaux thermales, bonnes pour la goutte et les rhumatismes, attirent beaucoup de monde. Les curistes et les baigneurs occasionnels peuvent louer des maillots de bain à l'ancienne pour piquer une tête dans ces piscines d'eau chaude. On a reconstitué la salle des bains originelle et un salon de thé sert des rafraîchissements.

Au sommet du **mont Sulphur** (accessible par téléphérique), à 2 348 m, un observatoire et un salon de thé attendent les visiteurs. Il n'est pas rare de voir les moutons des montagnes venir mendier de la nourriture auprès des consommateurs. Un téléski conduit au sommet du **mont Norquay**, d'où l'on a une vue magnifique sur le cercle des montagnes de Banff. Au-dessus de la ligne des

arbres apparaît le **Banff Springs Hotel**. Bâti dans le style des châteaux écossais, cet établissement possède 600 chambres, mais aussi des cornemuses et… des fantômes. Ses brunchs dominicaux sont très réputés. Banff a tout le charme d'une station alpine, avec ses restaurants, ses magasins d'artisanat, et surtout sa fameuse **maison du Chocolat**, sur Cascade Plaza. Pour échapper à la foule qui arpente ses trottoirs, on peut se rendre au **Banff Centre**, dans Julien Road, qui abrite le conservatoire des Beaux-Arts, de musique et d'art dramatique. Ce dernier organise un festival estival de musique, de danse et d'art lyrique.

Le **lac Louise**, qui scintille telle une émeraude avec le **glacier Victoria** pour toile de fond, est le joyau du parc. Les âmes romantiques se rendront au **château du lac Louise**, une bâtisse de style écossais, puis loueront une barque pour faire le tour du lac, tandis que les athlètes parcourront les 3 km jusqu'au **lac Agnes**, où

Carte
p. 270

Un magnifique écrin de hautes montagnes et des versants boisés rehaussent les reflets bleu émeraude des eaux du lac Peyto, dans le parc national de Banff. Cet immense parc de 45 000 km² abrite des paysages variés.

les attend un petit café perché en bordure de cascade.

La jonction de la Transcanadienne et de la Highway 93 est le point de départ de l'**Icefields Parkway**, l'une des plus belles routes de montagne du monde. Dans la **vallée Mistaya**, à seulement 40 km du lac Louise, le **lac Peyto** représente une sérieuse concurrence. Au bout d'un sentier de 1 km qui part du parking, on atteint une plate-forme qui offre une vue totalement dégagée sur le lac situé à 240 m en contrebas.

LA ROUTE PARKWAY ET LA VILLE DE JASPER

La route Parkway continue vers le nord, dans la vallée de Mistaya, puis suit le cours de la rivière Saskatchewan du nord jusqu'au point culminant des Rocheuses, le **champ de glace Columbia** (Columbia Icefield), qui est le plus grand glacier de la chaîne. On l'appelle la « mère des rivières », car il nourrit trois grands cours d'eau : la Columbia, l'Athabasca et la Saskatchewan. Le **glacier Athabasca**, l'un des douze glaciers qui se détachent du de la calotte de glace du Columbia Icefield, descend jusqu'à la Parkway. Un chasse-neige y emmène les visiteurs.

Non loin de là, le **mont Edith Cavell** mérite vraiment le coup d'œil. Il s'agit d'un dôme rocheux recouvert de neige qui transperce le glacier Angel. Au début du XIXᵉ siècle, les négociants en fourrures appelaient ce lieu « la montagne du grand carrefour ». Au lendemain de la Première Guerre mondiale, il a été rebaptisé du nom d'une infirmière britannique qui s'était distinguée par son héroïsme. Un sentier grimpe parmi les prés d'altitude, un autre serpente dans les éboulis rocheux du glacier.

Plus au nord, la promenade des Champs-de-glace pénètre dans le **parc national de Jasper** ❷⓿, le plus étendu des Rocheuses (10 878 km²). Il faut emprunter la route panora-

Ci-dessous, la grande patinoire d'Edmonton ; à droite, les gratte-ciel d'Edmonton rivalisent avec ceux de Calgary.

Carte p. 270

mique 93A, le long de la rive occidentale de la rivière Athabasca jusqu'aux chutes d'Athabasca, qui dégringolent d'une corniche de 30 m, pour dévaler ensuite dans un étroit canyon. Un chemin balisé permet de marcher le long de la gorge et d'approcher de ces cataractes.

La ville de **Jasper**, plus petite et plus calme que celle de Banff, est le point de départ d'une douzaine de circuits panoramiques pour cyclistes, automobilistes et marcheurs. Un « tramway céleste » emmène les amateurs de belles vues jusqu'au sommet rocheux du mont **Whistlers**, haut de 2 400 m, et qui doit son nom (*to whistle* signifie « siffler ») aux marmottes qui y vivent. Les jours de beau temps, on aperçoit le plus haut mont des Rocheuses, qui se dresse en solitaire à 77 km de là, en Colombie britannique : le **mont Robson**.

Plus rustique que l'hôtel Banff Springs, le **Jasper Park Lodge** est formé de cinquante chalets éparpillés le long du **lac Beauvert**. Les serveurs assurent le service dans les chalets à bicyclette, et des ours réquisitionnent parfois les pelouses. On a même vu une fois un orignal élire domicile pendant deux mois dans l'une des mares du parcours de golf.

En suivant la **vallée Maligne** (à l'est de Jasper), on découvre le spectaculaire **canyon Maligne**, où la rivière plonge dans une profonde gorge aux parois de calcaire. A une vingtaine de kilomètres, le **lac Medicine** est alimenté par des rivières souterraines. Sur la route d'Edmonton, les **Miette Hot Springs** ❸⓪ sont les sources les plus chaudes des Rocheuses. L'eau pouvant y atteindre 54 °C, on la refroidit à 39 °C avant de remplir l'énorme piscine. Pour l'hébergement, on trouve des ranchs un peu partout dans cette région, le plus connu étant le **Black Cat Guest Ranch**, sur la route nationale 40.

EDMONTON

Edmonton ❸❶, capitale de la province, est une cité richement dotée en superlatifs de toute sorte. La ville possède la grande galerie commerciale d'Amérique du Nord, le **West Edmonton Mall**, une véritable ville couverte avec 720 magasins, 52 restaurants et le plus grand parc d'attractions construit en intérieur qui existe au monde ; le **théâtre de la Citadelle** (Citadel Theatre) est le plus vaste du Canada, et le **centre des Sciences de l'Espace** (Space Science Center) abrite le plus grand planétarium du pays et le plus grand projecteur Zeiss-Jenastar du monde occidental. Sans oublier le Brick Warehouse, le magasin qui vend le plus de meubles au monde !

Si les transactions pétrolières sont effectuées par les entreprises mères de Calgary, la transformation de l'or noir en produits dérivés s'effectue à Edmonton. Les industries pétrolières sont situées sur **Refinery Row** (10 % de la production pétrochimique nationale), une galaxie scintillante de lumières, de tubages, de réservoirs géants et de flammes de gaz qui le

Sourire hâbleur, costume rutilant, ce tenancier de saloon du parc Albert's Heritage, entretient la grande tradition, et même le mythe de la conquête de l'Ouest.

Carte
p. 270

soir venu, illuminent le ciel comme dans un film de science-fiction.

Edmonton n'est pas une ville de bureaux. En fait, elle semble plus raffinée que sa rivale du sud, où les montagnes attirent plus les amateurs d'activités de plein air que les passionnés de culture. Edmonton est le siège du gouvernement provincial et abrite l'**université d'Alberta**. Elle possède un opéra, une troupe de ballet classique, un orchestre symphonique et plusieurs théâtres.

LES JOURNÉES DU KLONDIKE

En juillet, Edmonton revit pendant dix jours la fièvre de la ruée vers l'or de 1890, à l'occasion des **journées du Klondike**. Des devantures en trompe-l'œil parent les boutiques de la ville, les cafés et les bars prennent des airs de saloon, avec des tables à roulettes et des pianistes en canotier qui jouent des chansons de l'époque. D'innombrables concours mettent à l'épreuve la force et l'adresse de chacun. Plus d'une centaine d'embarcations de fortune participe au championnat mondial de Radeaux Sourdough sur la Saskatchewan du nord. Le centre de la ville devient piéton pendant ces dix jours et les Edmontonniens peuvent ainsi parader avec leur costume de l'époque du Klondike pendant la promenade du dimanche. Le meilleur bûcheron est couronné « roi du Klondike ».

Le musée de plein air situé derrière la rivière, dans le **fort Edmonton Park**, est une bonne introduction à l'histoire de la ville et de sa région. Old Strathcona, le premier quartier commerçant de la ville, a préservé, le long d'une rue étroite, quelques bâtiments du début du XXe siècle le **West Edmonton Mal** : la **vieille caserne de pompiers** (Old Firehall), l'**hôtel Strathcona** de style western et le **cinéma Klondike**. La **fondation Old Strathcona** distribue gratuitement des cartes indiquant les promenades à faire dans le quartier. Le parc accueille aussi, tous les étés, le **Fringe Theatre Event**, sorte de festival théâtral auquel participent des compagnies canadiennes, américaines et européennes.

La ville a conservé une ceinture de verdure de 16 km le long de la rivière, où l'on peut marcher, faire de la bicyclette, monter à cheval, pique-niquer ou encore participer à des excursions guidées dans les environs d'Edmonton.

Dans le **Muttart Conservatory**, quatre serres pyramidales recèlent des plantes des trois grands types de climats : désertique, tempéré et tropical. La quatrième serre contient des plantes ornementales.

La vallée abrite aussi une œuvre étonnante qui reflète le caractère exubérant des Albertains. A l'occasion du 75e anniversaire de la province, qui fut célébré en 1980, l'artiste Peter Lewis a installé des tuyaux d'arrivée d'eau au sommet de l'**High Level Bridge**. Depuis, en été, le jour de la fête nationale, il suffit d'ouvrir un robinet pour que le pont se transforme en gigantesque cascade.

En 1898, pendant la ruée vers l'or, des hommes d'affaires peu scrupuleux attirèrent en ville des chercheurs d'or en répandant des bruits concernant une piste conduisant d'Edmonton à Dawson City. En fait, celle-ci n'existait pas véritablement. Certains périrent en chemin, d'autres revinrent s'installer à Edmonton.

LA PASSION DU RODÉO

Chaque week-end d'été ou d'automne, on peut être sûr que quelque part, dans la province de l'Alberta, se déroule un rodéo. Rien de mieux donc que d'y assister pour rencontrer les habitants de l'Ouest canadien et découvrir leurs traditions. Dans les foires de province, ce sont les fermiers eux-mêmes qui s'affrontent dans les figures imposées de ce sport remuant : le « bronco-busting » (dresser un cheval sauvage), le « steer-wrestling » (monter un jeune bœuf) et le « calf-roping » (attraper un veau et le ligoter au lasso). Dans les stades des grandes villes, ces épreuves, dotées de prix alléchants, attirent des professionnels de toute l'Amérique du Nord.

Né au XVIe siècle, ce sport originaire du Mexique reproduit fidèlement les gestes que les cow-boys de toute l'Amérique accomplissent quotidiennement : capturer au lasso et dresser. Assez périlleux en soi, ces exercices obéissent à des règlements très stricts qui en augmentent le caractère acrobatique. Le cavalier qui monte un cheval sauvage n'a le droit qu'à une prise (une lanière sangle le torse de l'animal) et ne doit pas, sous peine d'élimination, prendre appui de la main restée libre sur le dos de l'animal.

Très apprécié des puristes, le « steer-wrestling » impressionne toujours les visiteurs qui le découvrent pour la première fois. Toujours d'une seule main, le compétiteur doit tenir huit longues secondes sur le dos d'un énorme taureau Bramah. Une fois l'inévitable chute survenue, il s'agit d'éviter les cornes du bovidé passablement énervé et de courir se mettre à l'abri. La seule protection du cavalier consiste en une troupe de clowns qui peuvent intervenir en courant dans l'arène... à la plus grande joie du public lorsqu'ils sont eux-mêmes chargés par l'animal et détalent se mettre à l'abri derrière les protection de bois qui entourent le corral.

Après les émotions fortes, place à la drôlerie avec le concours de traite de vaches sauvages. Moins spectaculaire, cette épreuve n'en exige pas moins de nombreuses qualités et une parfaite harmonie entre le cavalier et sa monture. En effet, le concurrent doit d'abord capturer

la vache au lasso, puis la ligoter, mais c'est le cheval qui, en maintenant la corde tendue (celle-ci est fixée au pommeau de la selle), assure l'immobilité – toute relative – de la vache et permet ainsi à son « équipier » de tirer la plus grande quantité possible de lait du malheureux animal.

Dans les grandes occasions, on peut également assister à une course de chariots. Les véhicules, mille fois vus au cinéma dans les « westerns », suivaient les troupeaux et servaient de cantine lors des haltes. Selon la tradition, le conducteur du dernier chariot arrivé en ville payait la première tournée au « saloon ». A présent, le premier concurrent à franchir la ligne d'arrivée remporte des prix allant jusqu'à 50 000 dollars. La course se dispute par série de quatre attelages à quatre chevaux. Le cocher est assisté par des équipiers qui se déplacent pour faire contrepoids et assurer la stabilité du véhicule. Les chariots effectuent huit tours de circuit puis se ruent dans un sprint final. L'étroitesse de l'anneau et le nombre de chevaux engagés expliquent les accidents spectaculaires et fréquents.

Une figure classique du rodéo.

LA SASKATCHEWAN

En 1884, avec la venue des colons, les agents fédéraux commencèrent à recenser les territoires métis dans la vallée de la Saskatchewan. Les chefs métis firent de nouveau appel à Louis Riel, qui revint au Canada pour organiser la résistance armée aux troupes canadiennes. Héros aux yeux de certains, opportuniste et ambitieux pour d'autres, ce dernier essaya par deux fois de défendre les droits de ses frères, les « sang-mêlé » (métis de mère indienne et de père français, généralement des fermiers) que la cession des terres de la Compagnie de la baie d'Hudson à l'État canadien dépossédaient de leurs exploitations. En 1869, il avait instauré un gouvernement métis provisoire au Manitoba, une expérience d'autonomie qui se termina dans le sang quand les militaires canadiens vinrent mater la rébellion. L. Riel s'enfuit au Montana où il vécut tranquillement pendant une dizaine d'années comme professeur dans une école, avant d'être rappelé par les Métis. La révolte des Métis s'acheva brutalement avec la défaite de Batoche en 1885.

La grande crise des années 30 frappa de plein fouet les Prairies, dont les habitants évoquent cette époque comme les *hungry thirties*, la « décennie de la faim ». Assez brutalement, tous les efforts consentis depuis des décennies pour exploiter cette grande région céréalière se heurtèrent à la surproduction. En quelques mois, des faillites en série réduisirent à la misère des milliers de familles rurales.

REGINA, REINE DE LA PRAIRIE

En 1905, **Regina ❶** fut désignée pour être la capitale de la province nouvellement créée de la Saskatchewan (du nom de la rivière qui, dans la langue indienne des Cris, signifie la « rivière qui tourne sur elle-même »). Les dirigeants de la ville firent endiguer le cours d'eau Wascana qui était très

boueux pour en faire un petit lac, construisirent le bâtiment du Parlement en bordure, plantèrent des arbres et parsemèrent le tout de multiples fontaines, dont l'une provient de Trafalgar Square à Londres. Le résultat de ces aménagements fut le **centre Wascana** (930 ha) qui fait figure d'oasis dans cette région dénudée. Il est possible de parcourir le parc dans un bus à étage ou de louer une barque pour 50 cents pour aller s'installer à l'ombre, dans la petite **île de Willow**. Les amoureux des oiseaux iront nourrir les oies au refuge d'oiseaux de **Wascana Waterfowl Park**, et les autres ont toujours la possibilité d'aller écouter quelque orateur au **Speaker Corner**. Dans la galerie d'art de l'**université de Regina**, on peut admirer quelques beaux exemplaires de sculpture égyptienne.

A la fin du mois de juillet, le parc Waskana est le théâtre d'un vaste pique-nique qui marque le début d'une semaine de courses hippiques et de rodéos et pendant laquelle se

Carte p. 300

A gauche, le sud-ouest de la Saskatchewan est renommé pour ses champs de blé, mais aussi pour ses grands élevages de bovins et ses rodéos.

Créée en 1873, la police montée (North West Mounted Police) est un des symboles du Canada. Mais au fil du temps, les missions de ce corps d'élite ont changé (lutte contre la drogue et le terrorisme, contre-espionnage), et ses actions, moins visibles, sont parfois contestées.

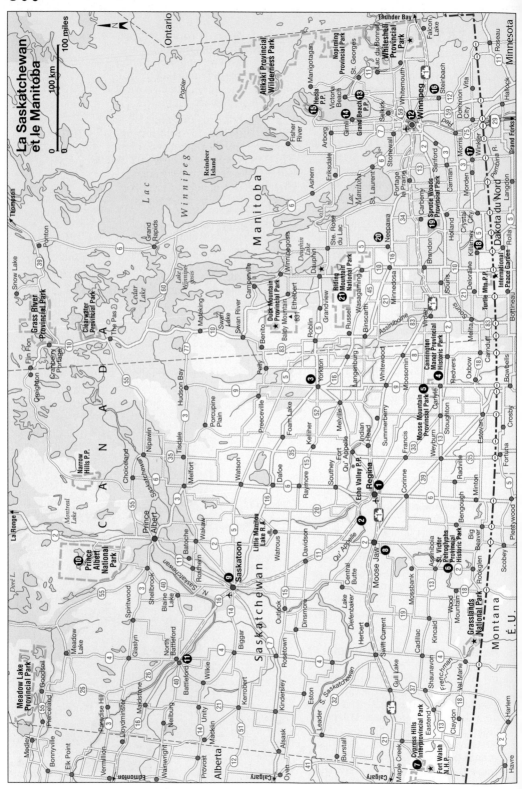

La Saskatchewan et le Manitoba

déroule une fête connue sous le nom de Buffalo Days. Dans les saloons de Regina, comme le Sheila Ann's Country Palace sur Broad Street, le *stetson* (chapeau) est de rigueur et les passages des chariots, sortis des remises pour l'occasion, plongent le public dans une ambiance de fête comme au temps du Far West et des pionniers.

De 1882 à 1920, Regina fut le quartier général de la **police montée canadienne** (Royal Canadian Mounted Police, ou parfois RCMP). Aujourd'hui, la ville héberge encore son centre d'entraînement et le **musée de la ville** (RCMP Centennial Museum) retrace les exploits légendaires de cette fameuse « gendarmerie » dont l'uniforme (veste rouge écarlate, culotte noire à bandes jaunes) trahit ses origines britanniques, sans oublier d'évoquer quelques-uns de ses ennemis jurés, comme ce Mad Trapper (le « Trappeur Fou »).

Le **musée d'Histoire naturelle de Regina**, l'un des meilleurs du Canada, présente une très bonne introduction à la faune et la flore régionales.

LE LONG DE LA RIVIÈRE QU'APPELLE

Creusée par les eaux de fonte des glaciers, la **vallée de la rivière Qu'Appelle** ❷, située au nord-ouest de Regina, se présente comme un sillon verdoyant et constitue une transition entre le relief plat de la Prairie et les ondulations des régions septentrionales. Pour bénéficier du meilleur point de vue sur la vallée, il faut emprunter la route nationale 56, qui longe les **Fishing Lakes**, quatre élargissements dans le cours de la Qu'Appelle.

Dans les **parcs provinciaux de Echo Valley** et **Katepwa**, on peut camper, pêcher, nager ou encore emprunter des sentiers qui serpentent le long de ravins boisés. On peut également se rendre à l'**atelier de poterie Hansen Ross**, ou visiter l'**église du Sacré-Cœur**, perchée sur une colline. En été, les concerts de

musique classique à l'école d'art de **Fort San** sont ouverts au public.

Les bulbes coiffant les églises au nord de la Qu'Appelle témoignent de la présence de nombreux immigrés ukrainiens dans la région. De ces premiers colons, le **Western Development Museum**, à **Yorktown** ❸, expose du mobilier à la décoration très colorée, typique du style ukrainien, avec des carreaux de céramique et des broderies, et qui contraste avec l'austérité des salons britanniques.

L'EXCENTRICITÉ BRITANNIQUE

Rien n'est plus pittoresque que ces aristocrates britanniques qui tentèrent de recréer, au beau milieu de cette prairie désertique, à **Cannington Manor** ❹, un coin de leur île natale. C'est là en effet, qu'en 1882, le capitaine Edward Pierce fonda un village de type seigneurial, où étaient élevés des chevaux pur-sang destinés à la course, où l'on chassait le blaireau avec des fox-terriers et où l'on

Carte p. 300

D'immenses troupeaux de bisons parcouraient jadis la grande plaine américaine, des Rocheuses jusqu'au Texas. Il existe deux espèces de ce puissant herbivore. L'une fréquente plutôt les forêts, l'autre, les plaines.

Construit en 1919 à quelques pas du lac Wascana, le parlement provincial est un imposant bâtiment de style Renaissance anglaise. Trente-quatre types de marbre ont été employés pour son embellissement intérieur. Cet édifice est ouvert au public.

jouait au cricket pendant que des métayers immigrés travaillaient la terre. C'est à présent un **parc historique**. Quand le chemin de fer atteignit Cannington, la colonie devint une ville fantôme. Aujourd'hui, il n'en reste plus rien, à part les maisons Maltby et Hewlett, un atelier de menuisier et l'église (All Saints Church), dont le calice fut utilisé pour servir de trophée sportif. Derrière la chapelle en bois se trouve la tombe du capitaine Pierce, enterré loin de son Angleterre chérie.

Le **parc provincial de Moose Mountain** ❺ est l'un des préférés des amateurs d'oiseaux qui peuvent y admirer de nombreuses espèces.

LE SUD DES HORS-LA-LOI ET DES FRANCOPHONES

Au début du siècle, les **Badlands du Big Muddy**, au sud de Regina, servaient de repaire à des bandits de grand chemin aux noms évocateurs, comme Bloody Knife (« Couteau Sanglant »). Les cheminées de fée, les grottes et les ravins infranchissables de ces mauvaises terres permettaient de semer facilement les poursuivants et de cacher le bétail volé de l'autre côté de la frontière américaine. Pendant deux weekends de juillet, des excursions guidées partent de **Big Beaver** et traversent les Badlands en passant devant les cachettes des hors-la-loi et devant l'emplacement d'un poste de la police montée datant de 1902.

Dans la monotonie horizontale de la prairie, les affleurements de grès sculptés par les Indiens, qui jonchent le **Saint Victor Petroglyphs Provincial Historic Parks** ❻ sont les bienvenus. Du haut de ces promontoires, s'ouvre un vaste panorama sur l'immense damier que composent les champs, et où seuls les silos à grains colorés se détachent sur l'horizon de la Prairie.

Le sud de la partie centrale de la Saskatchewan est la principale zone francophone de la province. On ne

Ci-dessous, un poste de traite des fourrures à Farewell ; à droite, à fort Walsh, une chambrée aussi disciplinée que le régiment de la police montée qui y cantonnait.

s'étonnera pas d'entendre des conversations en français dans les bars de Saint Victor. Dans la petite ville de **Willow Bunch**, perchée sur les flancs de la **Wood Mountain**, où naquit Edouard Beaupré, un géant de 2,40 m qui eut son heure de gloire au cirque Barnum. Ses vêtements et son lit sont exposés au **musée municipal**.

De l'ouest de **Gravelbourg** jusqu'aux frontières de l'Alberta, la Prairie commence à accuser un certain relief. La Wood Mountain servit de refuge à Sitting Bull et à ses guerriers sioux après la fameuse bataille de Little Big Horn, en 1876. Dans le **parc historique de Wood Mountain**, on a recréé les baraquements et le mess des officiers du poste de la police montée qui avait été construit pour surveiller les Sioux.

APRÈS LA PLAINE, LES COLLINES

Le **parc provincial des Collines-du-Cyprès ❼** (Cypress Hills Provincial Park) est l'une des rares parties du Canada occidental à ne pas avoir été recouverte par des glaciers à la période glaciaire. Les collines du parc forment une bande forestière de 96 km de long qui va jusqu'en Alberta. Cette oasis de conifères, de vallées fraîches et de collines ondulantes a toujours été un refuge pour les voyageurs fatigués par la chaleur et la sécheresse de la Prairie. Les routes du parc serpentent à travers des forêts de peupliers et de pins et des pâturages d'herbe. A **Loch Leven**, on trouve des terrains de camping, des tennis, un parcours de golf et des pistes de ski.

Fort Walsh fut construit en 1875 par la police montée du Nord-Ouest pour mettre fin au trafic de whisky qui sévissait à la frontière entre le Canada et les États-Unis. En 1944, on a reconstruit la palissade du fort et quelques-uns de ses bâtiments.

Au nord des **Collines-du-Cyprès**, on tombe sur la vieille ville de bétail de **Maple Creek**, qui somnole sous sa haie de peupliers. Dans son appa-

Monotone pour certains, magnifique pour d'autres, la plaine offre, surtout au sud de la province, un horizon plat à perte de vue.

Carte p. 300

rence du moins, c'est probablement la cité qui ressemble le plus aux bourgades qui surgirent au bon vieux temps du Far West. L'enseigne de l'hôtel, dans la rue principale, a l'air de provenir du décor d'un film de John Ford. Pour les amateurs du genre, l'**Old Timer's Museum** (« musée du bon vieux temps »), avec sa collection de fusils anciens, ses objets d'artisanat indien et sa vieille pompe à incendie, mérite une petite visite. Depuis une décennie, la fin de l'été est marquée par des rencontres poétiques (Cowboy Poetry Gathering) qui remportent un grand succès.

A l'abri d'une large vallée, **Moose Jaw ❽**, littéralement la « mâchoire d'orignal », est une petite ville tranquille au passé néanmoins tourmenté. Dans les années 20, les tripots et les maisons de passe fleurissaient dans River Street et les gangsters de Chicago venaient s'y mettre au vert quelque temps quand la police pensait trop à eux. Aujourd'hui, la principale attraction se déroule en mai,

Les granges peintes dans des couleurs vives sont l'âme des paysages de la Saskatchewan.

avec le concours musical du Kinsmen Band Competition qui attire plus de 5 000 musiciens de tout le continent. En juin, l'armée de l'air canadienne organise un meeting aérien sur sa base voisine. A quelques kilomètres de Moose Jaw, le **Western Development Museum** présente d'anciens moyens de transport : biplans, vieilles automobiles et locomotives à vapeur.

LA SOBRIÉTÉ DE SASKATOON

Il n'y a jamais eu de trafiquants d'alcool à **Saskatoon ❾**, et pour cause, la cité fut fondée en 1884 avec pour mission d'être une colonie de tempérance. Aujourd'hui, la seule chose qui reste de tant d'abnégation, c'est précisément l'avenue de la Tempérance. Le plus bel endroit de la ville sont les berges de la Saskatchewan, qui coule le long de larges bandes boisées protégées par des parcs. En été, un bateau de croisière, le Northcote, passe à proximité de l'imposant hôtel Bessborough avec ses tourelles,

de la galerie d'art et du conservatoire Mendel, ainsi que des bâtiments en pierre grise de l'université de la Saskatchewan. Celle-ci confère à Saskatoon un cachet culturel et cosmopolite. La ville compte d'ailleurs cinq troupes théâtrales et un orchestre symphonique, de nombreux restaurants, dont le Mad Mary's, le Cousin Nik's et le St Tropez Bistro.

La ville commémore la mémoire de Louis Riel d'une façon très personnelle, avec le **Louis Riel Relay Race**, une course d'aviron qui met en compétition 30 équipages de canoës. Cette compétition inaugure l'exposition Saskachimo, qui se déroule pendant une semaine au mois de juillet, et comprend des épreuves de rodéo, et de nombreuses autres attractions.

C'est au nord de Saskatoon, sur les hauteurs d'une colline dominant un méandre de la Saskatchewan du Sud, que Louis Riel établit son quartier général pendant la seconde rébellion des Métis en 1885. C'est là, à **Batoche**, que l'armée métisse fut définitivement battue à l'issue d'une bataille de quatre jours. Les seuls restes de cette ancienne capitale métisse est l'**église Saint-Antoine-de-Padoue** qui servit de quartier général à L. Riel et un presbytère criblé de balles. Au-dessus de la porte du presbytère, les impressionnants impacts de balles sont l'œuvre d'un fusil à répétition qu'un capitaine américain avait reçu l'autorisation d'essayer. A 80 km au nord-est de cette vallée de sinistre mémoire, se trouve **Prince Albert**, la porte d'accès des provinces du Grand Nord. Le **parc national du Prince Albert ⓾** comporte entre autres une réserve naturelle, où l'on trouve une grande partie de la faune canadienne.

DES PARCS ET DES FORÊTS

Le **parc national du Prince Albert** constitue une zone de transition entre la végétation des parcs, plutôt composée de trembles et d'épinettes, et la forêt boréale. Autour du **lac Waskesiu**, au centre du parc, on compte plusieurs terrains de camping

et des infrastructures touristiques. C'est également le port d'attache du fameux bateau à roue, le **Neo-Watin**, qui accomplit des promenades de plusieurs heures autour du lac. Il est enfin possible de louer des barques de pêche et des bateaux de plaisance. Le personnel du Centre de la nature initie les visiteurs à la faune et la flore du parc. Les deux sentiers de randonnée les plus populaires sont le **Mud Creek** et le **Boundary Bog** (compter une heure de marche environ pour tous les deux). Citons aussi le **Tree Bird Trail**, qui passe près d'un taillis d'arbres vieux de 150 ans, un véritable record pour une forêt sujette aux incendies.

Battleford ⓫, l'ancienne capitale des Territoires du Nord-Ouest, est située dans une zone beaucoup plus boisée que Regina. Dans le **parc historique national de Fort Battleford**, un des forts de la police montée canadienne, les anciens bâtiments ont été restaurés et sont à présent ouverts aux visiteurs.

Carte p. 300

Un silo à grains, à Mapple Creek. On dit que Saskatchewan et céréale sont synonymes; il est vrai que la province produit les deux tiers de la production nationale de céréales.

LE MANITOBA

Le voyageur qui arrive au Manitoba après avoir conduit des heures interminables à travers les forêts ontariennes, sera agréablement surpris par l'espace, les couleurs et la lumière de cette province. Et il ne pourra s'empêcher de penser : « enfin la Prairie ». Eh bien, pas tout à fait. Aux trois quarts recouverte par la forêt boréale et ses nombreux lacs, le Manitoba est resté sauvage et inhabité. Relativement ensoleillé, le sud de la province se distingue de la plaine de la Saskatchewan voisine par une grande variété de reliefs. En effet, à l'ouest du parc provincial de Whiteshell, le paysage est parsemé de monticules pierreux, il s'aplatit près de Winnipeg et devient marécageux aux alentours du lac Manitoba, pour plonger dans les vallées profondes des fleuves Pembina et Assiniboine, avant de ressurgir sur les hautes terres occidentales. Les villes et les villages sont aussi variés que les paysages, et c'est justement là que réside le charme du Manitoba. Les colons venus d'Europe ou de l'Est canadien ont fondé des villes de caractère, et non de simples lieux de ravitaillement pour les fermiers des alentours. Ils y ont ajouté leur touche nationale, qui donne un caractère unique à toutes ces villes.

WINNIPEG

Les Français fondèrent Winnipeg en 1738. L'explorateur français Pierre de la Vérendrye y construisit le fort Rouge au confluent de la **rivière Rouge** (Red River) et de l'Assiniboine, sur un terrain marécageux dont le nom indien *winni-nipi* (« eaux boueuses ») désigna ensuite la ville. Manitoba vient aussi d'un nom indien qui évoque un « grand esprit », *manito*. Parmi les fermiers écossais chassés de chez eux par la politique d'évacuation des Hautes-Terres (Highlands Clearances) et qui vinrent s'établir au Canada, en 1803, à l'initiative de lord Selkirk, certains

poussèrent jusqu'au Manitoba et fondèrent une colonie agricole (en 1812) de l'autre côté de la rivière Rouge.

Sur le site du **quartier de Saint-Boniface**, une autre colonie, composée de Français et d'Anglais, se développait parallèlement, fournissant aux compagnies de pelleterie le gros de leurs agents. Un conflit ne tarda pas à éclater entre ces deux colonies aux intérêts contradictoires. Le 19 juin 1816, des employés métis de la compagnie du Nord-Ouest massacrèrent vingt fermiers, lors d'un incident connu comme le « massacre des sept Chênes » (Seven Oaks Massacre). Apprenant la nouvelle à Montréal, lord Selkirk partit vers l'Ouest à la tête d'une armée privée de vétérans de la guerre de 1812. Il arrêta les coupables et remit sur pied sa colonie, qui prospérait malgré les inondations, les incendies de prairie et les invasions de sauterelles.

Capitale de la province, **Winnipeg** ⑫ compte 700 000 habitants, soit plus de la moitié de la population du

Carte p. 300

A gauche, une habitante de Winnipeg d'origine ukrainienne.

Le dôme du Parlement provincial coiffe un imposant bâtiment de style néoclassique. Le Golden Boy, la statue de bronze plaqué d'or placée au sommet, tient une torche qui s'allume la nuit.

La cathédrale orthodoxe ukrainienne de la Sainte-Trinité, à Winnipeg; les Ukrainiens forment la deuxième plus importante communauté nationale du Manitoba.

Festival à Winnipeg.

Manitoba, et près de 60 % avec celle de Selkirk, une ville satellite. Aucune ville canadienne n'occupe une position aussi dominante au sein de sa province.

En dépit de sa situation méridionale, Winnipeg est réputée pour son climat froid et venteux. En outre, sa position entre deux lacs (Manitoba et Winnipeg), aux confluents des rivières Rouge et Assiniboine ne permettant pas les tracés de rues trop réguliers, lui a, en partie, évité la monotonie habituelle de l'urbanisme des villes américaines. Mais sur le plan architectural, elle leur ressemble. Les zones résidentielles très vertes, d'anciens bourgs isolés, contrastent avec l'uniformité des quartiers de maisons préfabriquées construits postérieurement.

Winnipeg possède également de beaux espaces verts, comme le **parc Assiniboine** qui englobe un **zoo** et des serres tropicales, et le **parc Kildonan**, dessiné par Frederik Law Olmsted, le paysagiste à qui l'on doit

également le parc du Mont-Royal à Montréal et celui de Central Park à New York. Le parc Kildonan possède un fameux théâtre de plein air (de 2 300 places), le **Rainbow Stage**.

Chaque été, les festivals se succèdent à La Fourche (**The Forks**), la place la plus animée de la ville. Si l'on souhaite faire une promenade sur les voies navigables, il faut gagner **Marine Basin**, d'où partent toutes sortes d'embarcations.

Dans Main Street, les **maisons Seven Oaks** et **Ross**, toutes deux construites en 1850 par des commerçants de fourrure, ont été converties en musées. La douairière de la Prairie a décidé de tirer avantage de son âge en ravalant ses façades à coup de jet de sable et de polissage. Ce plan de restauration s'est essentiellement concentré dans le quartier appelé **Old Market Square Heritage District**, situé entre Main et Princess Street et William et Notre-Dame Avenue. C'est là que se trouvait le plus grand nombre de magasins et

de commerces du début du XXᵉ siècle. Mais le souvenir le plus évocateur de cette période est la **porte de l'Upper Fort Garry**, un poste construit par la Compagnie de la baie d'Hudson en 1836 qui se dresse toujours dans le **parc de l'hôtel Fort Garry**. Ce fort fut jadis le centre de la vie sociale de la colonie – fort animée si l'on croît le journal de l'un de ses membres, le docteur John Blum, rédigé vers 1840.

La prospérité économique de la ville débuta avec l'arrivée du chemin de fer, le Canadian Pacific Railway, en 1881, et des milliers d'immigrés qui l'empruntèrent. Il s'agissait d'une population composée à la fois d'Européens qui fuyaient les persécutions ou la misère, de citadins britanniques avides de terres, ou encore d'Américains qui voyaient une partie de leur propre pays se surpeupler. Tous arrivèrent au Canada par Winnipeg et beaucoup y restèrent.

Winnipeg célèbre tous les ans son héritage ethnique lors d'une grande fête qui se déroule au mois d'août, le **Folklorama**. C'est une sorte de festival à thèmes culturels. Chaque nationalité, ou chaque quartier, tient un pavillon d'exposition (au total une quarantaine), où il célèbre son appartenance nationale à travers son folklore et sa gastronomie.

PRÉSENCE UKRAINIENNE

La population ukrainienne est prédominante à Winnipeg. Les dômes en forme de bulbe d'une demi-douzaine d'églises orthodoxes se détachent dans le ciel de la ville. Le **Centre éducatif et culturel ukrainien** possède beaucoup d'objets ayant trait au folklore et à l'artisanat des pionniers qui arrivèrent d'Ukraine à la fin du XIXᵉ siècle. Le musée du Centre possède une collection d'ornements sacerdotaux du XVIIᵉ siècle, des objets liturgiques et une reconstitution d'intérieur typiquement ukrainien, avec des meubles sculptés et des céramiques peintes à la main. Il possède

Carte p. 300

L'hiver, des courses de traîneaux à chiens ont lieu chaque week-end.

également de beaux kilims et une vaste collection d'œufs de Pâques peints. Tout proche, le **musée de l'Homme et de la Nature du Manitoba** mérite également une visite. On peut y voir des fossiles d'animaux de l'ère secondaire, une exposition consacrée à la faune du Manitoba, mais surtout la reconstitution du Nonsuch, un navire de la Compagnie de la baie d'Hudson, qui, le premier, transporta des fourrures du Canada vers l'Angleterre, en 1669.

LE SOUVENIR DE LOUIS RIEL

De l'autre côté de la rivière se trouve le **quartier de Saint-Boniface**, bastion de la culture française dans l'Ouest canadien. La **cathédrale Saint-Boniface**, ancienne basilique Saint-Boniface, construite en 1908 et détruite lors d'un incendie en 1968, est aujourd'hui composée de bâtiments provisoires que masque l'ancienne façade restée debout depuis 1968. A l'ombre de la basilique, dans le cimetière, repose

Dans le sud de la province, la culture du blé domine, complétée par celle d'autres céréales et l'élevage.

Louis Riel (1844-1885), l'un des personnages les plus célèbres de tout l'Ouest canadien, qui s'illustra entre autres dans la révolte de Saskatchewan. Un **musée** aménagé dans un ancien couvent de la ville expose d'ailleurs le cercueil qui servit à transporter sa dépouille mortelle de Regina à Winnipeg, ainsi que les barreaux de la cellule où il fut emprisonné.

Longtemps le seul pôle culturel de la Prairie, Winnipeg conserve sa prédominance dans ce domaine, même si, grâce à l'argent du pétrole, Calgary ou Edmonton rattrapent leur retard. De septembre à mai, les troupes du Manitoba Opera Company et du Winnipeg Symphony Orchestra donnent des représentations au **Manitoba Theatre Centre** et des spectacles d'avant-garde au **Manitoba Warehouse Theatre**. L'ancienne station Esso dans Osborne Village abrite désormais le **Gas Station Theatre**, où, l'été, se déroulent des concerts de jazz et de musique classique plein air.

LES ENVIRONS DE WINNIPEG

Pour découvrir la nature environnante, rien ne vaut de monter à bord du **Paddlewheel Princess** ou du **Lady Winnipeg** pour descendre la rivière Rouge jusqu'au **parc national du Lower Fort Gary**. C'est le seul fort de l'époque de la traite des fourrures demeuré intact dans l'Ouest du pays.

Plus grand que le lac Ontario, le vaste **lac Winnipeg** s'étend au nord de la ville dans des zones sauvages. Des stations balnéaires bordent les rives sud du lac : **Grand Beach ⑬**, **Winnipeg Beach**, **Victoria Beach**, toutes très fréquentées mais dotées de belles étendues de sable blanc, où l'on a encore une chance de pouvoir s'isoler au calme.

Plus au nord sur la côte Ouest, une statue en fibre de verre représentant un Viking rappelle les origines islandaises de la population établie à **Gimli ⑭**. Le **Musée historique de la ville** retrace la mise en place d'une économie de la pêche sur le lac Win-nipeg par les premiers habitants de la ville. L'**île d'Hecia ⑮**, qui eut entre 1878 et 1881 le statut de République autonome de Nouvelle-Islande, fait aujourd'hui partie d'un parc provincial. Les marécages du sud de l'île servent de refuge à des bernaches canadiennes, à des oies bleues et blanches, à des cygnes siffleurs et à des pygargues à tête blanche.

Au sud de Winnipeg, une large bande de terre fertile, riche en limon et en argile entoure la ville de **Stein-bach ⑯**, dont les rues étroites et les maisons fraîchement repeintes témoignent de la persistance des valeurs des mennonites qui fondèrent la ville. Cette communauté religieuse est née au XVIIe siècle en Frise, dans le nord des Pays-Bas, puis se répandit dans plusieurs pays d'Europe du Nord, d'où certains émigrèrent au Canada. Pour ceux qui désirent en savoir davantage, un **écomusée** très intéressant a reconstitué les habitations et le mode de vie des premiers mennonites établis dans la région. Le restaurant

Carte
p. 300

A Morden, la récolte du maïs donne lieu à toutes sortes de festivités.

du musée sert des plats mennonites, et notamment d'excellentes saucisses épicées. A la sortie de Steinbach, on traverse le village de **La Broquerie**, dont le nom évoque les origines françaises et belges de ses habitants.

A l'ouest de la rivière Rouge et au sud de la frontière américaine, le **triangle de Pembina** est l'une des zones les plus fertiles de tout le continent. Abritée par des collines, cette région jouit d'un climat des plus favorables, comme l'attestent la variété des cultures et surtout la présence des seuls vergers entre Niagara et la vallée de l'Okanagan. Très attrayante avec ses grands champs de blé, la **vallée de Pembina** recèle des zones encore très isolées et, dans la partie sud-ouest, de vastes domaines. Suffisamment encaissée au lieu-dit **La Rivière** pour être descendue à ski, la vallée a été creusée par la rivière Pembina.

Au cœur de ces terres riches, la ville de **Winkler** ⓱ fut fondée par une communauté anabaptiste. On y célèbre chaque année, en août, une **fête de la Moisson** très animée, idéale pour découvrir les traditions de ces pionniers qui ont fait de la Prairie un grenier à blé.

Le petit lac et la colline boisée d'érables et de chênes qui délimitent **Killarney** ⓲ font tout son charme. Cet endroit, supposé rappeler le Kerry en Irlande, possède effectivement un parc, l'**Erin Park**, qui abrite une copie de la Blarney Stone.

Créé en 1932 à l'initiative d'un jardinier passionné, le Dr Henry Mooree, le **jardin international de la Paix** (International Peace Garden) s'étend de part et d'autre de la frontière qui sépare les États du Dakota et du Manitoba, tout près du centre géographique du continent. Les 930 ha du parc sont recouverts de fleurs et de buissons décoratifs, de fontaines, d'allées bordées de plates-bandes qui longent un ruisseau longeant la frontière internationale.

Plus au sud s'étend le désert des collines de sable de **Carberry**, une région sauvage de forêts, de plaines

A Portage la Prairie, la proximité du lac Manitoba voisin engendre de fréquents et épais brouillards.

fertiles, de verts pâturages et de douces collines qui encerclent les dunes de Bald Head. Cette région était presque inaccessible avant la création du **parc provincial Spruce Woods** . Il ne faut pas manquer d'emprunter le Spirit Hills Trail, un chemin qui serpente à travers les dunes et dont les seuls habitants sont quelques rares serpents et crapauds.

NEEPAWA ET LE MONT RIDING

La ville de **Brandon** se situe plus à l'ouest dans la vallée de l'Assiniboine. C'est la seconde ville du Manitoba. Elle est connue pour l'élégance de ses monuments publics et pour ses belles maisons du début du XXe siècle. Pour de très nombreux Canadiens, le nom de la célèbre romancière Margaret Laurence est associée à **Neepawa** ⓴, une petite ville qui se trouve à 75 km au nord-est de Brandon, sur le chemin du mont Riding. Pour s'y rendre, il faut emprunter la route nationale 10 en direction du nord, en traversant de vastes champs de blé et de seigle, entrecoupés de lacs qui attirent des milliers de canards et d'oies au moment des migrations de printemps, puis à travers la forêt toujours verte du **parc national du mont Riding** ㉑. A l'approche du parc, la première réaction est toujours de chercher la montagne, car l'élévation est très progressive. Mais, bientôt, le sommet bleuté du mont Riding et la crête tourmentée du mont Duck rompent l'uniforme déroulement de la Prairie.

Avec ses courts de tennis, son golf et ses écuries, **Wasagaming** est une villégiature des plus agréables. En faisant le tour du **lac Audy**, on pourra apercevoir un petit troupeau de bisons. Les plus aventureux ne manqueront pas de suivre les expéditions du « hurlement du loup », qui les emmèneront dans les endroits les plus retirés et les plus sauvages du parc. Pour admirer la fameuse montagne, il faut continuer sur la route 10 jusqu'à la lisière du parc, où le sommet surgit brutalement de la plaine.

Carte p. 300

Pour avoir la chance de voir des ours polaires, il faut se rendre à Churchill au mois d'octobre, quand la baie d'Hudson gèle et que les ours y chassent le phoque.

LE NORD

Composé des Territoires du Nord-Ouest, du Yukon et du Nunavut, le Nord du Canada s'étend sur une superficie de 3,9 millions de km², soit 40% du territoire Canadien. Cette immensité, dont une bonne partie se trouve au-delà du cercle polaire, n'abrite en revanche que 95 500 habitants. Et pourtant, malgré ces latitudes extrêmes, ces régions ne se réduisent pas au cliché polaire habituel : soleil de minuit, étendues glacées, végétation chétive et clairsemée, faune rare. On y trouve en effet, des montagnes, des forêts, une vie animale abondante et, bien que courte (en moyenne une vingtaine de jours), une saison chaude. De plus, dans les zones les plus hospitalières, un certain développement a vu le jour, et le tourisme y est en constante augmentation. Si le Grand Nord du Canada n'est pas un lieu de vacances pour tout le monde, il convient tout à fait à ceux qui sont à la recherche de paysages grandioses et de nature sauvage.

Les Territoires du Nord-Ouest sont divisés en trois districts : (d'ouest en est) le Mackenzie, le Franklin et le Keewatin, dont seul le premier est accessible par route (les deux principales villes des Territoires, Yellowknife et Inuvik, y sont d'ailleurs situées). Outre un début d'activité minière – un groupe australien exploite un gisement de diamant, à 300 km au nord de Yellowknife –, la région met progressivement en place quelques réseaux touristiques. La magie du Grand Nord et des régions boréales séduisent un nombre croissant de visiteurs.

Coincé entre les Territoires du Nord-Ouest et l'Alaska, le Yukon est presque entièrement montagneux. Sommets, lacs et forêts y alternent, et offrent, outre une constante beauté naturelle, tout ce qu'apprécient les amateurs de grands espaces : la randonnée (il n'existe que deux routes), l'escalade, le canoë, la pêche et, lorsque la saison s'y prête, le camping.

Territoires, et non provinces, car ces terres sont trop peu peuplées pour disposer, dans les institutions fédérales, du même statut que l'Ontario ou le Québec. En 1999, les Territoires du Nord-Ouest se divisent pour donner naissance, dans la partie est, au Nunavut, le territoire des Inuit que ceux-ci réclamaient depuis les années 70. Cette nouvelle composante de la fédération canadienne s'étend sur 219 000 km² et a pour capitale Iqaluit (en terre de Baffin).

Pages précédentes : à la frontière de la Colombie britannique et de l'Alberta, au cœur des Rocheuses, le parc national de Jasper offre une chaînes de sommets élevés (comme le mont Edith Cavell qui culmine à 3 363 m), des vallées encaissées, une faune abondante et de nombreuses pistes ; à gauche, il neige peu dans les Territoires du Nord-Ouest, mais le froid conserve de longs mois cette couche glacée.

LE YUKON

Avant 1896, cette région du Canada était tout à fait sauvage, et personne ne s'y aventurait, hormis, de façon très occasionnelle, des trappeurs et des pêcheurs de baleines. Robert Campbell voyagea dans cette région pour le compte de la Compagnie de la baie d'Hudson dans les années 1840. Et lorsqu'en 1870 il fut rattaché aux Territoires du Nord-Ouest, le Yukon demeurait une région inconnue de tous, sauf des Indiens Dene (prononcer « diné ») – ce terme générique désigne l'ensemble des tribus indiennes autochtones – et Athapaskans qui y vivaient probablement depuis 40 000 ans. On pense que les Inuit arrivèrent dans cette région plus tard, sans doute entre 8 000 et 4 000 ans av. J.-C.

LA RUÉE VERS L'OR

Soudain, en 1896, cette terre inconnue de tous et oubliée du gouvernement canadien fut littéralement envahie. De l'or, beaucoup d'or avait été découvert dans le Klondike, près de ce qui est aujourd'hui Dawson. La fièvre de l'or eut un écho dans le monde entier, mais c'est surtout des États-Unis qu'affluèrent les 80 000 hommes que compta la colonie à son apogée. Des routes furent ouvertes et des villes surgirent du sol comme par magie. A peine découvert, le précieux métal était immédiatement absorbé par ceux, plus malins, qui se contentaient de fournir aux mineurs, à prix d'or, matériel et distractions.

Venu là avec une seule motivation, s'enrichir le plus vite possible, cet étonnant groupe hétéroclite risquait volontiers sa vie pour une concession dans le Nord. Quant à sa loyauté envers la Couronne ou, tout simplement, l'autorité, elle était des plus douteuses. Dans les premiers temps, la principale ambition du gouvernement britannique fut d'apporter un peu d'ordre dans ces territoires en proie à la fièvre de l'or, ou,

tout du moins, d'y maintenir un minimum de civilisation. Mais ce contrôle n'était pas si désintéressé, puisque l'extraction aurifère lui rapportait des millions en taxes prélevées. C'est pourquoi les ministres de Sa Majesté, se rendant compte de l'importance de cette immense région, décidèrent, en 1898, de redessiner la carte du Canada, séparant le Yukon, nouvellement créé, des Territoires du Nord-Ouest.

UN PAYS DE MONTAGNES

Le Yukon fait officiellement partie des « Western Highlands » (Hautes-Terres occidentales). A la frontière est du territoire se dressent, du nord au sud, les **monts Richardson**, les **monts MacKenzie** et les **monts Logan**, qui traversent les Territoires du Nord-Ouest, de la mer de Beaufort (au nord-est) jusqu'au Grand Lac de l'Esclave (au nord de l'Alberta), en suivant la rivière MacKenzie. Dans ces montagnes, plu-

A gauche, très proche du loup, dont il est un cousin proche, le chien de traîneau fait preuve d'une très grande résistance au froid et à la fatigue.

Carte p. 320

Depuis l'Alaska Highway, qui est l'une des deux routes de la province du Yukon avec la Klondike Highway, on aperçoit les pics majestueux du parc national de Kluane.

Acrobate au pelage blanc, le mouflon de Dall fréquente les sommets escarpés.

rivières ont été creusées par d'anciens glaciers. Parmi elles, la **rivière Nahanni**, célèbre pour ses chutes, les **Virginia Falls**. Au milieu de la chaîne côtière qui domine le golfe de l'Alaska (dans l'océan Pacifique) s'élève le spectaculaire **massif Saint-Élie** (St Elias Mountains), qui possède quelques-uns des plus hauts sommets canadiens, dont le point culminant du Canada, le **mont Logan**, qui atteint 6 050 m. Cette chaîne est composée de pics souvent terminés par des glaciers, qui sont l'un des attraits du **parc de Kluane**. Outre le fait qu'elle offre des vues parmi les plus spectaculaires du monde, elle arrête les pluies en provenance du Pacifique. C'est pourquoi le centre du Yukon reçoit peu de précipitations : une moyenne inférieure à celle du Caire en Égypte. La capitale provinciale du Yukon, Whitehorse ne reçoit en moyenne par que 26 cm d'eau. Mais, c'est beaucoup plus que dans les Territoires du Nord-Ouest.

LA FLORE ET LA FAUNE DES PLATEAUX

Les monts Ogilvie, la chaîne de Dawson et les monts Pelly cernent des plateaux dont les trois principaux sont le **plateau de Peel**, celui de **Porcupine** et celui du **Yukon**. Chaque plateau porte le nom de la rivière qui le traverse. Arrosé par la rivière du Yukon, le plateau du même nom est le plus grand des trois. Même s'il reste beaucoup de glaciers dans la région, les plateaux n'ont pas été touchés par la dernière période glaciaire, et présentent pour cette raison des caractéristiques géologiques uniques en Amérique du Nord. Ainsi, la **Yukon**, contrairement aux autres rivières du Nord qui ont ressenti les effets de la dernière glaciation, coule tranquillement à travers le plateau, et son cours est dénué de toute chute ou cascade. En effet, plusieurs millénaires sans glace ont permis à la rivière de creuser son lit.

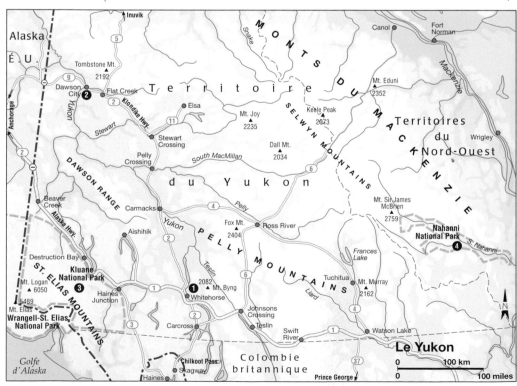

Le Yukon

Sur ces plateaux, s'élèvent de vieilles montagnes aux sommets érodés, atteignant en moyenne 1 800 m et qui, formés par l'accumulation, des millions d'années durant, de sédiments, ont plutôt l'aspect de dômes. Contrairement aux chaînes MacKenzie ou Saint-Élie qui ont été découpées par des glaciers, les montagnes du plateau du Yukon n'ont pour ainsi dire pas de sommet rocheux. Ces plateaux sont des reliques d'un âge antérieur à la dernière glaciation. C'est pourquoi, dans ces zones épargnées par le froid, mammouths et mastodontes ont survécu plus longtemps. Il est vraisemblable que ces plateaux servirent de refuge aux peuples asiatiques qui traversèrent le détroit de Béring il y a plus de 10 000 ans.

Du fait des dépôts fertiles, le Yukon possède une faune et une flore à la fois riche et variée. Très schématiquement, on peut dire qu'au sud des **monts Ogilvie**, le Yukon est couvert d'une forêt abondante et d'épaisses broussailles (épinette et sapins, associés localement au bouleau et au tremble), tandis qu'au nord s'étend la toundra avec sa végétation rabougrie ponctuée de tourbières.

La forêt a permis à de nombreuses espèces animales de se fixer dans la région. On compte notamment des renards, des rats musqués, des castors, des visons, des lynx, des orignaux, des caribous, des mouflons, des chèvres des montagnes, des grizzlis ou encore des ours noirs. Le saumon du Pacifique remonte le fleuve Yukon et ses affluents depuis **Norton Sound**. La toundra est fréquentée par une faune moins riche : le renard et le caribou relativement près de la forêt, le bœuf musqué dans l'archipel arctique. On y pense rarement, mais l'été, moustiques, mouches et autres insectes pullulent dans ces régions où abondent les eaux stagnantes et les tourbières. En juillet, c'est le principal « danger » qui menace le visiteur.

Entre les monts Mackenzie et la rivière Nahanni, le parc national de Nahanni déploie une nature somptueuse.

Le col de Chilkoot, sur la « piste fatale » à la sinistre réputation au temps de la ruée vers l'or.

Dans le lit des rivières, l'or

La formation de l'or des rivières est le résultat d'un processus d'érosion très lent. L'eau coule toujours sur la même face d'une roche, et elle en use le quartz qui contient l'or. Celui-ci finit par se détacher en morceaux, dont la taille varie de celle d'une balle de tennis à celle d'un point microscopique, qui se déposent dans le lit de la rivière.

Ce minéral précieux est resté sagement dans le fond de la Yukon pendant des milliers d'années. Jusqu'au jour où deux Indiens du Yukon, Jim Skookum et Charlie Tagish, et un Américain, Washington Carmack, en découvrirent la présence. Ce jour mémorable entre tous, le 17 août 1896, est resté le jour de la fête de la Découverte dans la province. Les trois hommes trouvèrent leur premier gisement à Rabbit Creek, et c'est là que commença leur histoire d'amour avec le Klondike. Rapidement, des milliers hommes vinrent

Riche en dépôts fertiles, le sol du Yukon a permis le développement d'une flore à la fois riche et variée. Au sud des monts Ogilvie, le territoire est couvert d'une forêt abondante qui compte des essences feuillues dont l'été indien colore la parure.

dans le Nord pour faire fortune, après avoir lu les récits des trois compagnons dans les journaux. La route que décidèrent d'emprunter certains chercheurs était plutôt bizarre. En effet, un groupe d'hommes d'affaires d'Edmonton recommandait un chemin qui traversait le cœur de l'Alberta, au relief accidenté, et la Colombie britannique. Peu de ceux qui empruntèrent ce chemin savaient que la ville de Dawson, le centre de la ruée vers l'or, se trouvait en fait à quelques milliers de kilomètres de sa trajectoire, et que ce chemin était un attrape-nigaud. Parmi ceux qui choisirent cette route, beaucoup trouvèrent la mort.

Soapy Smith et Sam Steel : les années du Klondike

Le chemin le plus conventionnel consistait à prendre le bateau à vapeur jusqu'à Skagway en Alaska, puis de passer au Yukon en traversant soit le **col de White** soit celui de **Chilkoot**. Mais, bien que ces routes fussent meilleures que l'autre, elles n'étaient pas sans danger. Le principal étant les chercheurs entre eux. A Skagway, un homme du nom de Soapy Smith avait réuni autour de lui une bande de bandits sans scrupules, qui dépouillaient les futurs prospecteurs de leurs concessions, de leur matériel et de leurs économies bien avant qu'ils n'aient pu atteindre Dawson. Des habitants de Skagway s'armèrent et finirent par chasser Soapy et ses hommes. Le gang se décomposa et Soapy ne tarda pas à être tué.

Les autorités canadiennes faisaient peu de cas des agissements des hors-la-loi. Pour toute réponse à ces hordes d'hommes qui déferlaient sur le Yukon, le gouvernement envoya 300 membres de la police montée du Nord-Ouest. Cette garnison était commandée par un homme, Sam Steele, dont le nom (« acier »), symbolisait son propre caractère et celui des forces de police.

Steele avait plusieurs tâches à accomplir. La principale consistait à rétablir l'autorité du gouvernement canadien sur les chercheurs d'or. Environ, 90 % de ceux qui venaient au Yukon étaient Américains.

Dans un second temps, Steele devait s'assurer que chaque personne qui entrait au Yukon avait suffisamment de vivres et de ressources pour tenir toute une année. Steele posta des policiers à chaque col et ordonna que toute personne désirant entrer au Yukon disposant de moins d'un millier de livres de nourriture et d'équipement soit refoulée. Toutefois, transporter l'équipement nécessaire à travers des cols situés à plus de 1 000 m était une entreprise dangereuse. En avril 1898, alors que c'était déjà le printemps, 63 personnes trouvèrent la mort dans une avalanche au col de Chilkoot.

Au cours des premières années de la ruée vers l'or, l'inflation fut un problème endémique à Dawson City. Une orange y était vendue 50 cents et une pinte de champagne 40 dollars. La quantité des marchandises offertes demeurait très insuffisante comparée au pouvoir d'achat sonnant et trébuchant qui sortait chaque jour du lit des rivière. En 1896, la production d'or s'éleva à 300 000 dollars, l'année suivante, elle dépassait les 2,5 millions de dollars ; en 1898, on sortit des entrailles de la terre pour 10 millions de dollars d'or. L'année record, 1900, la production d'or atteignit 22 millions de dollars.

LA FIN DU RÊVE

Mais, dès 1902, les gisements d'or vinrent à s'épuiser. Par ailleurs, beaucoup de grandes compagnies déclarèrent vides de nombreuses concessions et les récupérèrent pour les exploiter. Peu à peu l'extraction de l'or devint une affaire seulement accessible aux grosses entreprises et les prospecteurs indépendants de la première heure furent évincés. Leur départ entraîna la fermeture des saloons, des dancings, des bars et d'autres salles de jeux. Les jours de la « libre prospection » étaient loin. Au plus fort de la ruée vers l'or, la ville de Dawson compta jusqu'à 38 000 habitants. En 1910, on n'en recensait plus que 1 000.

L'industrie minière constitue toujours l'épine dorsale de l'économie de la province (les deux tiers de ses revenus). Quand la production d'or commença à chuter, on découvrit d'importants gisements de zinc et d'argent (des prospections ont également révélé des réserves considérables de pétrole) qui furent mis en exploitation. Mais dans une proportion très inférieure au potentiel considérable du site, essentiellement à cause des conditions climatiques, de l'éloignement des marchés et du coût très élevé du fonctionnement des installations.

DAWSON CITY ET WHITEHORSE

Au confluent des cours du Yukon et du Klondike, à 240 km au sud du cercle arctique, **Dawson ❷** est une agglomération compacte de 2 000 habitants. De la ruée vers l'or, la ville a conservé des hôtels et des restaurants luxueux. Un programme préserve et restaure ce patrimoine architectural unique. Trois lieux résument l'histoire de Dawson : le **Chief Isaac Memorial and Indian Heritage Center**, géré par les Indiens Han, le **musée** de la ville, consacré à la prospection aurifère, et le **Diamond Tooth Gertie's Gambling Hall**, reconstitution d'un saloon de la fin du XIXᵉ siècle avec piano mécanique et salle de jeu.

Établie sur les rives de la Yukon, sur la route de Fairbank (Alaska Highway), **Whitehorse ❶** et ses 24 000 habitants (parmi lesquels des Canadiens d'origines allemande, française et chinoise) est, de loin, la plus grande ville de ces régions septentrionales. Bâtie entièrement en bois, en 1900, la **Old Log Church** est le plus ancien édifice. Les **Yukon Gardens** rassemblent, sur 9 ha, un très large éventail de la faune septentrionale. On achèvera cette visite en se rendant au **Yukon Transportation Museum** qui est consacré à l'histoire des transport dans la région.

Carte p. 320

Comme tous les bâtiments d'époque restaurés de Dawson City, le Grand Theatre Palace, construit en 1899, présente une façade de style western américain.

APPRIVOISER L'HIVER

Au Québec, dit un adage populaire, il n'y a que deux saisons, l'hiver et le mois de juillet. Près de trois cent cinquante hivers ont forcé les Canadiens à adapter leur mode de vie d'origine (le plus souvent européen) aux réalités climatiques canadiennes. Mais ce passage ne s'est pas fait sans difficulté. Dans les premiers temps, le style et l'équipement des habitations (les fenêtres de papier et l'âtre dans la pièce commune entraînent de grandes déperditions de chaleur),  l'habillement (trop léger), la nourriture (ni assez riche, ni assez équilibrée), la façon de se déplacer (traîneaux et raquettes seront empruntés aux autochtones), rien ne convenait aux longs et rudes hivers qui sévissent sur presque tout le pays. En attendant l'adaptation des technologies modernes aux problèmes du froid, les Canadiens commencèrent par emprunter aux peuples autochtones les solutions qui leur permirent de survivre (l'usage de la fourrure, la connaissance du gibier, celle des produits naturels locaux). En effet, du point de vue de l'adaptation à cet environnement manifestement si peu fait pour l'homme, la culture inuit, ou celles des Amérindiens du Nord du Canada, représentent un exploit.

Progressivement, au contact de ces réalités, une culture proprement canadienne s'est forgée. Au point que les Canadiens semblent, à présent, aimer leur hiver, comme le montre leur passion pour les sports de neige ou de glace. Sans compter que l'arrivée des premiers froids coïncide avec la reprise de nombreuses activités culturelles. Dédoublés sous terre, Montréal et Toronto sont des villes dont l'urbanisme a pleinement intégré la rudesse du climat et qui gagne littéralement ses quartiers d'hiver.

Ce sont les peuples du Dorset qui inventèrent l'iglou. Cet habitat en blocs de glace, aisé et rapide à bâtir, isole du vent et des tempêtes de neige. A l'intérieur, la lumière et la chaleur sont fournies par l'huile animale. ▶

Pour les Inuit, le paysage offre mille nuances que le langage doit traduire. En langue inuit, la racine des mots rattachés à la notion de neige est « aput ». ▼

SURVIVRE DANS LE GRAND NORD

◄ Pour une véritable expédition dans le Grand Nord, le traîneau s'impose. Un attelage traditionnel se compose de 6 à 12 chiens (huskies sibériens, malamutes ou samoyèdes) et parcourt 30 à 60 km par jour.

◄ A côté de la motoneige (une invention canadienne) qui convient bien aux régions très enneigées, se développent de nouveau moyens de déplacement. Mais les mécaniques restent très fragiles sous ces latitudes.

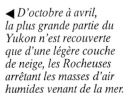

◄ D'octobre à avril, la plus grande partie du Yukon n'est recouverte que d'une légère couche de neige, les Rocheuses arrêtant les masses d'air humides venant de la mer.

Dans l'Arctique, en juillet, les glaces essaiment encore le long des côtes, retardant le réchauffement. Et aucun mois d'été n'est exempt de gelées. ▼

Ancêtres directs des Inuit, les gens de Thulé élaborèrent le mode de vie fondé sur la chasse des mammifères marins. Avec celle du caribou (seulement pratiquée l'été), cette activité surtout masculine occupait une grande partie de l'année. La cueillette des baies ainsi que la pêche des petits poissons sur la banquise revenaient aux femmes. Les chasseurs disposaient d'arcs, de flèches, de lances et de harpons. Pour fabriquer ces armes, ainsi que des outils, ils perçaient avec un foret à arc et creusaient avec une herminette. Ainsi, ils réalisaient des couteaux semi-lunaires et à double tranchant, en corne ou en ivoire, des aiguilles d'os, des fils de tendon de caribou. Pour le feu, ils employaient du silex et des pyrites. Les Inuit utilisaient quotidiennement des seaux, des gobelets et des gourdes en peau, des plats de bois, des tendons tressés et des marmites de stéatite.

◄ En janvier, les habitants d'Inuvik célèbrent le retour du soleil. Chaque année, la Yukon Quest 1000 Mile réunit les meilleurs spécialistes du traîneau pendant tout le mois de février, de Whitehorse jusqu'en Alaska, sur les traces des chercheurs d'or.

LES TERRITOIRES DU NORD-OUEST

Pour beaucoup, y compris pour certains Canadiens, les Territoires du Nord-Ouest sont des terres inconnues. Ils imaginent de vastes étendues de glace, avec des iglous pour unique relief et des ours polaires pour seuls habitants. Or, tout au contraire, il existe, dans ces régions, une grande variété de paysages et la faune y est assez abondante. Et, le mystère de ces terres fait de celui qui les visite plus qu'un simple touriste, un véritable explorateur.

Au sud, les Territoires du Nord-Ouest sont bordés par le 60ᵉ parallèle et s'étendent sur 3 400 km en direction du pôle Nord. D'est en ouest, cette vaste région, peuplée de seulement 64 000 habitants, s'étire sur 4 260 km. Si l'histoire humaine de ces territoires est succincte, en revanche, leur histoire géophysique tient du roman-fleuve !

LES TRACES DE LA DERNIÈRE GLACIATION

La fin de la dernière glaciation dans cette région se situe il y a 10 000 ans. Cette période glaciaire, appelée pléistocène, qui débuta il y a deux à quatre millions d'années, a laissé des dépôts morainiques et alluvionnaires. En s'aventurant au nord, au-delà de la ligne des arbres, on aperçoit la toundra où il fait si froid que la végétation se fait naine, et où les traces laissées par les différents bouleversements géologiques au cours des siècles sont facilement visibles à l'œil nu.

Le principal héritage de cette période glaciaire sont les milliers de rivières et de lacs qui couvrent plus de la moitié des Territoires du Nord-Ouest. Beaucoup de ces rivières, notamment dans le delta de Mac-Kenzie, ont été creusées par les glaciers et sont alimentées par l'écoulement des eaux de fonte. Dans les régions montagneuses de l'Est, à mesure que les glaciers se retiraient sous l'effet du réchauffement du climat, le sol s'est soulevé et certaines failles se sont transformées en lacs. On peut observer le même phénomène en terre de Baffin, où l'on trouve des lacs à seulement 180 m au-dessus du niveau dc la mer.

Contrairement aux idée reçues, le Grand Nord canadien n'est pas enseveli sous des tonnes de neige. La moyenne annuelle des précipitations dans les régions est ct ouest de l'Arctique est de 300 mm, soit l'équivalent d'une seule tempête de neige à Montréal. Cependant, il est vrai que, pendant les longs mois d'hiver, le soleil ne brille que quelques heures, ce qui ne permet pas à la neige de fondre avant le printemps. Curieusement, ces régions seraient privées d'eau douce si le froid n'en empêchait pas l'évaporation.

Les températures peuvent être glaciales. Les plus bas records sont légendaires. Dans la commune de **Hay River**, dans le delta de Mac-Kenzie, les températures moyennes pour janvier sont de -25 °C. A Eureka, les températures tombent souvent à - 36 °C. Mais c'est à Snag qu'a été enregistrée la température la plus basse : - 63 °C. Cependant, plus que le froid, ce que redoutent les habitants de ces contrées, c'est le blizzard qui l'accompagne. En été, en revanche, quand le soleil brille vingt heures par jour, les températures, dans le détroit de MacKenzie, montent entre 16 °C et 23 °C (et parfois davantage), conditions idéales pour faire de la marche ou pour camper.

UNE FAUNE ABONDANTE ET VARIÉE

Si les Territoires du Nord-Ouest reçoivent assez peu de visiteurs, en revanche, ils accueillent 12 % de la population aviaire d'Amérique du Nord pendant les mois d'été. Parmi les 80 espèces d'oiseaux recensées, presque toutes sont des migrateurs. Certains spécialistes affirment que, si les oiseaux sont attirés vers le Nord, c'est en raison de l'absence de

Carte p. 328

A gauche, un Inuit. La population des Territoires du Nord-Ouest comprend 23 000 Inuit, 10 000 Dene, 45 000 Métis et 25 000 Canadiens « non autochtones ».

prédateurs naturels. On aperçoit, entre autres, des *chickadees*, des geais, des piverts, des becs-croisés, et bien d'autres encore.

Dans la forêt, où le climat est plus clément et où les arbres offrent plus de protection contre les éléments naturels, on trouve des orignaux, des castors, des fouines, des rats musqués, des renards rouges, des loups argentés, des grizzlis, des bisons, des caribous, des cerfs, etc. Au nord, le long des côtes, commence le domaine des ours polaires, des phoques et des morses. Plus au nord, **Melville Island** abrite un curieux habitant, le bœuf musqué, reconnaissable à ses longs poils.

UN MILIEU NATUREL FRAGILE

Un des aspects les plus remarquables de la toundra est que la survie animale y dépend d'un sol dont la couche la plus importante, le pergélisol, ou *permafrost* (entre 30 et 300 m de profondeur), dont l'âge et l'origine sont controversés, reste gelé en permanence et empêche le développement du système radiculaire des végétaux. Mais si, durant les deux à trois mois d'été, les rayons rasants du soleil ne parviennent à réchauffer que les couches superficielles (en général de 20 à 30 cm, mais jusqu'à 60 cm sur les pentes exposées au soleil) de la terre, l'allongement extrême des journées et la tiédeur relative suffisent à la croissance de petits organismes comme les cryptogames (mousses et lichens), les graminées, les éricacés (arbrisseaux semblables à la bruyère), les saules et les bouleaux nains.

En été, une multitude de plantes à fleur (dont les plus répandues sont le myosotis des Alpes, le pavot arctique, le géranium sauvage, l'aster, le lupin boréal, le rhododendron de Laponie) parsèment le sol de leurs couleurs délicates. Pour résister aux basses températures et au terrible vent de l'Arctique, tous ces végétaux

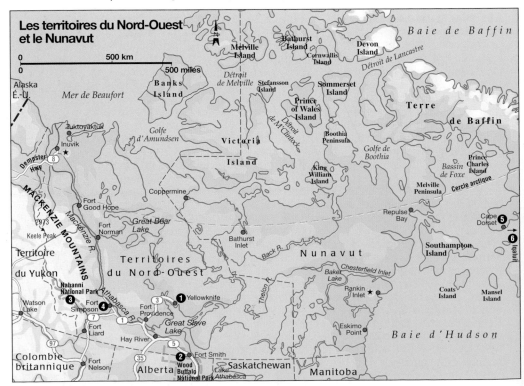

Les territoires du Nord-Ouest et le Nunavut

doivent se développer au ras du sol, dans les zones les plus chaudes et les mieux abritées. Les fleurs de certaines plantes, comme le pavot arctique, sont de véritables radars. Elles suivent le mouvement du soleil dans le ciel et leur forme parabolique réfléchit la chaleur de l'astre sur les graines en plein développement. La température interne de la fleur peut être supérieure de 10 °C à celle de l'air.

Pour fragile qu'il soit, ce biotope est indispensable à l'ensemble de l'écosystème arctique, des herbivores (lièvre arctique, lemming d'Ungaya) aux prédateurs (renard arctique). Ce système opère une sélection rigoureuse dans chaque espèce dont le nombre ne doit pas croître à l'excès sous peine de déséquilibre. Dès lors, si en raison d'une trop grande fréquentation de ces régions, une partie du maigre couvert végétal disparaissait, c'est toute la chaîne alimentaire qui en serait bouleversée, et si à son tour la population de l'une des espèces varie trop brutalement, c'est l'ensemble de la faune et du milieu en général qui est menacé.

A LA RECHERCHE DU PASSAGE DU NORD-OUEST

Vers l'an mil, les Vikings furent les premiers Européens à reconnaître les côtes des Territoires du Nord-Ouest. Cinq siècles plus tard, l'hypothèse selon laquelle la Terre est une sphère amena géographes et navigateurs à supposer qu'en faisant voile vers l'Ouest, on atteindrait sûrement l'Extrême-Orient – les Indes ou la Chine – et ses richesses. Une fois le continent américain découvert, certains pensèrent qu'un passage situé au nord-ouest devait épargner de le contourner. Et, en outre, ces terres septentrionales pourraient, elles-mêmes, recéler de l'or.

Dès 1524, Français, Anglais, Hollandais, Espagnols se lancèrent dans l'aventure. Aucun ne découvrit

Carte p. 328

L'ours noir, une rencontre fréquente dans les Territoires du Nord-Ouest.

jamais le fameux passage, mais la carte de ces régions se précisa, comme en témoigne la toponymie de ces lieux, qui se lit comme un livre d'histoire. Le navigateur anglais William Baffin (1584-1622) découvrit la terre qui porte son nom. Son compatriote Henry Hudson (1550-1661) donna le sien à un détroit et à une baie. Mus également par des motifs commerciaux (la traite des fourrures et ses profits), d'autres tentèrent l'aventure par la terre. L'un des pionniers dans ce domaine fut Alexandre MacKenzie, qui descendit en 1789 le cours de la rivière qui porte son nom, sur toute sa longueur (soit 4 120 km), dans l'espoir qu'elle le mènerait à l'océan Pacifique. En fait, elle le conduisit jusqu'à l'océan Arctique !

Bien que, sur le plan économique, cette région se soit révélée de peu d'intérêt, elle constitua cependant une attraction majeure dans l'Angleterre du XIXᵉ siècle, à la fois romantique et dévorée de curiosité scientifique. A bien des égards, cette période d'exploration de l'Arctique a pu être rapprochée des temps forts de la conquête de la Lune. Le gouvernement britannique de l'époque alla jusqu'à promettre des récompenses à ceux qui trouveraient cette fameuse route du Nord vers l'Orient, ou qui découvriraient le pôle Nord.

John Franklin (1786-1847) risqua sa vie de nombreuses fois au cours de ses voyages pour mettre au point la cartographie des côtes de l'Arctique. En 1848, il quitta l'Angleterre avec 129 hommes et deux bateaux, dans l'espoir de trouver la route. Malheureusement, ils furent bloqués par la glace dans le détroit de Victoria pendant plus de deux ans. En 1850, on envoya plusieurs expéditions à leur recherche. Pendant des années, on retrouva, le long des côtes, livres, vêtements et carnets de bord, mais des 129 marins et de John Franklin, on ne retrouva jamais trace. Et c'est finalement un Norvé-

La toundra se développe là où prévalent un climat rude, des températures basses et des vents violents ; les plantes disposent d'une très courte belle saison pour compléter leur cycle végétal.

Carte p. 328

gien, Roald Amundsen, qui, le premier, en 1906, réussit à passer d'un océan à l'autre. Depuis, d'autres ont réussi cette traversée, mais presque toujours à bord de puissants vaisseaux de guerre. Aujourd'hui, cette route, très peu fréquentée, ne l'est qu'à l'extrême fin de l'été.

VOYAGER DANS LE GRAND NORD AUJOURD'HUI

Bien que ce ne soit jamais facile dans ces régions hostiles, il est à présent beaucoup moins risqué de voyager dans les Territoires du Nord-Ouest. Avec la mise en œuvre de lignes aériennes (et les taxis aériens assurés par des hydravions) sûres et régulières, les principales destinations touristiques – Yellowknife, Fort Providence et le fleuve Mackenzie, les parcs nationaux de Nahanni et de Wood Buffalo – sont devenus beaucoup plus accessibles. Deux compagnies d'autocars, Greyhound Bus Lines, qui assure la liaison Edmonton-Yellowknife, et Frontier Coachlines, qui fait des trajets plus courts dans la région de Yellowknife, proposent des tarifs intéressants.

En voiture, seul le district de Mackenzie est accessible (depuis l'Alberta) et la plupart des routes sont simplement couvertes de gravier. Elles relient les grandes « villes » comme Yellowknife, **Hay River**, **Fort Smith**, **Inuvik** et **Tuktoyuktuk** avec l'extérieur. Si le voyage est relativement reposant car il y a très peu de circulation, il est cependant tout à fait probable de croiser un caribou ou un orignal, et il faut rester vigilant. D'ailleurs, la **route Dempster** (Dempster Highway) est parfois interdite à la circulation au moment des migrations annuelles des cerfs et des caribous (en automne et au printemps).

L'HÉBERGEMENT DANS LES TERRITOIRES

Un séjour dans le Grand Nord est toujours une bonne occasion de se familiariser avec les conditions de vie de régions encore sauvages. Mais, si les capacités d'accueil sont réduites, et jamais de grand luxe, il existe des hôtels relativement modernes et confortables dans les principaux centres urbains comme Yellowknife ou Inuvik. Yellowknife possède même un parcours de golf.

Dans l'ouest des Territoires du Nord-Ouest, c'est-à-dire dans la région qui s'étend du **Grand Lac de l'Ours** (Great Bear Lake) au **Grand Lac des Esclaves** (Great Slave Lake) et jusqu'à Inuvik, de nombreux tours organisés s'éloignent des agglomérations pour plonger en pleine nature. Au-dessous de la ligne des arbres, il est possible faire des excursions en canoë de fin mai à mi-septembre. Dans la toundra, la majorité des excursions ont lieu de mi-juin à mi-août. Depuis quelque temps, des randonnées à ski de fond sont organisées pour permettre aux touristes d'assister au mouvement de migration des caribous. Les parti-

L'un des spectacles les plus célèbres des terres septentrionales, le soleil de minuit. Au pays des jours sans fin, ce phénomène, qui se produit du début du mois de juin au début du mois de juillet, plonge les solitudes hyperboréales dans une clarté crépusculaire.

Carte
p. 328

cipants sont conduits par avion jusqu'à un camp de base, d'où ils partent à ski sur les vastes étendues gelées.

LES PARCS NATIONAUX

Dans la partie la plus occidentale des Territoires du Nord-Ouest s'étendent deux superbes parcs nationaux.

Le **parc national Wood Buffalo ❷**, qui est à cheval sur la frontière entre les Territoires et l'Alberta, fut fondé en 1922 pour protéger le dernier troupeau de bisons des bois du continent. Grâce à l'introduction de bisons des prairies, le troupeau compte à présent 4 000 têtes. Lorsqu'on est de passage dans ce parc, on donc a toutes les chances d'en voir. Le Wood Buffalo est aussi l'un des plus grands parcs du monde et alterne sur 45 000 km^2 de beaux paysages de forêts, de prairies et de petits étangs. Par endroits, la plaine présente d'importants affleurements

Sculpture inuit,
Yellowknife.

A droite,
un chasseur
inuit.
Une
connaissance
parfaite du
milieu arctique
s'impose pour
s'aventurer sur
les étendues
d'eau et de
glace en
constante
évolution.

de sel dus à des sources d'eau très salée.

Perdu au sud-ouest des Territoires, près de la frontière du Yukon, le magnifique **parc national de Nahanni ❸** est inscrit sur la liste du patrimoine de l'Unesco et attire des visiteurs du monde entier. La région, également connue sous le nom de Deh Cho, était habitée jadis par un peuple mystérieux appelé Nahaa ou Nahanni. Le parc est un petit paradis pour les ornithologues ; de nombreuses espèces d'oiseaux y ont été recensées dont le pélican blanc, le faucon pèlerin, la grue du Canada et le cygne-trompette. Mais il abrite aussi une belle nature intacte, de magnifiques gorges creusées par les eaux turbulentes de la South Nahanni River, des grottes et des sources chaudes. Les amateurs de canoë pourront descendre la rivière jusqu'aux **chutes de Virginia** qui, hautes de 90 m, sont deux fois plus grandes que celles du Niagara.

Par la route, comme par les airs, l'accès au parc se fait par **Fort Simpson ❹**. Cette bourgade de 1 200 habitants, en majorité des Indiens Dene, possède un bureau d'informations touristiques et un hôtel-restaurant. C'est en général de Fort Simpson que partent les expéditions en canoë sur le Mackenzie.

Avec environ 16 000 habitants, **Yellowknife ❶** est de loin la principale agglomération des Territoires du Nord-Ouest. La ville tire son nom (« couteau jaune ») des lames de cuivre dont se servaient les Indiens autochtones. Centre administratif et commercial, Yellowknife est également le point de départ de la plupart des activités touristiques organisées dans l'ouest des Territoires.

A cette latitude, le **théâtre Globe** a un charme un peu irréel. Il est installé dans le **centre culturel**, dont les spectacles théâtraux et musicaux ont la réputation d'être de qualité. Dominant le lac Frame, le **Prince of Walles Cultural Heritage Centre** conserve de très belles collections d'artisanat inuit, dene et métis.

Carte
p. 328

LE NUNAVUT

Avec ses chapelets d'îles et ses archipels où la glace abolit la frontière entre la terre et l'eau, l'Est arctique est resté ignoré du tourisme jusqu'à l'ère de l'aviation. En avril 1999, cette partie orientale des Territoires du Nord-Ouest est devenue le Nunavut (« notre pays » en langue inuit). La création de ce territoire répondait aux revendications des Inuit, non seulement en leur restituant la propriété du pays de leurs ancêtres, mais encore en leur donnant un droit de veto sur le mode de développement économique et l'exploitation des ressources naturelles. Le dernier en date des territoires canadiens est aussi le plus vaste : il occupe un cinquième de la superficie du Canada, de la pointe est de la terre de Baffin à la rive occidentale de la mer de Beaufort, et s'étend sur trois fuseaux horaires.

Les voyagistes spécialisés dans les raids d'aventure ont fait des plateaux et des montagnes pelées du Nunavut une destination privilégiée. Mais si le tourisme est ici l'une des principales ressources économiques, il n'en est pas moins rigoureusement encadré car les Inuit, qui représentent 85 % de la population du territoire, tiennent à protéger leur environnement et leur identité culturelle. De nombreuses activités sont organisées : initiation à la construction d'iglous et à la course de chiens d'attelage, observation d'ours polaires et excursions en mer à la découverte du narval, curieux cétacé qui, armé d'une longue dent en forme d'épée (elle peut dépasser 1,50 m), fut longtemps assimilé à la légendaire licorne.

Avec seulement 26 agglomérations, dont la plus importante, la capitale Iqaluit, compte moins de 4 500 âmes, le Nunavut offre des perspectives exaltantes aux amoureux des grands espaces vierges mais reste une destination chère et difficile d'accès : en l'absence de routes – à l'exception d'un tronçon de 21 km reliant Arctic Bay à Nanisivik, au nord-ouest de la terre de Baffin –, les petits avions des lignes locales, la motoneige et le traîneau à chiens sont les seuls moyens de transport.

Dans ce pays situé en majeure partie par delà le cercle polaire et au-dessus de la limite des forêts, les visiteurs sont plus nombreux durant les deux à trois mois d'été, où les températures avoisinent les 12 °C, et où le soleil ne se couche pas. Mais on peut aussi s'enhardir à braver l'hiver arctique, au cours duquel le thermomètre descend couramment jusqu'à – 45 °C, pour assister au spectacle des aurores boréales ou accompagner des Inuit lors de la traditionnelle chasse au phoque sur la banquise.

BAKER LAKE ET BATHURST INLET

À l'est, au fond d'un fjord de la baie d'Hudson, près du lac Baker, la communauté de **Qamani'tuaq** (« l'élargissement du fleuve »), ancienne Baker Lake, occupe le centre géographique du Canada. Berceau très ancien de la

Ci-dessous, objet d'art inuit.

Ce masque miniature en ivoire provient de la civilisation du Dorset, qui s'établit dans la baie d'Hudson, environ un millier d'années av. J.-C. Cet objet avait probablement une fonction liée à des rites chamaniques.

population inuit, c'est un centre artisanal et culturel très vivant, réputé pour ses figurines sculptées dans la pierre de savon et ses panneaux tissés à motifs traditionnels.

Au nord-ouest, **Bathurst Inlet** est également réputé pour être un très ancien site inuit. Alentour, la côte Arctique est particulièrement belle l'été, lorsque la toundra se couvre de mille et une fleurs aux couleurs délicates. Caribous, bœufs musqués, oiseaux divers font de cette partie du littoral une destination très appréciée des naturalistes et des photographes tandis que les amateurs de pêche viennent y taquiner l'omble chevalier.

LES ÎLES DU TOIT DU MONDE

Avec ses quelque 450 000 km², la **terre de Baffin** (Baffin Island) est la plus grande île de l'archipel Arctique. C'est aussi l'un des plus anciens foyers de civilisation nordiques. Sur la côte sud-ouest, près de **Cape Dorset ❺**, on a découvert des vestiges datant de plus de mille ans. Cette petite ville est aujourd'hui le centre de diffusion de l'art inuit contemporain. Depuis le début des années 1950, l'**Eastern Baffin Co-op** assure la promotion de cet art qui, pour être moderne, n'est pas pour autant coupé de ses racines : tableaux et gravures expriment une vision cosmogonique de l'univers. Des randonnées à pied ou à ski, avec des accompagnateurs, sont proposées.

Au sud-est, **Iqaluit ❻**, « le lieu du poisson », ancienne Frobisher Bay, est située au fond d'une profonde échancrure du littoral. La ville a retrouvé son nom inuit originel en 1986 et est devenue la capitale du Nunavut en 1999. Présent et passé se croisent dans cet autre haut lieu de l'héritage inuit où des sentiers de randonnée balisés longent d'antiques cairns érigés voici plus de mille ans… Des belvédères permettent d'observer des éléphants de mer et des baleines que les bancs de plancton, de crevettes et de poissons attirent le long de la frange côtière, en particulier lors des migrations printanières. Iqaluit est aussi la base de départ des excursions – obligatoirement guidées – par delà le cercle polaire, au **parc national d'Auyuittuq** dont les fjords s'enfoncent entre des à-pics de plus de 2 000 m. On y a une vue extraordinaire sur le plus grand glacier de l'île, **Penney Ice Cape**, qui déploie sa masse étincelante sur plus de 5 000 km².

A l'ouest, de l'autre côté de la péninsule de Boothia, l'**île du Roi-Guillaume** (King William Island) abrite le **Northwest Passage Historic Park**, où des chemins de randonnée partent sur les pas des grands explorateurs, de John Davis à Roald Amundsen.

Tout au nord, enfin, frôlant le Groenland, la plus grande et la plus septentrionale des Queen Elisabeth Islands abrite l'**Ellesmere Island National Park** qui fait découvrir l'été arctique dans toute sa splendeur et procure la sensation unique de se trouver tout près du toit du monde.

Page suivante : oie du Canada. Ci-dessous, glacier de la terre de Baffin.

A l'origine réservé au relief alpin, le terme de glacier s'est généralisé et s'est aussi appliqué aux réservoirs de glace de la région polaire. Les glaciers de la terre de Baffin se déplacent jusqu'à la mer, érodant les vallées, entaillant le rivage de nombreux fjords. Chaque année, alimentés en amont par de nouvelles couches de neige durcie, ils libèrent dans la mer d'énormes icebergs.

INFORMATIONS PRATIQUES

AVANT LE DÉPART

PASSEPORT ET VISA

Pour entrer au Canada et y séjourner moins de 3 mois, les ressortissants de l'Union européenne, munis d'un passeport en cours de validité, n'ont pas besoin de visa.

Une prolongation de trois mois est possible, à condition de se procurer un billet de retour et de justifier de moyens pour financer le séjour. Des dispositions particulières concernent les étudiants et les hommes d'affaires.

SANTÉ

Aucun vaccin n'est obligatoire. Cependant, des malaises peuvent survenir, en raison de conditions climatiques extrêmes dans certaines régions. Le service d'urgence des hôpitaux résoudra la majorité des problèmes. En cas de difficulté en ville, composer le *911* ; ailleurs, composer le *0*.

Pour un séjour prolongé, il est conseillé de contracter une assurance maladie-accident.

QUAND PARTIR ET QUE FAUT-IL EMPORTER ?

La meilleure saison pour partir au Canada reste l'été quand la moyenne des températures atteint environ 25°C. En juillet et en août, le mercure peut monter jusqu'à 30°C dans la Prairie et dans le sud de l'Ontario. Dans le Canada septentrional, les températures estivales avoisinent 15°C le jour et peuvent tomber jusqu'à 0°C la nuit.

En été, les orages sont fréquents. Des vêtements abritant de la pluie et du vent sont indispensables. Une protection contre les insectes sera fort utile, car les moustiques et les petites mouches noires pullulent et leurs piqûres sont pénibles.

La rigueur des hivers canadiens est souvent supportable, contrairement à la légende. Les moyennes hivernales s'échelonnent entre - 5°C et + 10°C, des provinces maritimes au sud de l'Ontario. Le froid est plus intense, du Québec septentrional aux montagnes Rocheuses, avec des températures allant de - 18°C à - 5°C. Les extrêmes concernent le Yukon et les Territoires du Nord-Ouest, où le mercure peut descendre jusqu'à - 40°C. Les températures annoncées sont prises sous abri. Il va sans dire que la présence de vent est un facteur aggravant et peut les faire chuter de plus de 20°C. Pour faire du ski, du motoneige, de la randonnée pédestre ou passer du temps dehors, en hiver, des vêtements chauds sont nécessaires, en plusieurs épaisseurs légères et interchangeables, afin de maintenir la chaleur et la liberté de mouvement.

Les chutes de neige sont importantes dans tout le Canada, à l'exception de la Nouvelle-Écosse et du sud de l'Ontario. Les skieurs prennent le chemin des pistes dès la fin de novembre. Il n'est pas besoin d'aller bien loin : en hiver, les golfs, même installés dans les villes, sont utilisés comme pistes de ski. La neige tient jusqu'en avril, et même jusqu'en mai dans certaines régions, notamment à Banff et à Jasper, dans les montagnes Rocheuses.

Baignée par les courants chauds du Pacifique, la côte sud de la Colombie britannique bénéficie d'hivers doux et pratiquement sans gel.

AMBASSADES DU CANADA

France
35, avenue Montaigne, 75008 Paris,
tél. 01 44 43 29 94, www.amb-canada.fr
Belgique
2, avenue de Tervuren, 1040 Bruxelles,
tél. (2) 741 06 11, fax (2) 741 07 42
Suisse
Kirchenfeldstrasse 88, 3005 Bern,
tél. (031) 357 32 00, www.canada-ambassade.ch

POUR DE PLUS AMPLES RENSEIGNEMENTS

France

Commission canadienne du tourisme
www.voyagecanada.fr
Centre culturel canadien
5, rue de Constantine, 75007 Paris,
tél. 01 44 43 21 90
Ouvert du mardi au vendredi de 10 h à 18 h, le samedi de 14 h à 18 h ; nocturne le jeudi jusqu'à 21 h.
Association France-Québec
24, rue Modigliani, 75015 Paris,
tél. 01 45 54 35 37, www.france-quebec.asso.fr
Amitiés acadiennes
2, rue Ferdinand-Fabre, 75015 Paris,
tél. 01 48 56 16 16
Ouvert du mardi au vendredi de 10 h 30 à 17 h 30.
Abbey Bookshop
29, rue de la Parcheminerie, 75005 Paris,
tél. 01 46 33 16 24, abbooshop@wanadoo.fr,
http://ourworld.compuserve-com/homepages/abparis
Librairie du Québec
30, rue Gay-Lussac 75005 Paris,
tél. 01 43 54 49 02

Belgique

Délégation générale du Québec
46, avenue des Arts, 1040 Bruxelles,
tél. (2) 512 00 36

ALLER AU CANADA

EN AVION

Les principales compagnies aériennes internationales desservent quotidiennement Montréal et Toronto, avant d'atteindre d'autres destinations.

Compagnies aériennes
Renseignements et réservations :
Air Canada
Tél. 0 825 880 881, www.aircanada.ca
Air France
Tél. 0 820 820 820
British Airways
Tél. 0 825 825 400, www.ba.com
Swiss
Tél. 0 820 040 506

Tour-opérateurs
Parmi les nombreux professionnels programmant le Canada, certains sont des généralistes, tels que :
Kuoni
79, rue de Rivoli, 75001 Paris,
tél. 01 40 26 43 11
Nouvelles Frontières
87, boulevard de Grenelle, 75015 Paris,
tél. 08 33 33 33 33
Pacific Holidays
34, avenue du Général-Leclerc, 75014 Paris,
tél. 01 45 41 52 58
Voyageurs du monde
55, rue Sainte-Anne, 75001 Paris,
tél. 01 42 86 17 20
Wasteels
6, rue Monsieur-le-Prince, 75006 Paris,
tél. 01 43 25 58 35

D'autres agences se spécialisent dans la découverte à thème du Canada (conduite de traîneaux, parcours en motoneige, observation de la faune) :
Allibert
14, rue de l'Asile-Popincourt, 75011 Paris,
tél. 01 40 21 16 21
Argane
204, rue du Château-des-Rentiers, 75013 Paris,
tél. 01 53 82 01 01
Aventuria
42, rue de l'Université, 69007 Lyon,
tél. 04 78 69 35 06
Club Aventure
18, rue Séguier, 7006 Paris,
tél. 01 44 32 09 30
Comptoir des Amériques
23, rue du Pont-Neuf, 75001 Paris,
tél. 01 40 26 20 71

Grand Nord
5, rue du Cardinal-Lemoine, 75005 Paris,
tél. 01 40 46 05 14
Terres d'aventure
6, rue Saint-Victor, 75005 Paris,
tél. 01 53 77 77

EN VOITURE

Le permis de conduire des ressortissants de l'Union européenne est valide pour 6 mois à compter de la date de leur arrivée au Canada.

Au départ des États-Unis, la plupart des villes canadiennes sont accessibles par des réseaux autoroutiers, avant d'atteindre la Transcanadienne. En pénétrant à l'intérieur des terres, des pistes aménagées succèdent aux routes asphaltées. En fin de semaine et en période estivale, la patience est de mise pour affronter les encombrements.

EN CAR

Le réseau routier depuis l'Amérique du Nord se prolonge jusqu'au Canada, permettant aux bus de relier les principales villes des deux pays. Les liaisons sont essentiellement assurées par la compagnie Greyhound, avec un changement de véhicule à la frontière. Les compagnies canadiennes prennent également le relais et desservent le pays.

EN TRAIN

Deux trajets entre les États-Unis et l'Ontario s'effectuent avec la compagnie *Amtrak* : New York (*via* les chutes du Niagara) ou Chicago-Toronto (environ douze heures). Contacter Amtrak à Washington par téléphone (*1 800 872-7245*).

A l'intérieur du continent canadien le réseau ferroviaire est desservi par la compagnie VIA Rail. Des renseignements peuvent être obtenus auprès de :
– France
Express Conseil
5 bis, rue du Louvre, 75001 Paris,
tél. 01 44 77 87 94
– Suisse
Touring Club Suisse
9, rue Pierre Fatio, 1211 Genève 3,
tél. 22 737 13 13

A SAVOIR SUR PLACE

DOUANES

Les formalités de douane sont en général assez rapides. Entrent librement, mais en étant déclarés :

appareils photo avec une quantité raisonnable de pellicules, équipements sportifs et matériel de camping. L'autorisation est accordée pour importer, par adulte, 50 cigares ou cigarillos, 200 cigarettes, ainsi que 1 l d'alcool ou de vin par personne âgée de plus de 19 ans. L'introduction de plantes ou de graines et de toute végétation, en général, est interdite, ainsi que celle de denrées périssables. Pour un animal familier, une attestation du vétérinaire est requise, certifiant de sa vaccination contre la rage, datant depuis plus d'un mois et moins d'un an.

En pénétrant au Canada par la frontière américaine, à bord d'un véhicule loué, le contrat de location est exigé. Les compagnies aériennes et agents de voyages renseignent sur tous ces sujets.

DEVISES

Le dollar canadien est l'unité monétaire, divisée en 100 cents. Les billets de 5, 10 et 20 $ sont les plus fréquemment utilisés. Au moment de l'impression de ce guide, 1 € vaut 1,65 $ et 1 FS, 1,07 $; le dollar canadien s'échange à 0,61 €.

Les sommes que les visiteurs peuvent importer au Canada ne sont pas limitées. Les chèques de voyage sont un moyen de paiement sûr et pratique. Mieux vaut qu'ils soient libellés en dollars canadiens avant le départ, sinon le meilleur taux s'obtient auprès d'American Express ou Thomas Cook. Les banques les encaissent en prélevant une légère commission, ce qui reste intéressant en comparaison avec les transactions dans les hôtels.

Les cartes de crédit suivantes sont couramment acceptées : American Express, MasterCard et Visa. Les compagnies émettrices prennent automatiquement un pourcentage lors du change. Ces cartes seront indispensables au cours des diverses démarches, notamment, la réservation d'hébergement et la garantie pour la location de voiture.

GOUVERNEMENT

Le Canada est une monarchie constitutionnelle, placée sous l'autorité d'Élisabeth, reine du Canada, que représente un gouverneur général. Le pouvoir réel est entre les mains du Premier ministre, qui réside à Ottawa, la capitale. Chef du parti majoritaire au Parlement, il dirige le cabinet composé de parlementaires de ce parti.

Le régime parlementaire canadien est bicaméral, composé du Sénat et de la Chambre des communes. Comme dans toute démocratie occidentale, les pouvoirs législatif, exécutif et judiciaire sont détenus par des instances différentes.

Le Canada est un État fédéral et la Constitution prévoit une répartition des charges entre le pouvoir central, les provinces et les territoires. Les gouverneurs provinciaux sont aussi des parlementaires.

Le Canada est divisé en dix provinces : Terre-Neuve et Labrador, Nouvelle-Écosse, Nouveau-Brunswick, Île-du-Prince-Édouard, Québec, Ontario, Manitoba, Saskatchewan, Alberta, Colombie britannique, et en trois territoires : Yukon, Territoires du Nord-Ouest et Nunavut. La superficie globale du continent est de 9 970 610 km², abritant une population de 31,6 millions d'habitants.

ÉCONOMIE

Après la récession des années 1980 et l'accumulation de la dette publique, le Canada semble bénéficier du libre-échange Alena, entré en vigueur en 1994, supprimant les barrières douanières entre le Canada, les États-Unis et le Mexique. Des effets positifs émanent également de la mondialisation des marchés, sur lesquels s'impose le Canada, grâce à ses industries de pointe (aérospatiale, biotechnologie, électronique, communication, informatique). Les produits manufacturés trouvent d'importants débouchés aux États-Unis et également en Europe.

Enfin, l'économie canadienne repose toujours sur ses ressources naturelles : bois, cuivre, fer, zinc, énergie hydroélectrique, uranium, pétrole, platine, gaz entre autres. En revanche, un ralentissement semble s'accentuer dans les secteurs de l'agriculture et de la pêche, alors que les places financières urbaines connaissent une activité intense.

FUSEAUX HORAIRES

Le Canada s'étend sur six fuseaux horaires. Six heures de décalage séparent Paris de Montréal ou de Ottawa (quand il est minuit à Bruxelles ou à Paris, il est 18 h dans ces villes). De fin avril à fin octobre, l'horaire d'été prévoit un décalage d'une heure.

LANGUE

Le bilinguisme concerne essentiellement la population francophone – majoritaire au Québec, en minorité importante dans le Nouveau-Brunswick – et la population anglophone, en majorité dans les autres provinces et territoires. A ces deux expressions s'ajoutent également celles des autochtones du Nord, Inuit et Amérindiens.

L'anglais canadien se parle avec un accent particulier, l'écrit se rapprochant de celui pratiqué en Grande-Bretagne plutôt que de l'américain.

Rendue officielle au Québec en 1977, la langue française a suivi sa propre évolution et diffère du français parlé sur le Vieux Continent. Toutefois, la langue est parfaitement compréhensible de part et d'autre de l'Atlantique – avec une touche « exotique », ressentie des deux bords. Le français a néanmoins intégré les expressions anglaises issues du monde des affaires, tout en conservant d'authentiques expressions, celles du « joual » (voir pp. 86-87).

Avoir l'air anglais	avoir l'air bizarre
Avoir les bleu	avoir le cafard
Ben gros	beaucoup
Colleux	affectueux
Chauffer	conduire
Je paye la traite	je paie la tournée
Fifi	homosexuel
Piastre	dollar
Bidous	cents

Quelques expressions calquées de l'anglais :

Français	Québécois	Anglais
Logement	*accomodation*	*accommodation*
Épouser	*marier*	*to marry*
Influencer	*affecter*	*to affect*
Monnaie	*change*	*change*
Négliger	*ignorer*	*to ignore*
Occasion	*opportunité*	*opportunity*
Rendez-vous	*appointement*	*appointment*

POIDS ET MESURES

Depuis bientôt 30 ans, le Canada a adopté le système métrique mais les normes britanniques, y compris en ce qui concerne les poids, les températures et les volumes, sont encore en vigueur.

Longueur

1 mètre	3,28 pieds
1 pied	0,30 mètres
1 kilomètre	0,62 mile
1 hectare	2,47 acres

Poids

1 once	28,35 grammes
1 livre	0,45 kilogramme
1 kilogramme	2,21 livres

Température

Pour convertir les degrés Celsius en degrés Fahrenheit, multiplier par 1,8 et ajouter 32.

Volume

1 gallon impérial	4,55 litres
1 gallon américain	3,79 litres

COURANT ÉLECTRIQUE

Un transformateur-adaptateur est nécessaire partout au Canada pour l'utilisation du rasoir ou du sèche-cheveux car le courant est en 110 volts alternatif et les prises diffèrent.

HEURES D'OUVERTURE

En règle générale, les magasins et les bureaux fonctionnent de 9 h à 17 h. La plupart des magasins sont ouverts le samedi et jusqu'à 21 h les jeudis et vendredis. Les drugstores ferment en général à 23 h et accueillent leurs clients sept jours sur sept. Dans les grandes villes, certains magasins ouvrent jusqu'à 1 h.

Les banques, écoles et administrations sont fermées les jours fériés. Les hôtels, restaurants et la plupart des commerces de détail sont ouverts. Les jours fériés de chaque province sont indiqués dans les guides fournis par les offices de tourisme.

JOURS FÉRIÉS

1er janvier : Nouvel An (New Year's Day)
Mars-avril : vendredi Saint (Good Friday)
Mars- avril : lundi de Pâques (Easter Monday)
Mai : fête de la Reine (Victoria Day), le lundi précédent le 25 mai
1er juillet : fête du Canada (Canada Day)
Septembre : fête du Travail (Labour Day), le premier lundi du mois
Octobre : action de Grâces (Thanksgiving Day), le deuxième lundi du mois
11 novembre : jour du Souvenir (Remembrance Day)
25 décembre : Noël (Christmas)
26 décembre : lendemain de Noël (Boxing Day)

POSTE

Les acheminements fonctionnent parfaitement. Les colis pesant moins de 2 kg peuvent être expédiés par avion. Un service postal international renseigne le public sur les conditions et les délais de livraison. Pour l'Europe, par exemple, un timbre de 90 cents permet l'envoi d'une lettre jusqu'à 20 g.

Les messageries privées, acheminant le courrier du jour au lendemain, se sont multipliées dans tout le pays. La poste canadienne peut également transmettre des documents par télécopie, à l'intérieur du pays et à l'étranger. Les bureaux de poste ouvrent en semaine de 9 h à 17 h, en général, et ferment le week-end ainsi que les jours fériés.

TÉLÉCOMMUNICATIONS

A l'intérieur d'une même ville, à partir d'un poste d'abonné, l'appel est gratuit. Les numéros comportant l'indicatif *1 800* sont également gratuits. L'appel coûte 25 cents à partir d'une cabine publique, sans limite de durée. Toutefois, certains hôtels peuvent facturer le prix de la communication. Les renseignements (*411*), toutes les urgences (*911*) et l'intermédiaire d'une opératrice (*0*) sont gratuits. Des cartes téléphoniques sont disponibles dans les lieux de transports : des distributeurs sont mis à disposition dans les aéroports, les gares ferroviaires et routières, ainsi qu'auprès de la plupart des offices de tourisme.

MÉDIAS

Télévision et radio

CBC – Canadian Broadcasting Corporation – diffuse des émissions télévision et radio (fréquences AM et FM) nationales et régionales. Un réseau francophone équivalent, sous le nom de Radio-Canada, émet également des émissions de télévision et ce, dans tout le pays. CTV Television Network, chaîne commerciale d'importance nationale, programme, entre autres, des émissions américaines.

Journaux et magazines

Le Devoir, *Le Journal de Montréal*, *Le Journal de Québec* et *Le Soleil* forment, avec *La Presse* (grande diffusion), l'éventail des quotidiens francophones.

L'équivalent anglophone de *La Presse*, *The National Post*, côtoie le quotidien national, *The Globe and Mail*, ainsi que le plus grand hebdomadaire d'informations, *Maclean's*.

TAXES ET POURBOIRES

Les taxes, entre 7 et 9 % selon les provinces, s'ajoutent souvent au prix affiché, notamment en magasin, ainsi qu'à certains services. En ce qui concerne les pourboires, ils s'échelonnent entre 10 et 15% dans les taxis, les hôtels, les restaurants, les bars ou les boîtes de nuit.

Les ressortissants étrangers peuvent réclamer un remboursement de la TPS (Taxe sur les Produits et Services) fédérale sur certains achats accumulés pour un montant d'au moins 200 $. La condition est que chaque reçu soit d'un montant d'au moins 50 $ hors taxe et que ces produits soient sortis du Canada dans un délai maximum de 60 jours à compter de leur date d'achat. Il en est de même pour l'hébergement. Se renseigner auprès des offices de tourisme ou bien téléphoner (*tél. 1 800 668-4748* ; appel gratuit depuis le Canada).

US ET COUTUMES

La vente d'alcools est réglementée et se fait généralement dans des boutiques spécialisées, ouvertes jusqu'à 19 h. L'âge minimum requis pour en acheter et en consommer dans les lieux publics varie entre 18 et 21 ans.

NATURE ET SPORTS

Les paysages canadiens, immenses et contrastés, à forte variation climatique, offrent un choix infini d'activités sportives, praticables en été ou en hiver.

De l'Atlantique au Pacifique s'étendent de vastes zones aménagées en parcs nationaux (administrés par le gouvernement fédéral) et en parcs provinciaux (sous la responsabilité du gouverneur de chaque province). Ils furent créés dans le but de protéger les espèces endémiques ; ils sont parfaitement conçus pour accueillir les amoureux de la nature et les férus de sports.

Toutefois, la plus grande prudence est recommandée le long des sentiers, qui s'enfoncent profondément dans les forêts, dont il faut respecter le balisage. La nature environnante – superbe – est néanmoins sauvage. Il faut évaluer les risques d'avalanche, d'éboulement, du manque d'eau potable et se tenir à bonne distance des animaux qui, apeurés, deviennent dangereux. Il faut emporter des vêtements parfaitement adaptés afin d'affronter de brusques changements de température, le froid, la pluie et le vent, et enregistrer sa présence au bureau d'accueil, formalité absolument indispensable, surtout si l'on part sans guide.

Activités d'été

Les bords de lacs ou de rivières tumultueuses, ainsi que les côtes Pacifique ou Atlantique, invitent à la baignade, au canoë-kayak, au rafting et à tout autre loisir ou activité à sensations fortes.

Sur les pistes de montagne, ou lors d'une simple balade en ville et dans les parcs, le vélo est un excellent moyen de découverte. Les boutiques de location, nombreuses, proposent une assurance contre les dommages ou les pertes.

Des circuits organisés, pour tous les niveaux de descentes en canoë, kayak ou raft, sont répertoriés par Province ou Territoire dans des guides détaillés vendus en librairie.

L'écotourisme se pratique tout naturellement dans les immenses territoires du Canada, permettant de découvrir une flore et une faune exceptionnelles. Oies des neiges, loups, ours, baleines ou phoques se rencontrent lors d'excursions organisées et accompagnées.

Un permis est exigé pour la chasse et la pêche et la demande doit être adressée au ministère des Ressources naturelles de chaque province ou territoire. Certaines espèces sont protégées et d'autres ne pourront être capturées qu'en nombre limité.

Les parcs nationaux et provinciaux ont répertorié bon nombre de sentiers de randonnée, en fonction des difficultés. Leur bureau d'accueil fournit cartes détaillées indiquant campings et refuges.

Activités d'hiver

Aux abords des villes ou dans les Rocheuses, partout au Canada, règne le ski alpin. Certains hôtels sur les sites proposent des forfaits, comprenant la pension complète et les billets d'accès aux pistes. Les stations organisent des sorties d'une heure, d'une journée, ou en soirée avec des pistes éclairées.

Les parcs, parfaitement aménagés pour tous les niveaux de ski de fond, louent des équipements. Des refuges jalonnent les longs parcours.

Des milliers de kilomètres constituent les sentiers balisés où évoluent les motoneiges (inventées par le Québécois Joseph-Armand Bombardier). A 60 km/h, vitesse maximum autorisée, un casque est requis (et des raquettes sont conseillées en cas de panne). Il est prudent de signaler son parcours, à moins de l'effectuer en groupe, accompagné d'un guide.

Les sensations que procure le snowboard s'apparentent à celles du surf. Quelques leçons préalables seront utiles pour la maîtrise de ce sport, dont l'équipement peut se louer dans les stations.

Traditionnellement utilisé dans le Grand Nord par les Inuit, le traîneau remporte actuellement un grand succès. Les courses se pratiquent en attelage de 4, 6 ou 12 chiens. Un parcours moyen se situe autour de 50 km par jour, d'où la nécessité d'être en bonne forme physique et parfaitement équipé.

Où loger

Hôtels

Ils appartiennent, pour la plupart, à des chaînes internationales. Le petit hôtel charmant et peu onéreux est plutôt rare en centre-ville, mais se rencontre dans la magnifique nature environnante.

Chambres d'hôte

L'accueil chaleureux des propriétaires, le cachet de leur maison, le bon rapport qualité-prix, avec un forfait taxes incluses pour un séjour prolongé, rendent cette formule particulièrement attractive.

B&B (« Bed and breakfast »)

Maisons de caractère, bien situées et gérées par des associations, ces habitations atteignent parfois la catégorie de luxe et restent néanmoins d'un prix raisonnable, hors taxes, comprenant le petit déjeuner. Au Québec, cette formule prend le nom, très évocateur, de Gîte du Passant ou Couette et Café.

Auberges et B&B champêtres

Essaimées dans les régions du Québec, ces habitations font partie du programme de la Fédération des Agricotours du Québec, qui propose des hébergements à petits prix. Une bonne alternative pour les campeurs. Pour tout renseignement, contacter la :

Fédération des Agricotours du Québec

4545 avenue Pierre-de-Coubertin, Montréal, PQ H1V 3R2, tél. (514) 252 3138

Cet organisme publie un guide bilingue *Inns et Bed & Breakfasts au Québec* qu'on peut se procurer dans la plupart des librairies ou sur commande sur le site *www.agricotours.qc.ca*

Chalets, refuges, campings

Essentiellement répartis dans les parcs nationaux, provinciaux et les réserves fauniques, ces structures d'accueil, bien entretenues, se divisent généralement en trois catégories, de la rustique à la confortable. Il faut prévoir, selon la saison, un duvet et des vêtements adaptés au climat, protégeant du vent et de la pluie. Leur liste, sous forme de dépliant et de guide, est disponible dans les offices de tourisme.

Auberges de jeunesse

Cet hébergement, économique, existe également en trois catégories, de la simple à la confortable. Il faut être muni d'une carte de membre ; en France, on peut se la procurer auprès de :

Fédération des auberges de jeunesse

27, rue Pajol, 75018 Paris, tél. 01 44 89 87 27

Motels

Essentiellement situés le long des routes, ils sont correctement aménagés et tenus. Les prix ne sont pas toujours abordables, surtout l'été, et ne comprennent ni le petit-déjeuner ni les taxes. Leur avantage réside dans leur emplacement, pratique pour se rendre d'une ville à l'autre, et quelques-uns disposent d'un confort certain, y compris parfois d'une piscine.

Achats

Le magasinage (ou shopping ; le terme varie selon la province traversée) est l'occasion de découvrir des créations artistiques ou artisanales locales ou typiquement amérindiennes et inuit, souvent assez chères. Pour confirmer l'authenticité de l'objet, il faut demander une vignette spéciale, émise par le gouvernement.

Montréal, dans son quartier de la fourrure, crée la plupart des vêtements en fourrure et en cuir, diffusés dans tout le pays. Ils sont souvent de belle qualité.

COMMENT SE DÉPLACER

Lignes intérieures

Les vols réguliers intérieurs peuvent s'avérer chers en raison des distances. Il est préférable, si possible, de planifier les dates de voyage au moins 15 jours à l'avance, afin de bénéficier de tarifs préférentiels. Les prix que pratiquent les compagnies sont similaires. Contacter un agent de voyages ou directement l'une des compagnies aériennes suivantes :

Air Canada
Tél. 1 888 247 2262, www.aircanada.com
Air Transat
Tél. (450) 476 1011 ou 1 877 437 1515,
www.airtransat.com
CanJet Airlines
Tél. (902) 873 7800 ou 1 877 422 6538,
www. canjet.com
First Air
Tél. (613) 688 2635 ou 1 800 267 1247,
www.firstair.ca
Jetsgo
Tél. 1 866 448 5888
WestJet
Tél. 1 800 538 5698, www. westjet.com

EN VOITURE

La découverte du Canada en voiture est particulièrement agréable, grâce au bon état général des routes, aux cartes détaillées fournies par les offices de tourisme, ainsi qu'à l'essence, moins chère qu'en Europe.

La priorité ne s'accorde pas automatiquement à droite ; des indications précises sont données par des panneaux à chaque intersection.

Il est recommandé de vérifier régulièrement le réservoir d'essence (certains parcs sont dépourvus de stations-service), ainsi que l'état des pneus.

Les agences de location internationales sont représentées dans tout le pays, y compris aux aéroports. Il est conseillé de réserver une voiture en achetant le billet d'avion, avant le départ du pays d'origine. L'âge minimum de 21 ans est exigé pour la conduite. Carte de crédit indispensable pour le dépôt de garantie.

Le camping-car est une formule particulièrement intéressante dans le cas d'excursions dans les parcs nationaux et provinciaux. Néanmoins, pour un séjour en juillet ou en août, il est nécessaire de prévoir une réservation trois ou quatre mois à l'avance.

Canadream Campers
2508, 24th Avenue NE, Calgary, AB T1Y 6R8,
tél. (403) 291 1000, www.canadream.com
Bureaux aussi à Vancouver, Whitehorse et Toronto.
Cruise Canada
2980, 26th Avenue, Calgary, AB T1Y 6R7,
tél. 1 800 327 7799, www.canadream.com
Bureaux aussi à Vancouver, Montréal et Toronto.

EN CAR

Un moyen sûr, confortable et plus abordable que le train, pour rallier bon nombre de villes et de sites.

Greyhound possède un réseau depuis l'Ontario en direction de l'ouest. Le Québec et l'Ontario sont également desservis par Voyageur. D'autres compagnies provinciales sont mentionnées dans les documents émanant des offices de tourisme.

Un système de « *pass* » permet de sillonner le pays pendant un temps déterminé (7, 15, 30 ou 60 jours), en kilométrage illimité et à prix forfaitaire. Renseignements auprès de :

Greyhound Canada
Tél. 1 800 661 8787
Voyageur Colonial
Tél. (416) 393 7911

EN TRAIN

VIA Rail gère le Transcanadien qui circule régulièrement entre Toronto et Vancouver et fournit un indicateur national « *national timetable* » dans les gares ou sur simple appel.
VIA Rail
3 place Ville Marie, Ste 500,
Montréal, PQ H3B 2C9,
tél. (514) 871 6000, www.viarail.ca
Ou appeler les numéros gratuits :
Du Canada : *1 888 842 7245*
De Montréal : *(514) 989 2626*
De Toronto : *(416) 366 8411*

VIA Rail propose également des services réguliers entre Montréal et les Provinces maritimes. Il relie de nombreuses villes dans le nord du Manitoba et de la Colombie britannique.

Le « *Canrail Pass* » est un moyen économique de circuler en train dans tout le Canada. Une autre société, **Rocky Mountain Railtours**, propose un forfait de deux jours dans les Rocheuses.

EN BATEAU

L'omniprésence de l'eau, qu'il s'agisse de rivières, de fleuves, de lacs, de mers, satisfera les amateurs de croisières entre les îles ou ceux qui choisissent les incursions dans les fjords du Grand Nord.

Le Saint-Laurent se franchit en permanence et à plusieurs points de passage sur le fleuve grâce à des ferrys, dont certains sont saisonniers. Une réservation est nécessaire en haute saison.

TRANSPORTS URBAINS

Les Canadiens sont, à juste titre, fiers de leurs transports en commun : le métro de Montréal (dont le ticket donne également accès au bus), le train léger et le métro de Toronto, les bus de Winnipeg ou, encore, les tramways de Vancouver.

Les villes canadiennes disposent de larges trottoirs, de centres commerciaux souterrains et peuvent se visiter à bicyclette. Le taxi est un moyen de transport rapide (et économique si on le prend à plusieurs).

L'ONTARIO

Séparée des États-Unis, au sud-est, par les Grands Lacs (Supérieur, Huron, Érié et Ontario – ces deux derniers étant reliés par les chutes du Niagara), bordée, au nord, par la baie d'Hudson, jalonnée de rivières et de lacs, la province est placée sous le signe de l'eau. Elle se divise en 5 régions :
– l'**Est ontarien**, à la frontière du Québec, où la capitale du Canada, Ottawa, occupe un superbe emplacement au bord de la rivière des Outaouais que surplombent les monts Gatineau ;
– le **centre de l'Ontario** et la baie Géorgienne, que prolongent collines et forêts ;
– **Toronto**, capitale de la province, et ses alentours, où s'active une population cosmopolite, portée par une croissance économique irrépressible ;
– le **sud-ouest de l'Ontario**, aux longs étés chauds et aux hivers doux ;
– le **Nord ontarien**, protégé par le Bouclier canadien, formation rocheuse millénaire dominant un paysage intact où se succèdent lacs, rivières et forêts, au climat plutôt rude l'hiver.

OTTAWA ET L'EST ONTARIEN

Indicatif régional : 613

COMMENT SE DÉPLACER

En avion
L'aéroport MacDonald-Cartier (*tél. 260 2359*), distant d'Ottawa d'environ 20 mn, est régulièrement desservi par Air Canada (*tél. 1 888 247 2262*) et la majorité des compagnies nationales et internationales.
Des autobus urbains assurent des liaisons quotidiennes avec la capitale ; et les navettes Ottawa Airport Shuttle offrent un service entre l'aéroport et les hôtels du centre-ville avec un départ toutes les 30 mn, entre 5 h et 0 h 35.

En car
Greyhound et Voyageur sont les principales compagnies reliant Ottawa aux principales villes de la province : Toronto, Kingston, Sudbury et Montréal.

Voyageur Colonial Bus Lines
265 Catherine Street, Ottawa,
tél. 238 5900, www.voyageur.com
Gare routière d'Ottawa
265 Catherine Street, Ottawa, tél. 238 6668
Gare routière de Kingston
175 Counter Street, Kingston, tél. 547 4916

En train
VIA Rail dessert quatre fois par jour les villes de Toronto et de Montréal depuis Ottawa. En réservant le billet au moins 5 jours à l'avance, la réduction du prix peut atteindre 40 %.
VIA Rail à Ottawa
200 Tremblay Road, tél. 1 800 361 1235
VIA Rail à Kingston
Tél. 544 5600
La gare est assez éloignée du centre-ville, d'où part l'autobus n° 1 qui s'y rend.

En voiture
Un excellent réseau autoroutier relie la capitale à l'ensemble de la province ainsi qu'au Québec. Les principales agences de location ont des succursales à l'aéroport.

Transports urbains
A Ottawa, on peut prendre l'autobus près des gares ferroviaire et routière ainsi qu'aux alentours du musée de la Nature. En principe, les autobus circulent jusqu'à minuit.
– **Ottawa**
OC Transpo
Tél. 741 4390
Kingston Transit
Tél. 544 5289

La bicyclette, praticable durant la belle saison, de mai à septembre, se loue à la journée pour environ 20 $, avec présentation du passeport.
– **Ottawa**
Cycle Tour Rent-A-Bike
Tél. 241 4140
– **Kingston**
La Salle Sports
574 Princess Street, tél. 544 4252

OFFICES DE TOURISME

– **Ottawa**
Ottawa Tourism Authority
13 Albert Street, Ste 1800,
Ottawa, ON K1P 5G4,
tél. 1 800 465 1867, Operator 34
www.ottawagetaways.com
40 Elgin St, tél. 239-5555

– Kingston
Kingston Tourist Information Office
209 Ontario Street, tél. 548 4415 ou 1 888 855 4555

CULTURE ET LOISIRS

Musées
Ottawa possède plusieurs musées nationaux de grande qualité et parfaitement équipés, notamment :
Musée des Beaux-Arts
380 Sussex Drive, tél. 990 1985
Impressionnante collection relative à l'art canadien, depuis les origines jusqu'à l'époque contemporaine. Ouvert tous les jours de 10 h à 18 h, le jeudi jusqu'à 20 h. Entrée libre.
Musée canadien de la Nature
Angle McLeod St et Metcalfe St, tél. 996-3102
Reconstitution et présentation de la flore et de la faune endémiques du Canada. Ouvert tous les jours de 9 h 30 à 17 h, le jeudi jusqu'à 20 h. Entrée : 4 $.
Musée national des Sciences et de la Technologie
St Laurent Boulevard, tél. 991-3044
Exploration interactive des connaissances humaines. Ouvert de 9 h à 18 h, le vendredi jusqu'à 21 h (ces horaires sont valables en été, de mai à septembre, et peuvent légèrement varier l'hiver). Entrée : 6 $.

Festivals et fêtes
Parmi les nombreuses festivités qui se déroulent dans l'ensemble de la province, citons celles d'Ottawa :
Février : Bal de neige (Winterlude ; durant tout le mois de février, des festivités animent le canal Rideau et le lac Dows. D'étonnantes sculptures, creusées dans la glace, ornent la ville et ses environs).
Mai : festival de la Tulipe (des tulipes embellissent défilés, régates et expositions).
Juin : festival franco-ontarien (les francophones de l'Ontario sont à l'honneur, avec concerts et festivités dans les rues).
Juillet : festival international de jazz (toutes sortes d'orchestres exercent leur talent pendant 10 jours, près du Centre national des arts).
Août : foire annuelle (deux semaines d'attractions et de carnavals animent la foire, qui se tient dans le parc Lansdowne).

Spectacles
La Commission de la Capitale nationale (*tél. 239 5555 ou 1 800 465 1867*) donne des renseignements sur les spectacles montés à Ottawa, notamment au **National Art Center** (*53, Elgin Street, tél. 947 7000 ou 1 800 850 ARTS, www.nac-can.ca*). L'**Ottawa Little Theatre** (*400 King Edward Avenue, tél. 233 8948, www.o-l-t.com, olt@on.aibn.com*) dispose d'une excellente troupe pensionnaire.

Sites à visiter
– Ottawa
Le Parlement
Dressé sur une colline, l'édifice surplombe la ville et abrite le Sénat et la Chambre des députés. Pour les visites (gratuites), réserver au numéro de téléphone suivant : *tél. 239 5000*.
La maison Laurier
335 Laurier Avenue, tél. 992 8142.
Ancienne résidence de Premiers ministres, cette belle demeure du XIXe siècle contient des meubles d'une remarquable qualité.
Le canal Rideau
Traversant la ville, il s'étire sur 200 km et rejoint Kingston. Ses berges attirent les amateurs de balade et de pique-nique – qui se transforment en patineurs l'hiver.

– Morrisburg
Upper Canada Village
Ce bourg campagnard du XIXe siècle, remarquablement reconstitué, est accessible par les bus qui desservent Cornwall ou Toronto et ce, au départ d'Ottawa. La visite, de plusieurs heures, coûte environ 10 $. Renseignements : *tél. 543 3704*.

– Kingston
Mille-Îles
Ces îles qui formant un paysage unique à l'est de la ville, sur le Saint-Laurent, accueillent des bateaux, dont certains partent du dock dans *Ontario St*, pour une croisière de deux ou trois heures. Renseignements auprès de :
Island Queen, *tél. 549 5544*
Gananoque Boat Line, marina, *tél. 382 2144*

NATURE ET SPORTS

Ottawa est ceinturée par des parcs que sillonnent de nombreux sentiers de randonnée et des pistes cyclables et le canal Rideau y est propice à d'agréables croisières en bateau. A deux heures de la ville, des clubs organisent des descentes en canoë ou en kayak, notamment sur la rivière Petawawa, au cœur du **parc provincial Algonquin**. Se renseigner, entre autres, auprès de l'agence Esprit Rafting (*tél. 1 800 596 7238*).

La pêche et le camping se pratiquent aux environs de Kingston, sur les rives des lacs Rideau. Plusieurs sites de camping émaillent le **parc de Frontenac** et accueillent les randonneurs et les adeptes de descentes de rapides. L'entrée se situe à Otter Lake (suivre l'autoroute 5 A).

Les férus d'antiquités se dirigeront vers les ravissantes bourgades longeant les lacs de Kawartha, tandis que les curieux de préhistoire découvriront les étonnantes gravures qui ornent les roches calcaires du **parc des Pétroglyphes.**

L'hiver, le hockey, le patin à glace (sur les canaux et les lacs gelés) et le ski (sur les monts Gatineau, à quelques kilomètres d'Ottawa) font le bonheur de tous.

OÙ SE RESTAURER

L'Ontario n'a pas de tradition culinaire, si ce n'est celle laissée par les vagues successives d'immigrants anglais et allemands. Toutefois, la cuisine fusion et la world cuisine prennent des couleurs très locales.

– Ottawa
Petits déjeuners savoureux et repas rapides se dégustent dans les restaurants du **marché Byward**, place englobant *York St* et *George St.*
ARC
140 Slater St, tél. 238 2888
Minuscule restaurant d'hôtel au décor minimaliste et une cuisine exceptionnelle. $$$
Clair de Lune
81B Slater St, tél. 241 2200
Étonnantes créations gustatives d'une cuisine fusion inventive. Menu du jour tous les soirs. $$
Kinki
41 York St, tél. 789 7559
Mets et décor japonais. Délicieux choix de sushi. $$
Le Café
National Art Center, tél. 594 5127
Ravissant cadre au bord du canal Rideau. Se spécialise dans les produits canadiens. $$$
Nates Deli
316 Rideau St, tél. 789 9191
Une institution spécialisée dans les viandes fumées. $
Something Fishy in Bells Corners
194 Robertson Rd
Que du poisson frais servi dans le café devant la poissonnerie Lapointe. $

– Kingston
Chez Piggy
68 Princess St, tél. 549 7673
Cuisine inventive, notamment les soupes, servie dans cette écurie reconvertie. Cour à l'arrière. $$
Hoppin' Eddy's
393 Princess St, tél. 531 9770
Lieu animé, ambiance décontractée et bonne cuisine cajun et zydeco. $$

VIE NOCTURNE

– Ottawa
Blue Cactus Bar & Grill
2 Byward Market, tél. 241 7061
Décor Tex-Mex pour margaritas et fajitas.

Irish Village
67 Clarence St, tél.562 0674
Quatre pubs se partagent la cuisine et le patio.
Lieutenant's Pump
361 Elgin St, tél. 238 2949
Pub anglais proposant 16 bières à la pression.
Rainbow Bistro
76 Murray St, tél. 241 5123
Musique live tous les soirs – surtout du blues.
Zaphod Beeblebrox
27 York St, tél. 562 1010
Une alternative à la scène musicale, sur les berges.

OÙ LOGER

Hôtels
– Kingston
Hochelaga Inn
24 Sydenham St South, tél. 549 5534 ou 1 800 267 0525, www.hochelagainn.com
Un B&B dans une ravissante maison, près du cœur de la ville. $$
Holiday Inn
1 Princess St, tél. 549 8400 ou 1 800 465 4329
Une adresse au bord du lac. Piscine et restaurant. $$

– Ottawa
ARC The Hotel
140 Slater St, tél. 238 2888 ou 1 800 699 2516, www.arcthehotel.com
Au cœur de la ville, une adresse très design. $$$
Capital Hill Hotel
88 Albert St, tél. 235 1413 ou 1 800 463 7705
Un hôtel familial à quelques minutes à pied de Parliament Hill. $$
Carleton University
Tour and Conference Center, 261 Stormont House, Carleton University, tél. 520 5611
Hébergement à petits prix, en été seulement. $
Fairmont Château Laurier
1 Rideau St, tél. 241 1414 ou 1 800 441 1414
Au bord du canal, toujours en vogue, il dispose d'une piscine et de chambres spacieuses. $$$
Lord Elgin
100 Elgin St, tél. 235 3333 ou 1 800 267 4298, www.lordelginhotel.ca
Ambiance régalienne dans ce petit hôtel proche de Parliament Hill. Bon rapport qualité-prix. $$

Bed and breakfast
La formule B&B est répandue en ville ; confortable, abordable, elle inclut en principe le petit déjeuner.
Federation of Ontario Bed & Breakfast Accommodations
PO Box 437, Toronto, ON M5T 1R5, tél. (416) 964 2566

LE CENTRE DE L'ONTARIO

Indicatifs régionaux : 705 (zone nord), 519 (zone sud-est, dont Owen Sound)

COMMENT SE DÉPLACER

En car
Un service régulier relie Toronto à sa plage de sable, Wasaga Beach, en deux heures, avec changement à Barrie : se renseigner auprès de la compagnie PMCL à la gare routière de Toronto (*tél. 777 9510*) ou de Midland (*tél. 526 0161*). Les cars Greyhound longent la baie Géorgienne.

En voiture
C'est le moyen de transport le mieux adapté à la province, qui comporte d'immenses forêts traversées de rivières et de lacs, uniquement accessibles en voiture.

En ferry
Des bacs relient la pointe nord de Bruce – Tobermory – à l'île Manitoulin et desservent le nord de l'Ontario. Renseignements au *1 800 461 2621*

OFFICES DE TOURISME

– Collingwood
Georgian Triangle Tourist Association
30 Mountain Road, Collingwood, ON L9Y 5H7, tél. (705) 445 7722, www.georgiantriangle.net

CULTURE ET LOISIRS

Collingwood
Remarquable par sa situation exceptionnelle au bord d'une baie et au pied du réputé domaine skiable Blue Mountain, distant de deux heures, en voiture ou en navette quotidienne, de Toronto.

Owen Sound
C'est le plus important bourg de la région et le lieu de naissance de Tom Thomson, un peintre célèbre du Canada, dont certaines œuvres sont exposées dans une galerie portant son nom : *840, First Avenue West (tél. 376 1932)*.

Péninsule de Bruce
L'avancée de cette longue bande de terre, prolongation de l'escarpement du Niagara, a créé l'impressionnante baie Géorgienne, ainsi qu'un chapelet d'îles – dont l'île Manitoulin, où vit une importante communauté indienne. Bureau d'information : *tél. (705) 368 3021.*

Midland
Près de cette localité, au nord de Barrie, apparaît un **village huron**, reconstitution originale de l'époque précédant l'arrivée des missionnaires jésuites français.

A proximité, le **musée de l'Huronie** expose de remarquables travaux réalisés par les Indiens.

Festivals et fêtes
– Owen Sound
Août : Summerfolk (festival de musique très réputé. Il se déroule, durant trois jours, dans le parc Kelso. Prévoir environ 20 $ par jour).
– **Île Manitoulin**
Août : durant le premier week-end du mois, des Indiens, venus de tout le Canada, rejoignent la réserve Wikwemikong, au nord-est de l'île. Ces rencontres donnent lieu à des chants, des danses et expositions de créations artisanales. L'accès à l'île n'est pas aisé et les moyens de transport, peu nombreux. Bureau de renseignements de Little Current : *tél. (705) 368 3021.*

NATURE ET SPORTS

Dans la baie Géorgienne, des croisières mènent à la rencontre de myriades d'îles, qu'entoure un paysage d'une exceptionnelle beauté. Le départ à lieu à l'embarcadère de Midland, à bord du confortable bateau *Miss Midland*. Renseignements : *tél. 526 0161.*

Baignades et randonnées autour du lac Cypress font partie des activités possibles au **parc national de la péninsule de Bruce**. Se renseigner à Tobermory au *596 2233*. Partiellement immergé, le **parc national Fathom Five** a pour mission de protéger une zone marine composée d'îles et de sculptures naturelles rocheuses.

L'autoroute 60 traverse le plus grand parc de l'Ontario, le **parc provincial Algonquin**, où serpentent une multitude de rivières entourées d'une infinité de lacs, dans une nature pratiquement intacte. La liste des terrains de camping et des gîtes, ainsi que des cartes détaillées du site, sont disponibles au bureau d'information du parc (*tél. 705-637 2828*). Dans la partie ouest, à Dwight, Algonquin Outfitters (*tél. 705-635 2243*) loue du matériel et vend des vivres.

Au cœur de la baie Géorgienne, le **parc provincial de Killbear** donne un aperçu des sublimes paysages de la baie, émaillés de criques et d'îles s'étendant à l'infini, protégées de granit rose, à l'abri des pins redessinés par le vent.

OÙ SE RESTAURER

– Collingwood
Christopher
167 Pine St, tél. 445 7117
Belle demeure du début du XXᵉ siècle, elle sera appréciée pour un dîner romantique. Au déjeuner, les plats sont plus simples. $$

– Péninsule de Bruce
Des restaurants longent les rues de Tobermory, proposant divers plats de poissons.

– Midland
Riv Bistro
249 King St
Spécialisé dans la cuisine grecque.

OÙ LOGER

– Collingwood
Blue Mountain Inn
RR3, Collingwood,
tél. 445 0231, www.bluemountain.ca
Skieurs et randonneurs d'été aiment à descendre dans ce chalet, posé au pied de la montagne. $$

– Owen Sound
Key Motel
Tél. 794 2350
Au sud de la ville, à une dizaine de kilomètres, ce motel est d'un bon rapport qualité-prix. $$

– Wasaga Beach
Lakeview Motel
44 Mosley St, tél. 429 5155
Au bord de la mer. $$

– Hunstville
Deerhurst Resort
1235 Deerhurst St, tél. 789 6411 ou 1 800 461 4393,
www.deerhurstresort.com
Station courue par une clientèle venue jouir des loisirs en bord de lac. Pension complète. $$$

– Orillia
Lakeside Inn
86 Creighton St, tél. (705) 325 2514
Pas tout à fait le cachet d'une auberge, mais jolie vue sur le lac Couchiching. $$

TORONTO

Indicatif régional : 416

COMMENT SE DÉPLACER

En avion
La plupart des compagnies aériennes internationales et nationales desservent l'aéroport Pearson (renseignements au *247 7678*). Un comptoir, Traveller's Aid Society, assiste les voyageurs dans leurs recherches d'hébergement et d'itinéraires.

Des navettes Airport Shuttle *(tél. 905-564 6333 ou 1 800 387 6787)* assurent une liaison avec les hôtels du centre-ville toutes les 20 mn au départ des trois terminaux, entre 4 h 45 et 0 h 30. Trajet 40 mn.

En car
La gare routière *(610 Bay St, tél. 393 7911)* abrite de nombreuses compagnies qui sillonnent l'Ontario et donnent des informations sur leurs réseaux. Certaines couvrent aussi les États-Unis.
Greyhound *(tél. 1 800 661 8787)* relie les régions Ouest, jusqu'à Vancouver, ainsi que Montréal et le Nord des États-Unis. Les cars de la Trentway Wager desservent les chutes du Niagara.

En train
VIA Rail *(tél. 366 8411)* occupe les locaux de la célèbre Union Station, dans Front Street. Les principales villes sont desservies quotidiennement et certaines localités comme London, plusieurs fois par semaine.
Ontario Northland *(tél. 314 3750)* rallie le nord de la province et le *Polar Bear Express* va jusqu'à Moosonee, à l'embouchure de la baie d'Hudson.

En voiture
L'entrée dans Toronto se fait en général par l'autoroute 401, au nord de la ville. Les principales compagnies de location sont représentées en ville et ont des agences à l'aéroport et dans la gare routière.

Transports urbains
Avec un seul billet, il est possible d'emprunter successivement l'autobus, le tramway et le métro, à condition de ne pas dépasser une heure de trajet. Les informations sur leurs itinéraires sont communiquées par téléphone au *393 4636*. Ce réseau de transports, connu sous la désignation de TTC, propose également des forfaits à la journée.
Pour les alentours de Toronto, les trains GO *(tél. 869 3200)* mènent rapidement aux petites villes ainsi qu'à Hamilton, située au sud-ouest de l'Ontario.

OFFICES DE TOURISME

– Toronto
Tourism Toronto
207 Queen's Quay W, Ste 590, Toronto ON M5J 1A7
tél. 203 2500 ou 1 800 363 1990,
www.torontotourism.com

– Région de l'Ontario
Ontario Tourism Marketing Partnership Corp.
Hearst Block, 900 Bay St, 19e étage, Toronto,
tél. (905) 612 8776 (en français) ou (905) 282 1721
(en anglais), www.tourismontariotravel.net

Culture et loisirs

Musée des Beaux-Arts
317 Dundas St West, tél. 977 0414
Ce musée, l'un des plus importants du Canada, expose des œuvres du XIVᵉ siècle à l'époque contemporaine, ainsi que des sculptures de Henry Moore. Ouvert de 10 h à 17 h 30, du mardi au dimanche en saison estivale. Entrée payante.

Royal Ontario Museum
100 Queen's Park Avenue, tél. 586 5551
En fait, ce sont deux musées : le Royal Ontario Museum et le musée de la Céramique. Le premier concerne des domaines variés, allant de l'archéologie aux sciences naturelles, avec une remarquable section sur l'art et l'artisanat chinois. Le second expose une intéressante collection de porcelaines et de poteries. Un même billet donne accès aux deux musées, ouverts de 10 h à 18 h.

Festivals et fêtes

Juin : Caravan (les communautés ethniques présentent des spectacles dans 50 pavillons, dispersés aux quatre coins de Toronto).
Festival de Jazz du Maurier (les musiciens de la province accueillent des artistes américains et européens. Concerts ininterrompus en centre-ville).
Juillet : Fringe Festival (des compagnies théâtrales donnent des centaines de spectacles dans la ville).
Août : Caribana (la culture des Antilles anime les rues de la cité).
Septembre : festival international du Film.

Spectacles

Roy Thomson Hall
60 Simcoe St, tél. 593 4828
Deux orchestres, Toronto Symphony et Toronto Mendelssohn, donnent régulièrement des concerts, appréciés en raison de l'excellente acoustique.

La capitale compte plusieurs salles de théâtre, dont :
Princess of Wales Theatre
300 King St West, tél. 872 1212
Théâtre français de Toronto
231 Queen St Quay West, tél. 534 6604
Pantages Theatre
263 Yonge St, tél. 872 333
Magnifique style Art déco.

Sites à visiter

Harbourfront
235 Queen's Quay, York Quay, tél. 973 3000
En bordure du lac, ce quartier d'anciens entrepôts a été complètement réaménagé en lieux conviviaux : cafés, boutiques, scènes de spectacles. Les brocanteurs s'y installent en fin de semaine.

Tour CN
Front St West, tél. 360 8500
Elle surplombe la ville du haut de ses 553 m. De la plate-forme d'observation s'offre un majestueux panorama sur plus de 100 km alentour. Pour éviter la foule, il est préférable de s'y rendre tôt le matin ou en début de soirée. Entrée payante.

Skydrome
1 Blue Jay Way, tél. 341 3663
Son système de dôme rétractable lui octroie une double fonction : stade de base-ball, de basket-ball et de football, et salle de spectacles.

Le caractère cosmopolite de Toronto incite à découvrir ses divers quartiers :
Chinatown, dans le centre-ville, aux alentours de *Bay St et Dundas St.*
Little India, *Pape Avenue et Woodbine Avenue.*
The Danforth, le quartier grec, dans le même secteur que le précédent.
Corso Italia, dans *St Clair Avenue West.*
Un circuit différent consiste à visiter :
Rosendale, à l'angle de *Bloor St et de Yonge St,* le quartier chic où les maisons anciennes forment un itinéraire historique.
Cabbagetown, quartier irlandais situé à l'est de Parliament St, à la très belle architecture victorienne.

Nature et sports

Une piste cyclable, **Martin Goodman Trail**, longe le lac Ontario sur 20 km, depuis la rivière Humber, à l'ouest, jusqu'aux Beaches, à l'est. Une documentation sur le circuit est diffusée par l'office de tourisme. Pour des randonnées guidées, contacter Toronto Bicycling (*tél. 766 1985*).

Les plages, Beaches, à la lisière des parcs, attirent les adeptes de baignade et de planche à voile. Les mordus de golf se rendront à Oakville, où se situe le Glen Abbey Golf Club, la première réalisation de Jack Nicklaus.

Un programme intéressant est proposé par un spécialiste du plein air, Canadian Experience, avec Hostelling International (*tél. 971 4440* ou *1 800 668 4487*). L'itinéraire comporte, durant 3 jours, la découverte du village huron entièrement reconstitué de Sainte-Marie, situé à proximité de la baie Géorgienne, ainsi qu'une randonnée et une visite des chutes du Niagara.

A l'ouest de la ville, le **High Park** est accessible en métro. Différentes parties sont aménagées en courts de tennis, pistes cyclables, sentiers de randonnées, zones de pêche, au milieu d'une flore et d'une faune endémiques. Le spectacle *Shakespeare Under the Stars* est l'une des attractions estivales (renseignements : *tél. 392 1111*).

Des paysages somptueux du lac Ontario apparaissent du sommet des collines du **Scarborough Heights Park**. Le **Toronto Island Park** abrite 17 îles, désignées sous le nom d'îles de Toronto. Des ferries, partant de la pointe de Bay St, mènent aux trois principales îles : Hanlan's Point, Centre Island et Ward's Island – les autres îles étant reliées par une succession de ponts. Ces petits paradis incitent à la baignade, le farniente et la balade à pied ou à bicyclette (il est possible d'embarquer des bicyclettes à bord du bac).

Renseignements
Tél. 392 8186

Le **lac Crawford**, à l'ouest de Toronto, apparaît au milieu d'une nature préservée que découvrent des sentiers de randonnées. Le site abrite une reconstitution d'un village iroquois du XVe siècle.

OÙ SE RESTAURER

Amadeu's
184 Augusta Ave, tél. 591 1245
Au cœur de Kensington, restaurant portugais de poissons et de fruits de mer très couru. $$

Bright Pearl Seafood Restaurant
346 Spadina Ave (2e niveau), tél. 979 3988
Immense et animé : dim sum au déjeuner et spécialités cantonaises au dîner. $

Canoe
66 Wellington St West, tél. 364 0054
Du 53e étage, la vue plonge sur le lac. Le Canada est à l'honneur à la fois dans l'assiette et le décor. $$$

Friendly Thai
678 Yonge St, tél. 924 8424
Remarquable cuisine thaï superbement présentée. $

Quigley's
2232 Queen St East, tél. 699 9998
Une institution. Le patio de trois étages abrite un magnifique érable. Mets simples mais bons. $

Margaritas Fiesta Room
14 Baldwin St, tél. 977 5525
Le Mexique se déguste sous forme de *guacamole* et de *nachos*, au son d'une musique entraînante. $

Southern Accent
595 Markham St, tél. 536 3211
Bonne cuisine créole-cajun servie dans une ravissante maison victorienne. $$

VIE NOCTURNE

Les boîtes de nuit fréquentées entourent le Skydrome. Certaines accueillent des musiciens.

Ye Olde Brunswick House
481 Bloor St West, tél. 964 2242
Réputé pour ses bières pression. Alterne groupes et DJs. Le rendez-vous des étudiants.

Library Bar
Fairmont Royal York Hotel,
100 Front St, tél. 368 2511
Ambiance club : canapé en cuir et murs lambrissés.

Top o' the Senator
253 Victoria St, tél. 364 7517
Où entendre les nouveaux talents.

Lula Lounge
1585 Dundas St West, tél. 588 0307
Le rendez-vous latino-brésilien, fréquenté par tous les aficionados de la salsa, les amateurs d'art et les gourmands de tapas.

OÙ LOGER

Hôtels
Bond Place Hotel
65 Dundas St East, tél. 362 6061 ou 1 800 268 9390,
www.bondplacehoteltoronto.com
Petites chambres, mais joliment meublées. $-$$

Fairmont Royal York
100 Front St West, tél. 368 2511 ou 1 800 441 1414,
www.fairmont.com
Un monument historique au cœur du downtown, en face de Union Station. $$

Four Seasons Hotel
21 Avenue Rd, tél. 964 0411 ou 1 800 268 6282,
www.fourseasons.com/toronto
La jet-set fréquente cet hôtel d'une élégance discrète. Chambres spacieuses offrant une belle vue. $$$

Holiday Inn on King
370 King St West, tél. 599 4000 ou 1 800 263 6354,
www.hiok.com
Situé dans le quartier des théâtres. $$

Le Royal Meridien King Edward
37 King St East, tél. 863 3131 ou 1 800 543 4300,
www.lemeridien-kingedward.com
Une incontournable institution : des colonnes ponctuent le lobby et les chambres sont élégamment meublées. $$-$$$

Madison Manor Boutique Hotel
14-20 Madison Ave, tél. 922 5579
ou 1 877 561 7048, www.madisonavenuepub.com
Une auberge sophistiquée loge dans l'Annex, fréquentée par les universitaires. Pub convivial. $$$

Renaissance Toronto Hotel at Skydome
1 Blue Jays Way, tél. 341 7100 ou 1 800 468 3571,
www.renaissancehotels.com
L'hôtel loge dans le Skydome : une adresse idéale pour les fans de base-ball. $$$

Sutton Place Hotel
955 Bay St, tél. 924 9221 ou 1 800 268 3790,
www.suttonplace.com
Hôtel très prisé du monde du show business pour ses airs de grand hôtel européen. Chacune des chambres bénéficie d'un décor singulier. $$

Bed and Breakfast

Pour de plus amples renseignements, contacter :
Bed-and-Breakfast Homes of Toronto
PO Box 46093, College Park PO, 77 Bay St, toronto,
ON M5G 2P6, tél. 363 6362, www.bbht.ca
Downtown Bed & Breakfast Association
Tél. 410 3938 ou 1 888 559 5515,
www.torontobedandbreakfast.com

LE SUD-OUEST DE L'ONTARIO

Indicatifs régionaux : 519 ; 905 (Hamilton, Niagara-
on-the-Lake)

COMMENT SE DÉPLACER

En car

A partir de Toronto, des cars desservent les princi-
pales destinations de la région. Gares routières :
Hamilton
36 Hunter Street, tél. 387 7045
St Catherines
7 Carlisle Street
Niagara Falls
Angle de Bridge Street et *d'Érié Street, tél. 357 2133*
En été, des navettes assurent trois liaisons quoti-
diennes avec Niagara-on-the-Lake.
Kitchener-Waterloo
15 Charles Street West, Kitchener, tél. 741 2600
London
101 York Street, tél. 434 3991
Windsor
Chatham Street

En train

Là, également, les liaisons avec Toronto sont
fréquentes, surtout en période estivale. Les gares fer-
roviaires sont desservies par **VIA Rail** :
Hamilton
380 James Street North, tél. 522 7533
Niagara Falls
Bridge Street, tél. 357 1644
Réservations : *tél. 1 800 361 1235*
Kitchener-Waterloo
126 Weber Street, tél. 1 800 361 1235
Stratford
101 Shakespeare Street, tél. 273 3234
London
197 York Street, tél. 672 5722

En voiture

De Toronto, le Queen Elizabeth Way, QEW, longe le
lac Érié et mène à Hamilton et aux chutes du Niagara, après être passé par St Catherines, centre d'une

région émaillée de fermes, réputée pour ses fruits et
ses vins. Quant à l'autoroute 401, elle conduit à la
ville de Kitchener-Waterloo, en territoire mennonite.

Transports urbains

La plupart des localités peuvent être visitées à pied
ou à bicyclette. La région est desservie soit par des
bus réguliers, soit par les bus de compagnies
proposant des circuits à la journée et à prix forfaitaires.

OFFICES DE TOURISME

– Niagara Falls
Niagara Falls Tourism
5355 Stanley Avenue, ON L2G 3X4,
tél. 1 800 265 3951, www.discoverniagara.com
Niagara Parks Commission
Queen Victoria Parkway, Box 150, ON L2E 6T2,
tél. 356 2241
– Windsor
Convention and Visitor Bureau of Windsor
Essex County & Pelee Island, 333 Riverside Drive
W, Ste 1103, Windsor, ON N9A 5K4,
tél. (519) 255 6530 ou 1 800 265 3633
– Brantford
Southern Ontario Tourism Organization
180 Greenwich Street, ON N3S 3X6,
tél. 756 3230, www.soto.on.ca
– London
Southwestern Ontario Travel Association
4023 Meadowbrook Drive, ON N6L 1E7,
tél. (519) 652 1391 ou 1 800 661 6804

CULTURE ET LOISIRS

– Hamilton
Musée des Beaux-Arts
123 King St West, tél. 527 6610
Intéressante collection d'œuvres contemporaines.
Du mardi au samedi de 10 h à 17 h. Entrée libre.
Jardins botaniques (Royal Botanical Gardens)
Une succession de jardins s'agrémentent de milliers
de fleurs, dans un parc abritant une réserve d'animaux.

– St Catherines
Dans le triangle qu'elle forme avec Niagara-on-the-
Lake et les chutes du Niagara, s'étendent les vignobles,
à découvrir le long des fameuses « Routes du vin ».

– Niagara-on-the-Lake
Musée historique
43, Castlereag St
Les nombreux objets artisanaux exposés restituent le
mode de vie des habitants qui se sont succédé,
indiens et colons. Ouvert tous les jours de 10 h à
18 h. Entrée : 3 $.

– Niagara Falls

Destination la plus demandée et qui fascine les voyageurs du monde entier. Un bateau, le *Maid of the Mist*, part en contrebas de Clifton Hill et longe les chutes – impressionnante vision d'une eau tombant d'une hauteur de 55 m. L'ambiance étant à l'humidité, il est prudent de se protéger avec un ciré à capuche (il est possible d'en louer). Les chutes sont également visibles en empruntant les tunnels panoramiques de Table Rock. Un forfait « *Explorer's Passport* » permet de découvrir les chutes de trois points de vue différents, à explorer en plusieurs jours.

– Brantford
Centre culturel Woodland
84 Mohawk St
Retrace l'évolution de la culture amérindienne, ainsi que l'existence de la confédération des Six-Nations et son rôle au sein des ethnies indiennes : culturel, politique et social.
Réserve indienne des Six-Nations
De réputation nationale, cette réserve iroquoise est à l'est de la ville. Visible librement en semaine, il faut prendre rendez-vous le samedi et le dimanche et durant les nombreuses festivités.

– Kitchener-Waterloo
Marché agricole
Angle de King St et de Frederick St
Au cœur de la ville, c'est le lieu où rencontrer des amish et des mennonites, qui proposent leurs productions artisanales : couvertures, tapis, mais aussi confitures, saucisses ou fromages. Le marché se tient le samedi dès 5 h, jusqu'en début d'après-midi, et à partir de 7 h le mercredi.

– London
Musée d'Archéologie
1600 Attawandaron Road, tél. 473 1360
Onze millénaires, concrétisés par divers vestiges, représentent la mémoire des Amérindiens de la province. A proximité, un village indien datant de cinq siècles a été mis au jour. Le musée ouvre tous les jours de 10 h à 17 h. Entrée payante.

Festivals et fêtes
– Niagara-on-the-Lake
Avril à octobre : Shaw Festival (des acteurs connus interprètent les œuvres, dramatiques et musicales, créées par Bernard Shaw et ses contemporains).
Septembre : Niagara Grape and Wine Festival (la région vinicole de l'Ontario propose dégustations et visites de vignobles. Nombreuses festivités).
Mai à novembre : Stratford Festival (théâtre élisabéthain, mais des œuvres contemporaines côtoient parfois celles de Shakespeare).

Juin à juillet : International Freedom Festival (les villes de Windsor et de Détroit célèbrent, du 18 juin au 5 juillet, la fête nationale du Canada – 1er juillet – et l'indépendance des États-Unis – 4 juillet).

– Kitchener-Waterloo
Du 9 au 17 octobre : Octoberfest (la Bavière occupe tous les quartiers de la ville, où la bière coule à flots, la nourriture abonde, dans une chaude ambiance).

NATURE ET SPORTS

Le sentier de randonnée **Bruce Trail** est très réputé, avec ses 735 km des chutes du Niagara à Tobermory, la pointe de la péninsule de Bruce, dans la baie Géorgienne. Les plages de sable du lac Huron, aux eaux claires, sont à la lisière des parcs.
Bruce Trail Association
Tél. 529 6821
Le **parc du Niagara Glen** a des gorges, des chutes d'eau, des rochers et des grottes intacts. L'entrée est libre et l'escalade et la pêche autorisées.
Parks Commission
Tél. 356 2241
A proximité de Kitchener-Waterloo, le **parc de la gorge d'Élora** permet d'explorer les flancs des falaises et du canyon où coule une rivière navigable.
A la pointe sud-ouest, les marais du **parc national de Point Pelee** regroupent 350 espèces d'oiseaux.
Renseignements
Tél. 322 2365

OÙ SE RESTAURER

– Niagara-on-the-Lake
Epicurian
84 Queen St, tél. 468 3408
Ambiance et menu bistrot, assiettes généreuses : le meilleur rapport qualité-prix au déjeuner. $
Hildebrand Vineyard Café
Highway 55, tél. 468 7123 ou 1 800 582 8512
Salle-à-manger donnant sur les vignes. Excellentes soupes, cuisine goûteuse accompagnée de légumes du verger, et fromages fermiers de la région. $$
Ristorante Giardino
The Gate House, 142 Queen St, tél. 468 3263
Abrité dans un luxueux hôtel, ce restaurant d'une élégance contemporaine offre une cuisine aux parfums de l'Italie du Nord. $$$

– Niagara Falls
Skylon Tower Restaurant
5200 Robinson St, tél. 356 2651
Vue inoubliable des chutes et poisson savoureux. $$$

– Kitchener-Waterloo
Twenty King
41-45 King St, tél. 745 8939
Cet établissement a investi une ancienne banque.
Menu proposant une vaste variété de plats allant de
la cuisine cajun à des mets marocains en passant par
les spécialités sud-américaines. **$$**

– Stratford
The Church Restaurant and Belfry
70 Brunswick St, tél. 273 3424
Délicieuses ambiance et cuisine dans une chapelle
centenaire réaménagée. Dans la tour, le menu est
plus simple, le service plus décontracté et les prix
plus doux. **$$$**
The Old Prune
151 Albert St, tél. 271 5052
Excellente cuisine. Menu à prix fixes au dîner. **$$$**
Rundles
9 Coburg St, tél. 271 6442
Installé au bord du lac Victoria, cet établissement
propose des mets raffinés. **$$$**

VIE NOCTURNE

– Kitchener-Waterloo
Lulu's
Immense boîte de nuit, sur l'autoroute 8.
Circus Room
729 King St East, tél. 571 1456
Musiciens de jazz présents tous les soirs.

– London
Blues et jazz résonnent partout dans les bars qui longent *Richmond St* et *Queens St*, et également au **Chicago** (*Fullarton St*) ou au **Underside Of Five**, (*Angle
York St et Talbot St*).

– Stratford
Nombreux pubs et bars où apprécier café et desserts,
dont **Let Them Eat Cake** (*82 Wellington St*).

OÙ LOGER

– Niagara-on-the-Lake
Pour les B&B, s'adresser à la Niagara-on-the-Lake
Bed & Breakfast Association :
Tél. 468 0123 ou 1 866 855 0123,
admin@bba.notl.on.ca, www.bba.notl.on.ca
Oban Inn
160 Front St, tél. 468 2165 ou 1 888 669 5566
Petite auberge aux charmes désuets. **$$**
Prince of Wales Hotel
6 Picton St, tél. 468 3246 ou 1 888 669 5566
Demeure élégante du siècle dernier, bien décorée,
chambres impeccables. **$$$**

– Niagara Falls
Les tarifs fluctuent largement selon les saisons, mais
atteignent leur amplitude maximale de fin juin à septembre. Pour avoir les listes de B&B, contacter :
Visitors & Convention Bureau (*tél. 356 6061*) et
demander, de préférence, celles situées dans *River
Road,* car cette rue relie l'ancien centre-ville aux
chutes, avec de magnifiques paysages riverains.

Broke Plaza Hotel
5685 Falls Ave, tél. 357 3090 ou 1 800 263 7135,
www.niagara-falls-hotel.org/brockplazahotel.html
La plupart des chambres donnent sur les chutes. **$$**
Niagara Parkway Riverview Inn
*10655 Niagara Pkwy, tél. 295 4754 ou 1 888 552
9549, www.niagaraparkwayriverviewinn.com*
En amont sur la rivière, hôtel calme et familial. Pis-
cine extérieure. **$$**

– Kitchener-Waterloo
Four Point Sheraton
105 King St East, tél. 744 4141 ou 1 800 325 3535,
www.starwood.com/fourpoints
Proche du Farmer's Market, une adresse fort convi-
viale. **$$**

– Stratford
Albert Place – Twenty-Three
23 Albert Place, tél. 273 5800
Grandes chambres au confort moderne. **$$**
Victorian Inn on the Park
10 Romeo St North,
tél. 271 4650 ou 1 800 741 2135,
www.victorian-inn.on.ca
Hôtel élégant. Réservation pendant le festival. **$$**

– Windsor
Cadillac Motel
2498 McDougal Ave, tél. 969 9340 ou 1 888 541 3333
Motel bien équipé. **$**
Windsor Hilton
277 Riverside Dr West, tél. 973 5555, www.hilton.com
Luxueux hôtel donnantsur la detroit River. **$$$**

LE NORD DE L'ONTARIO

Indicatifs régionaux : 705 ; 807 (Thunder Bay et
l'Ouest)

COMMENT SE DÉPLACER

En avion
Air Canada dessert Sudbury, Sault-Sainte-Marie,
ainsi que Thunder Bay.

En car

Gares routières :

North Bay

100 Station Road, tél. 495 4200

Les cars se rendent, entre autres villes, à Sudbury et à Sault-Sainte-Marie.

Timmins

1 Spruce Avenue, tél. 264 1377

Sudbury

854 Notre-Dame Avenue, tél. 524 9900

Plusieurs liaisons quotidiennes avec Toronto, mais aussi avec Timmins, North Bay, Ottawa, Montréal et, en direction de l'ouest, Sault-Sainte-Marie, Winnipeg, avant d'atteindre Vancouver.

Sault-Sainte-Marie

73 Brock Street, tél. 949 4711

Thunder Bay

815 Fort William Road, tél. 345 2194

Kenora

610 Lakeview Drive, tél. 368 2540

En train

Gare de North Bay

100, Station Road, tél. 495 4200

Même adresse que la gare routière. Au réseau VIA Rail s'ajoute celui d'Ontario Northland, qui mène, entre autres localités, à Timmins, Kirkland Lake, Cochrane et Moosonee.

Timmins

Mêmes adresse et numéro de téléphone que la gare routière, mais pas de trains. Des cars assurent la correspondance avec Matheson, ville voisine, et Cochrane, d'où part, durant la saison estivale, le train *Polar Bear Express*, fleuron de l'Ontario Northland Railway. Cet « Ours polaire » franchit de vastes territoires immaculés, jusqu'à Moosonee, sur la baie James, que prolonge l'immense baie de Hudson.

Ontario Northland Railway

Tél. 1 800 268 9281

Sudbury

VIA Rail est implanté dans deux gares. La plus proche du centre (*233 Elgin St, tél. 673-4741*), dessert des localités au nord du lac Supérieur, dont Chapleau et White River. Il traverse d'extraordinaires paysages de lacs et de forêts.

Les liaisons avec les villes se font à partir de la seconde gare, très excentrée, Sudbury Junction (*Lasalle Boulevard, tél. 524 1591*), à 12 km au nord-est de la ville, et à 1 km du dernier arrêt de car.

Sault-Sainte-Marie

Angle de Bay St et de Gore St, tél. 946 7300

En voiture

L'autoroute 17 traverse toute la région. Elle part d'Ottawa et va jusqu'au Manitoba, province limitrophe à l'ouest de l'Ontario.

Transports urbains

Sudbury

Les autobus se regroupent près de la poste.

Renseignements

Tél. 675 3333

Sault-Sainte-Marie

Le terminal des cars se trouve à l'angle de Queen Street et de Dennis Street.

Tél. 759 5438

Thunder Bay

Les autobus partent à proximité des offices de tourisme de Fort William et de Port Arthur.

Renseignements

Tél. 344 9666

OFFICES DE TOURISME

– North Bay

Almaquin Nipissing Travel Association

1375 Seymour Street, Box 351, ON P1B 8H5,
tél. (705) 474 6634 ou 1 800 387 0516,
www.ontarionearnorth.com

– Kenora

Northwest Ontarios Sunset County

Box 647T, Kenora, ON P9N 3X6,
tél. 468 5853 ou 1 800 665 7567

– Sault-Sainte-Marie

Algoma Kinniwabi Travel Association

485 Queen St East, Ste 204, ON P6A 1Z9,
tél. (705) 254 4293 ou 1 800 263 2546,
www.algomacountry.com

CULTURE ET LOISIRS

– Timmins

Timmins Museum

70 Legion Drive, tél. 235 5066

Consacré aux chercheurs d'or, ce voyage initiatique est intéressant, malgré l'étroitesse du lieu.

Mine d'or

Le circuit « *Gold Mine Tour* » (*tél. 267 6222*), qui mène à l'ancienne mine d'or Hollinger, est l'un des principaux attraits de Timmins. Une visite des galeries souterraines et du site à l'air libre – que complètent des boutiques d'artisanat et un restaurant – coûte environ 18 $. Il faut prévoir des vêtements chauds et de bonnes chaussures de marche. Billets à réserver auprès de la chambre de commerce.

– Sudbury

Musée des Sciences (Science North)

100 chemin du Lac Ramsey, tél. 522 3701

Au sud-ouest du lac, un immense flocon de neige (le musée), comme posé sur la rive, aborde divers sujets sur les découvertes scientifiques. Ils sont rendus compréhensibles grâce à des explications claires par thèmes, des jeux interactifs et des projections de films. Ouvert en été de 9 h à 18 h. Entrée payante.

Mine de nickel

Un circuit « *Big Nickel* » de 2 h en bus permet d'atteindre un cratère de 55 km de long et de 25 km de large ; une énigme de deux milliards d'années : météorite ou volcan ? Le site minier, à ciel ouvert, se situe à l'ouest de la ville et expose l'équipement d'origine. Science North propose un laisser-passer forfaitaire, incluant la visite du musée, celle du cratère, ainsi que la découverte de la mine.

– Sault-Sainte-Marie
Musée de Sault-Sainte-Marie
690 Queen St East, tél. 759 7278
La région est présentée sous forme de rétrospectives, depuis les premiers autochtones jusqu'aux commerçants de fourrures. L'exposition consacrée aux Inuit est particulièrement remarquable. Ouvert du lundi au samedi de 9 h à 16 h 30, dimanche à partir de 13 h. Entrée payante.

Écluses
La situation géographique de la ville est exceptionnelle : au bord de la rivière St Mary, où d'impétueuses cascades joignent le lac Huron au lac Supérieur. Une succession d'écluses et de canaux permettent à de nombreux navires d'aborder la ville et de pénétrer à l'intérieur des terres, sur des centaines de kilomètres. Près du Civic Centre, des bateaux partent des docks pour une visite des écluses Renseignements : *tél. 253 9850*.

– Thunder Bay
Son port est l'un des plus importants du Canada, notamment en raison du transport et du stockage des céréales. La ville n'est pas d'un intérêt particulier, mais les paysages qui l'entourent sont d'une grande beauté. Cependant, une fois sur place, il est intéressant de visiter un ensemble fortifié de 50 ha, situé à l'ouest de la ville, **Fort William**, accessible par les bus urbains. C'est une reconstitution du fort datant du XIXᵉ siècle, qui accueillait Indiens, explorateurs et trappeurs impliqués dans le commerce de la fourrure. Ouvert de 10 h à 18 h, en été. Entrée payante.

NATURE ET SPORTS

La **French River**, au sud de Sudbury, attire les adeptes de la pêche et de rafting. Le **parc provincial de Killarney** s'étend jusqu'à la baie Géorgienne. Ses innombrables lacs, que surplombent des falaises de granit rouge et des monts de quartz blanc, scintillent au milieu de forêts de conifères. Le paysage, majestueux, se découvre en randonnée, en canoë ou à ski.

Au sommet des falaises de **Gros Cap**, à l'ouest de Sault-Sainte-Marie, dans le **parc de Blue Water**, la vue sur le lac Supérieur est inoubliable et mérite l'escalade – à moins d'emprunter la piste qui mène à là crête, haute de 150 m. Au nord de Sault-Sainte-Marie, en direction de Hearst, s'étend **Agawa Canyon**, une contrée où se succèdent d'époustouflants paysages de montagnes et de vallées couvertes de forêts, ponctués de chutes d'eau. Un train ACR « *Algoma Central Railway* » parcourt les 500 km qui séparent les deux villes en une dizaine d'heures, aller-retour, avec une étape de deux heures pour découvrir le canyon. Durant la période estivale, ce train part tous les jours à 8 h et il est possible de se restaurer à bord. Réserver 24 h à l'avance.

Le **parc provincial du lac Supérieur** (*tél. 856 2284*) est accessible par l'autoroute 17. Parmi d'autres mammifères, il abrite des ours, qui vivent dans ses immenses étendues boisées que prolongent des montagnes escarpées, rafraîchies par des rivières qui s'écoulent en cascades. Le paysage prend des allures marines en bordure du lac, émaillé de plages.

A 20 km de Thunder Bay, **Kakabeka Falls** s'ouvre sur un panorama de chutes de 40 m de haut.

Le Nord ontarien est sillonné de 30 000 km de pistes de motoneige, qui permettent d'accéder aux localités les plus reculées, en traversant de somptueux paysages (*tél. 1 800 263 7533*).

OÙ SE RESTAURER

– Thunder Bay
Bistro One
555 Dunlop St, tél. 622 2478
La cuisine nord-américaine fort inventive proposée dans ce restaurant mérite sa réputation. $$

Good News Café
116 South Syndicate Ave, tél. 623 5001
Adresse courue au déjeuner pour ses soupes étonnantes, ses sandwichs raffinés et ses bons desserts. $

VIE NOCTURNE

– Sudbury
Pat et Mario
1463 Lasalle Boulevard

– Thunder Bay
Armani's
513 Victoria Ave East, Fort William

OÙ LOGER

– Algonquin Park
Arowhon Pines
Little Joe Lake, tél. 633 5661, www.arowhonpines.ca
Des lodges et des cottages de rêve. Canoë, nage et randonnée, entre autres activités. $$$

– Sudbury
Travelway Inn
1200 Paris St, tél. 522 1122 ou 1 800 461 4883
Grandes chambres, toutes avec vue. À quelques
minutes de Science North, l'attraction locale. $$

LE QUÉBEC

En dehors des principales villes, insulaires (comme
Montréal et Laval), riveraines (Québec et Hull), le
Québec peut se scinder en deux parties : la première
regroupe les provinces du Nord-Ouest et du Nord-
Est ; la seconde, les provinces du Sud-Ouest et du
Sud-Est.

MONTRÉAL

Indicatif régional : 514

COMMENT SE DÉPLACER

En avion
Les vols internationaux et nationaux atterrissent
à l'aéroport de Montréal-Pierre Elliot Trudeau Inter-
national Airport (ex-Montréal-Dorval, *tél. 394 7377
ou 1 800 465 1213*), situé à 20 km de Montréal. Les
charters utilisent l'aéroport de Mirabel (*tél. 394 7377
ou 1 800 465 1213*), à 60 km au nord-est de la ville.

En car
Greyhound et Voyageur desservent régulièrement
Québec depuis les grandes villes canadiennes et
américaines. Renseignements au *1 800 661 1145*.
Gare routière
505 boulevard de Maisonneuve, tél. 842 2281

En train
VIA Rail
*3 pl Ville Marie, Ste 500, Montréal, PQ H3B 2C9,
tél. 1 888 842 7245, www.viarail.ca*
Dessert plusieurs fois par jour Québec, Ottawa et
Toronto.
Amtrak
Tél. 1 800 872 7245, www.amtrak.com
Assure des liaisons régulières avec les États-Unis.

En voiture
L'autoroute 40, qui prend le nom de **Transcana-
dienne** en Ontario, puis de **Métropolitaine** au Qué-
bec, longe la rive nord du Saint-Laurent, en prove-
nance d'Ottawa. Pour se rendre de Montréal à Québec
par la rive sud, prendre l'autoroute 20.

Location de voitures
VIA Route
1255 Rue Mackay, tél. 871 1166
C'est l'une des rares compagnies qui proposent des
tarifs incluant les assurances et les taxes. Les princi-
pales sociétés de location sont représentées à l'aéro-
port et également en ville.

En bicyclette
Le meilleur mode de transport pour découvrir la
ville. Des cartes détaillées sur les quelque 300 km de
pistes cyclables sont disponibles dans les offices de
tourisme, ainsi que la liste des loueurs de cycles.

Par ferry
De nombreuses compagnies proposent des presta-
tions à l'année ou saisonnières sur le Saint-Laurent
et les principales rivières, et entre les Îles-de-la-
Madeleine et l'île-du-Prince-Édouard.
La compagnie maritime *Relais Nordik* (*tél. 418-
723 8787, www.desagnes.com*) relie tous les ports de
la côte Nord basse entre Havre-Saint-Pierre, Île
d'Anticosti et Blanc Sablon. Réservations conseillées.

A SAVOIR SUR PLACE

Office de tourisme
Tourism Québec
*Box 979, Montréal, QC, H3C 2W3,
tél. (877) 266 5687 ou 1 877 266 5687*
Montréal Infotouriste Center
*1555 rue Peel, bureau 600, Montréal, PQ H3A 1X6,
tél. 844 5400 ou 1 800 363 7777,
www.tourism-montreal.org*

Consulats
France
1, pl Ville-Marie, Bureau 2601, 26e ét., tél. 878 4385
Belgique
*999 blvd de Maisonneuve Ouest, bureau 1250,
tél. 849 7394*
Suisse
1572 Dr-Penfield Ave, tél. 932 7181

Librairies
Maison de la presse internationale
*550 rue Sainte-Catherine Est
1393 rue Sainte-Catherine Ouest*

CULTURE ET LOISIRS

Centre-ville
Vue des gratte-ciel, la ville paraît américaine ; à leur
pied, sa latinité transparaît dans ses rues, ses bars, ses
boutiques, ses galeries et ses nombreux musées.

Musée des Beaux-Arts
1380 rue Sherbrooke Ouest, tél. 285 1600
Importante rétrospective sur la création artistique, de l'époque médiévale à nos jours. Objets provenant des continents américain et européen. Exposition d'œuvres contemporaines d'artistes célèbres. Pavillon consacré à l'art inuit et amérindien. Ouvert du mardi au dimanche, de 11 h à 18 h. Entrée libre, sauf pour les expositions temporaires.

Musée McCord
690 rue Sherbrooke Ouest, tél. 398 7100
Histoire du Canada, des origines avec les Amérindiens, à l'arrivée des premiers Européens. Cette exposition d'objets usuels, artisanaux, artistiques, étayée par de nombreuses photographies, prises entre 1850 et 1930, est une initiation indispensable pour apprécier la découverte des provinces canadiennes. Ouvert du mardi au dimanche de 10 h à 18 h. Entrée payante.

Le **Centre Infotouriste** propose une carte pour visiter, au choix, 19 musées de la ville, à un prix forfaitaire journalier (*tél. 845 6873*).

Ville souterraine
C'est un réseau de 30 km reliant deux gares ferroviaires, dix stations de métro et des centaines de boutiques, hôtels, restaurants, cinémas, bureaux.

Plateau Mont-Royal
Quartier des artistes et des intellectuels où il fait bon déambuler, humer une ambiance bohème et admirer une succession de coquettes maisons, agrémentées de balcons en bois ou en fer forgé.

Bidôme
4777 avenue Pierre-de-Coubertin, tél. 868 3000
Quatre écosystèmes sont présentés, concernant les forêts tropicale et laurentienne, le Saint-Laurent marin et le monde polaire. Ouvert tous les jours de 9 h à 17 h, jusqu'à 19 h en été. Entrée payante.

Vieux-Montréal
Du site fortifié originel, il ne reste que le tracé des rues anciennes, mais ce dernier est assez marqué pour évoquer le XVIIIe siècle. Après un abandon au profit du centre moderne, un lent et constant processus de restauration, amorcé depuis l'exposition universelle de 1967, se poursuit.

Musée d'Archéologie et d'Histoire de Montréal
Pointe-à-Callière, place Royale, tél. 872 9150
Situé à l'emplacement même où Montréal fut fondée le 18 mai 1642, ce musée expose les vestiges de son histoire. Au dernier étage, un café offre une vue magnifique sur le Vieux-Port. Ouvert tous les jours de 10 h à 18 h. Entrée payante.

Basilique Notre-Dame
110 rue Notre-Dame Ouest
D'inspiration néogothique régionale, bâti entre 1824 et 1829, ce monument abrite un décor polychrome exceptionnel, réalisé en bois peint doré à la feuille.

Vieux-Port
Aménagé en promenade verdoyante, ce quartier attire les flâneurs à la recherche d'une ambiance maritime.

La Ronde
Tél. 1 800 797 4537
Parc d'attractions le plus important du Québec, au sud de Montréal, est entouré de bars et de restaurants. Des spectacles féeriques de pyrotechnie, de cirque, ainsi que des concerts, l'animent en été. Ouvert tous les jours jusqu'à minuit. Entrée payante.

Biosphère
160 Tour-de-l'Isle, tél. 283 5000
Présente les Grands Lacs et le Saint-Laurent, qui constituent près du quart des réserves mondiales d'eau douce. Elle traite des problèmes de pollution et évoque le rôle du fleuve dans la vie du Québec.

Cosmodôme
Tél. 1 800 565 2267
Au nord de Montréal, par l'autoroute 15, ce centre spatial traite des nouvelles technologies. Pour une simulation de voyage dans l'espace, réserver. Le centre est ouvert du mardi au dimanche de 10 h à 18 h. Entrée payante ; gratuit pour les moins de 6 ans.

Festivals et fêtes
Janvier-février : fête des Neiges (2 semaines sont dédiées à la neige et à ses joies dans le parc des Îles).
Juin : le Tour de l'île (rencontre de 50 000 cyclistes, venus parcourir les 70 km de piste dans une ambiance amicale. Renseignements : *tél. 521 8356*). Grand Prix Player's du Canada (course de F1, sur le circuit Gilles-Villeneuve de l'île Notre-Dame).
Juin-juillet : concours international de Pyrotechnie (à la Ronde, superbes spectacles en fin de semaines). Festival international de jazz de Montréal (importante manifestation, animée par des artistes venus du monde entier et qui donnent des concerts, souvent gratuits partout en ville. Renseignements au *tél. 871 1881*). Festival Juste pour rire (pièces franco-anglaises, en plein air. Nombreux interprètes internationaux).
Juillet-août : Francofolies de Montréal (chansons francophones. Renseignements : *tél. 876-8989*). Omnium du Maurier (rencontre internationale de tennis, stade du Maurier).
Août-septembre : festival des Films du monde (pendant trois semaines, projections de films variés).

Spectacles
Place des Arts
260 boulevard de Maisonneuve Ouest, tél. 285 4200
Réservations *tél. 842 2112*
Cinq salles sont ouvertes depuis 1992 et accueillent bon nombre de manifestations culturelles : concerts, opéras, théâtre. Se renseigner sur les dates de représentations des Ballets Jazz de Montréal, une troupe réputée de danse moderne.

Le cinéma est à l'honneur au programme des festivals et dans de nombreuses salles, dont :

Cinémathèque québécoise
335 boulevard de Maisonneuve Est, tél. 842 9763
Projette des films de qualité.

Office national du Film
1564 rue Saint-Denis, tél. 496 6887
Plusieurs salles disponibles, y compris une cinémathèque, où il est possible de visionner les films produits par l'Office.

Cinémas et théâtres se regroupent également autour de la rue Saint-Denis, dans le quartier Latin.

NATURE ET SPORTS

La bicyclette règne sur les innombrables pistes, dont celles du parc longeant le canal de **Lachine**, à l'ouest de la ville, près du Vieux-Port. On peut réserver des circuits de descentes des rapides auprès de Lachine Rapids Tours : *105 esplanade de la Commune Ouest, tél. 284 9607.*

Le **parc du Mont-Royal** s'étend sur 100 ha, couverts d'arbres, où se retrouvent avec plaisir les cavaliers, les cyclistes, les ornithologues et les amateurs de musique. Du belvédère s'offre une vue admirable sur la ville. L'hiver venu, le lac du parc se transforme en patinoire et ses sentiers en pistes de ski de fond. Son accès est aisé par le bus n°11, qui part à proximité de la station de métro Mont-Royal ; à moins de lui préférer une balade en calèche.

Pour comprendre un aspect fondamental de la culture québécoise, il faut assister à une rencontre de hockey sur glace au centre Molson : *1260 rue de la Gauchetière Ouest, tél. 989 2841.*

Dans les environs de Montréal, le **parc Oka** est accessible par l'autoroute 15, puis par l'autoroute 640, en direction de l'ouest. L'hiver, ses 70 km de sentiers de randonnée invitent à des balades à ski ou avec des raquettes. La **Rivière Rouge**, au nord-ouest de la ville, contentera les adeptes de rafting les plus difficiles. Les **Îles-de-Boucherville**, reliées par une série de ponts et aménagées en parc, constituent une originale piste cyclable de 20 km environ et un cadre idéal pour le canoë.

OÙ SE RESTAURER

Héritier de la passion française pour la cuisine, l'art du repas au Québec est pris très au sérieux. Le service est efficace et attentionné. Il est conseillé de réserver sa table, d'arriver à l'heure et de s'informer si la carte de crédit est acceptée. La plupart du temps, une tenue correcte est fortement recommandée.

Le vin est cher, mais la nourriture est souvent de qualité exceptionnelle. Des restaurants petits ou modestes attacheront un soin professionnel à la préparation des plats les plus simples. La cuisine du terroir sait faire bon usage des herbes potagères, des légumes, du poisson, du lapin, et autres viandes.

Ben's Delicatessen
990 boulevard Maisonneuve Est, tél. 844 1000
Prépare parfaitement la viande fumée, dans un décor « vieux bistro ». **$**

Boulangerie Première Moisson
1490 rue Sherbrooke Ouest, tél. 931 6540
Soupes et délicieuses tartes. **$**

Laloux
250 avenue des Pins, tél. 287 9127
Cuisine française élaborée et variée. À déguster, le foie gras. **$$**

Le Caveau
2063 rue Victoria, tél. 844 1624
Bonne cuisine française. **$$**

Les Filles du Roy
405 rue Bonsecours, tél. 849 3535
Cuisine franco-canadienne servie dans un cadre XVIIᵉ siècle. Réservation conseillée. **$$$**

Lezvos
1227A Mount Royal Avenue Est, tél. 523 4222
Un restaurant grec proposant du poisson frais et des fruits de mer à prix modérés. **$$**

VIE NOCTURNE

La vie nocturne, très animée à Montréal, se termine souvent vers 4 h. Les sorties nocturnes sont citées dans *Le Devoir* et *La Presse*, édition du vendredi.

Altitude 737
1 place Ville-Marie, 43e niveau, tél. 397 0737
Élégant bar et superbe vue depuis le toit terrasse.

Bily Kun
354 avenue du Mont-Royal Est, tél. 845 5392
Pour amateurs de blues et de jazz.

Cactus
4416 rue Saint-Denis, tél. 849 0349
Idéal pour apprécier la salsa et la world music.

Else's
156 rue Roy Est, tél. 286 6689
Ambiance conviviale et décontractée. Bonne sélection de bières et de whiskeys.

Foufounes Électriques
87 rue Sainte-Catherine Est, tél. 844 5539
Immense espace industriel sur trois étages à l'atmosphère électrique et musique hard rock.

House of Jazz
2060 Aylmer, tél. 842 8656
Décor extravagant et live music.

Jello Bar
151 Ontario Est, tél. 285 2621
Une adresse très fréquentée avec plus de 50 cocktails et de la *live music* dans un cadre neokitsch.

Le P'tit Bar
3451 rue Saint-Denis, tél. 281 9124
Minuscule boîte à chansons près du square Saint-Louis où des chanteurs du cru divertissent la clientèle.
Newtown
1476 rue Crescent, tél. 284 9119
Un club-bar-restaurant appartenant au coureur automobile Jacques Villeneuve.

OÙ LOGER

Auberge de la Fontaine
1301 rue Rachel Est, tél. 597 0166
ou 1 800 597 0597, www.aubergedela/fontaine.com
À côté de Parc Lafontaine, dans le quartier de Mont-Royal. $$
Fairmont The Queen Elizabeth
900 René-Lévesque Ouest, tél. 861 3511 ou 1 800 441 1414, www.fairmont.com
Bonne situation et confort garanti. $$-$$$
Hilton Montréal Bonaventure
900 de la gauchetière Ouest, tél. 878 2332 ou 1 800 267 2575, www.hiltonmontreal.com
Au cœur de la ville, un cadre élégant, un service impeccable et un agréable toit-jardin. $$$
McGill University Montréal Hotel
3935 rue University, tél. 398 6367
Hébergement à petits prix, en été seulement. $
Ritz-Carlton Kempinski
1228 rue Sherbrooke Ouest, tél. 842 4212 ou 1 800 363 0366, www.ritzcarlton.com/hotels/montreal
À proximité du cœur commercial, cet hôtel garantit un confort maximum. Beaux meubles anciens. $$$

QUÉBEC

Indicatif régional : 418

Fière de son histoire et de sa culture, Québec est l'âme du Canada francophone. La vieille ville, au charme tout européen, est inscrite au patrimoine mondial par l'Unesco. Siège du gouvernement provincial, Québec accueille un grand nombre de voyageurs, surtout durant la saison estivale.

COMMENT SE DÉPLACER

En avion
Aéroport Jean-Lesage
510 rue Principale, Sainte-Foy, tél. 640 2600
Situé à l'ouest de la ville, par l'autoroute 40, il reçoit les vols des compagnies internationales. Air Canada (*tél. 692 0770*) et Canadian Airlines (*tél. 692 0912*) desservent également Montréal et Ottawa.

En car
Gare routière
320 rue Abraham-Martin, tél. 525 3000
Orléans Express assure plusieurs dessertes quotidiennes de Montréal.

En train
VIA Rail
Tél. 692 3940
Numéro valable pour les trois gares ferroviaires :
Gare centrale
Rue Saint-Paul, ville basse
Plusieurs liaisons par jour avec Montréal.
Gare Sainte-Foy
Dans la partie sud-ouest de la ville.
Gare de Lévis
Face à Québec (à laquelle elle est reliée par un ferry depuis la place Royale), cette localité permet de se rendre ensuite en Gaspésie et dans les provinces Maritimes. Le ferry fait la traversée jour et nuit (*tél. 644 3704 ou 837 2408*).

En voiture
Deux itinéraires relient Montréal à Québec, en longeant le Saint-Laurent. Par la rive nord, emprunter l'autoroute 40, qui devient 440 aux abords de la ville. Par la rive sud, prendre l'autoroute 20, jusqu'au pont Pierre-Laporte, qui traverse le fleuve et mène jusqu'au boulevard Laurier.
Les compagnies de location de voitures sont représentées à l'aéroport et en ville.

Transports urbains
Toute la ville de Québec est parfaitement desservie par son réseau de bus, de 6 h à 24 h. Dans la vieille ville, de nombreux bus marquent un arrêt place d'Youville, et en partent tard dans la nuit le vendredi et le samedi. Se renseigner auprès de l'office de tourisme pour la location de bicyclettes et de deux-roues.
Gare routière
225 boulevard Charest Est, tél. 627 2511

À SAVOIR SUR PLACE

Offices de tourisme
Greater Québec Area Tourism
399 Saint-Joseph Est, Québec, QC G1K 8E2, tél. 641 6654, www.quebecregion.com

Librairies
Librairie générale française
10 rue de la Fabrique, tél. 692 2442
Ouverte tous les jours de 9 h à 21 h.
Librairie Pantoute
1100 rue Saint-Jean, tél. 694 9748
Ouvre de 10 h à 22 h ; le dimanche à partir de 12 h.

CULTURE ET LOISIRS

Vieux-Québec – ville haute
Musée du Québec
1 avenue Wolfe-Montcalm, tél. 643 2150
Exposition permanente sur la création artistique québécoise depuis le XVIIe siècle et expositions temporaires sur l'art contemporain. Il abrite aussi un centre (*tél. 648 4071*) retraçant les luttes qui se sont déroulées dans un immense parc, dit « parc des Champs-de-Bataille », au sud-ouest de la ville et qui furent déterminantes dans l'histoire du Canada. Entrée payante.
Musée de l'Amérique Française
9 rue de l'Université, tél. 692 2843
Témoignages précieux de la présence culturelle française en Amérique du Nord : œuvres d'art, meubles, manuscrits, et près de 200 000 ouvrages. Ouverture quotidienne de 10 h à 17 h 30. Entrée payante.
Musée du Fort
10 rue Sainte-Anne, tél. 692 2175
Face à la place d'Armes, ce manoir blanc s'anime lors d'un spectacle Son et lumière sur les événements militaires majeurs de la province. Ouvert tous les jours de 10 h à 17 h en été. Entrée payante.

Vieux-Québec – ville basse
Ce quartier est accessible à pied en descendant la côte de la Montagne et également par le funiculaire, depuis la terrasse Dufferin, pour arriver dans une artère ancienne et très étroite, rue du Petit-Champlain.
Place Royale
Au cœur d'un quartier restauré, cette place est un lieu enchanteur, où renaît un passé vieux de quatre siècles. Les flâneurs, d'ici ou d'ailleurs, à la recherche d'un moment d'histoire, s'attardent dans les galeries d'art, les boutiques d'artisanat ou à la terrasse des cafés.
Église Notre-Dame-des-Victoires
Située sur la place Royale, elle fut édifiée en 1688. Elle est considérée comme la plus ancienne du Québec.
Musée de la Civilisation
85 rue Dalhousie, tél. 643 2158
Diverses expositions à thèmes, très bien réalisées, concernent, entre autres sujets, l'évolution des connaissances humaines dans la vie quotidienne et la création d'objets et d'outils qui accompagna cette évolution au cours des siècles. Le Québec et sa culture sont mis en valeur grâce aux collections et aux programmes vidéo interactifs. Face à la mer, ce musée comporte de vastes salles lumineuses. Ouvert tous les jours de 10 h à 19 h. Entrée payante.
Vieux-Port
Non loin de la place Royale, il donne accès au quai où est amarré le *Louis-Jolliet* (*tél. 692 1159*), qui organise des excursions jusqu'à l'île d'Orléans ou des promenades le long du Saint-Laurent.

Quartier des antiquaires
Il se situe dans la *rue Saint-Paul*, que longent de petits cafés aux terrasses attrayantes. Depuis la place Royale, prendre la rue Saint-Pierre, puis se diriger vers le port.

Festivals et fêtes
Février : Carnaval de Québec (toute la ville prépare fébrilement et vit intensément les deux semaines de festivités. Courses de bateaux, de luges, concours de sculptures sur glace, défilés, chants et musiques ne laissent guère de répit aux amateurs, enchantés de participer ct d'égayer ainsi un interminable hiver).
Juillet-août : Festival d'été de Québec (partout dans la cité et les parcs environnants, des spectacles gratuits attirent les adeptes de concerts, danses, scènes de théâtre, durant la première quinzaine de juillet).
Foire provinciale de Québec (concours agricoles et courses de chevaux sont organisés autour d'expositions commerciales et artisanales, dans une ambiance de fête foraine).

Spectacles
Grand Théâtre de Québec
269 boulevard René-Lévesque, tél. 643 8131
D'importantes troupes de ballets et de théâtre s'y produisent. Concerts de musique classique.
Deux autres centres accueillent d'excellents artistes, dans diverses disciplines.
Théâtre Capitole
972 rue Saint-Jean, tél. 694 4444
Palais Montcalm
995 place d'Youville, tél. 691 4444

Chansonniers et chanteurs exercent leur talent dans les cabarets suivants, qui ouvrent autour de 22 h :
Caves Napoléon
680 Grande-Allée Est, tél. 640 9388
Maison de la Chanson
68 rue du Petit-Champlain, tél. 692 4744

NATURE ET SPORTS

Entre le Québec et le Charlevoix s'étend, sur 8 000 km, la vaste **réserve faunique des Laurentides**. C'est une succession de monts, de collines et de lacs, traversés par d'impétueuses rivières, propices à la pêche à la truite et aux différentes descentes en eaux vives. L'hiver, la neige abondante se prête au ski de randonnée, au ski de fond et aux courses en motoneige (*tél. 686 1717*).
Au sud des Laurentides, le **parc de la rivière Jacques-Cartier** organise des activités autour de sa superbe rivière dont les gorges, accessibles par des sentiers de randonnée, s'ouvrent sur un magnifique panorama. En contrebas, le raft est un excellent pré-

texte pour des haltes, permettant d'alterner ce sport avec l'équitation ou le VTT ; à moins de se concentrer sur l'observation de la flore et de la faune (*tél. 848 3169*). En hiver, les lieux se prêtent à la pratique du ski de fond. Dans le cas d'un séjour prolongé, mieux vaut réserver une place de camping (*tél. 1 800 665 6527*). Le matériel sportif et les équipements peuvent se louer sur place.

L'**île d'Orléans**, à l'est de Québec, déploie ses bucoliques paysages de champs, de vergers et de forêts d'érable sur une étroite bande de 35 km de long sur 10 km de large. La traversée des paroisses, où apparaissent des maisons anciennes en bois, donne un aperçu de la vie rurale de la région.

Les **chutes de Montmorency** : un téléphérique permet l'accès à ces majestueuses chutes, hautes de 84 m. Ouverture, en été, de 9 h à 23 h (21 h à partir du 7 août). Renseignements : *tél. 663 2877*.

Toujours à l'est de Québec, à 40 km, le **parc du Mont-Sainte-Anne** est un important domaine skiable, parfaitement aménagé pour les débutants et les champions, qui se retrouvent pour assister ou participer aux épreuves de la coupe du monde (*tél. 827 4561*) et les amateurs de parapente pourront s'adonner à leur passion (*tél. 824 5343*).

La **réserve faunique nationale de Cap-Tourmente** se situe à 50 km à l'est de Québec. Reconnue d'intérêt international, elle est un lieu de migration pour l'oie des neiges. Ses marais attirent, notamment, des canards, des hérons et des faucons. Des sentiers de randonnée, ponctués de postes d'observation et de lieux aménagés pour le pique-nique, permettent d'admirer les richesses naturelles du site. La réserve ouvre quotidiennement de 9 h à 17 h durant la période de migration, d'avril à octobre. Entrée payante. Se renseigner au préalable (*tél. 827 3776*).

OÙ SE RESTAURER

Le choix de restaurants est vaste au Québec et la cuisine, souvent bonne.

De nombreux restaurants émaillent la *rue Saint-Jean,* souvent calme et préservée de la foule. Ils pratiquent des tarifs abordables. On y trouve également des épiceries fines où il fait bon flâner et humer les parfums du terroir.

Le Commensal
860 rue Saint-Jean, tél. 647 3733
Ce restaurant végétarien, situé à l'extérieur des murs, est bondé tous les jours de la semaine. $
L'Échaudé
73 rue Sault-aux-Matelot, tél. 692 1299
Dans le quartier du vieux port, un bistrot élégant et animé où les produits régionaux prennent d'étranges présentations. $$

Aux Anciens Canadiens
34 rue Saint-Louis, tél. 692 1627
Installée dans une des plus vieilles demeures de la ville, cette institution prépare de généreux mets québécois. $$$
Le Saint-Amour
48 rue Sainte-Ursule, tél. 694 0667
Délicieuse cuisine française servie dans un cadre romantique. $$
L'Omelette
66 rue Saint-Louis, tél. 694 9626
Appétissantes omelettes, quiches et *pancakes*. $
Voodoo Grill
575 Grande-Allée, tél. 647 2000
Ambiance africaine et intéressante sélection de mets issus de la cuisine fusion. $$

VIE NOCTURNE

Dans la vieille ville et autour des remparts, les bars et les pubs prennent le relais des brasseries.
Chez Maurice
575, Grande-Allée Est, tél. 647 2000
Ce cadre avant-gardiste où est diffusée une musique branchée, attire les célébrités.
Chez Son Père
24 rue Saint-Stanislas, tél. 692 5308
Au cœur du quartier Latin, ce pub joue du jazz, du blues et de la folk dans une atmosphère enfumée.
Bar Saint-Laurent
1 rue des Carrières, tél. 692 3861
L'ambiance feutrée et la vue panoramique font de ce bar du Château Frontesac l'un des plus romantiques de la ville.
L'Inox
38 quai Saint-Antoine, tél. 962 2877
Brasserie populaire de la ville basse.

OÙ LOGER

Outre les hôtels, l'association Hôtellerie Champêtre-Québec Resorts & Country Inns propose de charmantes adresses dans des cadres magnifiques. Pour recevoir le catalogue et les tarifs, contacter :
Hôtellerie Champêtre-Québec Resorts & Country Inns
426 rue Ste-Hélène, bureau 304,
Montréal, QC H2Y 2K7, tél. (514) 861 4024
ou 1 800 714 1214, www.hotelleriechampetre.com
Auberge de la Place d'Armes
24 rue Ste-Anne, tél. 694 9485,
www.hotelsquebec.com
Chambres simples mais élégantes. $
Centre International de Séjour de Québec
19 rue Ste-Ursule, tél. 694 0755,
www.hihostels.ca/Quebec

Cette auberge de jeunesse propose également une prestation de B&B. $

Fairmont Château Frontenac
1 rue des Carrières, tél. 692 3861
ou 1 800 441 1414, www.fairmont.com
Dans le Vieux-Québec, ce château se dresse fièrement au-dessus du Saint-Laurent. Ses chambres, combleront les amateurs de luxe. $$$

Hôtel Château Bellevue
16 rue de la Porte, tél. 692 2573 ou 1 800 463 2617,
www.vieux-quebec.com
Derrière la façade historique de cet hôtel se cachent des aménagements des plus modernes. Au cœur de la vieille ville. Parking gratuit. $-$$

Hôtel Château Laurier
1220 Place George V Ouest,
tél. 522 8108 ou 1 800 463 4453
Quelque peu vieillissant mais bien entretenu. Idéal pour le Carnaval d'hiver. $$

Hôtel Clarendon
57 rue Ste-Anne, tél. 266 2165 ou 1 888 554 6001,
www.quebecweb.com/clerendon/introang.asp
Vénérable institution au cœur de la ville. Bon rapport qualité-prix. $$-$$$

Hôtel Manoir Ste-Geneviève
13 avenue Ste-Geneviève, tél. 694 1666,
www.quebecweb.com/msg/introang.html
Comme dans la plupart des petits hôtels de Québec, le Ste-Geneviève offre de charmantes et confortables chambres. $-$$

Hôtel Manoir Victoria
44 Côte du Palais, tél. 1 800 463 6283
Ambiance très européenne dans ce bel hôtel central. $-$$

LE NORD-OUEST DU QUÉBEC

Indicatifs régionaux : 819 (Outaouais-Abitibi-Témiscamingue) ; 514 (Lanaudière)

OFFICES DE TOURISME

Outaouais
103 rue Laurier, Hull,
tél. 778 2222 ou 1 800 265 7822
Abitibi-Témiscamingue
N°20-3e avenue, angle route 117, Val-d'Or,
tél. 824 9646
Laurentides
14142 rue de la Chapelle, Saint-Jérôme
tél. (514) 436 8532 ou (819) 476 1840
Lanaudière
500 rue Dollard Joliette,
tél. 759 5013 ou 1 800 759 4343

CULTURE ET LOISIRS

– Outaouais
Musée canadien des Civilisations
100 rue Laurier Hull,
tél. 776 7000 ou 1 800 555 5621
Excellente présentation de l'histoire du Canada.
Train à vapeur
L'été, il traverse Hull-Chelsea-Wakefield et longe le parc de la Gatineau. Renseignements : *tél. 778 7248 ou 1 800 871 7246.*
Parc national de la Gatineau
318 chemin du lac Meech,
tél. 827 2020 ou 1 800 465 1867
Au nord-ouest de Hull. Il faut passer par le Vieux-Chelsea.
Festivals
Août-septembre : festival de montgolfières de Gatineau ; festival amérindien Backwan – se renseigner sur les dates auprès de l'Association touristique de Maniwaki (*156 rue Principale Sud, tél. 449 6291*).

– Abitibi-Témiscamingue
Cité de l'Or
90 rue Perreault, Val-d'Or, tél. 825 7616
Passionnante évocation de l'activité minière, en surface et sous terre. Prévoir des vêtements chauds et confortables. Le prix de la visite complète comprend les galeries souterraines.
La Grande-2
Baie-James, tél. 638 8486 ou 1 800 291 8486
Incursion insolite dans l'univers de la plus grande centrale hydroélectrique souterraine mondiale.
Réserve faunique de la Vérendrye
Centre d'informations, entrée sud (*tél. 438 2017*). Accessible par la route 117.
Festivals
Du 31 octobre-5 novembre : festival du cinéma international à Rouyn-Noranda (programmation exceptionnelle et présence de grands réalisateurs du monde entier).

– Laurentides
Le P'tit Train du Nord
De Saint-Jérôme à Mont-Laurier, l'ancien tracé du train se transforme en piste pédestre ou cyclable permettant de découvrir de pittoresques villages sur 200 km. Les anciennes gares sont devenues des cafés ou restaurants, une halte bienvenue.
Festivals
Août : festival de blues (à Station Tremblant).
Parc du Mont-Tremblant
L'un des plus grands de la province, entre les Laurentides et la Lanaudière, à deux heures de route de Montréal. Pour les activités sportives, se renseigner au centre du lac Monroe (*tél. 819 688 6176*).

– Lanaudière
Musée d'Art
145 rue Wilfrid-Corbeil, Joliette, tél. 514 756 0311
Œuvres majeures de peintres canadiens.
Festivals
Juillet-août : festival de musique classique (à Joliette ; réservations : *tél. 514 759 2999 ou 1 800 759 4343*).

LE NORD-EST DU QUÉBEC

Indicatifs régionaux : 819 (Mauricie-Bois-Francs) ; 418 (Saguenay-Lac-Saint-Jean et Charlevoix) ; 418 (Manicouagan et Duplessis)

OFFICES DE TOURISME

Mauricie-Bois-Francs
1457 rue Notre-Dame, Trois-Rivières, tél. 375 1122
Saguenay-Lac-Saint-Jean
– 2525 boulevard Talbot, route 175, Chicoutimi, tél. 698 3167
– 1171 7ᵉ Avenue, La Baie, tél. 697 5053
Charlevoix
– 630 blvd de Comporté, La Malbaie, tél. 665 4454
– 444 boulevard Monseigneur-de-Laval, route 138, Baie-Saint-Paul, tél. 435 4160
Tadoussac
197 rue des Pionniers, tél. 235 4744
Baie-Comeau
1305 blvd Blanche, tél. 589 5497

CULTURE ET LOISIRS

– **Mauricie-Bois-Francs**
Musée des Arts et Traditions populaires
200 rue Laviolette, Trois-Rivières, tél. 372 9907
Présentation élaborée d'objets traditionnels et vestiges de fouilles archéologiques. Ouvert de 9 h à 19 h tous les jours. Entrée payante.
Parc national de la Mauricie
Tél. 536 2638
Superbes paysages de vallons, de falaises, de forêts, de lacs, de rivières et de cascades qui se prêtent à toutes les formes de randonnée et de sports.
Festivals
Juin-juillet : festival international de l'Art vocal (à Trois-Rivières).
Octobre : festival international de la Poésie (avec spectacles, suivis de débats, à Trois-Rivières).

– **Saguenay-Lac-Saint-Jean**
Musée du Fjord
3346 blvd de la Grande-Baie Sud, La Baie, tél. 697 5077

Exposition permanente sur l'importance du fjord dans l'évolution de la région. Ouvert quotidiennement de 9 h à 18 h. Entrée payante.
Des croisières de découverte du fjord sont organisées depuis le départ du quai de La Baie (*tél. 697 7630*).
Musée de la Pulperie
300 rue Dubuc, Chicoutimi, tél. 698 3100
Installé sur l'ancien complexe industriel d'un hectare en bordure de la rivière, le musée évoque l'histoire de la région et la vie de ses pionniers. Ouvert tous les jours de 9 h à 18 h. Entrée payante.
Parc de la Pointe-Taillon
Tél. 347 5371
Les forêts s'ouvrent sur un superbe panorama du lac, ponctué de plages de sable dans sa partie sud.
Festivals et fêtes
Juin-août : Festival de musique de Jonquière.
Traversée internationale du Lac-Saint-Jean à la nage, de Péribonka à Roberval (fin juillet).
Course de voiliers sur le Saguenay (La Baie).

– **Charlevoix**
Refuge des artistes, en raison de la beauté préservée de ses paysages et de son littoral, Charlevoix compte un nombre croissant de galeries, de boutiques d'antiquités et de créations artisanales.
Centre d'exposition
23 rue Ambroise-Fafard, Baie-Saint-Paul, tél. 435 3681
Intéressantes œuvres du monde entier. Ouvert tous les jours de 9 h à 19 h. Entrée payante.
Musée de Charlevoix
Pointe-au-Pic, près La Malbaie, tél. 665 4411
Passionnant musée d'art populaire. Ouvert tous les jours de 10 h à 18 h. Entrée payante.
Centre d'observation de Pointe-Noire
Baie-Sainte-Catherine, tél. 237 4383
Un belvédère permet d'observer les baleines au télescope. Le centre fournit des informations sur le parc marin du Saguenay. Ouvert de 9 h à 18 h.
Parc des Grands-Jardins
Végétation nordique, caribous. Majestueux points de vue sur les monts du Charlevoix. Entrée par le centre d'accueil Thomas-Fortin, route 381, au départ de Baie-Saint-Paul (*tél. 457 3945*).
Parc des Hautes-Gorges-de-la-Rivière-Malbaie
Vertigineuses falaises et magnifique vallée, où se niche une érablière. Escalade et rafting dans les gorges de l'Équerre. De La Malbaie, suivre la route 138, puis une piste menant à l'entrée à Saint-Aimé-des-Lacs (*tél. 439 4402*). Entrée payante.
Festivals et fêtes
Juin-août : festival international de Musique (le domaine surplombe le Saint-Laurent. Excellente musique classique et de jazz. Renseignements : *Domaine Forget, Saint-Irénée, tél. 452 8111*).

Août-septembre : Symposium de la nouvelle peinture au Canada (Centre d'art de la Baie-Saint-Paul).

– Tadoussac et Baie-Comeau
Centre d'interprétation des mammifères
108 rue de la Cale-Sèche
Précieux renseignements sur la vie des cétacés. Ouvert de 10 h à 20 h. Entrée payante.
Centre d'interprétation de Cap-de-Bon-Désir
166 route 138, Bergeronnes, tél. 232 6751
Excellente observation des baleines depuis la terre.
Centre des loisirs marins
41 rue des Pilotes, Les Escoumins, tél. 233 2860
Réputé pour ses sorties de plongée.
Archipel des îles de Mingan
Zone protégée et réserve de parc national, où se réfugient des oiseaux sur les 45 îles et 900 îlots.
  Des excursions en bateau sont organisées à partir de Mingan, ainsi que de Havre-Saint-Pierre où se trouve un bureau d'accueil et d'information situé au *975 rue de l'Escale, tél. 538 3285*
  Plusieurs compagnies organisent des sorties en mer pour observer les baleines, dont Croisières Express, *161 rue des Pionniers, tél. 235 4770*.
Festivals et fêtes
Juillet : Fête des Montagnais à Betsiamites.
Festival international de Jazz et de Blues à Baie Comeau.
Août : Festival de la Baleine bleue à Bergeronnes.

OÙ LOGER

– Magog
Auberge de la Tour
1837 chemin Alfred-Desrochers Orford,
tél. 868 0763 ou 1 800 668 0763
Demeure neo-coloniale, aux pieds du Mont Orford Provincial Park et de ses pistes de ski. Chambres cosy, belle terrasse et piscine chauffée. $
Auberge Étoile-sur-le-Lac
1150 Principale Ouest, tél. 1 800 567 2727,
www.etoile-sur-le-lac.com
Sur les berges du lac Memphremagog, à quelques minutes du Mont Orford, des chemins de randonnées et de la station de ski. $$

– Mont Tremblant
Auberge Château Beauvallon
Tél. 425 7275
L'une des nombreuses petites et chaleureuses stations de style New England. Se renseigner sur les forfaits ski. $$
Tremblant
Tél. 681 2000 ou 1 866 253 0097, www.tremblant.com
La plus grande station ouverte à l'année dans la région est du Canada. $$-$$$

– North Hatley
Auberge Hatley
325 Chemin Virgin, tél. 842 2451 ou 1 800 336 2451,
www.northhatley.com
Un Relais & Château surplombant le lac Massawippi. Une décoration alliant style franco-canadien, provençal et anglais. très belle salle-à-manger. $$$
Manoir Hovey
375 Chemin Hovey, tél. 842 2421 ou 1 800 661 2421,
www.manoirhovey.com
Manoir inspiré de la demeure de George Washington, à Mount Vernon. Ambiance feutrée, très British. Excellente table. $$$

– Val David
Hôtel La Sapinière
1244 chemin de la Sapinière, tél. 322 2020
ou 1 800 567 6635, www.sapiniere.com
Demeure neo-coloniale, aux pieds du Mont Orford Provincial Park et de ses pistes de ski. Chambres cosy, belle terrasse et piscine chauffée. $

LE SUD-OUEST DU QUÉBEC

Indicatif : 450 (Montérégie et cantons de l'Est)

OFFICES DE TOURISME

Montérégie
– 989 rue Pierre-Dupuy, Longueuil, tél. 674 5555
– 92 chemin des Patriotes, Sorel, tél. 746 9441
Cantons de l'Est
– 20 rue Don-Bosco Sud, Sherbrooke, tél. 820-2020
ou 1 800 355-5755
– 48 rue du Dépôt, tél. 821 1919

CULTURE ET LOISIRS

– Montérégie
Fort Chambly
2 rue Richelieu, Chambly, tél. 658 1585
Dans la vallée Richelieu, site militaire préservé datant du régime français, construit en 1709. Ouvert tous les jours de 9 h à 18 h. Entrée payante.
Centre d'interprétation du patrimoine de Sorel
6 rue Saint-Pierre, Sorel, tél. 780 5740
Plusieurs expositions résument l'histoire de la ville. L'une d'elles est consacrée aux îles Sorel et à ses marais et le centre y organise des randonnées guidées. Ouvert de 10 h à 21 h. Entrée payante.

– Cantons de l'Est
Société d'histoire de Sherbrooke
275 rue Dufferin, tél. 821 5406

Remet documents et matériel permettant de découvrir la capitale de la région.

North Hatley
Architecture élégante de belles demeures à flanc de montagne surplombant le lac Massawippi.

Parc du Mont-Orford
Pistes de ski à grande dénivellation en hiver et, en été, superbes plages bordant les lacs Stukely et Fraser. Accueil : Le Cerisier (*tél. 843 6548*).

Parc du Mont-Mégantic
Sur le mont, l'Astrolab, centre d'astronomie consacré aux expositions et aux observations. Ouvert de 10 h à 18 h (*tél. 888 2941*).

Lac Memphrémagog
De majestueuses montagnes bordent les rives du lac, paradis pour la voile. L'abbaye de Saint-Benoît-du-Lac (*tél. 843 4080*) propose un appréciable hébergement, en pension complète.

Routes du vin
Agréable et instructive balade parmi les vignobles qui s'étendent au sud-ouest de la région, avec le village de Dunham comme lieu de départ et les monts Appalaches à l'horizon.

Festivals et fêtes
Février : Grand Prix de Valcourt (motoneige).
Juin : International Bromont (concours hippiques).
Juillet : traversée du lac Memphrémagogx.
Septembre : festival de la Chanson.

LE SUD-EST DU QUÉBEC

Indicatif régional : 418 (Chaudière-Appalaches, Bas-Saint-Laurent, Gaspésie, Îles-de-la-Madeleine)

OFFICES DE TOURISME

Chaudière-Appalaches
45 avenue du Quai, Montmagny, tél. 248 9196
Bas-Saint-Laurent
189 rue de l'Hôtel-de-Ville,
Rivière-du-Loup, tél. 862 1981
Gaspésie
337 route de la Mer, Sainte-Flavie, tél. 775 2223
Îles-de-la-Madeleine
128 chemin du Débarcadère,
Île de Cap-aux-Meules, tél. 986 2245

CULTURE ET LOISIRS

– Chaudière-Appalaches
Île-aux-Grues
Cette île, au large de Montmagny, au charme bucolique, est propice à l'observation des oies blanches, dès l'arrivée du printemps. Ses traditions architecturale et culinaire constituent un appréciable voyage dans le temps, à effectuer de préférence à bicyclette.

Musée maritime Bernier
55 rue des Pionniers, l'Islet-sur-Mer, tél. 247 5001
Rétrospective sur les activités du Saint-Laurent, depuis le XVIIᵉ siècle avec, à l'appui, maquettes, objets et navires grandeur nature. Ouvert tous les jours de 9 h à 17 h. Entrée payante.

– Bas-Saint-Laurent
Musée de Kamouraska
69 avenue Morel, Kamouraska, tél. 492 9783
La visite de ce musée, axé sur l'ameublement du XIXᵉ siècle, permet aussi de découvrir la cité de Kamouraska, dont l'architecture est fort bien préservée.

Institut maritime du Québec
53 rue Saint-Germain, Rimouski, tél. 724 2822
Très important centre de formation. Entrée payante.

Musée de la Mer
1034 rue du Phare, Pointe-au-Père
Précieuses informations sur l'art de la navigation et remarquables vestiges de naufrages. Ouvert de 9 h à 18 h. Entrée payante.

Parc du Bic
Cet abri naturel est le domaine des phoques et se prête à l'observation des rapaces (*tél. 722 3779*).

Festivals
Août : festival international de Jazz à Rimouski.

– Gaspésie
Cette région montagneuse, dominée par les sommets des Appalaches est abordable par Sainte-Flavie, d'où la route 132 se scinde en deux : en direction de Gaspé par le littoral nord, d'une part, et vers la vallée de la Matapédia, et la baie des Chaleurs, région habitée par les Acadiens, d'autre part.

Musée de la Gaspésie
80 boulevard Gaspé, Gaspé, tél. 368 5710
L'exposition permanente « Un peuple de la mer » retrace l'histoire des navigateurs qui abordèrent ces côtes, dont Jacques Cartier. Ouvert tous les jours de 8 h 30 à 20 h 30. Entrée payante.

Musée acadien du Québec
95 avenue Port-Royal, tél. 534 4000
Excellente présentation concernant la vie d'un peuple au destin fascinant.

Jardins de Métis
Une réussite en matière de jardin anglais, aux délicats parfums floraux, en bordure du Saint-Laurent.

Parc national de Forillon
Plages de galets et de sable, ponctuées d'anses formées par des falaises, bordent ce splendide parc, situé à l'extrémité est de la péninsule.

Parc de Miguasha
Découvert en 1842, ce site fossilifère contient de précieux vestiges de la faune et de la flore, d'une importance mondiale (*tél. 794 2475*).

Festivals et fêtes
Juillet : fête du Vol libre (Mont-Saint-Pierre).
Août : festival acadien du Québec (Bonaventure).

– Îles-de-la-Madeleine
Cet archipel se prête aux plaisirs de la baignade, dans les lagunes, à la voile et à la planche à voile.
La route 199 constitue l'axe principal qui relie les îles ; l'archipel est accessible par le Cap-aux-Meules où se situe un complexe hôtelier.
Château Madelinot
323 route Principale, tél. 986 3695
Église Saint-Pete's by the Sea
Sur l'île Grande-Entrée, une remarquable église.
Île Havre-aux-Maisons
A découvrir par le chemin des Montants, au départ de Pointe-Basse. Les paysages qui jalonnent cette balade sont d'une beauté époustouflante.
Réserve nationale faunique de la Pointe-de-l'Est
A Grosse-Île, vivent des canards et des phoques. Des sentiers mènent à la plage, splendide, de la Grande-Échouerie. Emprunter la route 199 (*tél. 985 2371*).
Festivals
Juillet : festival du Homard des îles (à Grande-Entrée).
Août : Festival acadien (à Havre-Aubert).

OÙ LOGER

– Gaspé
Hôtel des Commandements
178 rue de la Reine, tél. 368 3355 ou 1 800 462 3355
Une base idéale pour visiter l'île. $-$$
– Percé
Hôtel La Normandie
212 Route 132 Ouest, CP 129, tél. 782 2112 ou 1 800 463 0820, www.normandieperce.com
Hôtel surplombant le Percé Rock. Bon restaurant. $$
– Ste-Agathe-des-Monts
Auberge de la Tour du Lac
173 chemin Tour du Lac, tél. 362 4202 ou 1 800 622 1735, www.aubergedelatourdulac.com
Charmant auberge sur le lac des Sables. $$

TERRE-NEUVE ET LE LABRADOR

Indicatif régional : 709

COMMENT SE DÉPLACER

En avion
L'aéroport de St John's, capitale de la province, est régulièrement desservi, notamment au départ de Montréal et de Toronto, par les vols Air Canada, Air Canada Tango et Air Canada Jazz.

Air Labrador assure des vols au départ de St Anthony pour le Labrador ; Provicial Airlines propose des liaisons avec les îles de Saint-Pierre et Miquelon ; quant à Air Transat et Skyservice, ces deux compagnies offrent des services en saison pour Terre-Neuve au départ de Toronto et Halifax.

En ferry
La compagnie Marine Atlantic assure, entre autres, le passage depuis l'île du Cap-Breton, en Nouvelle-Écosse. La traversée quotidienne, de North Sydney à Port-aux-Basques, dure cinq heures ; celle de North Sydney à Argentia, trois fois par semaine, est d'une durée de quatorze heures. Renseignements auprès du Newfoundland Department of Tourism, Culture and Recreation :
Tél. 729 2830 ou 1 800 563 6353

En train
Il est possible d'effectuer en train la liaison Québec-Labrador. Il faut compter de 10 heures au départ de Sept Îles. Contacter :
Québec North Shore & Labrador Railway
Tél. (418) 968 7805 ou (709) 944 8205

A SAVOIR SUR PLACE

Office de tourisme
Newfoudland and Labrador Tourism Marketing
Box 8730, St. John's, NF A1B 4K2
tél. 729 2830 ou 1 800 563 6353

CULTURE ET LOISIRS

Musée de Terre-Neuve
Ducworth St, St. John's, tél. 729 0916
Intéressantes expositions sur Terre-Neuve et le Labrador, depuis l'origine.
Villages de pêcheurs du Labrador
Ils s'égrènent le long de la côte accidentée. Citons, entre autres, Makkovick, village traditionnel réputé pour son artisanat, et Sheshatshui, où vivent les Innu et les Inuit et où se tient un intéressant festival amérindien.

Sites historiques nationaux
Signal Hill : la tour, sur la colline, offre une vue superbe de la rade et de la capitale. En été, le Tattoo évoque les batailles des siècles passés, avec des acteurs en costumes d'époque.
Anse aux Meadows : seul site comportant des vestiges de l'époque des Vikings, avec reconstitution d'un village qui a été classé au patrimoine mondial par l'Unesco. Ouvert tous les jours de 9 h à 17 h. Visites guidées ; entrée payante. Route 436. Renseignements : *tél. 623 2608*.

Festivals et fêtes

Juin : Anniversaire de St John's
Juillet : Rencontres de troupes folkloriques
Août : Régates sur le lac Quidi Vidi

Spectacles

Memorial University Art Gallery
Phillip Drive, St. John's, tél. 729 3867
Le centre accueille manifestations théâtrales, concerts de musique classique et de jazz. Il abrite aussi une bibliothèque et un musée d'art moderne, où des œuvres d'artistes canadiens sont exposées.

NATURE ET SPORTS

Réserve écologique Cape St. Mary's
Route 100, péninsule d'Avalon, tél. 729- 2431
Bird Rock est un poste d'observation pour distinguer quelques-unes des 60 000 espèces d'oiseaux de mer qui habitent les lieux. Ouvert tous les jours de 9 h à 17 h. Entrée libre.

Parc national de Gros Morne
Somptueux paysages de fjords, de lacs, de dunes, de forêts, traversés par les monts de Long Range, dont celui de Gros Morne, propices à la pratique de nombreux sports d'été et d'hiver. Des excursions en bateau permettent de s'imprégner de la majesté des sites en longeant les fjords. Renseignements, pour le sud du parc, au départ de Trout River (*tél. 951 2101*). Dans la partie nord du parc, des informations sont fournies au motel Océan View à Rocky Harbour. Renseignements : *tél. 458 2730*.

Saint-Pierre-et-Miquelon
Pour pêcher et retrouver un coin de France, il suffit de se rendre dans une de ces nombreuses îles nues et accidentées. Saint-Pierre est la plus grande ville de l'archipel ; ses rues sont étroites, ses boutiques, minuscules et ses restaurants servent de la cuisine française. Prendre le car-ferry, quotidien en été, à Fortune, Terre-Neuve. Le passage est souvent légèrement agité. Pour tout renseignement, écrire à l'office du tourisme de Saint-Pierre (*POB 4274, 97500 Saint-Pierre, France, tél. 011/508-41 22 22*).

OÙ SE RESTAURER

Parmi les bons restaurants de St. John's, le choix peut se porter sur les établissements suivants :
Bianca's
171 Water St, tél. 726 9016
Le chef-propriétaire bulgare concocte des plats d'une extrême originalité. Belle carte des vins et fumoir. $$
The Cabot Club
Hotel Newfoundland, tél. 726 4980
Le meilleur restaurant de la ville et la plus belle vue sur le port. $$$

Chuckys Fish 'N' Ships
10 Kings Rd, tél. 579 7888
Étranges décor et menu : langues de cabillaud, steaks d'élan et burgers de caribou. $$
Hungry Fisherman
The Murray Premises (Water St), tél. 726 5791
Produits de la mer dans un superbe cadre historique. $$
Velma's Restaurant & Lounge
264 Water St, tél. 576 2264
Réputé pour sa généreuse cuisine familiale de Terre-Neuve : soupe de pois, langues de cabillaud et croustillants *scruchions*. $

VIE NOCTURNE

Erin's Pub
184 Water St, tél. 722 1916
Trapper John's
2 George St, tél. 579 9630
The Fat Cat
7 George St, tél. 739 5554

OÙ LOGER

– Channel-Port-aux-Basques
St Christopher's Hotel
Caribou Rd (à l'ouest de la gare maritime), tél. 695 7034 ou 1 800 563 4779
Accueil agréable et chambres confortables. $

– St John's
The Battery Hostel and Suites
100 Signal Hill, tél. 576 0040 ou 1 800 563 8181, www.batteryhotel.com
Édifié sur un site historique d'où la vue embrasse la ville et le port. $$
Hotel Newfoudland Fairmont
Cavendish Square, tél. 726 4980 ou 1 800 441 1414, www.fairmont.com
Décor lumineux et chambres spacieuses. $$-$$$
The Roses B&B
9 Military Road, tél. 726 3336 ou 1 877 767 3722
En centre-ville, maison victorienne à l'accueil chaleureux et aux chambres coquettes. $

LA NOUVELLE-ÉCOSSE

Code régional : 902

COMMENT SE DÉPLACER

En avion

L'aéroport international de Halifax (*tél. 873 2091*) est situé à 40 km au nord de la capitale.

East Winds Travel
Tél. 1 800 488 8629

En train
VIA Rail
Halifax, tél. 1 888 842 7245
Un train, équipé de couchettes et d'un restaurant, effectue le (long) trajet de Montréal au Nouveau-Brunswick et à la Nouvelle-Écosse. Il faut compter vingt heures de trajet entre Montréal et Halifax.

En car
DRL Coachlines (*tél. 450 1987* ou *1 888 738 8091, www.drigroup.com/coachlines*) et Acadian Lines Ltd (*tél. 453 8912*) assurent des liaisons quotidiennes dans toute la Province.
   Cabana Tours of Halifax (*tél. 455 8111*) est l'une des nombreuses compagnies qui offrent des excursions saisonnières dans la région.

En ferry
Plusieurs compagnies relient les Provinces maritimes. Renseignements au *425-5781* ou bien auprès de l'agence Marine Atlantic (*355, Purvers Street, North Sydney, tél. 902 794 5200*).

OFFICES DE TOURISME

Tourism Nova Scotia
Box 130, Halifax, NS B3J 2M7, tél. 424 4646 ou 1 800 565 0000, www.explore.gov.ns.ca

CULTURE ET LOISIRS

– Halifax
Art Gallery of Nova Scotia
1741 Hollis, tél. 424 2836
L'art, en Nouvelle-Écosse, est mis en valeur grâce à une excellente exposition permanente. Plusieurs autres collections concernent les œuvres en provenance de l'ensemble des Provinces maritimes. Ouvert de 10 h à 17 h, à partir de 12 h en fin de semaine. Entrée payante.
Maritime Museum of the Atlantic
1675 Lower Water St, tél. 424 7490
Une remarquable exposition sur la vie maritime de la région. Ouvert tous les jours de 9 h 30 à 17 h 30. Entrée payante.

– Lunenburg
Fisheries Museum of the Atlantic
Tél. 634 4794
Retrace l'aventure des pêcheurs de la province durant 400 ans,. Le port de pêche occupe un superbe site surplombant deux ports naturels. Ouvert tous les jours de 9 h 30 à 17 h 30. Entrée payante.

– Louisbourg
Forteresse de Louisbourg
En dehors de la ville, sans accès par voiture mais par bus, ce site protégé évoque parfaitement la présence des premiers colons français.

Festivals et fêtes
Juillet : Nova Scotia International Tattoo (reconstitutions historiques en costumes d'époque).
Août : Annapolis Valley Exhibition (foire agricole, avec rodéos et courses de chevaux).
Lunenburg Folk Harbour Festival.
Halifax International Busker Festival.

Spectacles
Halifax Metro Centre
5284 Duke St, tél. 451 1221
Musiques variées et artistes internationaux.
Symphony Nova Scotia
1646 Barrington St, tél. 421 7311
Neptune Theatre
5216 Sackville St, tél. 429 7070

NATURE ET SPORTS

Parc national Kejimkujik
Maitland Bridge, tél. 682 2772
Au centre de la province, cet ancien territoire des Micmacs regorge de rivières poissonneuses. Pour les amateurs de pêche et de canoë. Entrée payante.
Parc national des Hautes-Terres du Cap-Breton
Recèle une flore et une faune exceptionnelles et se prête à de nombreuses activités sportives, dans un paysage de toute beauté.
Cabot Trail
En partant de Baddeck, suivre la rive, puis monter vers le plateau au nord de l'île afin de découvrir d'époustouflants paysages sauvages : mer tumultueuse, rochers escarpés, forêts drues abritant tout une faune d'espèces très variées.
Observation des baleines et pêche en haute mer
De nombreuses sorties sont organisées par des spécialistes. Il est possible de s'en procurer la liste en contactant Sports Nova Scotia (*5516 Spring Garden Road, South Halifax, tél. 425 5450*).

OÙ SE RESTAURER

Les fruits de mer sont à l'honneur, tout comme plusieurs délicieuses préparations du terroir, telles les saucisses de Lunenberg et les pâtisseries acadiennes.
– Ingonish Beach
Keltic Lodge
PO Box 70, tél. 285 2880 ou 1 800 565 0444
Les plus belles vues sur la côte et la meilleure cuisine de Cap-Breton. $$$

– Halifax
Cheelin
Brewery Market, 1496 Lower Market St, tél. 422 2252
Restaurant offrant plus de 100 plats chinois. $$
Chives Bistro
1537 Barrington St, tél. 420 9626
Produits locaux fraîchement préparés et présentés de manière originale. $$
Five Fishermen
1740 Argyle St, tél. 422 4421
Spécialisé dans les fruits de mer et les savoureux poissons de l'Atlantique. $$
Opa
1565 Argyle St, tél. 492 7999
Un grand et lumineux restaurant grec autour d'une cour intérieure. Cuisine et ambiance festives. $$$

– Shelburne
Charlotte Lane Café
13 Charlotte Lane, tél. 875 3314
D'excellents produits locaux constituent la base des mets raffinés, grecs, asiatiques et italiens. $$

– Yarmouth
Little Lebanon
100 Main St, tél. 742 1042
Grand choix de plats du Moyen-Orient. $

VIE NOCTURNE

Quelques adresses à Halifax :
Bearly's House of Blues & Ribs
1269 Barrington St, tél. 423 2526
Little Nashville Cabaret
169 Wyse Rd, Dartmouth, tél. 461 0991
Lower Deck Good Time Pub
Privateers Warehouse, Historic Properties, Upper Water St, tél. 425 1501

OÙ LOGER

Pour tout renseignement, contacter à Halifax, Hostelling International Nova Scotia (*5516 Spring Garden Road, tél. 425 5460* ou *1 800 565 0000*).

– Baddeck
La station balnéaire de Baddeck est le point de départ du célèbre Cabot Trail.
Inverary Resort
Highway 205, tél. 295 3500 ou *1 800 565 5660, www.capebretonresorts.com*
Dans un cadre relaxant, cet hôtel dispose d'une excellente table, d'une piscine et d'une plage privée. $$
Telegraph House
Chebucto St, tél. 295 1100 ou *1 888 263 9840, www.baddeck.com/telegraph*

Cette maison victorienne est devenue une adresse très prisée de Cape breton. $

– Cheticamp
Parkview Motel
Route 19 (5 km au nord de la ville), tél. 224 3232
Hôtel planté sur les berges de la Chéticamp River, à l'entrée du Cape Breton Highlands National Park. $

– Grand Pré
Evangile Motel & Guest House
11668 Highway 1, tél. 542 2703 ou *1 888 542 2703*
Cinq belles chambres dans cette demeure historique, nichée dans un jardin de pierres. $

– Halifax
Delta Hotel Halifax
1990 Barrington St, tél. 425 6700 ou *1 877 814 7706*
Grand hôtel avec piscine et centre de remise en forme. Relié au Scotia square Shopping Mall. $$
Garden Inn
1263 South Park St, tél. 492 8577
ou *1 877 414 8577, www.gardeinn.ns.ca*
Une charmante demeure de 1875, entièrement restaurée et meublée d'antiquités. $$
Halliburton House Inn
5184 Morris St,
tél. 420 0658, www.halliburton.ns.ca
Vieille demeure de 1820, agrémentée d'une cour-jardin et d'un excellent restaurant. $$
Prince George Hotel
1725 Market St, tél. 425 1986 ou *1 800 565 1567, www.princegeorgehotel.com*
Élégant hôtel, relié par passage souterrain au World Trade and Convention Center. $$

– Lunenburg
Kaulbach House Historic Inn
75 Pelham St, tél. 634 8818 ou *1 800 568 8818, www.kaulbachhouse.com*
Gracieuse maison victorienne, surplombant la mer. Chambre avec salle de bains privée. $

– Yarmouth
rodd grand Hotel
417 Main St, tél. 742 2446 ou *1 800 565 RODD, www.rodd-hotels.ca/grand-yarmouth*
138 chambres, centre de remise en forme et restaurant-spectacle. $$

– Sydney
Cambridge Suites Hotel
380 Esplanade, tél. 562 6500
En centre-ville, dans le quartier des hôtels, proche de la rivière. Petits appartements à la décoration très soignée, dotés d'une kichenette. $

LE NOUVEAU-BRUNSWICK

Indicatif régional : 506

COMMENT SE DÉPLACER

En avion
La province est desservie par Air Canada (*tél. 1 888 247 2262*). Les connections avec les petites villes sont assurées par de plus petites compagnies aériennes.
Fredericton
Tél. 458 8461
Saint John
Tél. 652 1517 et 698 2630
Moncton
Tél. 857 1044 et 857 0620

En train
Gare de Saint John
Tél. 1 800 561 3952
Gare de Moncton
Tél. 382 7892

En car
Gare routière de Fredericton
Angle Brunswick St et Regent St, tél. 458 6000
Gare routière de Saint John
300 Union St, tél. 648 3555
Gare routière de Moncton
961 Main St, tél. 859 5060

En ferry
Saint John
Trois passages quotidiens relient la rive ouest du Saint-Jean à Digby. Renseignements : *tél. 636 4048.*

OFFICES DE TOURISME

Tourism New Brunswick
Box 12345, Cambellton, NB E3N 3T6, tél. 1 800 561 0123, www.tourismnewbrunswick.ca

CULTURE ET LOISIRS

– Fredericton
Galerie d'art Beaverbrook
Queen St, tél. 458 8545
Importantes œuvres de peintres canadiens et britanniques. Ouvert de 10 h à 17 h. Entrée payante.

– Prince-William
Kings Landing
Musée vivant le long de la Transcanadienne.
Tél. 363 5805
Sur un site en plein air de 120 ha, jouxtant la rive du Saint-Jean : reconstitution élaborée de la vie quoti-dienne des loyalistes, avec leurs objets familiers et leur mobilier. Ouvert tous les jours de 9 h à 17 h.

– Caraquet
Village historique acadien
Tél. 727 3467
A quelques kilomètres à l'ouest de la ville, une reconstitution d'un village acadien, dont certains édifices, authentiques, datent des XVIIIe et XIXe siècles.

Festivals
Juillet-août : Festival des Irlandais du Canada (Miramichi résonne d'entraînantes musiques).
Festival Brayonne (Edmunston accueille le plus important festival francophone de l'est du Québec).
Festival acadien de Caraquet.

Spectacles
– Fredericton
Theatre New Brunswick
686 Queen St, tél. 458 8344
La plus importante compagnie de la province.

– Moncton
Theatre Capitol
811 Main St, tél. 856 4377
Représentations de qualité dans un théâtre rénové.

– Caraquet
Théâtre populaire d'Acadie
276 boulevard Saint-Pierre Ouest, tél. 727 0920
Répertoire joué par une excellente troupe.

NATURE ET SPORTS

Parc national de Fundy
Route 114, tél. 887 2005
Le parc, qui longe la baie de Fundy, est riche d'une flore et d'une faune remarquables. Ses forêts denses, au pied des montagnes, sont émaillées de lacs et de rivières et invitent à de nombreuses pratiques sportives.
Parc naturel Irving
Sand Cove Road, tél. 632 7777
Ses plages préservées, sur une péninsule intacte, font de ce merveilleux parc une halte bienvenue après la visite de la coquette et proche ville de Saint John. Non loin de là, sur la route 100, se produit un phénomène de marées basse et haute qui s'inversent en créant des chutes. Cet étonnant spectacle, dit « chutes réversibles », a lieu deux fois par jour à marée haute.
Grand-Sault (Grand Falls)
Le Saint-Jean s'élance de 25 m de haut et s'engouffre au milieu de gorges dont les parois s'élèvent jusqu'à 80 m et qui sont propices à l'escalade et au canotage.

OÙ SE RESTAURER

– Fredericton
Brew-Bakers Café-Bistro Bar & Grill
546 King St, tél. 459 0067
Pizzas savoureuses et ambiance joyeuse. $
Bruno's
Sheraton Inn, 225 Woodstock Rd, tél. 451 7935
Pour savourer une délicieuse cuisine en contemplant
le fleuve. $$
The Palate
462 Queen St, tél. 450 7911
Cuisine inventive et décor cosy. $$

– Moncton
Le Château au Pape
2 Steadman St, tél. 855 7273
Dans une vieille demeure surplombant un aber.
Menu aux accents acadiens et belle carte des vins. $$
Pastalli Pasta House
611 Main St, tél. 383 1050
Plats de pâtes, de veau et de poulet. $$

– Saint John
Billy Seafood Restaurant
49-51 Charlotte St, City Market, tél. 672 3474
Produits de la mer dans une ambiance décontractée.
Large choix à la carte. $$
Church Street Steakhouse
10 Church St, tél. 648 2374
Dîner décontracté dans un édifice historique. Spécia-
lité de bœuf de grande qualité. $$

VIE NOCTURNE

– Fredericton
Chestnut
440 York St, tél. 450 1222
Dolan's Pub
349 King St, tél. 454 7474
Snooty Fox
66 Regent St, tél. 474 1199
Sweetwaters
339 King St, tél. 444 0121

– Moncton
Caesar's
Hôtel Beauséjour, 750 Main St, tél. 854 4344
Saint James Gate
11 Church St, tél. 388 4283

– Saint-John
O'Leary's Pub
46 Princess St, tél. 634 7135
Studio 54
9 Sydney St, tél. 693 5454

OÙ LOGER

– Fredericton
Comme partout dans la province, des anciennes
demeures sont aménagées en confortables auberges.
Se renseigner auprès des offices de tourisme. Hébergement possible à l'université en été, *tél. 453 4891*.
Carriage House Inn
230 University Ave, tél. 521 9924 ou 1 800 267 6068,
www.carriagehouseinn.net
Ouvrant sur le Green, cette demeure a été construite
en 1895 pour le maire de la ville. $
Sheraton Fredericton
225 Woodstock Rd, tél. 457 7000 ou 1 800 462 8800
Les lumineuses chambres de cet hôtel qui surplombe
le fleuve, offrent de superbes vues. $$-$$$

– Saint John
Coastal Inn Fort Howe
Main et Portland Sts, tél. 657 7320
ou 1 800 943 0033, www.coastalinns.com
Vues splendides sur le port. Piscine intérieure. $
Inn on the Cove
1371 Sand Cove Rd, tél. 672 7799
ou 1 877 257 8080, www.innonthecove.com
Pour les amateurs de nature, chambres coquettes
avec magnifiques vues sur la baie de Fundy. $-$$
Red Rose Mansion
112 Mount Pleasant Ave, tél. 649 0913
ou 1 888 711 5151, www.redrosemansion.com
Élégant manoir, construit en 1904 pour le patron de
la compagnie Red Rose Tea. Superbes jardins. $-$$

– Moncton
Auberge Wild Rose Inn
17 Baseline Rd, tél. 383 9751 ou 1 888 389 7673,
www.wildroseinn.com
Auberge de campagne coloniale surplombant le par-
cours de golf implanté au bord du lac. $$
Delta Beauséjour
750 Main St, tél. 854 4344 ou 1 800 441 1414,
www.deltahotels.com
Pour un séjour luxueux. $$

L'ÎLE-DU-PRINCE-ÉDOUARD

Indicatif régional : 902

COMMENT SE DÉPLACER

En avion
L'aéroport (*tél. 566 7992*), situé à 5 km au nord de la
capitale, Charlottetown, est desservi, entre autres,
par Air Canada (*tél. 1 888 247 2262*).

En car
Greyhound, sous la direction de SMT, dessert l'île. Renseignements : *tél. 1 800 661 8787.*

A SAVOIR SUR PLACE

Visitor Information Center Torism PEI
Box 940, Charlottetown, PE C1A 7M5,
tél. 368 7795 ou 1 888 734 7529, www.peiplay.com

ACTIVITÉS CULTURELLES ET TOURISTIQUES

– Charlottetown
Centre des Arts de la Confédération
Angle de Crafton St et de Queen St, tél. 628 1864
Complexe historico-culturel, avec des expositions de qualité. Il contient, en dehors du musée, une galerie d'art, une bibliothèque et plusieurs salles de spectacle. Ouvert tous les jours de 9 h à 17 h (21 h en juillet et août). Entrée libre.

– Port Hill
Musée de la Construction navale de Green Park
Route 12, tél. 831 2206
La construction de navires, principale activité de l'île au siècle dernier, est minutieusement retracée, grâce à une exposition et une reconstitution, grandeur nature, d'un chantier. Ouvert tous les jours de 10 h à 17 h. Entrée payante.

Festivals
Juin-juillet : Charlottetown Festival (concerts, films et pièces de théâtre).
Festival of the Lights (concours de feux d'artifice dans la capitale).
Summertime Jazz and Blues Festival (Charlottetown accueille les meilleurs jazzmen de l'est du pays).

Spectacles
A part le Centre des Arts de la capitale, Victoria reçoit des acteurs et des concertistes au Victoria Playhouse (*tél. 658-2025*).

NATURE ET SPORTS

Parc national de l'Ile-du-Prince-Édouard
Sur 40 km de la côte nord, ce parc, ponctué de dunes et dont l'écosystème est protégé, abrite des étendues de sable blanc que surplombent des falaises de grès rouge. La beauté sauvage du site est surtout propice à la randonnée et à l'approche des animaux.
Observation des phoques et pêche en haute mer
À Murray River, sur le quai, il faut contacter l'agence Garry's Seal Cruises (*tél. 962 2494*). D'autres excursions partent des marinas de Montague et Brudenell ; contacter Manada Cruises (*tél. 838 3444*).

En ce qui concerne la pêche en haute mer, se renseigner sur les quais d'Alberton ou de Covehead Harbour.

OÙ SE RESTAURER

L'île est réputée pour ses pommes de terre, ses huîtres et, en été, ses homards.

– Charlottetown
Cedar's Eatery
81 University Ave, tél. 892 7377
Cadre quelconque mais délicieux mets libanais. $
The Claddagh
131 Sydney St, tél. 892 9661
Bon choix de fruits de mer, viandes et volailles. $$$
The Pilot House
70 Grafton St, tél. 894 4800
Pub installé dans l'un des plus beaux édifices de la ville, servant poissons frais et viandes. $$

– Summerside
Brother Two Restaurant
Water St East, tél. 436 9654
Très couru pour la qualité de ses produits de la mer, ses viandes et son fameux « Governor's Feast », un dîner théâtral servi par les acteurs. Le restaurant abrite les Finley's Pub. $$

VIE NOCTURNE

– Charlottetown
The Merchantman Pub
Angle de Queen St et de Water St, tél. 892 9150
Olde Dublin Pub
131 Sydney St, tél. 982 6992

– Summerside
Crown & Anchor Tavern
195 Harbor St, tél. 436 3333

OÙ LOGER

En été, penser à réserver longtemps à l'avance.
– Cavendish
Kindred Spirits Inn and Cottages
Route 6, Memory Lane,
tél. 963 2434, www.kindredspirits.ca
Une ravissante auberge meublée d'antiquités, tout proche de Green Gables House et du golf. Ouvert de mi-mai à fin octobre. $$

– Charlottetown
Delta Prince Edward Hotel
18 Queen St, tél. 566 2222 ou 1 800 268 1133,
www.deltahotels.com

Luxueux hôtel, aux chambres lumineuses, donnant directement sur le port. $$-$$$
Quality Inn on the Hill
150 Euston St, tél. 894 8572 ou 1 800 466 4734, www.innonthehill.com
Bon rapport qualité-prix, proche du centre-ville. $$
The Rodd Charlottetown
Angle de Kent et de Pownal Streets, tél. 894 7371 ou 1 800 565 7633, www.roddhotels.ca
Charme et élégance démodée, mais chambres au confort moderne. $$

– Summerside
Quality Inn Garden of the Gulf
618 Water St East, tél. 464 2295 ou 1 800 265 5551
Le meilleur hôtel de la ville. $$
Silver Fox Inn
61 Granville St, tél. 436 1664 ou 1 800 565 4033, www.silverfoxinn.net
Élégant B&B, logé dans une villa du XIXe siècle. $$

LE MANITOBA

Indicatif régional : 204

COMMENT SE DÉPLACER

En avion
L'aéroport de Winnipeg, à 5 km de la capitale, est desservi par Air Canada et Northwest Airlines.

En train
Winnipeg Main Street Station
Angle de Broadway St et de Main St, tél. 944 8780
VIA Rail s'arrête dans la capitale. En hiver, une ligne se rend jusqu'à Churchill pour observer les ours polaires.

En car
Gare routière
487 Portage Avenue
Greyhound (*tél. 1 800 661 8747*) et Grey Goose Lines (*tél. 784 4516*) desservent toutes les régions.

En voiture
La Transcanadienne passe par Winnipeg, après avoir traversé le sud du Manitoba.

Transports urbains
Renseignements Telebus : *tél. 284 7190*
Winnipeg Transit
Angle de Portage Avenue et Main St, tél. 986 5054
Réseau de bus très efficace.

OFFICES DE TOURISME

Travel Manitoba
155 carlton Street, Winnipeg, MB R3C 3H8, tél. 945 3777 ou 1 800 665 0040, www.travelmanitoba.com
Distribue le *Manitoba Vacation Planner*, une source pour l'hébergement et les campings, et qui comporte un très bon guide sur la pêche et la chasse.

CULTURE ET LOISIRS

– Winnipeg
Manitoba Museum of Man and Nature
190 Rupert Avenue, tél. 956 2830
Voyage dans l'histoire et la géographie de la province : les thèmes traités concernent l'écologie arctique et celle des Prairies. Diorama sur les ours polaires. Dans le même immeuble se trouvent le **Planetarium** et le **Science Centre**. Le musée ouvre tous les jours de 10 h à 18 h. Entrée payante.
Winnipeg Art Gallery
300 Memorial Boulevard, tél. 786 6641
D'importantes œuvres d'artistes canadiens contemporains côtoient des créations artistiques réalisées en grande partie par les Inuit.
Musée de St. Boniface
484 Taché Avenue, tél. 237 4500
Ce couvent du siècle dernier, situé de l'autre côté de la rivière Rouge, retrace la présence française dans la ville. A proximité, la Basilique constitue un lieu incontournable de rencontre pour les francophones de la province.

– Steinbach
Mennonite Heritage Village
Route 12, tél. 326 9661
Dès 1874, des mennonites allemands et hollandais s'étaient installés au sud de la province. Actuellement, cette reconstitution occupe un site de 15 ha, où des maisons en bois évoquent le passé, tandis qu'un magasin et un restaurant proposent de goûter aux spécialités du terroir. Ouvert tous les jours, sauf dimanche, de 10 h à 17 h. Entrée payante.

– Austin
Manitoba Agricultural Museum
Tél. 637 2354
Au sud du village, cette collection d'objets anciens évoque la vie dans les Prairies à l'époque coloniale. Le musée ouvre de 9 h à 17 h. Entrée payante.

– Churchill
Eskimo Museum
Tél. 675 2030
Remarquable exposition de créations inuit, dont certains objets datent du deuxième millénaire avant

notre ère. Ouvert du mardi au samedi de 9 h à 17 h (lundi à partir de 13 h). Entrée libre.

Festivals et fêtes

Février : festival du Voyageur (St. Boniface fête les marchands de fourrure du siècle dernier).
Juillet-août : Manitoba Stampede and Exhibition (à Morris, grande foire agricole).
National Ukrainian Festival (à Dauphin).
Islandic Festival (la fête des Islandais de Gimli permet de découvrir une culture peu connue).
Folkloria à Winnipeg (festivités, quadrilles et courses de canots).

Spectacles

Royal Winnipeg Ballet
380 Graham Avenue, tél. 956 2792
L'une des meilleures compagnies du Canada.
Winnipeg Symphony Orchestra
Tél. 949 3999
Prestigieux répertoire de musique classique.
Centre culturel franco-manitobain
340 blvd Provencher, St. Boniface, tél. 233 8053
Théâtre avec le Cercle Molière, chants et danses.

NATURE ET SPORTS

Whiteshell Provincial Park
Plusieurs postes d'observation permettent de se familiariser avec les nombreuses espèces d'oiseaux. Dans ce parc situé à l'est de Manitoba, les lacs sont propices à la plongée, les rapides et les cascades séduiront les amateurs de sports variés.
Atikaki Provincial Wilderness Park
Situé à la frontière ontarienne, ce parc est difficilement accessible. Prévoir une expédition en hydravion, avant de pénétrer dans cette éblouissante nature sauvage.
Lac Winnipeg
La route 59 longe des villages autour du lac, dont certains s'agrémentent de superbes plages, telles Grand Beach et Victoria Beach.
Chasse et pêche
Activités praticables en toutes saisons, nécessitant obligatoirement un permis. Il est possible de l'obtenir auprès de l'agence :
Department of Natural Resources
1495 James St, Winnipeg, tél. 1 800 214 6497

OÙ SE RESTAURER

– Portage La Prairie
Bill's Sticky Fingers
210 Saskatchewan Ave, tél. 857 9999
Délicieuse et roborative cuisine familiale ; menu enfants. $

– Winnipeg
Amici
326 Broadway, tél. 943 4997
Restaurant élégant servant une cuisine aux penchants italiens. $$$
Green Gates Country House and Restaurant
6945 Robin Boulevard, tél. 897 0990
Ancienne ferme convertie près de Assiniboine River. Appétissante carte. $$
Le Beaujolais
131 blvd Provencher, Saint-Boniface, tél. 237 6306
Pour les amateurs de bonne cuisine française. $$$
The Prairie Oyster and Steak House
1 Forks Market Rd, tél. 942 0918
Cuisine variée, du gastronomique au familial ; restaurant réputé pour son ambiance et son humour. $$$

VIE NOCTURNE

– Winnipeg
Bailey's Lounge
185 Lombard Ave, tél. 944 1180
Piano-bar.
Black Knight Pub
4910 49th Street, Yellowknife, tél. 920 4041
Bières anglaises et irlandaises, et 120 whiskeys.
Gold Range Tavern
5010 50th Street, tél. 873 4441
Bar vivement animé par une clientèle locale

OÙ LOGER

Pour toute la province, les réservations se font à l'adresse suivante :
B&B of Manitoba
434 Roberta Avenue, Winnipeg, MB R2K 0K6, tél. 661 0300, www.bedandbreakfast.mb.ca
Ouvert en semaine de 8 h à 15 h.

– Winnipeg
Charter House Hotel
330 York Ave, tél. 942 0101 ou 1 800 782 0175
Bien situé en centre-ville. Grandes chambres, restaurant et piscine extérieure. $$
Guest House International Hostel
168 Maryland St, tél. 772 1272 ou 1 800 743 4423
Dans un quartier calme, une ancienne demeure victorienne convertie en auberge. $
Hotel Fort Gary
222 Broadway, tél. 942 8251 ou 1 800 665 8088
Élégantes chambres nichées dans un manoir de style français du XIXᵉ siècle. $$-$$$
The Lombard
2 Lombard Place, tél. 957 1350 ou 1 800 228 3000
Grand hôtel offrant toutes les prestations de services. Excellente table. $$

LA SASKATCHEWAN

Indicatif régional : 306

COMMENT SE DÉPLACER

En avion
Air Canada (*tél. 525 4711, à Regina ; 652 4181 ou 1 800 361 6340, à Saskatoon*) et Northwest Airlines (*tél. 1 800 225 2525*) dessert Regina.

En train
Gare ferroviaire de Saskatoon
Angle de Cassino Ave et Chappell Dr, tél. 384 5665
VIA Rail
Tél. 1 800 561 8630
Embarque tous les passagers du Saskatchewan à bord du Transcanadien.

En car
Gare routière de Regina
2041 Hamilton St, tél. 787 3340 ou 1 800 663 7181
Gare routière de Saskatoon
50 23rd St East, tél. 933 8019
Greyhound (*tél. 933 8000*) dessert toutes les régions. Au départ des mêmes gares routières, les cars de la Saskatchewan Transportation Company atteignent les lieux les plus reculés de la province.

Transports urbains
Regina Transit
Tél. 777 7433
Saskatoon Transit
Tél. 975 3100
Leurs bus sillonnent chacune de ces villes.

OFFICES DE TOURISME

Tourism Saskatchewan
500-1900 Albert Street, Regina,
Saskatchewan, S4P 4L9,
tél. 787 2300 ou 1 800 667 7191,
www.sasktourism.com
Le guide *Saskatchewan vacation and Accommodations* fournit la liste des adresses et des prix des logements ainsi que des informations sur les campings, les parcs et les stations.

CULTURE ET LOISIRS

– Regina
Royal Saskatchewan Museum
Angle Albert St et College Ave, tél. 787 2815
Culture amérindienne, flore et faune régionales, géologie, sont parmi les thèmes évoqués par ce musée, ouvert de 9 h à 20 h 30. Entrée libre.

Royal Canadian Mounted Police Museum
Dewdney Avenue West, tél. 780 5838
A travers l'évocation de la Police montée, c'est toute l'histoire du Canada pionnier qui est abordée. Ouvert de 8 h à 18 h 30. Entrée libre.

– Saskatoon
Mendel Art Gallery and Arts Centre
950 Spadina Crescent East, tél. 975 7610
Remarquables peintures et gravures contemporaines. Ouvert de 9 h à 21 h. Entrée libre.
  Un sentier proche mène à South Saskatchewan, rivière dont les bords forment la **Meewasin Valley**, piste agréable de 50 km pour cyclistes et marcheurs.
– Batoche
Lieu historique national
Tél. 423 6227
Retrace l'histoire des Métis et de leur chef, Louis Riel, qui résistèrent aux Anglais, avant d'abandonner leurs terres, au milieu du siècle dernier. Cette reconstitution occupe un site comprenant un musée, les vestiges du village, ainsi que l'église Saint-Antoine-de-Padoue. Ouvert de 10 h à 18 h.

– Yorkton
Western Development Museum
Route 16, tél. 783 8631
Évoque les divers courants d'immigration. Ouvert de 9 h à 18 h. Entrée payante.
St. Mary's Ukrainian Church
155 Catherine St
À visiter pour ses splendides icônes.

Festivals et fêtes
Juin : SaskTel Saskatchewan Festival (à Saskatoon). RCMTP Tattoo (à Regina).
Juillet : Kinsmen Big Valley Jamboree (à Craven).
Août : Standing Buffalo Indian Pow Wow (à Fort Qu'Appelle).

Spectacles
– Regina
Globe Theatre
1801 Scarth St, tél. 525 6400
Troupe professionnelle de comédiens.
Saskatchewan Centre of Arts
200 Lakeshore Drive, tél. 584 5555
A l'intérieur du parc Wascana Centre, concerts symphoniques, danse, théâtre.

NATURE ET SPORTS

Wascana Centre
Agréable parc de 400 ha, au cœur de Regina, traversé par un lac. Il comprend un centre d'arts, un musée d'histoire naturelle et une université, au milieu de

pelouses et de jardins. Sentiers aménagés pour les adeptes de randonnées équestres et pédestres.

Victoria Park
Un second parc apporte à la capitale un surplus d'oxygène et s'honore du titre de « plus beau parc des Prairies ». Il se situe au nord du musée.

Au centre de Saskatchewan, deux parcs se remarquent par la beauté de leurs paysages :

Parc national Prince Albert
Route 263, tél. 663 5322
Après une succession de prairies et de forêts, apparaît le lac Waskesiu, où viennent se désaltérer les pélicans blancs, les loups et les bisons. Une piste, **Boundary Bog Trail**, passe par les marais.

Parc provincial du Lac La Ronge
Route 2, tél. 425 4234
Lacs, forêts, falaises surplombant des plages de sable.

OÙ SE RESTAURER

– Regina
Bart's on Broad
1920 Broad St, tél. 359 3366
Atmosphère pub dans un cadre décoré d'antiquités et de souvenirs. Menu enfant. Karaoké en soirée. $$

The Diplomat Steak House
2032 Broad St, tél. 359 3366
Bons choix de viandes au menu et environnement élégant. $$$

Neo Japonica
2167 Hamilton St, tél. 359 7669
Plus de 23 sélections de sushi. $$

– Saskatoon
Calories Bakery & Restaurant
721 Broadway Avenue, tél. 665 7991
Réputé pour ses plats élaborés, bien présentés. $$

Cousin Nik's
110 Grosvenor Avenue, tél. 374 2020
Plats grecs et américains. Dîner grec traditionnel les dimanche et lundi. $$

Smiley's Great Canadian Buffet
N°1 3311 8th St, tél. 955 1100
Réputé pour son poulet et ses pommes de terre servis à volonté. $

VIE NOCTURNE

– Regina
Applause Feast and Folly Theatre
Regina Inn, 1975 Broad St, tél. 525 6767
Elephant & Castle
Cornwall Centre, angle de 11th Avenue et Scarth St, tél. 757 4405
Manhattan Club and Island Pub
2300 Dewdey St, tél. 359 7771

– Saskatoon
Amigos Cantina
632 10th St, tél. 652 4912
The Bassment
245 3rd St, tél. 683 2277
black Duck Freehouse
154 2nd Ave South, tél. 244 8850

OÙ LOGER

– Regina
Plains Hotel
1965 Albert St, tél. 757 8661 ou 1 800 665 1000
Hébergement de qualité dans le downtown réputé pour ses brunchs. $

Radisson Plaza
2125 Victoria Avenue,
tél. 522 7691 ou 1 800 667 5828
Situation privilégiée avec vues sur le Victoria Park. Chambre luxueuse. $$$

Regina Inn
1975 Broad St, tél. 525 6767 ou 1 800 667 8162
Confort et aménagements pour se distraire. $$

– Saskatoon
Brighton House B&B
1308 Fith Avenue North, tél. 664 3278
Excellent rapport qualité-prix. $

Country Inns & Suites
617 Cynthia St, tél. 934-3900
Confort et service parfaits. $$

L'ALBERTA

Indicatif régional : 403

COMMENT SE DÉPLACER

En avion
– Calgary
L'aéroport international accueille des compagnies américaines et européennes, ainsi que les principales compagnies canadiennes. Air Porter (*tél. 531 3907*), assure la navette avec les hôtels situés en ville.

– Edmonton
L'aéroport accueille les compagnies internationales et nationales. En revanche, les compagnies régionales atterrissent à l'aéroport municipal, au nord de la ville. Sky Shuttle (*tél. 465 8515*), assure les liaisons avec l'aéroport municipal, ainsi que le centre-ville.

– Les Rocheuses
De Calgary ou d'Edmonton, la suite du parcours en voiture mène aux parcs de Banff et Jasper. Informations routières au *tél. 1 800 222 4357*.

En train
– **Edmonton**
VIA Rail
CN Tower, 10004 10th Avenue, tél. (514) 989 2626
Trois dessertes hebdomadaires par le Transcanadien, qui se dirige vers Vancouver. Aucun arrêt à Calgary.
– **Banff**
Rocky Mountain Railtours
Rallie en deux jours Banff à Vancouver, avec une escale de nuit à Kamloops, en Colombie britannique, afin de profiter pleinement du panorama dans la journée.
Tél. (604) 606 7245 ou 1 800 665 7245
– **Jasper**
VIA Rail
Connaught Drive, tél. 1 800 561 8630

En car
Gare routière de Calgary
16th St, tél. 265-9111 ou 1 800 661 8747
Gare routière d'Edmonton
1034 103rd St, tél. 413 8747
Gare routière de Banff
Tél. 762 6767
Gare routière de Jasper
Tél. 852 3926
Il existe aussi des gares routières Greyhound à Lethbridge, Medicine Hat et Drumheller.

Transports urbains
Calgary Transit
Tél. 262 1000
Edmonton Transit
Tél. 496 1611
Brewster Transportation and Tours (Rocheuses)
Tél. 762 6735

OFFICES DE TOURISME

Travel Alberta
Box 2500, Edmonton, AB T5J 2Z4, tél. 403 4321 ou 1 800 252 3782, www.travelalberta.com
Calgary Convention and Visitor Bureau
200-238 11th Avenue, Calgary, AB T2G 0X8 tél. 263 8510 ou 1 800 661 1678

NATURE ET SPORTS

– **Calgary**
Glenbow Museum
130 9th Avenue South-East, tél. 268 4100
L'impressionnante exposition retrace l'histoire de l'Ouest canadien. Les créations amérindiennes côtoient les œuvres d'artistes contemporains. Ouvert tous les jours de 9 h à 17 h. Entrée payante

Calgary Science Centre
701 11th St South-West, tél. 221 3700
Passionnantes expositions interactives sur les découvertes scientifiques. Également à voir sur le site : un observatoire, un planetarium et des salles de spectacle. Ouvert quotidiennement de 10 h à 20 h. Entrée payante.

– **Fort Macleod**
Head-Smashed-In
Route 785, tél. 553 2731
Rite cruel mais nécessaire, le saut des bisons consistait à affoler le troupeau jusqu'au sommet de cette falaise, où les premiers bisons arrivés étaient acculés à sauter dans le précipice. Les Amérindiens des Plaines les récupéraient pour la viande, mais aussi la fabrication des tipis, des mocassins et des habits. Les os servaient d'outils ou de matériau pour s'exercer à l'art de graver et de sculpter.

Le site est préservé et appartient au patrimoine mondial. Construit dans la falaise, le centre d'interprétation organise des visites et projette des films. Ouvert tous les jours de 9 h à 20 h en été, au nord-ouest de la ville. Entrée payante.

– **Drumheller**
Royal Tyrell Museum of Paleontology
Route 838, tél. 823 7707
Les dinosaures sont à l'honneur, avec 50 squelettes exposés, en parfait état. Des séances interactives informent sur les travaux des scientifiques et les fouilles entreprises sur place, qui ont mis au jour près de 300 dinosaures.

Le **Dinosaur Trail** est une piste de randonnée englobant les deux rives de la Red Deer. Une autre piste, l'**East Coulee Drive**, longe la rivière et se dirige vers le sud-est, où apparaissent d'étonnantes sculptures dues à l'érosion calcaire, et surnommées les « cheminées des Fées ». Le musée ouvre quotidiennement de 9 h à 21 h, en été, et de 10 h à 17 h, en hiver. Entrée payante.

– **Edmonton**
Old Strathcona
Au sud de la rivière, ce vieux quartier se prête à la promenade et à la flânerie, pour mieux s'imprégner de son atmosphère, où se mêlent l'histoire, l'art et une multitude de cultures. Renseignements sur ces parcours disponibles à la Fondation (*1034, Whyte Avenue, Suite 401, tél. 433 5866*) qui ouvre en semaine de 8 h 30 à 16 h 30.
Muttart Conservatory
9626 96A St, tél. 496-8755
En forme de pyramides, trois des serres en verre contiennent des espèces florales de climats variés. La quatrième s'orne de fleurs superbes.

Festivals et fêtes

Juin : Jasper-Banff Relay Race (course de 300 km le long du Icefields Parkway).
International Jazz Festival (à Edmonton).
Juillet : Calgary Exhibition and Stampede (impressionnante foire en plein air, animée par des cowboys, de la musique et une kermesse).
Edmonton Klondike Days (Ruée vers l'or).

Spectacles

– Calgary
Centre for the Performing Art
205 8th Avenue South-East, tél. 299 8888
Complexe artistique, à l'acoustique parfaite, comprenant des salles de concerts, de danse et de théâtre.
Southern Alberta Jubilee Auditorium
8th Avenue et 14th St North-West, tél. 289 5531
Centre moderne, consacré à l'opéra et au ballet.

– Edmonton
Citadel Theatre
98-28 101A Avenue, tél. 425 1820
Vaste lieu voué au théâtre de toutes expressions.
Northern Alberta Jubilee Auditorium
87 Avenue 115 St, tél. 427 2760
Opéra, concerts symphoniques et ballets.

NATURE ET SPORTS

Parc national de Banff
De Lake Louise, petite localité agrémentée d'un ravissant lac, partent des sentiers, dont certains mènent à la montagne proche, offrant une vue splendide sur la vallée glaciaire. Pour découvrir les champs de glace, emprunter la Highway 93 jusqu'à Jasper. Cet itinéraire de 250 km traverse des paysages d'une beauté incomparable, se reflétant dans les glaciers qui les surplombent et les eaux des lacs.
Parc national de Jasper. La route Maligne mène au Maligne Canyon, accessible par des sentiers de randonnée entrecoupés de ponts. Plus loin, le lac Maligne, l'un des plus beaux des Rocheuses, accueille les sportifs nautiques. Une excursion sur l'île Spirit permet de découvrir de vertigineux sommets.

Dans ces deux parcs se pratiquent le VTT, le rafting, le canoë, l'escalade, le ski, ainsi que la chasse et la pêche qui nécessitent un permis, à obtenir auprès d'Alberta Environmental Protection, situé à Edmonton (*9920 108 St, tél. 944 0313*).

OÙ SE RESTAURER

– Banff
Caramba ! Restaurant
337 Banff Ave, tél. 762 3667
Fruits de mer, bœuf d'Alberta et plats asiatiques. $-$$

Giorgio's Trattoria
219 Banff Ave, tél. 762 5114
Décor et menu itlaliens. Pizzas au four à bois. $$

– Calgary
Inn on Lake Bonavista
747 Lake Bonavista Dr SE, tél. 271 6711
Patio ouvrant sur le lac. Cuisine bio. $$
La Brezza Ristorante
990 1st Ave NE, tél. 262 6230
Bonne cuisine italienne. $$
River Café
Prince's Island Park, tél. 261 7670
Généreuse cuisine canadienne et belle carte des vins. Il faut marcher 500 m pour rallier l'île. $$
Santorini Greek Taverna
1502 Center St N, tél. 276 8363
Taverne grecque, réputée pour ses superbes plateaux fruits de mer. $

– Edmonton
Asian Hut
4620 99th St, tél. 438 1204
Currys indiens et nombreux plats végétariens. $
Bistro Praha Gourmet Café
10168 100A St, tél. 424 4218
Menus européens dans un décor raffiné. $$
Café Select
10180 106th St, tél. 423 0419
Délicieux plats de viande et desserts. $$$

VIE NOCTURNE

– Calgary
Cowboy's
826 5th St SW, tél. 265 0699
James Joyce Pub
114 8th Avenue SW, tél. 262 0708
Señor Frog's,
739 2nd Avenue, tél. 264 5100
Tequila Nightclub
219 17th Ave SW, tél. 200 2215

– Edmonton
Blues on White
10329 Whtye Ave, tél. 439 5058
Taps Brew Pub
3921 Calgary Trail South, tél. 944 0523
Yardbird Suite
11 Tommy Banks Way, tél. 432 0428

OÙ LOGER

– Calgary
B&B Association
Tél. 543 3900

Calgary International Hostel
520 7th Avenue (sur la ligne du LRT, à 1 km du centre-ville), tél. 289 8239
Chambres simples ou dortoirs. $

The Fairmont Palliser Hotel
133 9th Avenue South-West, tél. 262 1234
Chaque détail de cet hôtel édouardien de 1914 a été étudié et réalisé avec le plus grand soin. $$-$$$

Glenmore Inn
*2720 Glenmore Tr. South-East,
tél. 279 8611 ou 1 800 858 8471*
Chambres contemporaines spacieuses. Salles de danse et de sports. $-$$

Holiday Inn Macleod trail
*4206 Macleod Tr.,
tél. 287 2700 ou 1 800 830 8833*
Les non-fumeurs disposent de chambres aménagées au même étage. Les enfants de moins de 19 ans partageant la même chambre que leurs parents ne payent pas. Petit déjeuner complet et verre de vin à l'apéritif du soir inclus dans le prix. Hôtel central. $-$$

International Hotel
*220 4th Avenue South-West,
tél. 265 9600 ou 1 800 661 8627*
Quelque 250 suites, superbement décorées. Bon rapport qualité-prix pour les familles. $$-$$$

University of Calgary Housing
2500 University Dr North-West, tél. 220 3210
Chambres universitaires disponibles pendant les vacances d'hiver et d'été seulement. $

– Edmonton
Alberta Place Suite Hotel
10049 103rd Street, tél. 423 1565 ou 1 800 661 3982
Suites confortables avec kitchenette. $-$$

Delta Edmonton Center Suite Hotel
10222 102nd Street, tél. 429 3900 ou 1 800 268 1133
Installé dans le centre commercial Eaton, un hôtel installé en plein centre-ville. $$-$$$

Edmonton International Hostel
10647 81st Avenue, tél. 988 6836 ou 1 877 467 8336
Un couvent, joliment reconverti en auberge de jeunesse avec dortoirs et chambres doubles. $

The Fairmont Hotel Macdonald
10065 100th Street, tél. 424 5181 ou 1 800 441 1414
Vieille bâtisse, superbement restaurée. $$-$$$

Union Bank Inn
10053 Jasper Ave, tél. 423 3600 ou 1 888 423 3601
Chaque chambre de cette charmante petite auberge offre une décoration singularisée. $$

– Banff
La liste des B&B est disponible à l'office de tourisme.
Banff International Hostel
Tunnel Mountain Rd, tél. 762 4122
Dortoirs, chambres simples ou familiales. $

Banff International Hotel
333 Banff Ave, tél. 762 5666 ou 1 800 665 5666
À quelques minutes à pied du downtown. $$-$$$
The Fairmont Banff Springs Hotel
405 Spray Ave, tél. 762 2211 ou 1 800 441 1414
Un club-hôtel, réputé pour son parcours de golf. $$$

Irwin's Mountain Inn
429 Banff Ave, tél. 762 4566
À 1 km de la ville, une auberge récemment rénovée. Quelques suites sont aménagées avec kitchenette. $$

Tunnel Mountain Chalets
Tunnel Mountain Rd, tél. 762 4515 ou 1 800 661 1859
Quelque 75 chalets équipés d'une grande cuisine, situés à 2,5 km de la ville. Idéal pour les familles. $$

– Jasper
The Fairmont Jasper Park Lodge
Old Lodge Rd, tél. 852 3301 ou 1 800 441 1414
Implanté dans un agréable cadre, disposant d'un golf et de nombreuses activités sportives, sans doute le plus bel hôtel des Rocheuses. $$$

Jasper Inn Alpine Resort
99 Geiki Street, tél. 852 4461 ou 1 800 661 1933
Studios et appartements équipés. Nombreuses activités sur site. $$-$$$

Pine Bungalows
2 km à l'est de Jasper, tél. 852 3491
Chalets installés au bord de la rivière Athabasca. Épicerie, lavomatic et boutique de souvenirs. Ouvert de mai à mi-octobre. $-$$

Wapiti Campground
5 km au sud de Jasper, Highway 93, tél. 852 6176
Plus de 360 places, dont 40 équipées avec électricité. Ouvert toute l'année.

– Lake Louise
Lake Louise Inn
210 Village Rd, tél. 522 3791 ou 1 800 661 9237
Vaste domaine proposant plusieurs possibilités d'hébergement allant de la chambre de luxe à l'appartement avec cuisine. $-$$

Mountaineer Lodge
101 Village Rd (à 3 km du lac Louise), tél. 522 3844
Chambres doubles ou suite à 2 chambres, certaines avec vue sur la montagne. Jaccuzi et sauna. Ouvert de mai à octobre. $$-$$$

Paradise Lodge and Bungalows
105 Lake Louise Dr, tél. 522 3595
Studios rustiques à quelques minutes du lac. Fermé en hiver. $$-$$$

LA COLOMBIE BRITANNIQUE

Indicatifs régionaux : 604 (Vancouver et sa région) ; 250 (les îles et l'est de la province)

COMMENT SE DÉPLACER

En avion
Vancouver International Airport
Situé au sud de Vancouver sur Sea Island, l'aéroport (*tél. 276 6101*) est desservi par les principales compagnies aériennes américaines, européennes et asiatiques. De nombreuses compagnies, dont AirTransat, Air Canada (*tél. 688 5515* ou *1 800 663 9826*), Horizon et Northwest, locales rallient le nord de la Colombie britannique et le Yukon.
Navettes
Vancouver Airporter Service, *tél. 946 8866*

En train
– Vancouver
VIA Rail
Pacific Central Station, 1150 Station St,
tél. 1 800 561 8630
La compagnie assure des liaisons entre Prince Rupert, Alberta et le reste du Canada, ainsi que des lignes entre Victoria et les villes de la côte sud de l'île de Vancouver.
– North Vancouver
BC Rail
1311 West 1st St, tél. 984 5246
Trains en partance du nord de Vancouver pour Prince George ; connexions avec VIA Rail assurées.
Rocky Mountain Rail Tours
Tél. 1 800 665 7245
En saison, excursions de deux jours entre Vancouver et Banff (Alberta), avec escale de nuit à Kamloops.

En car
La gare routière de Vancouver se situe près de la gare ferroviaire.
Greyhound
Liaisons dans toute la Colombie britannique.
Tél. 662 3222 ou *1 800 661 8747*
Pacific Coach Lines
Départ toutes les 2 heures pour Victoria.
Tél. 662 8074

En ferry
Plus de 40 lignes entre Victoria, Vancouver et d'autres ports sur la côte. À noter, l'« Inside Passage » au départ de Port Hardy, sur l'île de Vancouver, jusqu'à Prince Rupert : une superbe croisière d'une journée dans les fjords et étroits chenaux.
BC Ferries
1112 Fort Street, Victoria, BC V8V 4V2,
tél. 1 800 663 6000

Transports urbains
BC Transit
Vancouver, tél. 521 0400 ; Victoria, tél. 382 6161

OFFICES DE TOURISME

Tourism British Columbia
Box 9830, Station Provincial Goverment, 3rd floor, 1117 Warf Street, Victoria, BC V8W 9W5, tél. (250) 387 1642 ou *1 800 663 6000, www.travel.bc.ca*
Travel Vancouver
Plaza Level, 200 Burrard St, Vancouver, BC V6C 3L6 tél. (604) 682 2000 ou *1 800 667 3306*
Victoria Visitor Bureau
812 Wharf St, Victoria, BC V8W 1T3, tél. (250) 382 2127

CULTURE ET LOISIRS

– Vancouver
Vancouver Art Gallery
750 Hornby St, tél. 662 4700
Parmi les peintures exposées se distinguent celles d'Emily Carr, peintre canadienne de renom, disparue en 1945. Elle a admirablement fixé sur ses toiles les Amérindiens et la côte Ouest. Ouvert de 10 h à 18 h (21 h le jeudi). Entrée payante.
Centre-ville
C'est un étrange mélange d'architecture pionnière, forgée par l'arrivée du Canadien Pacifique en 1887, et d'édifices Art déco, tel le **Marine Building** (*355 Burrard St*), en total contraste avec les immeubles modernes qui se profilent à l'horizon. Au nord, **Gastown** est ornée de constructions victoriennes, tandis qu'à l'est apparaît **Chinatown**. Là se dresse le **Centre culturel chinois** (*50 East Pender St*). Derrière le centre, une oasis de fraîcheur, protégée par de hauts murs, porte le nom de **Jardin du docteur Sun Yat-Sen** (*578 Carrall St, tél. 698 7133*), ouvert tous les jours de 10 h à 19 h, entrée payante. Ce jardin d'un hectare s'inspire du style Ming. L'**Architectural Institute of British Columbia** (*131 Water St, Suite 103, tél. 683 8588*) organise des visites gratuites de Vancouver, en français, à condition de réserver.
Vancouver Public Aquarium and Zoo
Il se situe dans **Stanley Park**, une péninsule couverte de 400 ha de jardins et de forêts, au nord de Vancouver.
Face à l'océan, l'aquarium abrite le monde enchanteur de la faune maritime du Pacifique : dauphins, bélugas, phoques, parmi des poissons exotiques aux couleurs phosphorescentes. Ouvert tous les jours de 10 h à 17 h30 (jusqu'à 19 h en juillet-août). Entrée payante.
Des sentiers de randonnée et des pistes cyclables mènent aux superbes sites qui jalonnent le parc et la côte. Des bicyclettes peuvent se louer auprès de Stanley Park Rentals, situé à l'angle de West Georgia St et de Denman St (*tél. 688 5141*).

– Sunshine Coast
La côte au nord de Vancouver est essentiellement accessible par la mer, grâce aux ferrys. Ils se rendent dans chacune des charmantes villes portuaires de la baie Géorgienne, adossées à des forêts émaillées de lacs : **Langdale, Gibsons, Powell River**, ainsi que **Lund** que prolonge le **Désolation Sound Marine Park**. Ce vaste parc, baigné par des courants chauds, est le lieu idéal pour l'observation d'une incomparable faune maritime. Renseignements détaillés (*tél. 604-898 3678*).

– Gulf Island
Un chapelet d'îles, dont Salt Spring est la plus fréquentée, sépare Vancouver de Victoria. Elles sont généralement bien équipées, notamment pour ce qui est des B&B, mais elles ont su préserver des étendues à l'état sauvage, ainsi qu'une certaine qualité de vie.

– Île de Vancouver
Royal British Columbia Museum
Belleville St, tél. 387 3701
Retrace la passionnante histoire de la ville et de la côte Ouest. Ouvert de 9 h à 17 h. Entrée payante.
Butchart Gardens
800 Benvenuto Avenue, tél. 652 4422
Nombreuses sont les espèces de fleurs, de plantes et d'arbres qui font de ce jardin botanique de 25 ha un paradis végétal. Des concerts y sont donnés en été. Ouvert de 9 h à 23 h. Entrée payante.

Festivals et fêtes
Mai : Vancouver International Children's Festival (les meilleurs spectacles pour enfants).
Juin : Maurier Jazz Festival.
Juillet : Cattle Drive (Kamloops revit le Far West). Nanaimo Marine Festival (dans la baie Géorgienne).
Octobre : Vancouver International Film Festival

Spectacles
– Vancouver
Arts Club Theatre
1585 Johnson St, Granville Island, tél. 687 1644
Théâtre moderne, drames et comédies de mœurs.
Orpheum Theatre
Angle Smythe St et Seymour St, tél. 684 9100
Belle allure intérieure pour accueillir l'orchestre symphonique de Vancouver.
Queen Elizabeth Theatre
Angle Hamilton St et Georgia St, tél. 665 3050
Opéra et comédies musicales.

– Victoria
McPherson Playhouse
3 Centennial Square, tél. 386 6121
Vieux théâtre rénové. Comédies, drames et opéra.

The Royal Theatre
805 Broughton St, tél. 386 6127
Accueille le Victoria Symphony Orchestra.

NATURE ET SPORTS

Vallée de l'Okanagan et Silmilkameen
Cette région de rivières qui traverse une vallée couverte de vignes et de vergers, avec lacs et montagnes, est propice aux sports nautiques l'été et au ski l'hiver ; activités exercées aussi dans les parcs :
Manning Provincial Park
Tél. 250-840 8836
Cathedral Provincial Park
Tél. 250-494 6500
Kootenay Country
Les monts Kootenay, au sud-est de la province, surplombent le fleuve Columbia et forment le lac Arrow.
Kokanee Glacier Provincial Park
Tél. 250-8253500
Domine les lacs Kootenay et Slocan et compte plusieurs sentiers de randonnée.

– Garibaldi Provincial Park
Au nord-ouest de Vancouver, les deux montagnes Whistler et Blackcomb forment le plus grand domaine skiable du Canada, dans un paysage sublime, avec 1 500 m de dénivellement. Réservations d'hôtels depuis Vancouver (*tél. 685 3650*).
Whistler Mountain
Route 99, tél. 932 3434
Blackcomb
Route 99, tél. 932 3141

OÙ SE RESTAURER

– Vancouver
The Cannery Seafood Restaurant
2205 Commissioner St, tél. 254 9606
L'un des meilleurs restaurants spécialisés dans la cuisine de la côte Ouest. $$$
Le Crocodile
909 Burrard St, tél. 669 4298
Excellente nourriture française, choix varié de bons vins et spécialités de la mer. $$$
Liliget Feast House
1724 Davie St, tél. 681 7044
Cuisine au feu de bois. $$
Salmon House on the Hill
2229 Folkstone Way, West Vancouver, tél. 926 3212
Excellent saumon grillé et vue panoramique. $$

– Victoria
Dilettante Cafe
787 Fort St, tél. 381 3327
Meilleur restaurant végétarien de la ville. $

Sooke Harbour House
1528 Whiffen Spit Road, Sooke, tél. 642 3421
Pour un dîner romantique, à 40 km de Victoria. Délicieux fruits de mer. Beau décor. $$$

Spinnakers Brew Pub and Restaurant
308 Catherine St, tél. 386 2739
Ambiance décontractée pour déguster des spécialités et des bières régionales. $

– Whistler
Grassroots Cafe
4295 Blackcomb Way, tél. 938 0331
Très fréquenté. Bonne sélection de plats végétariens. $

VIE NOCTURNE

– Vancouver
Commodore Ballroom
868 Granville St, tél. 739 7469
The Dover Arms
961 Denman St, tél. 683 1929
Irish Heather
217 Carrall St, tél. 688 9779
Steamworks Brewery
375 Water St, tél. 689 2739

– Victoria
Boom Boom Room
1208 Wharf St, tél. 381 2331
Cuckoo's Nest
Strathcona Hotel, 919 Douglas St, tél. 383 7137
Spinnaker Brew Pub
308 Catherine St, tél. 386 2739
Sticky Wicket
919 Douglas St, tél. 383 7137

– Whistler
Garfinkel's
Unit j, 7308 Main St, tél. 932 2323

OÙ LOGER

L'office de tourisme publie *British Columbia Accommodations Guide and B&B Directory*, et s'occupe des réservations sans commission.
Western Bed & Breakfast Innkeepers Association
www.wcbbia.com

– Vancouver
Four Seasons Hotel
791 W. Georgia St, tél. 689 9333 ou 1 800 268 6282
Le plus prestigieux des hôtels de Vancouver. Adjacent au Pacific Center Mall. $$$

The Fairmont Hotel Vancouver
900 W. Georgia St, tél. 684 3131 ou 1 800 441 1414
Vastes chambres aux charmes démodés. $$$

Sylvia Hotel
1154 Gilford St, tél. 681 9321
Superbes vues sur English Bay et chambres confortables. Très prisé en été ; réservation conseillée. $-$$

UBC Conference Center
5961 Student Union Boulevard, tél. 822 1010
Chambres estudiantines dans un splendide campus universitaire. Hébergement à moindre coût toute l'année. Installations mises à disposition. $

Westin Bay Shore
1601 W Georgia St, tél. 682 3377 ou 1 800 837 8461
Entre mer et montagnes, dans le Stanley Park. Chambres spacieuses. $$$

– Victoria
Château Victoria Hotel
740 Burdett Avenue, tél. 382 4221 ou 1 800 663 5891
Vastes chambres confortables. $$

The Edwardian Inn
135 Medana St, tél. 380 2411 ou 1 888 388 0334
Petit hôtel confortable dans quartier résidentiel. $

The Fairmont Empress
721 Goverment St, tél. 384 8111 ou 1 800 441 1414
Bel hôtel aux chambres joliment décorées. Le salon de thé est très couru. $$$

Royal Scot Suite Hotel
425 Québec St, tél. 388 5463 ou 1 800 663 7515
Chambres agréables ; studios pour longs séjours. $$

– Whistler
Delta Whistler Resort
450 Whistler Way, tél. 932 1982 ou 1 800 515 4050
Adresse préférée des skieurs. Tarifs un peu moins élevés en été. $$$

Durlacher Hof Alpine Country Inn
7055 Nesters Rd, tél. 932 1924 ou 1 877 932 1924
Accueil à l'autrichienne dans cette pension très alpine. Vue sur la montagne, sauna et Jaccuzi. $$

Hostelling International Whistler
5678 Alta Lake Rd, tél. 932 5492
Un lodge aux aspects les plus rustiques, installé sur les rives du lac Alta. Salle de bains commune. $

LE YUKON

Indicatif régional : 403

COMMENT SE DÉPLACER

En avion

L'aéroport de Whitehorse accueille essentiellement les avions d'Air Canada (*tél. 1 800 361 7535*), au départ de Vancouver. Par ailleurs, des pistes ont été aménagées près des agglomérations afin de recevoir les vols des compagnies régionales, qui assurent également les liaisons intérieures. Basés à Whitehorse, Air North (*tél. 668 2228*) propose des vols pour l'Alaska et Alkan Air (*tél. 1 800 661 0432 ou 1 800 764 0407*) assure des liaisons dans le Yukon avec connexions pour la Colombie britannique et les Territoires du Nord-Ouest.

Bien que chers, ces déplacements en avion, hydravion, voire hélicoptère, se pratiquent couramment. Sociétés répertoriées aux offices de tourisme.

En train

Il s'arrête à White Pass, à la frontière de l'Alaska. Il faut ensuite prendre un car ou se rendre en voiture à Whitehorse. Renseignements auprès de White Pass & Yukon Route Railway (*tél. 1 800 343 7373*).

En car

Whitehorse est reliée à Vancouver ou à Edmonton par des cars confortables et climatisés :
Greyhound Lines of Canada
2191 Second Avenue, tél. 1 800 661 8747

Dawson est le point de départ des cars de Gold City Tours (*tél. 993 5175*) circulant en été.

En ferry

De Prince Rupert, en Colombie britannique, des ferries desservent Skagway, en Alaska. On peut ensuite se rendre au Yukon en voiture. L'itinéraire offre de merveilleux panoramas du littoral. Se renseigner auprès de Holland American Line Cruises (*tél. 1 888 252 7524*) ou BC Ferries (*tél. 250 386 3431*).

En bateau

Le fleuve Yukon, fréquenté depuis plus d'un siècle pour pénétrer le territoire, assure toujours des liaisons entre Dawson et Yellowknife. Le bateau à moteur a remplacé celui à vapeur, muni de roues à aubes, mais le voyage est toujours aussi excitant.

En voiture

En raison des climats extrêmes sous cette latitude, et en fonction de l'emplacement, au sud ou au nord du territoire, il est fortement recommandé de prendre des précautions : s'équiper de vêtements adaptés, prévoir des réserves d'essence, de nourriture et de boisson. Renseignements sur l'état des routes au Yukon Road Report (*tél. 667 8215*).

A SAVOIR SUR PLACE

Association franco-yukonaise
Whitehorse, tél. 668-2663
Installée depuis un siècle dans le territoire, la communauté francophone est fière de ses origines. Elle s'active au sein de l'association et renseigne sur son histoire, liée à celle du Yukon.

Urgences à Whitehorse
Tél. 667 3333 ou 667 5555
Ces deux numéros de téléphone peuvent être composés gratuitement de toutes les régions du Yukon. En raison de l'étendue du territoire, il est prudent de s'informer, dès l'arrivée dans une agglomération, du contact local de ces organismes.

Offices de tourisme

Tourism Yukon
Liste des hébergements, restaurants, stations-service et campings du Yukon dans la brochure *Yukon Vacation Guide*. Cartes routières et autres brochures sur demande à Yukon Tourism :
Box 2703, Whitehorse, Yukon Y1A 2C6, tél. 667 5340 ou 1 800 661 0408, www.touryukon.com
Dawson
Angle de Front St et de King St, tél. 993 5566
Watson Lake
Angle de Robert-Campbell St et d'Alaska Highway, tél. 536 7469
Beaver Creek
Tél. 862 7321
Haines Junction
Tél. 634 2345

CULTURE ET LOISIRS

– Whitehorse
Yukon Arts Centre
Yukon Place, tél. 667 6325
Belle bâtisse abritant une galerie d'art, un théâtre, ainsi qu'un amphithéâtre en plein air.

L'histoire de la ville se lit sur ses édifices et l'une des meilleures possibilités de la découvrir est de participer à l'une des visites organisées par la Yukon Historical & Museums Association (*Donnenworth House, 3126 Third Avenue, tél. 667 4704*).

– Fleuve Yukon
En amont de Whitehorse, les rapides empruntent un couloir entre deux hautes falaises de roches basaltiques. Le spectacle est grandiose et peut être survolé en hélicoptère. Dans ce dernier cas, il faut contacter la société Trans-North Helicopters (*tél. 633 4767*).

– Dawson
La découverte de l'or en quantité, un certain jour du mois d'août 1896, fit date dans la région. Le ruisseau de la rivière Klondike fut alors baptisé Bononza Creek. Cette découverte est à l'origine d'une épopée célèbre, la ruée vers l'or.

Là où la Klondike rencontre le Yukon, naquit Dawson. Le rêve se perpétue car, aujourd'hui, les voyageurs peuvent tenter leur chance dans les ruisseaux Bonanza et Eldorado. Une visite du site aurifère est organisée par Claim 33 (*tél. 993 5804*).

Spectacles et fêtes
Février : Yukon Quest International Sled Dog Race (course de traîneaux à chiens à Whitehorse).
Yukon Sourdough Rendez-vous (à Whitehorse).
Juillet : Yukon Gold Panning Championships (Dawson organise un concours de chercheurs d'or).
Dawson City Music Festival (concerts en plein air).

Spectacles
Whitehorse
Des comédies musicales se donnent dans les salles des hôtels **Capitol** (*103 Main St, tél. 667 4682*) et **Westmark** (*angle de Second Avenue et de Wood St, tél. 668 2042*).

NATURE ET SPORTS

Prendre les mêmes précautions que celles mentionnées pour les déplacements en voiture. En effet, en raison de l'étendue des parcs et des changements climatiques, dans des régions parfois désertes, il est obligatoire de signaler son passage aux bureaux d'accueil des parcs. Il faut également être parfaitement équipé pour pratiquer des activités sportives ,notamment avoir des vêtements de rechange, une trousse de premiers secours et constamment évaluer les approvisionnements : essence, vivres, boissons.

Un minimum de connaissance de la faune locale permet d'en respecter l'habitat et de s'en approcher avec prudence. Cependant, il est une espèce aux piqûres redoutables, la mouche noire, répandue dans les régions nordiques du Canada. Une moustiquaire, des vêtements couvrants et des produits de protection adaptés vous en protégeront.

Parc national de Kluane
Haines Junction, tél. 634 7201
A l'est de Whitehorse, se dresse le plus haut sommet du Canada, le mont Logan, qui culmine à plus de 6 000 m et surplombe d'immenses glaciers. Le site comporte de nombreux sentiers ; une paire de jumelles permettra d'observer les animaux qui vivent dans ces lieux. Pour des informations sur les divers sports praticables ainsi que leurs organisateurs, contacter la Wilderness Tourism Association of the Yukon à Whitehorse (*tél. 1 800 221 3800*).

Randonnée pédestre
La **Chilkoot Trail** suit la trace des chercheurs d'or et débute à Dyea, à 15 km de Skagway, au sud de la capitale, où les randonneurs devront s'enregistrer. Pour plus de renseignements, s'adresser à :

Canadian Heritage Parks Canada
300 Main St, bureau 205, Whitehorse, tél. 667 3910

Rafting, canoë et kayak
Sur le Yukon, au départ du village de Carmacks, en direction de Dawson, apparaissent des rapides. Les descentes en eaux vives se font sur des rivières classées, dont **Alsek** et **Tatsenshini**. La **Firth**, au nord, traverse la toundra et le **parc national Ivvavik**, royaume des Inuit. Il est fortement recommandé de participer à des excursions organisées.

Chasse et pêche
Les principaux sites sont accessibles en avion et les organisateurs apporteront de précieux conseils pour chasser le mouflon, le caribou et l'ours, ou pour pêcher toutes sortes de saumons. Le choix peut se porter sur des installations luxueuses ou le camping en bord de rivière. Permis obligatoire.

Traîneau à chiens
A Whitehorse, des professionnels donnent aux amateurs une formation de base, avant qu'ils ne se lancent dans cette aventure. De décembre à mars.

OÙ SE RESTAURER

– Whitehorse
Alpine Bakery
411 Alexander St, tél. 668 6871
Outre les délicieuses pâtisseries, cette boulangerie se spécialise dans les plats à emporter en excursions. $
The Cellar Dining Room
Edgewater Hotel, 101 Main St, tél. 667 2572
Excellents steaks, homards et poissons. $$$
Chocolate Claim Bakery and Café
305 Strickland St, tél. 667 2202
Café-bar style européen. Bons plats légers. $
Konklide Rib & Salmon BBQ
2116 2nd Ave, tél. 667 7554
Le plus vieil édifice de la ville abrite un restaurant spécialisé dans les viandes de bœuf sauvage, bison et caribou. $$- $$$

VIE NOCTURNE

– Dawson City
Diamond Tooth Gertie's
Angle de Fourth et de Queen St, tél. 993 5575
Westminster Hotel Tavern
Angle de Queen St et 3rd St, tél. 993 5463

– Whitehorse
Frantic Follies
Westmark Whitehorse Hotel, 201 Wood St, tél. 668 2042

OÙ LOGER

– Haines Junction
Dalton Trail Lodge
Tél. 667-1099
A l'entrée du Kluane National Park, ce gîte est luxueusement installé, dans un superbe paysage. Chambres, en pension complète. Des forfaits sont également proposés pour des séjours plus longs. $$$

– Beaver Creek
Westmark Inn
Alaska Highway, Km 1202, tél. 862 7501
Même confort qu'à Dawson, plus l'avantage d'un relais routier dans les immenses étendues nordiques. $$$

– Whitehorse
Hawkins House B&B
303 Hawkins St, tél. 668 7638
Élégante demeure victorienne convertie en B&B. $$
River View Hotel
102 Wood St, tél. 667 7801
Les chambres donnent sur le fleuve. $$
Westmark Klondike Inn
2288 2nd Avenue, tél. 668 4747 ou 1 800 544 0970
Hôtel moderne au décor soigné, avec de belles vues sur les montagnes. Il est équipé d'un bar, d'un restaurant et d'un cabaret. $$

– Dawson City
Dawson City Bunkhouse
Angle de Princess et Front Sts,
tél. 993 6164 ou 1 800 764 3555
Récent mais sommaire. $
Westmark Inn Dawson City
Angle de Fifth et Harper Sts,
tél. 993 5542 ou 1 800 544 0970
Situé au cœur de la ville, il appartient à une prestigieuse chaîne d'hôtels. Les steaks, préparés lors de son Konklide Barbecue, sont très appréciés. $$

LES TERRITOIRES DU NORD-OUEST ET LE NUNAVUT

Indicatifs régionaux : 403 (Territoires du Nord-Ouest) ; 819 (Nunavut, y compris Keewatin et la terre de Baffin ; île d'Ellesmere)

COMMENT SE DÉPLACER

En avion

Faute d'aéroport international, les compagnies venues du monde entier atterrissent à Edmonton, (Alberta), à Ottawa ou à Montréal. Pour atteindre et se déplacer dans une région aussi vaste, il est nécessaire d'exploiter un réseau de lignes régionales.

Air Canada assure des vols au départ d'Edmonton pour Yellowknife, la capitale. Quand à First Air (*tél. 1 800 267 1247*), Canadian Air (*tél. 1 800 661 1505*) ou Northwest Air (*tél. 867 920 7110*), ces compagnies assurent des liaisons avec les Territoires du Nord-Ouest et atterrissent à Inuvik, Hay River et Fort Smith. De nombreuses compagnies de charter ou des avions-taxis, installées à Yellowknife, peuvent transporter les voyageurs vers à peu près toutes les destinations à l'ouest de la Hudson Bay. Contacter les offices de tourisme et comparer les prix, parfois élevés.

En car

Greyhound (*tél. 1 800 661 8787*) assure des liaisons entre Edmonton et Yellowknife.

En voiture

De la province d'Alberta, prendre la Highway 1. De la Colombie britannique, elle est précédée par la Highway 7. Ces tronçons d'autoroutes sont asphaltés mais, en pénétrant dans le territoire, ils se prolongent par des pistes, généralement en bon état. Des ferrys prennent le relais des routes lorsque celles-ci débouchent sur des rivières – franchissables en hiver lorsqu'elles sont recouvertes d'une épaisse couche de glace. Cependant, il est recommandé d'éviter les périodes de gel et de dégel.

Les mêmes précautions que celles mentionnées pour le Yukon sont à prendre ici, en raison de l'étendue du territoire et des possibilités d'incidents, comme une panne ou une crevaison : prévoir des roues de secours et des outils en bon état. Sont également très utiles : une pelle pour déblayer la neige, une corde de remorque, une hache pour couper du bois, des allumettes, des bougies, des produits anti-mouches et moustiques, des vêtements de rechange et un sac de couchage.

Organismes à contacter pour tous renseignements :
Réseau routier Sud : *tél. 1 800 661 0752*
Ferrys : *tél. 1 800 661 0751 ou 1 867 873 7799*
Réseau routier Nord, ferry : *tél. 1 800 661 0752*

OFFICES DE TOURISME

– Yellowknife
NWT Artic Tourism
Distribue le guide l'*Explorers' Guide.*
Box 610, Yellowknife, NWT X1A 2N5, tél. 873 7200 ou 1 800 661 0788, www.nwttravel.nt.ca
– Iqaluit
Nunavut Tourism
Ce nouveau territoire publie son propre guide, *Artic Traveler.*

Box 1450, Iqaluit, NWT X0A 0H0, tél. (867) 979 6551 ou 1 866 686 2888, www.nanavuttourism.com
– Fort Smith
Visitors Centre
Portage Road
– Inuvik
Visitor Centre
Mackenzie Road, tél. 979 2678
– Tuktoyaktuk
Western Arctic Tourism Association
Tél. 1 800 661 0788
– Iqaluit - Terre de Baffin
Visitors Centre Unikkaarik
Tél. 819 979-4636
Le long de la baie, au sud-est de la ville.

CULTURE ET LOISIRS

– Yellowknife
Prince of Wales Northern Heritage Centre
50th St, Frame Lake, tél. 873 7551
Études ethnologiques et historiques de la région sont les principaux thèmes abordés. Le centre retrace la vie des Denes et des Inuit et expose leurs sculptures et travaux artisanaux. Les pionniers, qui ont participé à la création du territoire tel qu'il est aujourd'hui, sont également évoqués. Ouvert de 10 h 30 à 17 h 30. Entrée libre.
Bush Pilot's Monument
Franklin Avenue
Érigé sur le plus haut rocher de la ville, il est consacré aux audacieux pilotes qui ouvrirent la route du Grand Nord. Son emplacement permet de poursuivre la visite par la découverte de la vieille ville, bâtie sur une presqu'île de la baie.

– Fort Smith
Northern Life Museum
National Exhibition Centre
110, King St, tél. 872 2859
Le centre est consacré à l'époque du commerce des fourrures et expose les objets et le matériel utilisés par les pionniers dans leur vie quotidienne. Parallèlement, des témoignages de la culture amérindienne, des sculptures inuit, ainsi que des documents sur les bisons, sont présentés. Ouvert de 9 h à 17 h (à 13 h le week-end). Entrée libre.
A proximité, la rivière Slave, autrefois fréquentée par les explorateurs à bord de canots, comporte un poste d'observation qui permet d'admirer les pélicans blancs.

– Inuvik
En partant du Yukon par la Highway 5, de grandioses paysages de montagnes et de toundra se succèdent jusqu'à Inuvik et le delta du fleuve Mackenzie, qui se jette dans la mer de Beaufort. L'église **Notre-Dame-de-la-Victoire**, située dans *Mackenzie Road*, se présente en forme d'igloo. L'intérieur s'orne de peintures murales remarquables, réalisées par Mona Trasher, une artiste inuit. Demander l'autorisation de visiter le presbytère. A proximité, également dans Mackenzie Road, le **Centre de recherche scientifique** communique des informations relatives aux territoires du Grand Nord. Il ouvre en semaine de 9 h à 17 h.

– Iqaluit
Musée Nunatta Sunagutangit
A proximité du bureau d'information touristique, ce musée contient des objets artisanaux, témoins de la vie des premiers habitants du territoire.
Près de l'aéroport, des entrepôts abritent de superbes sculptures inuit qui, en provenance des régions arctiques, sont vendues à prix raisonnable.

Festivals et fêtes
Mars : Nunavut Trade Show (à Iqaluit).
Avril : Toonik Tyme (Iqaluit fête le printemps : golf sur glace, courses de traîneaux et de motoneige).
Juillet : Festival of the Midnight Sun (à Yellowknife, artisans, commerçants et galeries font connaître la culture du Grand Nord).
Folk on the Rocks (artistes réputés, dont chanteurs denes et inuit, à Yellowknife).
Great Northern Arts Festival (à Inuvik).

NATURE ET SPORTS

Parc national de Nahanni
Il englobe l'un des deux plus grands lacs du Canada, le grand lac des Esclaves, appellation qui provient du nom d'une tribu amérindienne, les Slavey. Le second, le grand lac de l'Ours, se situe au nord-ouest du territoire. Ce magnifique parc n'est pas directement accessible par la route. De Fort Simpson (*tél. 695 3182* ou *1 800 661 0788*), il est possible de louer un avion-taxi, afin d'y atterrir. Classé au patrimoine mondial, il abrite les vertigineuses **chutes Virginia**, des rivières et des torrents dont les eaux vives se prêtent à la pratique de nombreux sports : canoë, kayak, rafting, et escalade.
Ingraham Trail
Cette piste de randonnée mène à une succession de lacs, à l'est de la capitale. La faune présente se compose, entre autres, d'aigles, d'ours et de caribous.
Parc national Aulavik
Situé sur l'île de Banks, terre de chasse immémoriale des Thule, ce parc permet d'approcher la vie sauvage de l'Arctique. Des guides autochtones organisent dès le printemps des excursions en traîneaux à chiens, destinées aux amateurs de chasse ou aux photo-

graphes en quête d'ours polaires. Les oiseaux migrateurs y font une halte en période estivale. Pour plus de renseignements, contacter Western Arctic Tourism Association à Inuvik (*tél. 979 2434*).

Parc national Auyuittuq
Une couche glaciaire recouvre une bonne partie de ce parc, situé sur la péninsule de Cumberland, dans l'île de Baffin. Les glaciers, omniprésents, donnent une majesté aux lieux, difficilement accessibles. Quelques ponts sommaires en bois enjambent les eaux tourbillonnantes et froides des torrents, tandis qu'apparaissent à l'horizon les monts déchiquetés d'Asgard, Overlord et Thor.

La découverte de ce parc implique une bonne préparation et une santé parfaite, non seulement pour porter ses bagages, mais également en l'absence de secours proches. L'esprit aventurier est de rigueur mais la présence d'un guide homologué, indispensable. Enregistrement obligatoire auprès des bureaux d'accueil des parcs : à Pangnirtung (*tél. 819 473 8828*) ou à Broughton Island (*tél. 819 927 8834*). L'entrée du parc se fait par Overlord, situé dans le fjord de Pangnirtung, que l'on atteint par bateau ou motoneige, selon la période. Le prix, assez élevé, du trajet devra se négocier avant le départ.

Parc national de l'île d'Ellesmere
Les paysages de glaciers géants et de montagnes, telles le **mont Barbeau**, qui culmine à 2 700 m au-dessus de l'océan Arctique, sont impressionnants. Le **lac Hazen**, au cœur du parc, constitue le point de rencontre des expéditions, à la découverte de la faune : renards, loups, bœufs musqués, et d'une multitude d'oiseaux migrateurs. L'entrée du parc se fait par le fjord Tanquary. Là, aussi, les tarifs – souvent élevés – méritent d'être négociés avant de partir. Renseignements au bureau d'accueil de Pangnirtung (*tél. 819-473 8834*).

Parc national Wood Buffalo
Fort Smith (*tél. 872 7900*)
Le parc abrite d'importants troupeaux de bisons, et des grues blanches d'Amérique, qui y nidifient.

OÙ SE RESTAURER

– Inuvik
Green Briar Dining Room
Mackenzie Hotel, 185 Mackenzie Rd, tél. 777 2861
Caribou, bœuf sauvage et desserts maison sont les spécialités estivales de ce restaurant. **$$$**

– Yellowknife
Bullock's Bistro
4 Lessard Dr, tél. 873 3474
Tous les poissons du Nord en dégustation. **$**

The Prospector Bar & Grill
3506 Wiley Rd, tél. 920 7639
Poissons nordiques et gibier. **$$**
The Wildcat Café
3904 Wiley Road, tél. 873 8850
L'ambiance, chaleureuse, et de bons plats attirent une clientèle fidèle sur l'île de Latham, en ville. **$$**

OÙ LOGER

– Yellowknife
Le **Department of Tourism Development & Marketing**, *Suite 196, tél. 873 7200* ou *1 800 661 0788*, édite un « *Explorer's Guide* » répertoriant les hôtels, B&B et campings du territoire.
The Explorer Hotel
4625 49th Ave,
tél. (867) 873 3531 ou *1 800 661 0892*
Installations luxueuses. **$$**
Igloo Inn
4115 Franklin Ave, tél. 873 8511
Une quarantaine de chambres simples. **$**
Regency Discovery Inn
4701 Franklin Avenue, tél. (403) 873 4151
Chambres simples mais impeccables, dont certaines sont équipées d'une mini-cuisine. **$$**
Yellowknife Inn
Franklin Avenue et 50th St
tél. 873 2601 ou *1 800 661 0580*
Confortable hôtel, au cœur de la ville, avec restaurant, bar et salle de remise en forme. **$$**

– St John's
The Battery Hostel and Suites
100 Signal Hill, tél. 576 0040 ou *1 800 563 8181,*
www.batteryhotel.com
Édifié sur un site historique d'où la vue embrasse la ville et le port. **$$**

– Iqaluit
Discovery Lodge Hotel
1056 Apex Rd, tél. 979 4433, disclodge@nunanet.com
Hôtel central. **$$**
Frosbisher inn
PO Box 4209, tél. 979 2222 ou *1 877 422 9422*
Hôtel très fréquenté par les groupes. **$$**

– Cape Dorset
Kingnait Inn
PO Box 89, tél. 897 8863
17 chambres, dont 8 avec salle de bains privative. **$$**
Polar Lodge
Polar supplies Ltd., PO Box 150, tél. 897 8335
8 chambres avec TV et téléphone. Coordonne les excursions culturelles et sportives avec des guides de la région. **$$**

BIBLIOGRAPHIE

Histoire

Arsenault (B.), *Histoire des Acadiens*, Éd. Fides, Montréal, 1994.

Bideaux (M.), *Jacques Cartier, Relations (1536)*, Presses de l'Université de Montréal, 1986.

Brébeuf (J. de), *Écrits en Huronie*, Bibliothèque québécoise, Montréal, 1996.

Champlain (S. de), *La France d'Amérique, Voyages de Champlain (1604-1629)*, Imprimerie nationale, Paris, 1994.

Collectif (Linteau P.-A.), *Histoire du Québec contemporain (1867-1929)* ; *Le Québec depuis 1930*, 2 vol., Éd. Boréal, Paris, 1989 et 1994.

Collectif (Brown C., Linteau P.-A.), *Histoire générale du Canada*, Éd. Boréal, Paris, 1990.

Desrosiers (L.-P.), *Iroquoisie (1652-1665)*, 2 vol., Éd. du Septentrion, Paris, 1998.

Guillaume (P.), *Canada et Canadiens*, Éd. Presses Universitaires, Bordeaux, 1985.

Guiollard (P.-C.), *Klondike, Canada (1896-1996), Un siècle de ruée vers l'or*, Éd. PCG, Paris, 1996.

Lacoursière (J.), Provencher (J.), Vaugeois (D.), *Canada-Québec, synthèse historique*, Éd. Renouveau Pédagogique, Montréal, 1978.

Lafleur (N.), *Vie traditionnelle d'un coureur de bois aux xixᵉ et xxᵉ siècles*, Éd. Leméac, Montréal, 1973.

Provencher (J.), *Chronologie du Québec (1534-1995)*, Bibliothèque québécoise, Montréal, 1997.

Rioux (M.), *Les Québécois*, Éd. Le Temps qui court, Paris, 1974.

Saint-Pierre (A.), *Le Manitoba au cœur de l'Amérique*, Éd. des Plaines, Manitoba, 1994.

Tétu de Labsade (F.), *Le Québec, un pays, une culture*, Éd. Boréal/Seuil, Paris, 1990.

Trudel (M.), *Histoire de la Nouvelle-France*, Éd. Fides, Montréal, 1979.

Turner (G.), *Les Indiens d'Amérique du Nord*, Éd. Armand Colin, Paris, 1985.

Politique, sociologie

Beaulieu (A.), *Les Autochtones du Québec*, Éd. Fides, Montréal, 1997.

Collectif (Trudel P.), *Autochtones et Québécois*, Éd. Recherches amérindiennes, Montréal, 1995.

Collectif (Côté R.), *Québec 1998*, Éd. Fides/Le Devoir, Montréal, 1997.

Collectif (Dulait A., Bidard-Reydet D., Debarge M., Boyer A.), *L'Identité canadienne, quel avenir ?*, coll. Les rapports du Séna, J.O., Paris, 1995-1996.

Dupuis (R.), *La Question indienne au Canada*, Éd. Boréal, Paris, 1991.

Essais « Boréal Express » :

Bernard (A.), *Les Institutions politiques au Québec et au Canada*, Paris, 1995

Dauphin (R.), *Économie du Québec*, Paris, 1994

Le Scouarnec (J.-P.), *La Francophonie*, Paris, 1997

Pilette (L.), *La Constitution canadienne*, Paris, 1993

Sauvé (J.-.R.M.), *Géopolitique et l'avenir du Québec*, Paris, 1994.

Géographie

Collectif, *Atlas routier, Canada Est et Ouest*, 2 vol. Éd. Hildebrand, Francfort, 1994.

Collectif, *Atlas du Canada*, Éd. Sélection du Reader's Digest, Paris, 1995.

Collectif, *Splendeurs du Canada, les parcs nationaux*, Éd. du Trécarré, Montréal, 1992.

Littérature

Collectif, *Québec-Acadie, rêves d'Amérique*, roman, Éd. Omnibus, Paris, 1998.

Collectif, *Québec : des écrivains dans la ville*, Éd. L'Instant même, Montréal, 1995.

Findley (T.), *Nos adieux*, Éd. Le Serpent à plumes, Paris, 1998.

Godin (J.-C.), Mailhot (L.), *Le Théâtre québécois*, 2 vol., Éd. Bibliothèque québécoise, Montréal, 1988.

Mailhot (L.), *La Littérature québécoise*, Éd. Typo, Paris, 1997.

Therio (A.), *Conteurs canadiens-français (1936-1967)*, Éd. Typo, Paris, 1995.

Langue

Collectif, *L'Avenir du français au Québec*, Éd. Québec-Amérique, Montréal, 1987.

Desruisseaux (P.), *Dictionnaire des expressions québécoises*, Bibliothèque québécoise, Montréal, 1990.

Desruisseaux (P.), *Trésor des expressions populaires*, Éd. Fides, Montréal, 1998.

Proteau (L.), *Le Français populaire au Québec et au Canada*, Éd. Proteau, Montréal, 1991.

Divers

Brodeur (D.), Daignault (D.), *Les Grands du hockey*, Éd. de L'Homme, Montréal, 1998.

Collectif *Cuisine traditionnelle des régions du Québec*, Éd. de L'Homme, Montréal, 1996.

Collectif (Baud C., Brice I., Jacot M.), *Art inuit*, Éd. Fragments, Paris, 1997.

Dorion (J.), *Saveurs des campagnes du Québec*, Éd. de L'Homme, Montréal, 1997.

Lever (Y.), *Les Cent Films québécois qu'il faut voir*, Éd. Nuit Blanche, Québec, 1995.

CRÉDITS PHOTOGRAPHIQUES

Anthony Blake Photo Library 121
Archives Canada 16-17, 22, 27, 33, 35, 90
D.L. Aubry 42, 44
Axiom Photographic Agency-Chris Coe 85,
87g, 134-135, 143, 145, 155h, 160, 174h, 184,
194, 208, 212h, 224g-d, 226, 235, 236, 236h,
241, 260-261, 276h, 280, 280h, 294g-d, 320h
Ottmar Bierwagen 80, 81, 139, 139h, 140d,
141g, 142h, 144, 144h, 169
Bodo Bondzio 267, 297
Dirk Buwalda 167, 181h
Canada House 52-53, 62, 64, 68, 99, 100, 101,
105, 110, 111, 113, 115, 159, 168, 172, 230
Canadian Tourism Commission 102
Pat Canova 240, 244g&d, 247, 248, 249, 256-
257, 316
Maxine Cass 23, 282
Stuart Dee 272
Government of Québec 28, 87d, 114
Blaine Harrington 140g, 157, 158h, 181,
183g&d, 196h, 198, 254, 264h, 265, 266, 274h,
289, 291, 292h, 293, 299, 301, 307, 308h
Robert Harris-Archives Canada 50
M. Hetier 122-123, 199, 212, 225, 246
C.W. Jeffreys-Archives Canada 32, 34, 43, 49d
C. Kreignoff-Archives Canada 36, 37, 38
Joris Luyten-Cephas 118
Nancy Lyon 184
Chris Mack 179, 253
Mary Evans Picture Library 19, 40, 47, 51, 57,
60, 163
Metropolitan Toronto Library 56
Darien Murray 195, 197, 211h, 242
NHPA 202h, 333
Nova Scotia Tourism 231
**Office de tourisme canadien de la
Communauté urbaine de Québec** 41
Ontario Archives 24, 25, 46, 48g&d, 49g, 54-55,
58, 59, 61, 91
Ontario Ministry of Tourism 173g, 175
Paramount, Charles Bush 112
Province de la Colombie britannique 6-7, 276d
Carl Purcell 12-13, 86, 107, 178, 187
**Leanna Rathkelly-Whistler
Resort Assn** 4, 281
Raven Images 147
D. Richard 226h, 232
Charles Shugart 8-9, 275, 279, 304
David Simson 69
**Société régionale de développement de
Portneuf** 18
Ted Stefanski-Cephas 117
Joe Terbasket 20
Yves Tessier-Productions Tessima Itée 203

Tony Stone Worldwide 88, 95, 268-269
Topham Picture Point 65g, 98, 104, 106, 137,
141d, 142, 146
Tourism British Columbia 273, 274
Joe Viesti 3, 10-11, 14, 39, 66, 67, 72-73, 74, 75,
76g&d, 77g&d, 78g, 79g&d, 82, 83, 84, 96-97,
103, 124-125, 126-127, 136, 148-149, 150,
151, 153, 154, 155g&d, 161, 162d, 164, 165,
166, 170, 171, 173R, 174, 176-177, 182, 186,
190, 191, 200, 201, 204, 205, 206-207, 210,
213, 215, 216, 220, 221, 223, 227, 228, 229,
237, 243, 245, 262, 263, 277, 278g, 283, 286-
287, 288, 290, 292, 295, 298, 302g&d, 303,
305, 306, 308, 310, 311, 312, 313, 314, 315,
326, 329, 334
Voscar 65d, 119, 132, 156h, 200h, 202, 211, 214,
217, 218, 219, 228h, 233g&d, 234g&d, 243h, 246h
Harry M. Walker 78d, 89, 92, 93, 94, 116, 128,
258, 278d, 296, 301h, 321h, 323h, 318, 319,
321, 322, 330, 331
Werner Forman Archive 332
D. Wilkins 162g, 169, 250, 252, 255, 309
Young-Vancouver Public Library 30-31

Couverture (1er plat, dos et 4e plat) *Été indien*
© Renaud Philippe/Hoa-Qui
Encadrés (de gauche à droite et de haut en bas)
Pp. 70-71 : Voscar ; Design Archive-Robert
Burley ; CIBPR ; Robin Armour ; CIBPR ; Axiom
Photographic Agency-Chris Coe ; Tourism British
Columbia ; James Dow ; Canadian Museum of
Civilization. **Pp. 108-109** : Canadian Museum of
Civilization (2) ; Werner Forman Archive ;
Canadian Museum of Civilization ; Werner Forman
Archive (2) ; Canadian Museum of Civilization ;
Werner Forman Archive (2). **Pp. 188-189** : Mike
Hewitt-Action-Plus Photographic ; Dan Smith-
Allsport ; Harry M. Walker ; Image Bank ; Bob
Winsett ; Mike Hewitt ; Image Bank ; Ben Radford-
Allsport ; Didier Givois-Allsport. **Pp. 238-239** :
Topham Picture Point ; Voscar ; Peter Newark's
Pictures (2) ; T. Kitchin & V. Hurst-NHPA ;
Voscar (3). **Pp. 284-285** : David Middleton-
NHPA ; Stephen Krasemann-NHPA ; Harry M.
Walker (2) ; Kevin Schafer-NHPA ; Harry M.
Walker ; John Shaw-NHPA ; Harry M. Walker ;
David Middleton-NHPA ; Stephen Krasemann-
NHPA. **Pp. 324-325** : Harry M. Walker ; Valérie
Richard-Vandystadt Agence de Presse ; John
Shaw-NHPA ; B & C Alexander-NHPA ; Harry M.
Walker (2) ; B & C Alexander-NHPA ; Allsport-
Vandystadt ; Rod Planck-NHPA.
Cartes Polyglott Kartographie, Berndtson &
Berndtson Publications GmbH, Huber Kartographie.

INDEX

A

Abell's Cape, 247
Abitibi, 194
Abraham (plaines d'), 40, 200-202
Acadie, 33, 40, 219, 221, 229, 242
Agnes (lac), 294
Albanel (père), 30
Alberta, 289-296
Albert Bay, 278
Allemands, 80
Alma, 216
Amérique du Nord britannique, 43-44, 49, 50
Amundsen (Roald), 30, 330
Ancaster, 168
Anglophones, 80, 82-85
Annapolis (bassin de), 230-231
Anse aux Meadows, 254
Anticosti (île d'), 205
Arichat, 236
Arctique (archipel), 335
Athabasca (glacier), 294
Audy (lac), 313

B

Baddeck, 234
Badlands, 290, 302
Baffin (terre de), 30, 94, 335
Baffin (William), 30, 329
Baker Lake, voir Qamani'tuaq
Barkley (baie de), 278
Barkley Sound, 277
Barrington, 229
Bas-Canada, 44, 47, 48
Basin Head, 247
Bathurst, 219
Batoche, 305
Bathurst Inlet, 335
Battleford, 305
Bayfield, 172
Bay Fortune Area, 247
Bear Glacier, 280
Beauvert (lac), 295
Bedèque (baie de), 241
Bella Bella, 279
Béothuks, 27
Big Beaver, 302
Blue Heron Drive, 245
Blyth, 173

Boldt (château), 155
Bonaventure (île), 204
Bonavista (péninsule), 254
Bouchard (Lucien), 68, 85
Bouctouche, 218
Bourassa (Robert), 69, 84
Bourlamaque, 194
Brandon, 313
Brébeuf (Jean de), 35, 37
Bridgewater, 227
Brockville, 155
Broken Islands, 278
Brown (George), 49, 50
Bruce (péninsule de), 174
Burncoat Head, 232
Burnt Church, 219

C

Cabot (Jean), 28, 221, 249
Cabot (route de), 234
Calgary, 291-292
Cambria Snowfield, 280
Cameron (lac), 289
Campbell (Kim), 69
Campbelton, 219
Campobello (île), 216
Canadian Pacific Railway, 52, 57, 81
Cannington Manor, 301-302
Canso, 236
Cantons de l'Est, 191
Cap-Breton (île du), 233-234
Cape Dorset, 335
Cap-Egmont, 243
Cap Sainte-Marie, 229
Caraquet, 219
Carberry, 312
Cardston, 289
Cariboo (monts), 280
Caribou (route du), 280, 282
Carleton Martello, 213
Carr (Emily), 277
Cartier (Georges-Étienne), 50
Cartier (Jacques), 28
Cavell (mont Edith), 294
Cavendish, 245
100 Mile House, 281
Centenaire Nikka Yuko, 290
Champlain (Samuel de), 33-37, 160, 230
Chanson, 104
Charlottetown, 50, 244
Charte de la langue française, 64, 84
Chatham, 168, 218

Cheticamp, 235
Chibouctou (baie de), 222
Chic Chocs (monts), 204
Chilkoot, 322
Chinois, 81
Chrétien (Jean), 69, 85
Cinéma, 106
Clare, 229-230
Clark (Joe), 67
Clementsport, 230
Clinton, 174
Clode Sound, 254
Cobourg, 159
Cocagne, 218
Colbert (Jean-Baptiste), 38
Colbourne, 159
Colombie britannique, 273-282
Columbia Icefield, 294
Compagnie de la Baie d'Hudson, 49, 91, 273
Compagnies du Nord-Ouest, 273
Confédération, 48-49
Cook (James), 30, 273
Corner Brook, 253
Cornwall, 154
Côte gaélique, 235
Cypress Hills, 303

D-E

Dalhousie, 219
Dartmouth, 222, 223
Davis (John), 30
Dawson, 323
Deer (île), 216
Dempster Highway, 331
Dinosaures (piste des), 291
Dominion, 49, 50
Douglas (James), 276
Drapeau (Jean), 68
Dresden, 167
Drumheller, 291
Dundas, 168
Dundurn (château de), 169
Duplessis (Maurice), 60, 63, 64
Durham (Lord), 47, 48
East Point, 247
Écossais (fête des), 233
Edmonton, 295, 296
Edmundston, 211
Eldon, 246
Eriksson (Leif), 27
Estrie, 191
Évangéline, 230, 243

Date Due
Date De Retour

2 3 MAR. 2005			
1 8 FEV. 2008			
1 8 FEV. 2008			
0 8 MAR. 2010			